Knaur

D0318978

Patricia Traxler

Blutrot

Roman

Aus dem Amerikanischen
von Frauke Czwikla

Die amerikanische Originalausgabe erschien 2001 unter dem Titel
»Blood« bei St. Martin's Minotaur, New York.

Bitte besuchen Sie uns im Internet:
www.knaur.de

Deutsche Erstausgabe 2003
Copyright © 2003 by Patricia Traxler
Copyright © 2003 für die deutsche Ausgabe bei
Knaur Taschenbuch
Ein Unternehmen der Droemerschen Verlagsanstalt
Th. Knaur Nachf. GmbH & Co. KG, München
Alle Rechte vorbehalten. Das Werk darf – auch teilweise –
nur mit Genehmigung des Verlags wiedergegeben werden.
Redaktion: Ilse Wagner
Umschlaggestaltung: ZERO Werbeagentur, München
Umschlagabbildung: photonica
Satz: Ventura Publisher im Verlag
Druck und Bindung: Nørhaven Paperback A/S
Printed in Denmark
ISBN 3-426-62190-8

5 4 3 2 1

Für meinen Ehemann Patrick

Vorbemerkung
der Autorin

Obwohl in diesem Roman verschiedene Personen des öffentlichen Lebens und der Literaturwelt Erwähnung finden, sind alle Charaktere, ebenso wie die geschilderten Ereignisse, meine Erfindung. Zwar ähnelt das Larkin in mancher Weise dem ehemals zum Radcliffe gehörenden Bunting Institute, aber für jeden, der mit mir gemeinsam in jener Periode am Bunting studierte, ist deutlich erkennbar, dass keiner der in *Blutrot* geschilderten Charaktere sich an Menschen orientiert oder Personen ähnelt, die sich zu dieser Zeit an diesem Ort befanden. Der in *Blutrot* geschilderte Mord basiert in keiner Weise auf dem bis heute ungelösten Mord an einer meiner Mitstudentinnen während meines ersten Jahres am Bunting, obwohl dieser Vorfall den Keim für die Idee zu dieser Geschichte legte. Tatsächlich sind die einzigen Aspekte dieser Tragödie, die in dieser Geschichte aufgegriffen werden, das Leid, der Verlust und die Angst, die sie nach sich zog.

O denke daran
In deinen beklemmenden düsteren Stunden,
Dass mehr sich rührt
Als nur das Blut in deinem Herzen.

Louise Bogan, Night

Prolog

Obwohl sich in meiner Geschichte ein echter Mord ereignet, geht es eigentlich um die Brutalität der Liebe. Und trotz all der Ereignisse weiß ich noch immer nicht, was Liebe eigentlich ist – nur was sie auslöst. Wenn sie mir begegnet, nehme ich sie dankbar, aber vorsichtig an, elektrischem Strom oder Wind vergleichbar. Ich verstehe nicht, wie Strom erzeugt wird, aber ich weiß, dass er sowohl ein Zimmer erleuchten als auch töten kann; ich weiß nicht, woher der Wind kommt, aber ich habe gesehen, wie ganze Landstriche von ihm verwüstet worden sind, und dennoch an heißen Augusttagen die angenehme Brise genossen.

Die Liebe begegnete mir erst spät – vielleicht weil sich meine gesamte Vorstellungskraft auf das Malen konzentrierte, das mich völlig in Anspruch nahm. Lange Zeit bedeutete Sex für mich nur ein flüchtiges Vergnügen. Nach einer Dekade leerer Tändelei, einigen Jahren des Zölibats und zwei kurzlebigen Beziehungen verliebte ich mich mit vierunddreißig Jahren das erste Mal wirklich – in einen verheirateten Mann. Erst damals erfuhr ich die Liebe in all ihrer ungezügelten Großartigkeit.

Wenn man liebt, ist Sex wie ein Sakrament – selbst wenn die Kirche es Ehebruch nennt. Oder die eigene Mutter.

Meine Mutter war streng irisch-katholisch, mein verstorbener Vater ihr genaues Gegenteil, ein intellektueller Jude, der genau wie Freud Religion für eine Illusion hielt. Ich kann mir nicht vorstellen, was die beiden zusammengebracht hat. Meine Mutter fasste meine sexuelle Aufklärung in einer Anekdote zusammen. Sie erzählte mir, dass sie meinen Vater gezwungen hatte, vor dem Bett niederzuknien, bevor sie ihm erlaubte, die Freuden der Ehe zu genießen. Vater war Atheist, aber er wusste auch, was gut für ihn war, denn neun Monate später wurde ich geboren.

Offensichtlich ist Sex eine geheimnisvolle Kraft. Ich glaube nicht, dass ich vor Michael die geringste Vorstellung von der wirklichen Macht erotischen Verlangens besaß. Zusammen mit ihm lernte ich, dass man sich darin verlieren konnte, dass die eigene Welt sich auflöste, ihre Grenzen verschwammen. Alles, was zählte, war die nächste Berührung.

Ich musste oft darauf warten, weil ich das war, was allgemein »die andere Frau« genannt wird. Ein Begriff, der deutlich macht, dass man ein Anhängsel ist, wie tief die Liebe auch immer sein mag. Jemand, den er aus seinem Gesichtsfeld verbannt hat, aus seinem wirklichen Leben, um ihn hervorzuholen, wenn er ihn braucht.

In diesem Zustand können zwei vollkommen normale Menschen die Welt von unten nach oben kehren und es nicht einmal bemerken. Irgendwann kommt ihnen möglicherweise das Trümmerfeld zu Bewusstsein, und sie können sich nicht darin wiederfinden. Der Verheiratete kehrt nach jedem Treffen in sein eigenes Leben zurück, der Unverheiratete vereinsamt zusehends und verbringt zu viele freie Stunden damit, auf die Rückkehr des Liebsten zu warten. Michael hatte anderthalb Leben, ich nur ein halbes. Mein Leben schien auf eine einzige Frage zusammenzuschrumpfen: Wann werde ich dich wiedersehen?

Ich ging allein zu Vernissagen und Einladungen, und wenn Freunde versuchten, mich zu verkuppeln, wimmelte ich sie mit vagen Erklärungen ab. Die Wahrheit musste ich verschweigen: Ich hatte Michael versprochen, mit niemandem zu sprechen, bis er einen Weg gefunden hatte, seiner Frau beizubringen, dass er sie verlassen wollte.

Mit der Zeit entfremdete ich mich meinen Freunden, wurde Bewohnerin einer Fantasiewelt. Es fiel mir schwer, mich zu erinnern, dass ich nur eine Zuschauerin, aber nicht ein Teil von Michaels Welt war. Ich wusste alles von seinen Kindern, Finnian und Bridget. Ich kannte alle privaten Einzelheiten ihres Lebens, als ob sie zu meiner Familie gehörten, und sie wussten nicht einmal von meiner Existenz.

Ich erinnere mich, dass ich eines Abends in jenem Herbst im Wohnzimmer meiner Wohnung in der Brattle Street hoch über Cambridge saß und dachte, *der Winter kommt*, und ich meinte nicht nur das Wetter. Der Mond war riesig. Ich hörte mein eigenes Flüstern durch den Raum kriechen *Ich will nach Hause*, als ob die Worte unabhängig von mir gesprochen würden, Eis auf den Fensterscheiben, ein kalter Luftzug. *Ich will nach Hause.*

Schon mein ganzes Leben lang spukten diese Worte in meinem Kopf herum, und ich weiß, dass ich sie bis zu meinem Tod hören werde, egal, wo ich bin. Ich habe keine Ahnung, wo zu Hause ist. Diese Worte sind immer in meinem Kopf, außer wenn ich male – sie treiben mich an die Leinwand, nähren mein Bedürfnis, meinen Hunger, der mich erfüllt, durch den ich mich lebendig fühle. Lebendig und nicht von Dauer – das Bewusstsein der Endlichkeit ist sehr wichtig: Es gibt dem Verlangen die Schärfe der Notwendigkeit.

Ich will nach Hause. Jedes Mal, wenn ich mit Michael bumste, rauschten die Worte in meinem Blut, pulsierten in mir. *Ich will nach Hause*, und ich erklomm ihn wie eine Leiter, wild, begierig, den Höhepunkt zu erreichen, alles zu erfahren, jede seiner Zellen, ihn zu besitzen, besitzen, *ich will nach Hause*, und dann die Explosion, der befremdende, ekstatische Moment der Inbesitznahme, das Schlagen des Herzens im Einklang mit dem Moment, die kurze Harmonie von Wollen und Wissen, eine vollkommene Klarheit, zu Hause.

Danach folgt Ruhe wie heranziehender Nebel, und nichts im Zimmer, im Leben, besitzt Konturen. In diesem Moment hofft man, diese Ruhe möge ewig dauern. Glücklicherweise tut sie das nicht. Wenn die Ruhe ein dauerhafter Zustand wäre, würde niemand mehr malen oder schreiben, Wolkenkratzer entwerfen oder Brücken bauen. Erotische Trägheit. Sie ist tödlich. Manchmal, wenn ich mit Michael zusammen war, tauchten die Worte tagelang nicht auf. Ohne sie malte ich nicht, ich musste es nicht.

Und dann verließ er mich, um in sein wirkliches Leben zurückzukehren, und ich schloss mich mit den Worten und meiner Malerei ein, und das Verlangen kehrte zurück. Damals begann alles rot zu werden, blutiges Rot verwandelte sich zu seltsamen Rottönen, die ich niemals zuvor gesehen hatte. Ich glaube, dass unendlich viele Schattierungen von Rot existieren, die ich noch nicht kenne. Lange Zeit versuchte ich, mehr und mehr von ihnen in meine Palette aufzunehmen. Ich bedeckte Leinwand um Leinwand mit namenlosen Rottönen, mit dem Rot meiner Sehnsucht und meines Zorns, meiner Not, meines Schmerzes und meiner Eifersucht. Aber das am schwersten zu ertragende Rot war das leuchtende, unerwartete Rot des Wissens.

In der katholischen Schule, die ich als Kind besuchte, lehrte man uns, dass wir mit dem Sakrament der heiligen Kommunion den Leib und das Blut des Herrn aßen und tranken, damit er, wie die Nonnen uns versicherten, seine Wohnstatt »in unseren Herzen« aufschlagen konnte. Manchmal frage ich mich, ob meine Vorstellung romantischer Liebe aus dieser frühen Glaubenslehre stammt. Vermutlich weil ich Malerin bin, neige ich dazu, abstrakte Ideen in visuelle Vorstellungen zu übertragen – so verstehe ich sie am besten. Ich stelle mir vor, wie das Verlangen in unserem Blut treibt, durch unsere Arterien und Venen zu unserem Herzen gespült wird und, einmal in dieser weichen Kammer angelangt, sich dort niederlässt. Manchmal findet es nicht mehr hinaus.

Ich würde dieses Verlangen gern besser verstehen. In meinen Bildern komme ich diesem Verständnis näher als in meinem Leben, aber es ist mir zum größten Teil rätselhaft geblieben. Dennoch spüre ich, dass ich nicht aufgeben kann, bevor ich in diesem Verlangen, das die Liebe befeuert, nicht eine klare, beständige Wahrheit gefunden habe, in dieser Sehnsucht jenseits schierer Erregung und mehr als nur fleischlicher Lust.

Ich glaube, falls mir das gelingt, wäre es mir möglich, ihr wieder zu vertrauen.

Dann erinnere ich mich an die Ereignisse in der Brattle Street und denke daran, dass es enttäuschtes Verlangen, verzerrtes Verlangen war, das die Welt in die Farbe von Blut tauchte, und ich muss mich fragen, ob jemals irgendjemand in dieser Wildnis sicher sein kann.

Bin ich seltsam, wenn ich behaupte, dass selbst angesichts ihrer Kapazität zur Zerstörung Liebe niemals bedauert werden sollte? Ich bin davon überzeugt. Bedauern ist unangebracht. Es ist nur ein Weg, sich der Verantwortung für das eigene Tun zu entziehen.

Vor langer Zeit las ich, dass Edith Piaf, »der Spatz von Paris«, einmal spät nachts den Eiffelturm bestieg und mit ihrer unvergesslichen Stimme über den Straßen der Stadt das Lied »Non, je ne regrette rien« erklingen ließ. So möchte ich sein, ohne Bedauern. Danach strebe ich.

Eine nächtliche Autofahrt in meiner frühen Kindheit – meine Mutter schläft auf dem Beifahrersitz und ich, ungefähr vier Jahre alt, erwache im bläulichen Licht eines nächtlichen Freeways in Nordkalifornien, im vorübergleitenden Licht und Dröhnen entgegenkommender Wagen, sehe die Hände meines Vaters auf dem Steuer liegen, die weichen schwarzen Härchen auf seinen schlanken Handgelenken, die gespannte Kraft seiner Finger, während er lenkt, uns durch die Nacht unserem Ziel entgegensteuert.

Im Rückblick glaube ich, dass dies ein Vorbote des erwachsenen weiblichen Verlangens war, eine Art Sehnsucht, obwohl ich nicht einmal jetzt sagen könnte, wonach genau, da ich damals nichts über das wusste, was Männer und Frauen gemeinsam tun. Ich wusste nur, dass ich den Blick nicht von den Händen meines Vaters abwenden konnte. Meine Mutter schlief, was bedeutete, dass ich mich mit ihm allein in unserem winzigen, rollenden Universum des Familienautos befand, zum ersten Mal allein mit ihm in der Welt der Erwachsenen war. Ich spürte kein Bedürfnis zu sprechen, also schwieg ich. Es war unwichtig, dass er nichts von meiner wachen Gegen-

wart auf dem Sitz hinter sich fühlte. Alles, worauf es in diesem Augenblick ankam, war, dass mein Vater uns sicher durch die dunkle Welt zu einem Ziel brachte, wo immer das sein mochte, und dass ich seine Hände und Handgelenke betrachtete, sie zum ersten Mal wirklich wahrnahm. Mir erschienen sie schön, sie verrieten mir etwas darüber, wie ein Mann ist, und etwas über mich – und ich kauerte sprachlos auf dem Rücksitz, voller Liebe, mit weit aufgerissenen Augen in der Dunkelheit.

Kapitel 1

Ich hatte den größten Teil der Woche damit verbracht, meine weltliche Habe für den Umzug in die Brattle Street zusammenzupacken, und Freitagabend war ich beinahe fertig. Ich fand es beunruhigend, wie einfach es war, mein Leben in Kartons zu sortieren, die ich in einer Reihe auf den Fußboden gestellt hatte. Ich war einige Jahre nicht umgezogen und hatte vergessen, wie man sich dabei fühlt.

Und wie bei jeder lebenswichtigen Entscheidung, die ich jemals getroffen hatte, quälte mich im Nachhinein das, was meine Freundin Liz die »Reue nach dem Kauf« nannte. Ich war in diesem Haus in Watertown glücklicher gewesen als in irgendeiner anderen Mietwohnung zuvor, deshalb kam mein Bedauern nicht überraschend.

Ich war in den letzten Tagen oft zu den unmöglichsten Stunden durch die vertrauten Räume gewandert, um das wundervolle Licht in jedem Zimmer zu genießen und die Schönheit und Vollkommenheit der Architektur zu betrachten. Ich hatte nur eine Hälfte des Hauses gemietet und teilte diese Hälfte mit einer Mitbewohnerin, Jill; aber die Räume waren riesig und bei zwei Stockwerken hatte jede von uns genug Platz für sich.

Für mich war das Beste am ganzen Haus das sonnige Atelier, das ich mir im zweiten Stock eingerichtet hatte. Schon Jahre, bevor ich hier eingezogen war, hatte ich von einem eigenen Atelier geträumt. Und nun gab ich es auf.

Natürlich, ermahnte ich mich, waren die Vorteile eines Ateliers in der Wohnung durch eine Mitbewohnerin wie Jill stark eingeschränkt. Sie hatte die Angewohnheit, ohne anzuklopfen hereinzustürmen, um mich mit meistens belanglosen Dingen zu behelligen, wenn ich gerade völlig in ein Bild versunken war und praktisch über dem Boden schwebte. Jill war das kreative Äquivalent zu einer kalten Dusche.

Eine eigene Wohnung in der Brattle Street zu beziehen garantierte mir eine Einsamkeit, die es mir erlauben würde, während meines einjährigen Larkin-Stipendiums am Radcliffe ungestört zu malen. Dadurch bot sich mir die Chance, die ich vorher nie gehabt hatte, nur als Künstlerin zu arbeiten, und ich war begierig, herauszufinden, wie es war, allein zu leben und sich ganz der Malerei zu widmen. Ich wollte mich prüfen, um zu erkennen, wie weit ich es in meiner Kunst brachte, wenn mich nichts vom Arbeiten abhielt.

Mein Verlangen nach Ungestörtheit wurde natürlich durch Michaels Anwesenheit in meinem Leben verstärkt. Wir waren nun über ein Jahr zusammen, und es war immer schwierig, uns allein zu treffen. Jill arbeitete zur gleichen Zeit wie ich und ging nur unregelmäßig aus. Sowohl um der Liebe als auch der Kunst willen musste ich offensichtlich allein leben, und die niedrige

Miete, die Harvard seinen Studenten und Stipendiaten gewährte, erlaubte mir, ohne Mitbewohner auszukommen.

Mit dem bescheidenen Stipendium des Larkin konnte ich mir einfach nichts anderes leisten.

Es war nicht viel Geld, nicht genug, um wirklich bequem davon zu leben. Aber ich hatte ein Jahr unbezahlten Urlaub von meiner Stelle als Grafikerin im Aperçu-Archiv genommen und war auf meinen Larkin-Scheck angewiesen, wenn ich meine gesamte Zeit dem Malen widmen wollte.

Als ich die letzten Bücher verstaut hatte, war es neunzehn Uhr, und ich war hungrig. Ich hatte vergessen einzukaufen und stellte mir zum zigsten Mal vor, wie schön es wäre, in einer normalen Beziehung zu leben, in der man freitagabends einfach zum Essen ausgehen konnte. Aber zu Selbstmitleid bestand kein Anlass; ich war schließlich keine Geisel.

Manchmal konnte ich einfach nicht glauben, dass ich mich in eine solche Situation gebracht hatte. Ich konnte mich noch deutlich an das erste Mal erinnern, als ich begriff, dass ich mich in Michael verliebt hatte. Aber selbst damals wäre ich nicht auf die Idee gekommen, dass wir auf mehr als eine Freundschaft zusteuern könnten. Obwohl ich im Gegensatz zu anderen an viele Dinge glaubte, gehörten Affären mit verheirateten Männern nicht dazu.

Am Anfang konnte ich mir nicht vorstellen, dass meine Gefühle von Michael erwidert würden – er war ein zunehmend erfolgreicher Romanautor und ich nur die

Frau, die den Umschlag für seine Kurzgeschichtensammlung entworfen hatte und nun an dem Umschlag für seinen Roman *This Cold Heaven* arbeitete. Jeder bei Aperçu wusste, dass es Michaels letztes Buch für diesen kleinen Verlag sein würde; er war unvermeidlich für Größeres bestimmt.

Eines Montagabends änderte sich alles zwischen uns. Er sah mich, als ich im strömenden Regen zur Bushaltestelle lief, und bot mir an, mich mitzunehmen.

»Ich lebe in Watertown«, sagte ich.

»Was? Ich kann Sie nicht verstehen.«

»Ich lebe in Watertown«, brüllte ich und lehnte mich vom Randstein zum offenen Fenster seines Autos vor, der Regen lief mir beim Sprechen in den Mund.

»Na und?«, brüllte er grinsend zurück. »Springen Sie rein!«

Das tat ich, und als wir vor meinem Haus ankamen, schlug er vor, zu warten, bis der Regen nachlassen würde. Wir saßen im Wagen und unterhielten uns und lachten, noch lange, nachdem der Regen aufgehört hatte. Irgendwann setzte das unvermeidliche Schweigen ein, und er musterte mich so intensiv und leidenschaftlich, dass ich den Blick senkte.

»Ich fürchte, das könnte gefährlich werden«, sagte er nach einem Moment und trommelte mit den Fingern nervös auf dem Lenkrad herum. »Ich glaube, wir sollten lieber versuchen, unserer Fantasie Zügel anzulegen, Honora.«

Nach sechs weiteren Monaten der Qual gaben wir unseren Gefühlen nach, und sofort nach unserem

ersten Treffen waren zwei Dinge klar: Wir waren füreinander geschaffen, und wir fühlten uns abgrundtief
schuldig.

Wir beschlossen wieder und wieder, uns nicht mehr zu
treffen, nicht einmal zu telefonieren.

Jedes Mal, wenn wir an diesem Punkt angelangt waren,
wusste ich, dass ich diese Abmachung nicht brechen
durfte, gleichgültig, wie sehr er mir fehlte. Wir hielten
durch, quälten uns drei Tage, fünf Tage, einmal sogar
acht Tage, dann rief er mich an, und wir fielen einander
in die Arme.

Nach mehr als einem Jahr waren wir irgendwie bis zu
diesem Punkt gekommen.

Gerade als ich mich über den letzten Karton beugte
und BÜCHER darauf schrieb, hörte ich, wie sich die
Fliegentür hinter mir öffnete und schloss. Ich richtete
mich auf, wirbelte herum und sah Michael, der im
Eingang stand und mich mit seinem schiefen Lächeln
betrachtete.

»Was machst *du* denn hier?«, fragte ich und schob mir
eine Haarsträhne hinters Ohr. Warum dachte ich nie daran, die Haustür abzuschließen?

»Darf ich das als Zeichen deiner Freude, mich zu sehen,
auffassen?« Sein Blick streifte meine Shorts. »Wow«,
fügte er hinzu und schüttelte dann den Kopf. »Ich kann
nicht glauben, dass ich ›wow‹ gesagt habe. Ich hasse dieses Wort. Aber du siehst toll aus.«

Verdammte Shorts, dachte ich. Ich hatte einen Hintern wie zwei preisgekrönte Wassermelonen, und der

Gedanke, was für einen Anblick ich ihm geboten hatte, als ich mich über die Kartons beugte, gefiel mir gar nicht.

»Lass deinen irischen Charme einfach stecken«, erwiderte ich. »Ich sehe heute Abend höllisch aus.«

»Wenn so die Hölle aussieht, könnte ich mich mit dem Gedanken an ein Leben danach anfreunden«, antwortete er. »Du siehst anbetungswürdig aus, du Närrin. Ich hab dich noch nie in Shorts gesehen.«

»Genau das meine ich.«

»Was soll der Unsinn?« Er lachte. »Immerhin habe ich dich schon splitternackt gesehen.«

»Du hättest anrufen sollen. Kündigt ihr Kinder irischer Einwanderer eure Besuche nie telefonisch an? Oder klopft, bevor ihr reinkommt?«

»Nein«, sagte er fröhlich. »Wir sind schlecht erzogen. Den größten Teil unserer Kindheit haben wir mit Kaminfegen für die protestantischen Bastarde in der Back Bay verbracht.« Er wurde ernst. »Ich konnte dich draußen vom Bürgersteig aus sehen. Lässt du nie die Rollos runter, Norrie?«

»Nicht immer«, gab ich zu.

»Aber von draußen kann dich jeder beobachten, wenn du hier herumturnst.«

»Tatsächlich habe ich nicht geturnt, sondern gepackt«, sagte ich. »Ich bin sicher, dass niemand dort draußen war, Michael.« Wie immer reizte und rührte mich seine Besorgnis um mich.

»Ich mache mir eben manchmal Sorgen um dich, das ist alles.«

»Dafür haben wir meine Mutter«, antwortete ich. »Und sie verbringt eine Menge Zeit damit, deshalb kann sie es besser als du. Man könnte sagen, es ist ihre Berufung.«

»Manchmal glaube ich, dass die Frau mit ihren warnenden Anrufen nicht ganz Unrecht hat.« Er strich mir das Haar aus der Stirn. Seine Stimme wurde sanfter. »Ich habe nach deinem Anblick gehungert.«

»Ich dachte, du wolltest heute Abend schreiben«, sagte ich in seinen Mund, als ich ihn küsste.

Er zog mich an sich und ließ seine Hände auf meiner anstößigen Kehrseite ruhen. »Ja, ich hab es versucht, aber ich musste immer an dich denken, egal, wie sehr ich mich dagegen gewehrt habe. Also habe ich mein brillantes Manuskript zur Seite geschoben und bin dem Gesang der Sirene gefolgt.«

»Das muss eine andere Sirene gewesen sein. Ich habe dich heute Abend definitiv nicht zu mir gelockt. Ich muss morgen ausziehen.« Ich warf einen Blick zur Treppe und sagte dann mit gesenkter Stimme. »Jill ist heute Abend zu Hause.«

»Tja, das hatte ich mir schon gedacht«, erwiderte er in einer Art amüsierter Resignation. Aber er ließ mich los und trat ein wenig zurück. »Ich wollte nur dein Gesicht sehen. Du ziehst also heute aus? Ich dachte, erst nächstes Wochenende.«

»Nun, das stimmte auch. Aber sie lassen die Mieter eher in die leeren Wohnungen, damit es nächste Woche keinen Stau gibt, wenn alle gleichzeitig mit ihren Möbelwagen in der Brattle Street ankommen.«

»Aber du willst das doch sicher nicht alles allein machen?«

»Ich krieg das schon hin«, sagte ich. »Morgen früh kommt ein Transporter und holt die Möbel und die Umzugskartons ab. Die Sachen aus dem Atelier bringe ich in den nächsten Tagen nach und nach selber hinüber. In der Hinsicht traue ich ihnen nicht. Jill hat gesagt, ich könnte ihren Wagen nehmen.«

»Himmel, Norrie, das ganze Zeug da oben, Staffeleien und Lampen und Dutzende von Bildern, und das ist nur der Anfang. Ich komme und helfe dir dabei. Sonst musst du ungefähr hundert Mal zwischen hier und Cambridge hin und her fahren.«

»Das ist lieb von dir, Michael, aber ich schaff das schon allein, ganz bestimmt.«

»Sag mal, gibt es etwas, das du nicht allein kannst, Honora? Irgendetwas?«

»Wie meinst du das?«, fragte ich. Ich wusste genau, was er meinte, aber ich wusste nicht, wie ich mit ihm darüber reden sollte. Ich hatte Angst, von ihm abhängig zu werden. Wenn man sich gestattet, allzu abhängig von einem Mann zu werden, und verlassen wird, endet man schutz- und hilflos, als wäre einem das Skelett aus dem Körper entfernt worden. Ich konnte mich noch daran erinnern, wie unser Nachbar meiner Mutter nach dem Tod meines Vaters beigebracht hatte, wie man ein Scheckbuch benutzte. Meine Mutter war nicht dumm – sie war einfach dazu erzogen worden, einen Mann für sich sorgen zu lassen. Sie wusste nicht, was sie ohne meinen Vater anfangen sollte, und nachdem er gestorben war, verlor sie

Jahr um Jahr damit, ihr Leben in den Griff zu bekommen. Ich hatte meine Lehren daraus gezogen und legte großen Wert darauf, selbstständig zu bleiben.

»Du lässt dir von niemandem helfen«, sagte Michael. »Und du weißt, dass ich nicht versuchen werde, dich herumzukommandieren. Ich verspreche, allen Befehlen lammfromm zu gehorchen und dir gleichzeitig meine beachtliche Muskelkraft zur Verfügung zu stellen, okay? Ich bestelle einen Umzugswagen, und wir bringen alle deine Sachen morgen Nachmittag nach Cambridge und singen dabei Pfadfinderlieder.«

Bis auf die Pfadfinderlieder schien das eine gute Idee. Ich würde in dem Wissen, dass ich meine Bilder zurückgelassen hatte, in der Brattle Street schlecht schlafen. Ich schaute zu ihm hoch und grinste. »Du gibst nicht auf, oder?«

»Nein, Ma'am, ein Ire gibt niemals auf. Sagt dir Kartoffelfäule und Hungersnot irgendetwas? Dann kann ich also einen Umzugswagen für morgen Nachmittag bestellen?«

»Das wäre prima. Danke.« Wir grinsten einander an. Er wusste, dass diese Runde an ihn ging.

In diesem Augenblick kam Jill die Treppe herunter, ihre Autoschlüssel in der einen und ein gebundenes Buch in der anderen Hand. Offensichtlich fand heute Abend ihr Lesezirkel statt.

Sie blieb stehen, als sie uns sah, und sagte ohne besondere Betonung »oh«.

Verlegen stellte ich ihr Michael vor, während ich mich fragte, was sie wohl gehört haben mochte; und plötzlich fiel mir ein, dass ich sie schon letztes Mal miteinander bekannt gemacht hatte, als sie uns im Wohnzimmer überraschte.

Sie begrüßte ihn und lächelte nervös, bevor sie mit gesenktem Kopf das Haus verließ.

»Ich glaube, das ging noch mal gut«, sagte Michael mit hochgezogener Augenbraue.

»Stimmt. Weißt du, ich glaube, sie hat dich erkannt.«

»Nun, dafür braucht man keinen Gehirnchirurgen. Immerhin hast du uns miteinander bekannt gemacht – *zwei* Mal.«

»Nein, ich meine dich – *den Schriftsteller*. Ich glaube, sie hat deinen Namen gehört und sich in diesem Moment an dein Coverfoto erinnert.« Michael fand das wirklich komisch.

»Du glaubst, jeder hätte mein Buch gelesen. Ein paar Leute noch nicht, weißt du? Du lässt nur deine Paranoia ins Kraut schießen, Liebling.«

»Oh, Himmel, hab ich dir das gar nicht erzählt? Jills kirchlicher Lesezirkel hat vor ein paar Wochen *This Cold Heaven* gelesen.«

»Wie deprimierend«, bemerkte er.

»Egal«, antwortete ich. »Ich freue mich schon auf die neue Wohnung und die Ungestörtheit.«

Das sechsstöckige Harvard-Gebäude, in das ich einzog, lag um die Ecke vom Harvard Square. In jedem Stockwerk gab es Ein-, Zwei- und Drei-Personen-Wohnungen und zwei Ateliers. Ich hatte eine der wenigen freien Ein-Personen-Wohnungen gemietet. An meinem Seitenflur im vierten Stock, einer Art Sackgasse, lagen nur drei Wohnungen, und meine war die hinterste und dadurch noch abgeschiedener, was mir außerordentlich gut gefiel. Man hatte mir erzählt, dass der Mieter zur Rechten, ein Fulbright-Stipendiat oder so, häufig abwesend war. Die Wohnung gegenüber dieser stand noch leer.

»Wo wir gerade davon sprechen«, murmelte Michael, »leide ich wieder an Halluzinationen, oder haben wir das Haus wahrhaftig ganz allein für uns?«

Innerhalb von Minuten waren wir oben in meinem Bett. Das einzig Wichtige war der langbeinige, leidenschaftliche Mann, der in mich eindrang, bevor ich noch meine Shorts vollständig abstreifen konnte. Sosehr ich auch seine verspielte, erfindungsreiche Art, Liebe zu machen, mochte, erregte es mich, wenn er gelegentlich, von seiner Lust überwältigt, hart und ungestüm in mich eindrang und uns ohne Verzögerung oder Umschweife zum Höhepunkt brachte. Sein rhythmisches Stoßen führte mich schnell zum Orgasmus, in dessen Wogen ich keuchend versank. Michael kam sofort mit einem leisen »Oh«, als hätte er sich nur durch Willenskraft zurückgehalten. Und in dem Augenblick, in dem wir besinnungslos miteinander dem Abgrund entgegentaumelten, im blinden, wirbelnden Sturz, hätte ich nicht aufhören wollen, nicht können, selbst wenn das Haus gebrannt oder ein Eindringling mir eine Waffe an den Kopf gehalten hätte.

»Wie kommt das, was meinst du?«, fragte er nach einer Weile. »Wieso gehörst du zu mir?«

Im gleichen Moment, als ich ihm das Gesicht zuwandte,

sah ich, wie er einen verstohlenen Blick auf den Wecker warf. Er konnte nichts dafür – das wusste ich –, er musste die Zeit im Auge behalten. Aber es erinnerte mich daran, dass er wie immer zu ihr nach Hause ging.

Nachdem ich die Tür hinter ihm geschlossen hatte, lauschte ich dem Scheppern seines alten VW, als er ihn anließ, Gas gab und davonfuhr. Es schien eine Ewigkeit zu dauern, bis das Geräusch in der Nacht erstarb.

Die Zeit, als du mit deinem nackten Leib das Alphabet für mich formtest und ich dich von der anderen Seite des Zimmers aus betrachtete, sprachlos angesichts dieser unglaublichen Verschränkung von männlichen Gliedmaßen und Torso, geschmeidig und rasch, A bis Z, dein Körper aus jedem Blickwinkel atemberaubend. Ich hätte nie so schön sein können wie du in jeder Stellung, dich bückend und neigend, deine Glieder unmöglich gebogen, auf dem Rücken liegend, die Beine in die Luft gestreckt, wie du es beim W tatest. Dein M war erstaunlich, dein O überwältigend. Bei deinem S kamen mir die Tränen. Du warst so unschuldig, einfältig glücklich, während du das Alphabet durchgingst, so zufrieden mit deiner gelungenen Pantomime, dass dir deine bestürzende Schönheit nicht bewusst wurde. Und ich grinste, während ich dir zusah, grinste wie eine Idiotin, und die Liebe nahm mir den Atem.

Kapitel 2

Am Ende meiner ersten Woche in der Brattle Street genoss ich das Alleinsein und das Sonnenlicht in meiner kleinen Wohnung im vierten Stock, aber jedes Mal wenn ich den Flur betrat oder in die Eingangshalle hinunterfuhr, hatte ich das Gefühl, als eine Art Außenseiter aufzufallen. Offensichtlich war jeder Hausbewohner jünger, ungefähr Anfang zwanzig, und ich war sechsunddreißig. Vielleicht bildete ich mir das nur ein, aber sie schienen sich alle zu kennen. Ich weiß nicht, wie oft ich im Aufzug mit Leuten hoch oder runter fuhr, die jedermann aus jedem Stockwerk freundlich begrüßten. Außerdem teilten sich die übrigen Mieter augenscheinlich die Wohnungen, und ich ging immer allein, während sie in plaudernden Grüppchen durch das Haus zogen. Nicht dass ich mir einen Mitbewohner gewünscht hätte, aber ich fühlte mich in ihrer Mitte sehr einsam.

Ich zwang mich, mich daran zu gewöhnen, schließlich war das Alleinsein der Grund für meinen Umzug gewesen. Auf jeden Fall sah ich Michael nun häufiger. Seit dem Umzug war er jeden Tag vorbeigekommen, selbst wenn er nur ein paar Minuten Zeit hatte. Wir verbrachten einige lange, idyllische Nachmittage, und morgen Mittag wollte er seine berühmten Linguini mit Muschelsauce für uns kochen. Wir hatten außerdem geplant, Dienstagmorgen das Museum of Fine Arts zu besuchen und anschließend in mein Bett zurückzukehren.

Wir entdeckten, dass Ungestörtheit gelinde gesagt stimulierend wirken kann; aber kostbarer als die sexuelle Freizügigkeit war die Normalität, die sie uns gewährte, die ausführlichen Gespräche in normalem Tonfall, das gemeinsame Kochen und Essen, das Gefühl des Alltäglichen – das war das Beste daran. Wir konnten nun ohne besonderen Anlass zusammen sein.

Ich erzählte niemandem von Michael, nicht einmal Liz. Gott weiß, dass ich es meiner überbesorgten Mutter nicht erzählen konnte, die jeden Tag aus Santa Monica anrief, um sich zu vergewissern, dass ich nicht von einem Einbrecher ermordet worden war. (Liz sagte oft, dass meine Mutter einfach täglich anrufen und fragen sollte: »Bist du schon tot?«) Die simple Tatsache, dass ich nicht geheiratet hatte, machte ihr mein Leben unbegreiflich.

»Dein Vater«, sagte sie mehr als ein Mal, »würde sich im Grab umdrehen, wenn er wüsste, was für ein Leben sein einziges Kind führt.« Die Vorstellung von meinem Vater, der sich im Grab umdrehte, stand im direkten Gegensatz zu den mir bekannten Tatsachen. Zum einen war mein Vater verbrannt worden, und die Urne mit seiner Asche stand auf dem Schlafzimmerschrank meiner Mutter, seit ich zwölf Jahre alt war, was jegliche Drehung sehr unwahrscheinlich machte. Zum zweiten war

Daddy in einem Holiday Inn auf einer Frau namens Betty Arnold gestorben, versunken in eine Tätigkeit, die, soweit ich das absehen kann, absolut nichts mit moralischer Festigkeit oder Frömmigkeit zu tun hat.

Mutter weiß bis heute nicht, dass ich schon vor ihr über Vater und Betty Arnold, die Arzthelferin in seiner psychiatrischen Praxis, Bescheid gewusst hatte. Später stellte sich heraus, dass jeder von Betty gewusst hatte. Ich fühlte mich lange schuldig, weil ich meiner Mutter nichts gesagt hatte. Das war das erste echte Geheimnis in meinem Leben gewesen, und es hatte wehgetan und mich einsam gemacht.

Und nun stand ich hier, trug ein ähnlich einsam machendes Geheimnis mit mir herum und befand mich *gleichzeitig* in der verachtenswerten Rolle der Betty mit dem Ehemann einer anderen Frau. Ich konnte nicht auf diese Weise darüber nachdenken, sonst würde mein Verstand explodieren. Oder mein Herz. Oder meine Seele.

Manchmal ertappte ich mich dabei, mich in Kleinigkeiten hineinzusteigern, eine Strategie, um diesen entmutigenden und verwirrenden Aspekten meines Lebens auszuweichen. Es könnte sein, dass aus diesem Grund die Angelegenheit mit dem Larkin-Atelier mich so verstörte. Als ich in die Brattle Street einzog, konnte ich bereits an nichts anderes mehr denken. Ich empfand es zunehmend als Bedrohung meiner Ungestörtheit. Schon wieder dieses Wort.

Im vergangenen Frühling, als ich den Anruf erhielt, der mir mein Larkin-Stipendium bestätigte, wurde mir auch mitgeteilt, das ich ein Atelier auf dem Gelände des

Instituts in einem der fünf renovierten, viktorianischen Bauten erhalten würde, die auf das parkähnliche Cambridge-Gelände ein paar Blocks entfernt vom Harvard Square und rund um eine malerische Grünfläche wieder aufgebaut worden waren. Ich war jahrelang am Larkin Institut vorbeigekommen und hatte mir gewünscht, zu den Frauen zu gehören, die dorthin eingeladen wurden, um sich ein Jahr lang ihrer Lebensaufgabe zu widmen. Mittlerweile, nach einigem Nachdenken, hatte ich Zweifel an der Gemeinschaftsarbeit, und ich sagte zu Jane Coleman, der Direktorin des Larkin, dass ich nicht glaubte ein Atelier zu benötigen, da ich normalerweise zu Hause malte. Jane hatte herzlich gelacht und darauf bestanden, dass ich der Gemeinschaft zumindest eine Chance gab.

»Einer der Gründe, warum das Larkin eine solch bereichernde Erfahrung für jeden ist«, sagte Jane, »ist die gegenseitige Befruchtung, die entsteht, wenn Menschen verschiedener Disziplinen Seite an Seite arbeiten. Alle Larkins sagen, es sei wundervoll bereichernd. Ich glaube, dass Sie das auch finden werden, wenn Sie sich erst einmal akklimatisiert haben.« Im Larkin befanden sich zu jeder beliebigen Zeit ungefähr fünfundvierzig Frauen aus aller Welt, Frauen, die sich auf unterschiedlichen Gebieten ausgezeichnet hatten – Medizin, Recht, Naturwissenschaften, Geschichte, Literatur, Musik, Politik und Kunst. In jenem Jahr waren es dreiundvierzig Larkin-Stipendiatinnen, die in den Büros und Ateliers der den Rasen umgebenden Häuser arbeiteten. Es war eine idyllische Umgebung und eine Ehre, dort zu sein, aber irgendwie konnte ich niemandem verständlich machen, dass ich die Kunstwerke, die vermutlich meine Anwesenheit am Larkin rechtfertigten, nur in absoluter Einsamkeit produzieren konnte. Das war meine Art zu arbeiten.

Das Larkin-Jahr hatte mit einer dreitägigen Einführung begonnen, und nachdem ich mich mit den anderen Stipendiatinnen bekannt gemacht hatte (im Institut nannte man sie allgemein die »Stipendiumsschwestern«), war mir mein Widerstand gegen die Idee, hier zu arbeiten, noch peinlicher. Ich hasste den Gedanken, als undankbares und mürrisches Mitglied der Gemeinschaft aufzufallen. Aber das Geschenk des Stipendiums bestand für mich nicht so sehr in der *Gemeinschaft,* sondern im *Geld,* dem Geld, das sie mir zahlten, damit ich ein Jahr lang malte. Es war ganz einfach: Das Geld erkaufte mir Zeit. Etwas, was ich nie zuvor besessen hatte – den Luxus Zeit, ohne mir meinen Lebensunterhalt verdienen zu müssen.

Obwohl ich, nachdem ich die Rhode Island School of Design mit einem Abschluss am Brown beendet hatte, mühelos einen Job an der Universität hätte bekommen können, gab ich das Unterrichten nach einer Reihe von Collegekursen als wissenschaftliche Assistentin auf, weil mir bewusst wurde, dass Lehren und Kunst aus demselben Pool kreativer Energie gespeist werden.

Über die Jahre arbeitete ich in Dutzenden von langweiligen, schlecht bezahlten Jobs, um meine Malerei zu finanzieren, und bis ich vor fünf Jahren die Stelle als Grafikerin bei Aperçu Archivs ergatterte, hatte tatsächlich keiner der Jobs auch nur das Geringste mit meinem künstlerischen Talent geschweige denn etwas mit Kunst zu tun gehabt. Ich hatte sogar einmal als Sekretärin für drei Bestattungsunternehmer in Südboston gearbeitet! Und wo ich auch lebte, ich musste mich mit einem Mitbewohner abfinden, der sich die Kosten mit mir teilte. Ich konnte nie einfach allein sein, und ich hatte immer gespürt, dass ich mehr und besser arbeiten würde, wenn mir das gelänge. Und nun saß ich hier in meiner eigenen Wohnung in der Brattle Street und wurde von der Harvard University jeden Monat dafür bezahlt, meine Kunst auszuüben.

Ich hatte Jane Coleman versprochen, es mit dem Larkin-Atelier zu versuchen, und es auch so gemeint. Um mich selbst von meinem guten Willen zu überzeugen, hatte ich sogar einen kleinen Karton mit Materialien, zwei Leinwände und meine zweitbeste Staffelei in mein Atelier geschafft, das sich als reizender Dachbodenraum herausstellte, in den das Licht von drei Seiten fiel. Aber ich wusste nicht, wie ich die Logistik bewältigen sollte. Die Larkin-Gebäude befanden sich acht Blocks von meiner Wohnung entfernt, und ich male fast immer nachts, meisten bis zwei, drei Uhr in der Früh. Ich besaß keinen Wagen, und selbst wenn ich so großspurig wäre, wie jedermann dachte, fühlte ich mich nicht sicher genug, um zu jeder Tages- und Nachtzeit vom Atelier zu Fuß nach Hause zu gehen.

Mehrere Angehörige des Personals hatten uns während der Einführungswoche versichert, dass Cambridge sicherer als die meisten Städte war, solange eine Frau sich vorsah. Der letzte Mord war vor achtzehn Jahren passiert, sagten sie, obwohl es natürlich einige Vergewaltigungen gegeben hatte. (»Eine normale Anzahl von Vergewaltigungen« hatte ein Polizist das genannt, den man gebeten hatte, uns einen Vortrag zu halten.) Wir Frauen wurden aufgefordert, uns klug zu verhalten, nur in gut erleuchteten Gegenden zu Fuß zu gehen, nachts in Gruppen von zwei oder mehreren zusammenzubleiben. Wann immer es möglich war, ein Alarmgerät bei uns zu tragen, und so weiter.

Nun, man konnte behaupten, dass das heutzutage überall angebracht war.

Aber auch jenseits der persönlichen Sicherheit konnte ich mich mit dem Gedanken, im Larkin zu malen, nicht anfreunden – egal, ob bei Tag *oder* nachts. Ich konnte es nicht ertragen, wenn man mich mitten in der Konzentration auf ein Bild unterbrach. Ich stellte mir vor, wie meine Mitstipendiatinnen pausenlos von Zimmer zu Zimmer wanderten, obwohl ich wusste, dass es vermutlich eine idiotische Vorstellung war – diese Frauen betrieben ihre Arbeit ebenso ernsthaft wie ich die meine. Trotzdem ist eine Störung nicht ausgeschlossen, wenn so viele Menschen um einen herum arbeiten, und das kann sich auf die Konzentration genauso stark auswirken wie eine tatsächliche Unterbrechung. Ich erinnerte mich an all die Male, die Jane mich beim Malen gestört hatte, und wie schwer es mir jedesmal gefallen war, mich wieder zu konzentrieren.

Als ich Liz ein paar Tage vor meinem Umzug angerufen hatte, um ihr meine neue Telefonnummer zu geben, hatte sie sich gewundert, dass ich – trotz meines schmalen Budgets – statt eines Studios eine Zweizimmerwohnung gewählt hatte. Ich erklärte ihr, dass ich einen Raum brauchte, in dem ich malen konnte, ohne befürchten zu müssen, dass ein Gast meine Arbeit sah.

»Du weißt doch, wie das ist«, sagte ich. »Ich bin sicher, dass du auch nicht überall schreiben kannst.«

»Süße«, lachte sie, »ich habe ein Kapitel meines ersten Romans auf dem Sozius einer Harley Davidson mitten in Rom während der Hauptverkehrszeit geschrieben.«

Das war Liz – unerschütterlich. Ich vermisste ihre unbekümmerte Art, seit sie eine auf zwei Jahre befristete Stelle an der San Francisco State angenommen hatte. »Ich wette, du wirst es lieben, wenn du ein Atelier außerhalb hast.«

»Ich habe nur noch nie woanders als in meiner Wohnung gemalt«, sagte ich. »Ich bin daran gewöhnt, zu Hause zu malen – vor Watertown habe ich sogar immer in meinem Schlafzimmer gearbeitet.«

»Natürlich bist du daran gewöhnt«, lachte sie, »weil du immer zu arm gewesen bist, um dir wie andere Maler ein Atelier zu mieten. Jetzt will dir Radcliffe eines für ein Jahr zur Verfügung stellen, und du willst es nicht?«

»Ich fürchte, die Erwartungen von Radcliffe werden mich erdrücken, wenn das Atelier das ganze Jahr da ist und ich nicht darin arbeite.«

»O, bitte«, schnaubte Liz. »Du *musst* es nehmen. Ich meine, es ist *umsonst*, um Himmels willen, und es ist *deines*. Und vielleicht stellst du ja fest, dass es dir ganz gut gefällt, zur Abwechslung ein paar Mal in der Woche im

Atelier zu arbeiten – vielleicht hält es ja deine Kreativität in Schwung.«

»Aber Liz, wie könnte ich ein halb fertiges Bild im Larkin stehen lassen und dann zum Schlafen nach Haus gehen? Ich würde die ganze Nacht über das Bild nachdenken, über die Form, jeden Winkel, jeden Schatten, und ich kann dann nicht einfach aus dem Bett springen und weitermachen, solange die Idee noch in mir arbeitet.«

»Ich kann verstehen«, gestand Liz mir zu, »dass du auch nachts Zugang zu deiner Arbeit haben willst. Ich meine, ich versuche immer, mein aktuelles Manuskript nachts neben das Bett zu legen, für alle Fälle.«

»Siehst du? Also bin ich nicht einfach nur launisch oder exzentrisch.«

»Ja, ich kann dich verstehen. Trotzdem bist du launisch und exzentrisch. Das liebe ich so an dir – dein leidenschaftliches Herz.«

Das tut Michael auch. Ich wollte es schon laut sagen und hielt gerade noch rechtzeitig inne, und meine Lippen machten ein komisches Geräusch. Es war schrecklich, meiner besten Freundin etwas so Wichtiges zu verschweigen.

In diesem Augenblick brachte Liz ohne jeden äußeren Anlass das Thema zur Sprache, sodass ich mich fragte, ob sie meine Gedanken lesen konnte. »Du hast schon lange keinen Mann mehr erwähnt«, bemerkte sie. »Und immer, wenn ich dich nach deinem Liebesleben frage, sagst du, du könntest darüber keinen Brief nach Hause schreiben.«

»Wirklich?«, antwortete ich nervös. »Das habe ich gesagt?« *Nichts, worüber ich einen Brief nach Hause schreiben könnte.* Das klassische Ausweichmanöver eines katholischen Mädchens. Ich konnte mich förmlich sehen, wie ich das sagte und gleichzeitig dachte, das ist nicht gelogen, weil ich *wirklich* keinen Brief an meine Mutter schicken *konnte*, in dem ich ihr von meiner ehebrecherischen Beziehung berichtete.

»Also, was ist nun?«, beharrte Liz. »Triffst du dich mit jemandem?«

Es war das erste Mal, dass sie mich so direkt fragte. Ein furchtbarer Moment. Seit der Uni waren Liz und ich einander Klagemauer und Unterstützung gewesen. Sie hatte mich davon überzeugt, dass ihr Heimatort Boston für mich die richtige Stadt war, um mich nach dem Studium niederzulassen, und obwohl sie noch nie eine Beziehung mit einem verheirateten Mann gehabt hatte, wusste ich, dass sie mich zu verstehen versuchen und mich nicht verurteilen würde. Es wäre ein großer Trost gewesen, mich ihr anzuvertrauen.

Aus Michaels Sicht war Liz der letzte Mensch, der etwas erfahren durfte, da die beiden sich kannten.

»Ich weiß, dass sie deine beste Freundin ist«, versicherte er mir, »aber wenn du dich bitte noch zurückhalten könntest, bis ich es Brenda gesagt habe.« Er hatte Recht, wenn er Cambridge als Dorf bezeichnete; hier schien jeder Schriftsteller zu sein, und jeder Schriftsteller kannte jeden oder wusste alles über jeden anderen. »Wenn man jemanden mit schlecht gelaunter Miene die Mass Ave hinunterlaufen sieht«, pflegten die Einheimischen zu sagen, »kann man sicher sein, dass sein Buch nicht rezensiert wurde.« Die literarische Szene von Boston und Cambridge lebte von Klatsch, und Verleumdung war eine Art Gesellschaftsspiel. »Die Leute hier betreiben Klatsch als Sport, und ich will nicht, dass Brenda es auf diese Weise erfährt.«

Liz konnte man vertrauen, argumentierte ich, aber Michael hielt dagegen, dass es einfach falsch wäre, es ihr zu erzählen. »Sie kennt Brenda«, sagte er, »und es ist einfach unfair, es jemandem aus unserem Kreis zu sagen, bevor Brenda Bescheid weiß.« Ich bezweifelte, dass Liz und Brenda jemals mehr als zwei Worte miteinander gewechselt hatten, aber ich verstand Michaels Standpunkt und versprach, Liz nichts von uns zu erzählen.

Der Hörer in meiner Hand war feucht vom Schweiß geworden, während Liz auf meine Antwort wartete, und nach der Zeitspanne, die es schätzungsweise braucht, bis das gesamte Leben vor dem inneren Auge vorbeigerollt ist, sagte ich: »Nicht wirklich. Niemand Bestimmtes.« Ich hatte Liz zum ersten Mal angelogen.

Es war eine Sache, meine Beziehung vor Liz geheim zu halten, doch jetzt hatte ich sie direkt angelogen, und ich fürchtete, dass dies unvermeidlich, unwiederbringlich und in einem unendlichen Ausmaß unsere Freundschaft belasten würde. Nachdem wir aufgelegt hatten, saß ich neben dem Telefon in einem Sessel und dachte darüber nach, was mit meinem Leben geschah, was ich mir im Namen der Liebe *antat*.

Meine Arbeit und mein Leben: Je verschwiegener ich meinen Freunden gegenüber sein musste, desto eingeschränkter fühlte ich mich als Künstlerin. In den letzten Monaten hatte ich immer weniger gemalt.

Es gab viele Dinge, über die ich nachdenken musste. Selbstverständlich hatte ich keine Ahnung, wie viel düsterer und komplizierter das Leben in der Brattle Street noch werden sollte. Am meisten würde ich mich nach der Zeit zurücksehnen, in der ich mich nicht den ganzen Tag gefürchtet, nach der Zeit, als ich mich sicher gefühlt hatte.

Am gleichen Nachmittag wollte ich mit einem Korb Schmutzwäsche in den Waschkeller. Als sich die Aufzugtüren öffneten, schien mir ein kleines, gelboranges Sofa entgegenzuwanken und brachte mich beinah zu Fall. Ich schrie auf, als ich zurücksprang, und dann hörte ich eine Stimme rufen: »Oh, Entschuldigung!« Der spanische Akzent war nicht zu überhören. Das wandelnde Sofa kam direkt vor mir zum Stillstand, und ein rundes weibliches Gesicht spähte erschrocken außen herum.

»Oh«, sagte ich unbeholfen. »Ich habe gar nicht gesehen, dass jemand da ist.« Und ich stellte meinen Wäschekorb ab.

»Hallo«, sagte die junge Frau und kam um die Ecke des unförmigen Möbelstücks, das noch immer auf der Seite stand. Sie wirkte stämmig und trug eine schlichte grüne Hose und ein weißes Hemd mit aufgerollten Ärmeln. Ihr kurzes, dünnes Haar war mit einem Gummi nach hinten gebunden, wo es abstand wie ein Pferdeschwänzchen bei einem Kleinkind. Diese Frau wirkte keinesfalls zart, aber ich konnte mir trotzdem nicht vorstellen, wie sie es fertig brachte, ein Sofa ganz allein zu transportieren.

»Kann ich Ihnen helfen?«, bot ich ihr an. »Das muss schrecklich schwer sein.«

Sie lachte, es war beinah ein Kichern, ein unerwartet mädchenhaftes Geräusch für so eine stämmige Frau. »O nein«, erwiderte sie. »Es ist gar nicht schwer. Probieren Sie es selbst.« Sie hob das Sofa an und stellte es neben uns wieder ab. Ich zögerte, und sie drängte mich. »Wirklich – versuchen Sie es.«

Meine übliche gesellschaftliche Unbeholfenheit ließ mich gehorchen, und als ich versuchte, das Sofa anzuheben, stellte ich fest, dass es tatsächlich sehr leicht war und eigentlich nur aus drei Styroporwürfeln und einem Siebzigerjahre-Flower-Power-Bezug bestand – einem ausgesprochen hässlichen Bezug, wie mir erst jetzt auffiel.

»Man kann es aufklappen«, erklärte sie, »dann wird ein Bett daraus.« Sie sagte es mit einem gewissen Erstaunen, und ich konnte mir nicht helfen, ich lachte mit ihr. Dann nickte sie in Richtung des kleinen Flurabschnitts, an dem meine Wohnung lag. »In meiner neuen Wohnung habe ich kein Schlafzimmer, deshalb musste ich mir ein Bettsofa besorgen. Das hier war sehr billig, und ich konnte es allein nach Hause tragen.« Ihre Begeisterung für ihr neues Sofa ließ ihr breites, unansehnliches Gesicht anziehend, ja beinahe hübsch wirken. Ich spürte eine gewisse Bewunderung für ihren Mut. Aber ein weiterer Gedanke verdrängte alles andere: Sie würde also meine neue Nachbarin sein. Ich nehme an, dass mir immer klar war, dass die Wohnung vermietet würde, aber trotzdem spürte ich, wie ich meine Schutzgitter hochzog, obwohl ich lächelte und sagte: »Willkommen im Haus. Ich bin Honora Blume – Norrie.«

Sie angelte gerade nach ihren Schlüsseln, aber jetzt blickte sie auf. Sie sah ein wenig überrascht aus. »Honora?«

»Norrie«, wiederholte ich. »Meine Freunde nennen mich Norrie.« Mein pompöser Taufname machte mich wie immer ein wenig verlegen, aber normalerweise gingen die Leute schnell darüber hinweg, ohne so unbehaglich dreinzuschauen. »Ein schrecklich gewichtiger Name – Honora. Er erweckt unmögliche Erwartungen.«

»O nein, gar nicht. Ich habe einfach … ich habe den Namen noch nie vorher gehört. Danke für das Willkommen. Ich bin Clara Brava.«

»Ich glaube, ich wohne neben dir«, fügte ich hinzu.

»Oh, das ist ja wundervoll. Das freut mich. Wenn ich richtig eingezogen bin, musst du unbedingt auf ein Glas Wein oder eine Tasse Kaffee vorbeischauen.« Ihr Lächeln war sanft überredend, und wieder überkam mich meine übliche existenzielle Ambivalenz: Einerseits fürchtete ich jegliche potenzielle Störung durch einen Wohnungsnachbarn und gleichzeitig freute ich mich irgendwie über die Vorstellung, eine Nachbarin zu haben, ebenso wie ich in ihren Dreißigern, jemand, den ich im Flur grüßen oder vielleicht ins Kino einladen konnte. Ich fühlte mich nicht mehr so als Außenseiter wie in der Woche zuvor.

»Allerdings besitze ich momentan weder Wein oder Kaffee, noch irgendwelche Gläser oder Tassen«, fuhr sie lachend fort.

Ich wusste, dass ich sie zu mir zum Kaffee oder sogar zum Abendessen bitten sollte, aber irgendwie brachte ich es nicht fertig.

»Soll ich dir etwas leihen?«, fragte ich schließlich. Ich konnte die falsche Herzlichkeit in meiner Stimme selbst hören. »Ich kann ein paar Teller und Gläser und andere Sachen entbehren.« Das konnte ich nicht, aber damit wäre ich aus dem Schneider, und das war es mir wert, auch wenn ich dann zum Coop laufen und mir neues Geschirr kaufen musste.

»Vielen Dank«, sagte sie, »aber ich habe mir gerade Küchengeschirr bei Crate & Barrel gekauft. Sie legen es zurück, bis ich es abholen komme.« Sie blickte auf das scheußliche Sofa. »Mehr konnte ich nicht auf ein Mal tragen.«

»Das hast du bei Crate & Barrel gekauft?«, fragte ich und versuchte, nicht so ungläubig zu klingen. Normalerweise hatten sie dort eher kleinere, attraktivere Stücke.

»Ja!«, erwiderte sie, »im Ausverkauf.« Zweifellos. Ich stellte mir vor, wie Clara das Stück nach Hause geschleppt hatte. Crate & Barrel lag anderthalb Blocks weit entfernt. Kein Zweifel, Clara war eine sehr entschlossene Frau. Wieder bewunderte ich ihre Courage.

»Brauchst du Hilfe beim Tragen, wenn du die Sachen abholst?«, hörte ich mich fragen.

»Herzlichen Dank«, sagte sie wieder, aber dieses Mal

sprach sie nicht weiter. Mein Herz sank, als mir klar wurde, dass sie mein Angebot angenommen hatte. Als sie ihre Tür aufschloss, fiel mir auf, dass ein Spion darin angebracht war. Ich musste unbedingt die Verwaltung bitten, auch bei mir einen zu installieren. Clara kippte das Sofa in eine aufrechte Position und begann, es über den nackten, ziemlich verschrammten Eichenboden in ihr Apartment hineinzuschieben. »Komm doch rein!« Sie lächelte mich über die Schulter an. »Ich will es nur schnell aufstellen, dann können wir los und meine anderen Sachen holen.« Sie musterte meinen Wäschekorb. »Aber vielleicht hast du ja zu tun.«

»Ach, die Wäsche kann ich jederzeit machen«, versicherte ich ihr und hob den Korb hoch. »Ich bring das nur schnell zurück in meine Wohnung und hole dich in fünf Minuten ab.«

Zurück in meiner Wohnung, sah ich, dass die Lampe an dem Anrufbeantworter im Schlafzimmer blinkte. Ich fragte mich, ob Michael angerufen hatte, aber die Zeit reichte nicht zum Abhören, sonst würde Clara kommen und mich holen. Ich spürte ein seltsames Widerstreben, sie jetzt schon in meine Wohnung zu lassen. Nach den vergangenen zwei Jahren mit Jill hütete ich meine neugewonnene Privatsphäre eifersüchtig. Ich eilte zurück. Vielleicht würde ich sie einladen, mit mir im »Casablanca« essen zu gehen, dort machten sie großartige Krabbenomeletts.

Als ich zurückkam, rückte sie gerade ihr Sofa unter dem Fenster zurecht; eine kleine Stereoanlage und ein Stapel CDs standen daneben. Ich bemerkte ein Paul-Klee-Poster, das in dem nahezu leeren Raum an der Wand klebte. Zufällig hatte ich den gleichen Klee-Druck im Coop für mein Schlafzimmer gekauft. Ich mochte das Bild wegen seines Humors, seiner kräftigen Farben und seiner Kühnheit. Clara bemerkte, wie ich es betrachtete.

»Mein einziger Luxus bis jetzt«, lachte sie. »Ich mag seine Atmosphäre, die Freiheit, vielleicht ist es sogar Furchtlosigkeit.« Keine schlechte Beschreibung von Klee, dachte ich.

»Ich habe das gleiche Poster in meiner Wohnung«, teilte ich ihr mit, »aus dem gleichen Grund.«

Sie schaute sich in ihrem ziemlich schäbigen kleinen Zimmer um, ihr breites Gesicht strahlte aus reinem Vergnügen. In diesem Moment mochte ich sie sehr. »Es ist sehr hübsch, oder? Ist deines genauso?«

»Nun, nein, es ist ein wenig größer«, begann ich zögernd. Mehr zu besitzen als jemand anders war mir immer unangenehm. »Ich habe eine Zweizimmerwohnung genommen, weil ich ein Arbeitszimmer brauche, wenn ich nicht in meinem Atelier bin.«

Falls ich jemals wirklich in meinem Atelier sein werde, dachte ich.

»Atelier?«

»Ja, ich bin Malerin.« Ihr Gesicht nahm einen seltsamen Ausdruck an, den ich nicht einordnen konnte, als ob etwas sie überrascht oder erschreckt hätte. Aber vielleicht bildete ich mir das auch nur ein.

»Eine Malerin, wie wundervoll«, bemerkte Clara, aber ihr Tonfall war plötzlich distanzierter, kühler, strafte ihre Worte Lügen. »Ich habe noch nie eine Malerin kennen gelernt. Und du hast sogar ein Atelier – du musst sehr erfolgreich sein.« Angesichts ihrer plötzlichen Distanziertheit begann ich, Ausflüchte zu machen, obwohl ich nicht wusste, warum das nötig sein sollte.

»Nun, tatsächlich hat mir das Larkin das Atelier für dieses Jahr zur Verfügung gestellt. Um ehrlich zu sein, ich weiß nicht mal, ob ich es überhaupt benutzen werde.«

»Das Larkin?« Ein Spur Leben kehrte in ihre Stimme zurück.

»Das Institut. Ich gehöre zu den Stipendiatinnen.«

»Was für ein Zufall, ich auch.« Jetzt war sie wieder herzlich, geradezu enthusiastisch. Was für ein seltsames Geschöpf sie ist, dachte ich.

»Ehrlich? Ich kann mich gar nicht erinnern, dass ich dich bei der Einführung letzte Woche gesehen habe.«

»Nein, ich bin später gekommen. Vielleicht könntest du mich ja morgen im Institut herumführen?«

»Das würde ich gerne, aber nun ja, die Sache ist, ich muss morgen woandershin …« Ich traf mich mit Michael zum Mittagessen. »Und eigentlich, Clara, na ja … ich gehe einfach nicht so oft dort hin.«

»Nicht?« Clara sah schockiert aus, vielleicht sogar ein wenig entrüstet. »Aber dort sind so viele brillante Frauen aus aller Welt. Diese Chance bekommen wir nur ein Mal. Sicher änderst du deine Meinung noch.«

»Nun, ich gehe bestimmt zu den wöchentlichen Vorträgen mittwochnachmittags, aber ansonsten, außer bei besonderen Anlässen, werde ich kaum da sein. Ich will dieses Jahr nur malen. Ich habe jahrelang auf diese Gelegenheit gewartet.«

»Du hast Glück, dass du diese Begabung besitzt«, bemerkte Clara, als fände sie, dass es am besten war, das Thema zu wechseln. »Für mich hängt alles von Wörtern ab. Ich glaube, manchmal wäre es eine Erleichterung, stattdessen visuelle Bilder zu benutzen. Es muss wundervoll sein, sich wortlos ausdrücken zu können.« Bevor mir eine Antwort einfiel, fuhr sie fort: »Ich glaube, wir müssen jetzt gehen, sonst machen die Läden zu.« Ich wusste, dass meine Einstellung zum Larkin eine Enttäuschung für sie war.

»Woher kommst du?«, fragte sie, als wir die Brattle überquerten.

»Ursprünglich aus Kalifornien«, erwiderte ich, während wir die Glastüren aufstießen und die wunderbare Welt der Haushaltswaren betraten. »Aber ich lebe schon lange hier.«

»In unserem Haus?«

»O nein, in die Brattle Street bin ich erst letzte Woche gezogen. Ich meinte die Gegend. Ich habe vorher in Watertown gewohnt.«

»Und wenn du hier in Harvard fertig bist, gehst du dorthin zurück?«, fragte Clara. »Nach Watercity?«

»Watertown«, verbesserte ich sie kurz angebunden. Wie konnte ich diese Frage ehrlich beantworten? Ich hoffte mit Michael zusammenzuleben, wenn mein Jahr am Larkin zu Ende war. Wir hatten darüber diskutiert, dass ich nach meinem akademischen Jahr wieder umziehen musste, und er hatte beschlossen, bis dahin einen saubereren Schlussstrich zu ziehen, damit wir ein gemeinsames Leben beginnen konnten. »Was wirst du hier am Larkin machen?«, fragte ich Clara und hoffte, dass ihr mein Zögern nicht aufgefallen war.

»Ich bin Journalistin«, verriet sie mir. »Ich arbeite an einem Buch über den Beginn des Feminismus in Chile.«

»Das klingt interessant. Was hat dich dazu inspiriert?« Inspiration lag mir näher als Theorie, und außerdem war Feminismus kein neuer Gedanke für mich.

Ich erschrak, als Clara abrupt stehen blieb, um mir zu antworten. Ihr Tonfall wurde feierlich und ernst. Ich erinnere mich, dass wir direkt unter einem Schild mit der Aufschrift WUNDERVASE standen, unter dem ungefähr ein Dutzend mundgeblasener Glasvasen mit kobaltblauen Schlieren ausgestellt waren.

»Mein Vater war ein wundervoller Dichter«, sagte sie. »Und er wäre damit vollkommen zufrieden gewesen. Aber er hatte eine Zeitung geerbt, die vor ihm seinem Vater gehört hatte, und ein Gefühl von Verpflichtung gegenüber der Familie ließ ihn die Leitung übernehmen, nachdem Großvater gestorben war. Als sein Gewissen ihm keine andere Wahl ließ, als in seinen Artikeln gegen das Pinochet-Regime zu schreiben, wurde er ermordet, brutal abgeschlachtet, und sein Zeitungsgebäude wurde in Brand gesteckt. Ich war damals noch ein Kind. Meine Mutter wusste nicht, wie sie ohne ihn leben sollte. Ihre Eltern nahmen uns auf, und materiell fehlte es uns an nichts, aber für meine Mutter war es zu spät. Sie traute der Welt nicht mehr – sie lebte in ständiger Angst. Ich glaube, dass ich zur Feministin wurde, ist das Ergebnis ihrer Hilflosigkeit.«

Die Ähnlichkeit mit meiner eigenen Mutter berührte

mich stark. Aber obwohl ich gegenüber ihrer Unfähigkeit, mit dem Leben zurechtzukommen, sehr kritisch eingestellt war, ließ mich etwas schweigen. Ich stellte fest, dass ich meine Mutter verteidigen wollte, unerklärlicherweise wollte ich sie aber nicht erwähnen.

Clara schwieg ebenfalls einen Moment lang, dann fuhr sie fort. »Ich wollte niemals so sein wie sie. Meine Mutter starb mit knapp fünfzig, drei Jahre, nachdem meine Großeltern bei einem Verkehrsunfall ums Leben gekommen waren. Ich war fünfundzwanzig und wusste, dass ich für den Rest meines Lebens mit der Gewissheit leben musste, dass meine Mutter diese Welt verlassen wollte, obwohl ihre Tochter – ihr einziges Kind – noch lebte.«

»Hat sie sich das Leben genommen?«

»Nicht direkt. Sie starb einfach erst innerlich und gab dann einer Krankheit nach. Es war ein Ausweg, das war alles.« Claras Gesicht hatte einen verbitterten Ausdruck angenommen, der ihre plumpen Züge wiederum veränderte, diesmal auf unangenehme Weise. Sie hat wirklich eine ausdrucksvolle Mimik, dachte ich. Es wäre eine Herausforderung, sie zu malen.

»Woran ist sie gestorben?«, fragte ich mit zunehmendem Unbehagen.

»Der Arzt sagte Krebs, der Autopsiebericht sagte Krebs, aber ich weiß, dass es Todessehnsucht war, ein Versiegen ihres Lebensmuts.« In ihren Augen standen Tränen, aber ihre Miene war steinern. »Sie war schwach!« Clara spuckte die Worte förmlich aus, und dann zögerte sie und holte tief Luft, bevor sie fortfuhr.

»Meine Mutter bedeutete mir alles. Ich hatte sonst niemanden auf der Welt. Ich werde ihr niemals vergeben, dass sie mich verlassen hat.«

Ich wusste nicht, wie ich reagieren sollte. Clara tat mir Leid, weil sie so jung beide Eltern verloren hatte, aber noch mehr Mitgefühl empfand ich mit ihrer toten Mutter – so hart und absolut von ihrer Tochter verurteilt zu werden nach dem, was ein schmerzhafter und wahrscheinlich sich lang hinziehender Krebstod gewesen war.

In diesem Augenblick kam eine Verkäuferin herüber, um sich zu erkundigen, ob sie uns helfen könnte, und augenblicklich erkannte ich, wie bizarr es war, ein solches Gespräch in einem Haushaltswarenladen zu führen. Noch befremdlicher, dass Clara ihre gewaltige, lang gehegte Bitterkeit einer Zufallsbekanntschaft offenbart hatte. Ich hörte zu, wie sie der Verkäuferin erklärte, was für sie zurückgelegt worden war, ihre Stimme klang wieder vollkommen normal. Nur eine Sekunde lang, in einer Art geistigem Froschhüpfen, fragte ich mich, was die resolute Clara wohl zu meiner Beziehung mit einem verheirateten Mann sagen würde.

Ich schaute mich um und unterdrückte einen Seufzer. Dann fiel mein Blick auf einen roten Glaskrug, die Art dickbäuchigem, nach vorn geneigtem Krug, die man in holländischen Stillleben sehen kann. Ich hatte niemals zuvor einen aus Glas gesehen, nur aus Ton oder Keramik. Es war tiefes und klar leuchtendes, rotes Glas, in dem sich die letzten Strahlen des Tageslichts brachen. Ich vergaß Clara und ging hinüber zu dem Regal; es war offensichtlich das letzte rote Exemplar, obwohl dort noch andere in grün standen, die mir ebenfalls gefielen. Aber das Rot war spektakulär, ein tiefes, sattes Rot, wie die Farbe von Blut, wenn man Blut in Glas gießen und mit Licht erfüllen könnte.

Es würde mich vielleicht zum Malen animieren. Ich nahm den Krug, ohne nach dem Preis zu sehen, und trug ihn zur Kasse, wo Clara stand und mich mit einem seltsam fragenden Ausdruck im Gesicht beobachtete.

»Schau mal«, sagte ich. »Ist der nicht großartig? Ich habe noch nie so einen Krug aus Glas gesehen.«

»Sehr hübsch«, erwiderte sie, aber ich spürte die Zurückhaltung in ihrem Tonfall. Genau in diesem Moment brachten die Verkäuferin und ein Helfer ihre Einkäufe.

»Ich hätte gern den hier«, sagte ich, und als die Frau ihn mir abnahm, um ihn einzupacken, spürte ich eine Art absurde Trennungsangst. Ich wollte ihn zurückhaben. Ich wollte ihn nie wieder loslassen. Selbst als ich den Preis sah, genug, um damit Lebensmittel für mehrere Tage einzukaufen, war mir das gleichgültig. Ich nahm ihn vorsichtig und voller Freude aus ihren Händen entgegen. Vielleicht würde ich bald wieder malen. Möglicherweise schon heute Abend.

»Teuer!«, stellte Clara in leichtem, eher amüsiertem Tonfall fest, der mich ärgerte. »Besonders für etwas so Unwichtiges. Na ja, ich habe schon gehört, dass ihr Amerikaner verschwenderisch seid.«

Eine Zorneswelle packte mich.

»Ich bin Malerin«, erwiderte ich heftig und vielleicht ein

wenig überheblich. »Was dir nicht wichtig erscheint, kann für mich eine absolute Notwendigkeit bedeuten.«

»Oh«, sagte sie. »O nein, ich hoffe, ich habe dich nicht beleidigt, Honora ... Norrie. Ich sage manchmal so dumme Sachen. Verzeih mir.« Sie sah so betroffen und zerknirscht aus, dass mein Ärger verflog.

»Ach was, vergiss es. Du hast vermutlich Recht mit uns verschwenderischen Amerikanern, aber ehrlich, ich glaube, dieser wundervolle rote Krug wird seinen Weg in ein Bild finden, an dem ich gerade arbeite.«

Bilde ich mir ein.

Von dem ich mir einbilde, dass ich bald daran arbeiten werde.

Clara und ich kontrollierten ihre vier riesigen Taschen mit Haushaltsgegenständen. Alle absolut notwendig und preiswert. Aber wenn sie wirklich so sparsam war, hätte sie die gleichen Dinge auch im Coop kaufen können, dachte ich. Ich wollte es schon sagen, aber dann schämte ich mich für diesen schäbigen Gedanken.

Ich nahm zwei der Taschen und steckte meinen Krug vorsichtig in eine hinein. So konnte ich die Sachen leichter tragen.

Es wurde schon dunkel, als wir wieder auf die Straße traten. Die Taschen waren so groß, dass sie uns beim Gehen behinderten. Ich war groß genug, sodass sie wenigstens nicht den Boden berührten, aber Clara musste ihre Taschen hochheben, damit sie nicht über den Gehweg schleiften. Plötzlich war ich froh, dass ich ihr half. Gleichzeitig wollte ich nur noch weg von ihr, ohne sagen zu können, weshalb.

»Ich würde mich freuen, wenn wir uns bald mal treffen könnten«, sagte sie schließlich, als wir durch den Hof zu unserem Gebäude marschierten. »Man kann so gut mit dir reden. Wir haben uns heute erst kennen gelernt, und ich kann gar nicht fassen, was ich dir schon alles erzählt habe.«

Ich auch nicht. Und ich konnte mir auch nicht vorstellen, das Gleiche zu tun.

Ich lächelte einfach kommentarlos und schloss die Eingangstür auf. Wir gingen zum Aufzug, die Einkaufstaschen schlugen gegen unsere Beine.

»Möchtest du noch einen Moment mit hereinkommen?«, fragte sie, als wir im vierten Stock ausstiegen.

»Nein danke«, erwiderte ich. »Ich habe heute Abend noch etwas vor.«

Das hatte ich – ich wollte allein sein und versuchen zu malen. Ich hätte mich treten können, weil ich ihr das nicht einfach sagte.

Ich beschloss, diese unvernünftige Zurückhaltung abzulegen. Meine Kunst war keine windige gesellschaftliche Ausrede, es war meine *Arbeit*.

»Ach, zu schade«, meinte Clara. »Vielleicht hast du ja Lust, noch auf einen Tee vorbeizuschauen, wenn du nachher zurückkommst? Ich habe noch ein paar Teebeutel, und jetzt habe ich sogar Tassen!« In diesem Moment hätte ich ihren falschen Eindruck, dass ich ausginge, noch korrigieren können, aber ich befand mich auf dem Rückzug, und das war alles, was mich im Augenblick interessierte.

»Nein, heute Abend passt es einfach nicht. Vielleicht ein

anderes Mal.« Ich nahm an, dass mein Widerstreben gegenüber Clara mehr über mich als über sie aussagte.

»Gut, ja«, meinte sie. »Ich würde mich freuen.«

Wir verabschiedeten uns, aber als ich mit dem Schlüssel in der Hand vor meiner Wohnungstür stand, hörte ich sie meinen Namen rufen und wandte mich um.

»Ich wollte dir nur sagen, wie es mich freut, dass du hier wohnst«, sagte sie. »Ich weiß einfach, dass wir gute Freunde werden.«

»Danke, Clara.« Ich lächelte, um den unverbindlichen Klang meiner Worte abzuschwächen, aber ich brachte es nicht über mich, herzlicher zu reagieren. Clara erwiderte mein Lächeln und schleifte dann die Einkaufstaschen in ihre Wohnung.

In meiner Wohnung stellte ich fest, dass die Hausverwaltung mir eine weitere lavendelfarbene Notiz unter der Tür durchgeschoben hatte. Sie schienen jede Gelegenheit dazu zu ergreifen. Letzte Woche war es etwas über den Wasserdruck gewesen, am Mittwoch etwas über Besucher, die ihre Fahrräder in der Eingangshalle stehen ließen. Ich faltete den Zettel zusammen, stopfte ihn ungelesen in meine Tasche und ging zum Anrufbeantworter.

Die Nachricht war von Michael, der an diesem Abend mit seiner Frau Brenda zu einer Hochzeit eingeladen war.

»Ich denke heute Abend an dich«, erklang seine Stimme in meinem Schlafzimmer. »Oh, tolle Neuigkeit, ich denke sowieso andauernd an dich.«

An der Wand stand meine Staffelei mit einer leeren

Leinwand darauf. Mein ganzes Leben lang hatte ich die Verheißung der Möglichkeiten geliebt, die eine frische Leinwand bot, aber meine Laune hatte sich verschlechtert, und plötzlich bezweifelte ich, dass ich heute Abend malen würde.

Es wäre nicht gerecht gewesen, Clara die Schuld daran zu geben, aber je länger ich nicht malte, desto mehr schien es wie eine versäumte Pflicht. Das war neu für mich. Ich hatte noch nie unter einer kreativen Blockade gelitten. Heute Abend wirkte die leere Leinwand auf mich nicht wie eine gute Gelegenheit, allein der Anblick war mir verhasst. Ich warf meinen rotseidenen Kimono darüber, damit ich nicht nachts erwachte und diese völlig weiße Fläche lauern sah.

Ich glaube, dass das Rot des Kimonos mich auf den Gedanken brachte: der rote Glaskrug. Ich konnte einfach nicht fassen, dass ich ihn in Claras Tüte vergessen hatte. Im Flur hatte ich so dringend von ihr weggehen wollen, dass ich meinen roten Glaskrug vollkommen vergessen hatte. Jetzt stand ich an meiner Wohnungstür und zögerte. Was sollte ich tun? Ich beschloss, nicht hinüberzugehen und ihn zu holen, ich konnte ein Gespräch mit ihr jetzt nicht ertragen.

Aber was, falls sie damit zu mir käme? Nein, das würde nicht passieren. Sie glaubte, ich würde ausgehen. Dann kam mir ein unangenehmer Gedanke. Um zu mir zu gelangen oder fortzugehen, musste man an Claras Tür vorüber. Sie würde merken, dass ich nicht wegging, obwohl ich ihr etwas anderes erzählt hatte. Würde sie merken, dass ich sie angelogen hatte? Entschlossen verdrängte ich diesen Gedanken; es fehlte mir gerade noch, mir vorzustellen, wie Clara mich überwachte.

Falls sie heute Abend mit dem roten Glaskrug vorbeikäme, würde ich nicht auf ihr Klopfen reagieren. Ich konnte morgen zu ihr gehen und ihn abholen.

Ich betrachtete den roten Kimono, der wie ein Liebhaber die Leinwand bedeckte. Es war ein interessantes Bild.

Im Schlafzimmer zog ich mein Nachthemd an. Ich konnte spüren, wie meine Laune immer schlechter wurde, und wollte dem nicht nachgeben.

Als ich meine Jeans über eine Stuhllehne hängte, bemerkte ich die lavendelfarbene Notiz wieder, die aus der Tasche lugte. Es war eine Warnung, da kürzlich mehrere Einbrüche im Gebäude stattgefunden hatten. Man wurde ermahnt, seine Tür abzuschließen, auch wenn man zu Hause war, und aufgefordert, nicht den Summer für die Eingangstür zu betätigen, wenn man sich nicht vergewissert hatte, wer hereinwollte. Großartig, noch etwas, worüber man sich Gedanken machen musste.

In der Küche leerte ich einen übrig gebliebenen Behälter mit Maissuppe in einen Topf. Ich würde beim Essen im Schlafzimmer fernsehen, einfach um mich zu entspannen, und die Lautstärke herunterdrehen, damit Clara mich nicht hören konnte, falls sie an die Tür kam.

Vor dem Essen spielte ich Michaels Nachricht noch einmal ab, dann löschte ich sie.

Das Leben schien gleichzeitig leer und übervoll.

Der Fernseher lief, aber ich schaute nicht hin. Nach einiger Zeit ging ich zu meiner Staffelei, zog den roten

Kimono herunter und warf ihn über einen Stuhl. Zumindest sollte ich mich meinem Versagen stellen. Ich saß auf der Bettkante, nippte an meiner Suppe, betrachtete die Leinwand, wie jemand einen Film anschaut, und wartete darauf, dass etwas zu mir sprach.

Vom ersten Moment, da sich unsere Körper trafen, wusste ich, dass ich dich auf jede mögliche Weise besitzen wollte. Manchmal fühlte es sich an wie Gier. Je mehr ich von dir besaß, desto mehr hungerte ich nach dir. Das war niemals so akut wie bei dieser Wochenendreise nach San Francisco. Ich denke, dass wir niemals zuvor gemeinsam in die Welt gereist waren, weit entfernt von Vertrautem und Erwartungen und an einen Ort, mit dem sich für keinen von uns eine Geschichte verband, dies machte uns frei, verstärkte unsere erotische Verbindung.

Wir wohnten in Liz' Wohnung, während sie sich in London aufhielt. Es war im späten Frühling, der Wind wehte durch ein offen stehendes Küchenfenster und strich im dämmrigen Wohnzimmer, wo wir zusammen auf dem aufgeklappten Bettsofa lagen, über unsere Körper. Liz' Wohnzimmerfenster hatten weder Vorhänge noch Jalousien – das ist so typisch für Liz –, und ich erinnere mich an eine Art lavendelfarbenes Licht am Rand der Dunkelheit, das deine langen Glieder wunderschön hervorhob, und als du dich auf den Rücken drehtest und dich strecktest, überkam mich ein wildes Verlangen, ich wollte dich auf neue Art, wollte, was ich noch nie zuvor mit jemandem getan hatte, was ich mich nie getraut hatte. Ich wusste nicht, wie es sein würde, ob es wehtat, und ich hatte ein wenig Angst. Aber dort warst du, herrlich in diesem gierigen Licht, und ich wollte dich, wollte es, wollte jede Art von Wissen zwischen uns. Ich werde niemals vergessen, wie du einfach »ja« sagtest, als ich dich fragte, einfach »ja«, so wie ich »Arsch« sagte, und die beiden Wörter in einem einzigen Seufzer absolut gleichzeitig in der Luft schwebten.

Ich wollte dir nicht sagen, dass ich ein bisschen Angst hatte, Angst, dass es wehtun könnte, weil ich es nicht verderben wollte. Ich wartete auf Händen und Knien, bis du auf dem ausgeklappten Bettsofa von hinten kamst, und dann beugte ich mich vor, um meine Arme auf die Rückenlehne zu legen. Ich spürte dich steif an mir, und als du zögernd eindrangst, zärtlich, spürte ich, wie mein Körper sich öffnete, und als du fragtest, ob du mir wehtust, sagte ich nein, ja, nein, tu es, ich will es, und dann kamst du ganz in mich, öffnetest mich, und es tat ein wenig weh, aber ich wollte es, und als ich spürte, dass du vollständig in mir warst, oh, der Schock, der Schock der Erkenntnis, du tief, tief in mir, wo noch niemals jemand gewesen war, und ich hörte deine Stimme hinter mir. Es fühlt sich an wie Honig, sagtest du, und ich spürte es auch, wollte dich dort, spürte, wie du dich am Anfang sanft, sehr sanft in mir bewegtest, dann drängender, und schließlich stoßend, stoßend, bis ich kam, plötzlich, ohne Vorwarnung, obwohl ich nicht geglaubt hatte, dass ich auf diese Weise kommen würde, aber ich tat es, ich kam hart, hart, und dann kamst du ebenfalls, explodiertest tief in mir, und da wusste ich, dass ich alles mit dir tun würde, dass ich all das Wissen wollte, das Verlangen verheißt.

Kapitel 3

Ich erwachte am Sonntagmorgen nach einer unruhigen Nacht, als gerade das erste Licht durch die Musselinvorhänge meines Schlafzimmerfensters drang. Noch müde und ohne jede Lust, aufzustehen, schloss ich wieder die Augen und versuchte, mich an den Traum zu erinnern, der mich mitten in der Nacht geweckt hatte, aber es gelang mir nur bruchstückhaft. In diesem Traum lag ich in einem Krankenhausbett und konnte nur meine Arme bewegen. Dann stand plötzlich mein Vater vor mir und hielt mir in der ausgestreckten Hand einen glatten, leuchtenden, dunkelroten Stein etwa von der Größe eines Rotkehlcheneis entgegen. Ich wusste, dass er mir den Stein geben wollte, und etwas sagte mir, dass er für meine Genesung entscheidend war, worunter auch immer ich litt, aber ich konnte die Arme nicht danach ausstrecken, geschweige denn ihn festhalten, und ich war zu schwach, um aufzustehen und hinzugehen. Daddy schien entweder nicht willens oder nicht in der Lage, zu sprechen oder näher zu kommen und den Stein neben mich auf das Bett zu legen. Den ganzen, scheinbar endlosen Traum hindurch versuchte ich, den Stein zu erreichen. Selbst als mein Vater plötzlich verschwand, versuchte ich weiter, an den Stein zu gelangen, der dort, wo seine Hand gewesen war, in der Luft schwebte; aber meine Glieder waren nutz- und gefühllos. Der rote Stein, so klar wie Glas, verharrte in meinem Blickfeld, blieb unerreichbar.

Was für ein Traum, dachte ich, wie ein schlechter Bergman-Film. Musste meine kreative Blockade mich sogar in den Schlaf verfolgen? Unter den Laken streckte ich meinen Körper wie ein Märtyrer auf der Folterbank. Dann erinnerte mich der Traum an den roten Glaskrug, und mir wurde klar, dass dieser Traum vermutlich von meiner Beschäftigung mit dem Krug am Abend zuvor herrührte. Ich musste ihn heute Vormittag bei Clara abholen. Irgendwie hatte ich das Gefühl, als enthielte er das Versprechen künstlerischer Inspiration, als sei meine Fixierung darauf der Beweis dafür, dass ich immer noch eine Künstlerin war.

Dann erinnerte ich mich an den Verlust eines grünen Glasrings in meiner Kindheit. Als ich fünf war, hatten meine Eltern mit mir einen Kirchenbasar besucht, wo ich den Ring beim Entchenangeln gewonnen hatte. Der wie ein Smaragd geschnittene, grüne Stein schien Zauberkräfte zu besitzen, wie etwas, das eine Fee an ihrem Zeigefinger tragen mochte. Ich verstaute ihn sicher in meiner braunen Papiertüte mit all meinen Gewinnen. Danach wurde ich irgendwie von meinen Eltern getrennt und begann auf der Suche nach ihnen herumzuwandern, die Schatztüte fest in der Hand.

Während ich herumlief, fing ich an zu heulen, und von diesem Moment an bis zu dem Augenblick, da ich meine

Eltern wiedersah, die rasch und mit ängstlichen Gesichtern auf der Suche nach mir durch die Budengassen liefen, kann ich mich an wenig erinnern. Ich rannte auf sie zu – ich weiß noch, wie ich versuchte, meine Beine schneller und schneller zu bewegen –, und ich werde nie das Entzücken vergessen, als mein Vater mich auffing und meine Mutter mich umarmte, während er mich hielt. Erst als wir zu Hause ankamen, stellte ich fest, dass ich meine Tüte verloren hatte.

Ich konnte tagelang nur an den verlorenen Ring denken. Ich wollte ihn mit aller Macht, gierte danach. Ich spürte das erste Mal in meinem jungen Leben das Gefühl von Verlust. Die Vorstellung, dass etwas, was mir gehörte, unwiederbringlich verloren sein konnte, ging mir gegen den Strich und machte mich wütend.

Als Jahre später mein Vater starb, dachte ich das erste Mal wieder an den grünen Glasring, als wäre dieser Verlust irgendwie mit seinem Tod verbunden. An den Ring zu denken half mir auf seltsame Weise, mit den immer wiederkehrenden Gedanken an meinen Vater umzugehen. Einige Zeit war ich fast überzeugt, dass mein Vater zurückkehren würde, wenn es mir gelänge, den grünen Ring wiederzufinden. Selbst als Erwachsene überkam mich noch gelegentlich das Gefühl, den Ring wiederzufinden würde alles in meinem Leben in Ordnung bringen.

Ich schaute auf die Uhr. Vor zehn Uhr an einem Sonntagmorgen bei Clara zu klopfen gehörte sich nicht. Ich duschte, zog mich an und wartete darauf, dass es zehn wurde, wobei ich über die beiden Glasobjekte

Ring und Krug und darüber nachdachte, wie merkwürdig es war, dass ich beide verloren hatte, während sie in Taschen lagen, in die ich sie zu ihrem Schutz gepackt hatte.

Es war fast zehn, als das Telefon klingelte. Es war Michael. »Letzte Nacht habe ich geträumt, dass du am Strand mit einem anderen bumst«, begann er ohne jede Begrüßung.

»Hm, ich glaube nicht. Lass mich mal überlegen.« Ich schwieg einen Moment. »Wer spricht dort?«

»Sei nicht so herzlos«, bat er. »Ich kann gerade nicht richtig mit dir sprechen, aber ich wollte dir sagen, dass es mich verrückt macht. Als ich aufwachte, wollte ich das Arschloch finden und ihn zusammenschlagen.«

»Wow, du harter Bursche. Ich glaube, du verwechselst dich mit Schwarzenegger. Du bist der hoch entwickelte, gewaltverneinende Typ, weißt du noch? Ein Mann der Worte?«

»Oh, ich hatte meine große Zeit, als ich noch ein Kind war«, erwiderte er. »Ich hab schon ein paar Köpfe eingeschlagen. Das haben wir alle, man musste es, um in den Gettos zu überleben. Aber egal, es geht nicht darum, ob ich gewaltbereit bin oder nicht, so einfach ist das nicht. Ich glaube, jeder kann gewalttätig werden, wenn man ihm das wegnimmt, was er am meisten auf der Welt begehrt. Aber ich kann mich nicht erinnern, dass ich jemals zuvor so empfunden habe. Der Gedanke, du könntest mit einem anderen zusammen sein, ist mir unerträglich. Ich scheine dich über alle Maßen zu begehren.«

»In der katholischen Schule hat man uns beigebracht, dass begehren bedeutet, den Besitz eines anderen haben zu wollen«, erzählte ich ihm. »Und *ich* gehöre niemand anders. Wenn also schon einer von uns beiden begehrt, sollte dann nicht *ich dich* begehren?«

Im gleichen Moment, wie um meine Worte zu bestätigen, rief Brenda aus einem Nebenzimmer nach ihm.

»Komme gleich«, rief er zurück, und dann an mich gewandt: »Ich muss auflegen.«

»Ich schließe mein Plädoyer.«

»Egal, wie du darüber denkst«, sagte er ungewöhnlich heftig, »ich gehöre *dir*.« Er legte auf.

Ich begehrte Michael in der eindeutigen liturgischen Bedeutung des Wortes, da er Brendas Ehemann war. Begehren war eine der Sieben Todsünden: Stolz, Begehren, Neid, Lust, Völlerei, Zorn und Trägheit.

Als Kind war es mir manchmal so erschienen, als ob alle echten Gefühle eine Sünde seien, und ich fragte mich, warum Gott uns diese Gefühle gegeben hatte, wenn sie falsch waren und uns in die Hölle bringen konnten. Die meisten der sieben Todsünden hatten mit irgendeiner Art von Verlangen zu tun: Lust, Völlerei, Neid, Begehren – sogar Stolz und Trägheit. Teufel auch, sogar Zorn, wenn man es recht bedachte. In der Beziehung zu Michael hatte ich jedes dieser Gefühle schon einmal erlebt. Ich dachte darüber nach, ob frühkindliche religiöse Prägung jemals aus dem Denken getilgt werden kann, und falls ja, warum es mir dann nie gelungen war, mich von meiner katholischen Erziehung frei zu machen?

Es war zehn Uhr, also nahm ich mir eine Auszeit von meiner spirituellen Krise und ging zu Clara, um den roten Glaskrug zu holen. Auf mein Klopfen erfolgte keine Reaktion. Ich konnte nicht glauben, dass sie ausgegangen war, womöglich den ganzen Tag, ohne mir vorher mein Paket zurückzubringen. Sie musste es gesehen haben, es steckte in der Tasche mit ihrem Bettzeug von Crate & Barrel. Frustriert und ein wenig verärgert kehrte ich in meine Wohnung zurück.

Um elf war ich wieder an der Tür. Ich wollte sie zum Essen einladen, falls sie aufmachte. Lösegeld, dachte ich, als ich klopfte. Immer noch keine Reaktion. Vor dem späten Nachmittag konnte ich es nicht noch einmal probieren, weil ich bald nach Brookline aufbrechen musste.

Ich wollte Ida Czernak besuchen, die Mutter von Henry Czernak, einem Mann, mit dem ich vor einigen Jahren zusammengelebt hatte. Ich besuchte Ida nach Möglichkeit jeden Sonntag, und ich hatte das Pflegeheim bereits angerufen und von meinem Kommen unterrichtet. Ida hatte sich mit ihren vierundachtzig Jahren eine gute Portion Eitelkeit bewahrt und mochte es nicht, wenn ich unangemeldet kam und sie sich vorher nicht zurechtmachen konnte. Idas Sohn hatte sich von mir getrennt, nachdem ich ihm gesagt hatte, dass ich nicht die Absicht hatte, zu heiraten und Kinder zu bekommen, vielleicht niemals. (»Ich will einen lebensbejahenden Menschen kennen lernen«, hatte er gesagt, als er die Beziehung beendete; dieser Kommentar traf mich tiefer als die Trennung selbst.) Henry war sechs Monate später auf dem Weg zu seiner neuen Freundin bei einem Verkehrsunfall ums Leben gekommen.

Während der zwei Jahre unseres Zusammenlebens hatte ich ihn immer zu den Besuchen bei seiner Mutter begleitet und Gefallen an Ida gefunden. Als Henry starb, stand Ida allein in der Welt. Jetzt war ich der einzige Besuch der alten Frau, und es schien wichtig, sie nicht zu enttäuschen.

Bei meinem letzten Besuch war es Ida, die an Diabetes und Nierenproblemen litt, nicht gut gegangen. Die ganze Zeit über war sie sehr verwirrt und davon überzeugt gewesen, dass Henry noch lebte und ich mit ihm verheiratet war.

»Warum werde ich hier gefangen gehalten?«, hatte sie mich gefragt, als ich gerade aufstand, um mich von ihr zu verabschieden, ihre Finger kneteten unablässig den Rock ihres blauen Kleides. »Ich habe nichts verbrochen. Du musst mit Henry reden, damit er einen Anwalt nimmt, der mich hier schnellstens herausholt.« Den ganzen Weg zur Haltestelle hatte ich mit den Tränen gekämpft.

Auf dem Weg zur U-Bahn nach Brookline klopfte ich ein letztes Mal an Claras Tür, und als sie immer noch nicht antwortete, machte ich mich auf den Weg zu Ida. Im Pflegeheim fand ich Ida, Gott sei Dank, geistig völlig klar vor, sie war erfreut, mich zu sehen. Dennoch war ich erschrocken über ihre Schwäche und ihre sichtliche Gewichtsabnahme. Sie trug einen magentaroten Samtmorgenmantel, ein Geschenk von mir zu ihrem letzten Geburtstag. Normalerweise bestand sie darauf, dass die

Schwestern ihr ein richtiges Sonntagskleid anzogen, wenn ich sie besuchte, daher wusste ich, dass sie stärkere Schmerzen als gewöhnlich hatte. Ihr weißes Haar war hübsch frisiert, und sie hatte wie immer Lippenstift aufgelegt. Aber es war für mich offensichtlich, dass eine Schwester sie geschminkt haben musste, da er den natürlichen Schwung ihrer Lippen nachzeichnete, anstatt im Stil der Fünfzigerjahre ihre Oberlippe voller zu malen, wie Ida es vorzog.

Ich berichtete ihr noch einmal von meinem Umzug und dem Larkin-Stipendium, da sie beides vergessen hatte.

»Meine Güte, was für eine Ehre für eine so junge Malerin«, rief sie aus. »Ich bin sehr stolz auf dich.« Ich grinste, ich nahm an, sechsunddreißig Jahre erschien Ida jung. Dann betrachtete sie mit einer gewissen Neugier mein Gesicht. »Wirst du berühmt werden?«

»Keine Chance«, lachte ich. »Aber ich denke, man könnte sagen, dass meine Arbeit eine gewisse Beachtung findet. *ArtAmerica* führte mich kürzlich in der Liste der fünfundzwanzig kommenden amerikanischen Maler auf.«

»Was du nicht sagst«, bemerkte Ida, dann nahm ihr Gesicht einen nachdenklichen Ausdruck an, und sie wurde still. Ich ergriff die Gelegenheit und entschuldigte mich unter dem Vorwand, auf die Toilette zu müssen. Ich wollte mit der diensthabenden Schwester sprechen und mich erkundigen, warum Ida so zerbrechlich aussah. Marge Flannery, meine Lieblingsschwester, hatte heute Dienst, und ich wusste, dass sie mir Auskunft über Idas

Zustand geben würde, obwohl ich keine Verwandte war. Marge arbeitete schon in dem Heim, seit Ida dort Einzug gehalten hatte, und wusste, dass Ida keine anderen Besuche bekam.

Ich entdeckte sie im Schwesternzimmer, sie telefonierte. Sie winkte mich herein und bedeutete mir, mich zu setzen, bis sie fertig war. »Das stimmt«, sagte sie, während sie mir einen Stuhl heranzog und mit dem Mund ein stummes *Hallo* formte. »Heute geht es ihm gut, Mrs. O'Malley. Ich weiß, dass er sich über einen Besuch freuen wird, wann immer Sie es schaffen. Aber ja, ich kann mir vorstellen, wie viel Sie gerade jetzt zu tun haben. Aber irgendwann werden Sie sich wünschen, Sie hätten sich die Zeit genommen.« Sie schaute mich an und verdrehte die Augen. »Ja, ja, ich weiß, dass Sie das möchten. Ja, ich bin sicher, dass Sie das tun. Auf Wiederhören.« Marge hatte nicht viel Geduld mit den verirrten Söhnen und Töchtern, die ihre Eltern nur selten im Pflegeheim besuchten.

Nachdem ich sie begrüßt hatte, erkundigte ich mich, was mit Ida heute los war. Ich war entsetzt, als sie mir mitteilte, dass Ida mit der Dialyse beginnen musste, weil ihre Nieren versagten. »Wir haben Glück, ein wundervolles Dialysezentrum ist nur einen Block entfernt«, meinte sie fröhlich. »Sie holen sie dreimal die Woche mit dem Krankenwagen ab und bringen sie auch wieder zurück.« Ich wollte schon fragen, warum mir niemand Bescheid gegeben hatte, aber dann fiel mir ein, dass sie keineswegs die Pflicht hatten, mich zu informieren. Falls Ida starb, würde mich außer dem Leichenbeschauer vermutlich niemand anrufen. Wie traurig. Wie inakzeptabel.

»Marge, ich weiß, dass Ida nicht zu meiner Familie gehört, aber sie hat sonst niemanden mehr. Könntest du nicht einen Vermerk machen, damit ich angerufen werde, falls etwas passiert?«

»Natürlich kann ich das.«

Sie holte umgehend Idas Akte, erkundigte sich nach meinem Familiennamen und meiner Telefonnummer und notierte die Angaben.

»Und falls sie etwas braucht oder möchte und die Versicherung es nicht zahlen will, dann ruf bitte an, Marge. Vielleicht kann ich einspringen.« Ich wusste, dass Ida keine großen Ersparnisse besitzen konnte; sie hatte ihre Wohnung in Brookline verkauft, um diesen Pflegeheimplatz zu erwerben.

Marge versicherte mir, dass man mich benachrichtigen würde. »Aber deine wöchentlichen Besuche braucht sie am nötigsten.« Ich bekam ein schlechtes Gewissen, weil ich letztes Wochenende nicht dagewesen war. Ich hätte es schaffen können. Ich hatte einfach meiner Müdigkeit nachgegeben, nachdem ich meine Sachen in meine neue Wohnung gebracht und die ganze Nacht ausgepackt hatte. Aber das war nicht alles gewesen. Am Sonntagmittag hatte Michael angerufen und seinen Besuch angekündigt, und mir war das erste Alleinsein mit ihm in meiner Wohnung wichtiger gewesen als meine Fahrt zu Ida nach Brookline. Es war der erste Sonntagsbesuch seit einem Jahr, den ich ausgelassen hatte, deshalb schien es nicht das Ende der Welt zu bedeuten. Aber wie sich herausstellte, war das Ende der Welt für Ida nicht mehr allzu fern.

Beim Tee plauderten Ida und ich miteinander. Es freute mich, dass sie wieder wusste, dass ihr Sohn schon lange tot war. Tatsächlich schien sie nur über Henry reden zu wollen, über seine künstlerische Begabung.

Ich verriet ihr nicht, dass Henry nach seinem Hochschulabschluss niemals mehr einen Pinsel angefasst hatte und er, obwohl ein grandioser Kunstlehrer, ein miserabler Maler gewesen war. Dann frage Ida mich, warum Henry und ich nie geheiratet hätten, etwas, was sie noch nie zuvor getan hatte.

Henry wollte heiraten und Kinder bekommen, erklärte ich ihr, und damals war ich nicht sicher, ob ich das auch wollte.

Sie gestand mir zu, dass ich ein Recht auf eine eigene Meinung bezüglich Ehe und Kindern hatte, aber sie könnte sich nicht helfen, sie glaubte, Henry wäre noch am Leben, wenn ich ihn geheiratet hätte. Ida sagte das nüchtern und ohne Anzeichen von Verbitterung, aber ich war verletzt.

Als ich Ida daran erinnerte, dass Henry die Beziehung beendet hatte, erwiderte sie: »Nun, du hast dem armen Kerl keine große Wahl gelassen, oder?«

Und bevor mir eine Antwort einfiel, fuhr sie fort: »Vielleicht gefiel dir der Gedanke an die Konkurrenz durch einen anderen Künstler in deinem Leben nicht. Aber wie traurig für Henry, dass er deswegen sterben musste.«

Genau in diesem Augenblick kam die Schwester mit Idas Medikamenten herein, und es schien eine gute

Gelegenheit, sich zu verabschieden. Ich küsste Ida auf die Stirn, und sie sagte: »Komm bald wieder, ich bin einsam ohne dich.« Sie schien sich der Wirkung ihrer Bemerkungen nicht bewusst zu sein. Ich war verletzt, und obgleich ich mir einredete, dass Ida alt und verwirrt war, schien mir doch der Kern einer echten Überzeugung dahinter zu stecken.

Insgesamt war es kein schöner Besuch gewesen, und auf meinem Weg zur Haltestelle in Brookline brütete ich vor mich hin. Ich grübelte, ob sie wohl wirklich eine solch schlechte Meinung von mir hatte oder ob ihr heute ihre Synapsen einen Streich gespielt hatten.

Es war schon gegen neunzehn Uhr, als ich endlich wieder bei meiner Wohnung ankam, und ich ging direkt zu Clara und klopfte. Sie öffnete sofort.

»Norrie, wie schön, dich zu sehen.« Sie trug ihr kinnlanges Haar offen, und ihr Gesicht sah viel schmaler und weiblicher aus. »Komm herein«, lud sie mich mit einem strahlenden Lächeln ein. Ich war gereizt, aber ihrer freundlichen Bitte konnte ich nicht widerstehen. Ich entschied mich sogar, einige Minuten zu warten, bevor ich den roten Glaskrug erwähnte, der, wie ich nach flüchtigem Umsehen entdeckte, nirgends zu sehen war.

»Ich habe mir gerade einen wundervollen chilenischen Merlot gekauft«, sagte Clara.

»Ich habe noch nie chilenischen Wein gekauft«, sagte ich. »Ich kenne die guten Marken nicht.« Ich folgte Clara in ihre kleine Küche, wobei ich mich immer noch nach dem roten Glaskrug umschaute. Ein kleines weißes Regal war an der Küchenwand nahe dem Gasherd angebracht. Darauf befanden sich ein Messerblock und ein kleines, einfaches Weinregal, in dem mehrere Weinflaschen lagerten. Auf einem zweiten Regal standen mit Kaffee, Bohnen, Reis und Nudeln gefüllte Vorratsgläser. Im Ausguss schwamm schmutziges Geschirr in Spülwasser. Offensichtlich hatte sie bereits gegessen.

Der rote Krug war nirgends zu sehen.

»Ich sage den Leuten immer, sie sollen nach Etiketten mit dem Schriftzug ›Santa‹ Ausschau halten, wie Santa Rita oder Santa Carolina«, meinte Clara, nahm eine Flasche aus dem Regal und entfernte den Korken. »Oder versuch mal Casillero des Diablo – der ist wirklich ein Schnäppchen.« Sie füllte zwei Weingläser und reichte mir eines.

Wir nahmen auf dem Sofa Platz. Ich schaute mich um. Das Zimmer war erstaunlich aufgeräumt, und die Einkaufstaschen waren nirgends zu sehen. Clara bemerkte, wie ich mich umsah.

»Wie findest du es?«, fragte sie mit einem hoffnungsvollen Ausdruck im Gesicht.

»Wundervoll«, versicherte ich ihr ehrlich. »So ordentlich.«

»O ja«, lachte sie. »Man hat mir schon gesagt, dass ich es mit der Ordnung zu genau nehme. Aber ich meine, wenn man in einer kleinen Wohnung lebt, muss man seine Sachen aufräumen, sonst wird man verrückt.«

»Stimmt.« Ich zögerte, dann stürzte ich mich kopfüber hinein. »Clara, ich vermisse meinen roten Glaskrug.«

»Was?« Sie sah erschrocken aus. »Wie meinst du das?«

Mir sank das Herz. Es war der letzte rote Krug im Laden

gewesen; ich würde vermutlich keinen anderen auftreiben können. Hatte sie ihn genommen, um mich für meine amerikanische Verschwendungssucht zu bestrafen? Meine angeborene Paranoia brach durch, und ich konnte die Auswirkung im hohen Klang meiner Stimme erkennen, als ich antwortete.

»Du hast ihn doch sicher gefunden, als du letzte Nacht dein Bettzeug ausgepackt hast.« Ich klang wie Perry Mason im Gerichtssaal.

»Oh, da hast du ihn hineingepackt?« Sie ging rasch zu einer Tür neben dem Klee-Poster und dem neuen CD-Regal. Als sie sie öffnete, konnte ich sehen, das es sich um einen großzügig bemessenen Wandschrank handelte, und mitten drin standen zwei große Einkaufstaschen, die offensichtlich seit gestern nicht mehr angerührt worden waren. »Es tut mir *so* Leid«, sagte sie. »Ich hatte keine Ahnung, dass du ein Päckchen in meine Tasche gelegt hast. Ich war gestern Nacht so müde und bin nach dem Aufstellen der Regale einfach auf dem Sofa eingeschlafen.«

Das konnte nicht sehr bequem gewesen sein, dachte ich. Ich bedauerte meine Paranoia, als sie mir die Tasche reichte.

Ich öffnete sie sofort, um nach meinem Krug zu suchen, der immer noch eingepackt war. »Gott sei Dank«, brach es aus mir heraus, dann fuhr ich in normalerem Ton fort: »Ich möchte ihn wirklich gerne malen.«

»Er ist sehr schön«, bemerkte Clara. Ich beschloss in diesem Moment, meine Unterstellungen wieder gutzumachen.

Wir tranken den bemerkenswert guten Merlot und hörten dabei eine von Claras CDs. Aldo Cicciolini spielte Eric Satie. Ich konnte kaum glauben, dass Clara Satie ebenfalls liebte. Ich hatte bisher niemanden getroffen, der seine Musik genauso schätzte wie ich und auch Cicciolinis intuitive Interpretation dieser exzentrischen Kompositionen. *Le Piège de Méduse* lief, eines meiner Lieblingsstücke. Ich liebte Satie für sein Rebellentum und fühlte mich ihm wegen seines einsiedlerischen Lebens nahe. Als er in seiner winzigen Pariser Behausung starb, fand man zweiunddreißig identische schwarze Anzüge mit weißen Hemden in seinem Schrank, seine bevorzugte Kleidung. Er wusste offensichtlich, was ihm gefiel.

Clara und ich tranken und redeten über das Larkin-Institut, über unsere Hoffnungen, die wir in dieses Jahr setzten, und über das Gefühl von Schüchternheit, das uns beide angesichts dieser illustren Runde überkam. Eine der Stipendiatinnen war die ehemalige Gouverneurin von Vermont, eine andere Botschafterin der Vereinten Nationen. Clara erwähnte eine indische Dichterin namens Devi Bhujander, die für ihre kraftvolle Lyrik über den Kampf der Frauen in Indien für den Nobelpreis nominiert worden war.

»Sie wohnt in diesem Haus«, sagte Clara. »Aber ich habe sie noch nicht gesehen. Du?«

»Nein, aber sie war bei der Einführung letzte Woche. Sie ist sehr schön.«

»Ja?« Claras Ausdruck veränderte sich leicht, aber ich konnte die Bedeutung nicht erkennen. »Ich muss sie kennen lernen. Ihre Lyrik bedeutet alles für mich.«

»Du hast gesagt, dein Vater sei Dichter gewesen. Ich schätze, du hast sein Interesse an Lyrik geerbt.«

»O ja, die Liebe dazu ist mein Erbteil. Tatsächlich hat mich mein Vater nach zwei Dichterinnen benannt. Clara ist für Claribel Alegria, und mein zweiter Vorname ist Gabriela, nach Gabriela Mistral, der ersten Lateinamerikanerin, die den Nobelpreis für Literatur gewonnen hat. In meiner Heimat wird Dichtung sehr geschätzt. Wir betrachten Gedichte als wichtiges Werkzeug des Widerstands, und sie hatten großen Einfluss auf die Veränderungen in Chile, wo Neruda ein Nationalheld ist. Aber sag mal, kennst du Devi Bhujanders Gedichte?«

»Nein, eigentlich nicht, nicht gut. Und du?«

»O ja. Sie sind brillant. Sehr aufwühlend. Sie ist eine der jüngsten Dichterinnen, die jemals für den Nobelpreis vorgeschlagen wurden, und viele glauben, dass sie ihn eines Tages bekommen wird, auch wenn sie jetzt noch viel zu jung ist.« Clara beugte sich leicht zu mir herüber und sagte: »Ich kenne nur das kleine Foto von den Schutzumschlägen. Wie ist sie denn?«

»Sie ist sehr klein und wirkt zerbrechlich«, erklärte ich ihr. »Ich würde sagen, sie ist nicht ganz ein Meter sechzig und wiegt vielleicht fünfundvierzig Kilo. Sie hat lange schwarze Haare bis über die Taille, die sie zum Zopf bindet. Meistens trägt sie traditionelle indische Kleidung, aber letzte Woche habe ich sie in einem wadenlangen Rock mit einer Art Tunika darüber gesehen.«

Clara hing an meinen Lippen, und als ich verstummte, drängte sie, »Ja, erzähl weiter …«

»Nun, ich finde, sie hat für eine so zarte Frau sehr markante Gesichtszüge, eine gerade Nase … und am deutlichsten erinnere ich mich an die Schönheit ihrer Augen. Sie sind, na ja, *dramatisch*. Eigentlich glaube ich, dass sie die schönste Frau ist, die ich jemals gesehen habe.«

Clara atmete hörbar aus. »Ich kann es kaum erwarten, sie kennen zu lernen. Eines der Dinge, auf die ich mich hier am meisten gefreut habe, ist, ihre Bekanntschaft zu machen.«

»Du wusstest also schon vorher, dass sie dieses Jahr hier sein würde?«

»Ja, klar. Als Journalistin verfolge ich ihre Karriere genau.«

»Was für ein Glück, dass ihr im gleichen Jahr hier seid.«

»Glück. Ich glaube nicht an Glück«, bemerkte Clara sachlich und schenkte uns Wein nach. »Ich glaube an das Schicksal.«

Ich konnte die Wirkung des ersten Glases Wein bereits spüren, deshalb zwang ich mich, langsamer zu trinken. Ich fand es überraschend angenehm, mich mit einer neuen Freundin zu unterhalten und Musik zu hören, die ich mochte. Heute war unsere Konversation leichter als gestern. Ich sollte mir mehr Mühe geben, meine Vorurteile gegenüber anderen Menschen abzulegen.

An irgendeinem Punkt des Gesprächs fragte Clara mich, ob ich mich »mit jemandem traf«. Ich war hin und her gerissen, beschloss aber dann, ihr nichts von Michael zu erzählen. Es konnte sein, dass sie ihn traf, und sie musste nicht wissen, dass er mein Liebhaber war. Er war bei Leuten, die die literarische Szene verfolgten, immer bekannter geworden. Ich antwortete ausweichend. »Ich war verlobt«, sagte ich, »aber mein Verlobter starb bei einem Autounfall.« Das war keine Lüge. Bis auf die Verlobung. Aber genau betrachtet war es schon so etwas gewesen. Notlügen gehörten nicht zu den sieben Todsünden.

»Oh, das tut mir Leid, Norrie. Ich war auch einmal verlobt, aber er war nicht reif für eine solche Beziehung, und es endete ziemlich abrupt.«

»Es tut weh, wenn Liebe im Nichts endet«, bemerkte ich.

»Ja. Du und ich, wir haben viel gemeinsam«, erwiderte Clara, und ich hörte mich selbst, wie ich augenblicklich und begeistert zustimmte, meine eingerosteten sozialen Fähigkeiten waren vom Wein geölt worden. Ich merkte, dass mein zweites Glas auch schon leer war. So viel zum langsameren Trinken.

»Ich bin froh, dass du neben mir wohnst«, sagte ich, weil ich mich daran erinnerte, wie zurückhaltend meine Antwort gestern gewesen war, als sie das Gleiche zu mir gesagt hatte. »Es ist schön, jemanden zu haben, mit dem man seine Erfahrungen hier am Larkin teilen kann.«

»Gehst du gerne ins Kino?«

»Ich liebe es. Manche Leute behaupten, ich wäre süchtig danach.« Meine Mutter.

»Hast du schon mal vom Harvard-Film-Archiv gehört?«, erkundigte sich Clara. »Sie zeigen mittwochs hervorragende Werkschauen. In diesem Moment sind es Ingmar-Bergman-Filme.«

»Ehrlich? Ich habe mich schon oft gefragt, wie mir Bergman heute gefallen würde. Ich glaube, ich habe seit dem College keinen seiner Filme mehr gesehen.« Es sei denn, man zählt den Traum letzte Nacht mit, dachte ich.

»Welcher läuft diese Woche?«

»*Wilde Erdbeeren*, glaube ich. Wollen wir am Mittwoch zusammen hingehen?«

»Gerne«, erwiderte ich. »Vielleicht können wir vorher noch essen gehen.«

»Das wäre toll.« Clara goss den Rest des Weins in unsere Gläser, sorgsam darauf bedacht, ihn gerecht zu verteilen. »Gerade jetzt bin ich sehr glücklich«, verkündete sie plötzlich.

»Weißt du«, sagte ich, »ich auch.« Dann schaute ich auf meine Uhr, es war fast zehn. Die Zeit war nur so verflogen.

Bald danach verabschiedete ich mich und kehrte mit dem roten Krug in meine Wohnung zurück. Clara umarmte mich an der Tür, und trotz des Krugs hatte ich keine Mühe, ihre Umarmung zu erwidern. Nachdem ich so sehr darauf bedacht gewesen war, nicht zu freundlich zu meiner Nachbarin zu sein, dachte ich, war es da nicht reine Ironie, dass ich die einzig wirklich angenehmen Stunden des Tages mit Clara verbracht hatte?

Zurück in meiner Wohnung, suchte ich den perfekten Platz für meinen Krug und beschloss schließlich, ihn auf das Bücherregal unter dem südlichen Schlafzimmerfenster zu stellen, wo er das wechselnde Tageslicht einfangen würde. In diesem Zimmer wollte ich malen, aber ebenso gefiel mir die Vorstellung, ihn morgens nach dem Erwachen vom Bett aus zu betrachten. Ich löschte versuchsweise das Licht und schaute den Krug vor dem nächtlichen Fenster an. In der Dunkelheit schienen nur die oberen Umrisse, die von der Mondsichel angestrahlt wurden, rot.

Auf dem Anrufbeantworter befand sich eine Nachricht von Michael. Er und Brenda besuchten ihre Schwester auf Martha's Vineyard und würden erst spät am nächsten Tag zurück sein.

Es störte mich, dass er mit ihr verreiste, mit ihr ein neues Bett teilte. Ich dachte immer, dass ein neues Bett etwas seltsam Erotisches hatte. Die Vorstellung ihres Ehebetts reichte mir schon völlig.

Ich löschte die Nachricht und machte mich für die Nacht fertig. Ich mochte mich selbst nicht mehr, meine Eifersucht und Bitterkeit, meine kreative Lähmung, meine offensichtliche Bereitschaft, jegliche Behinderung meiner Kreativität hinzunehmen. Ich erinnerte mich, wie Michael einmal erzählt hatte, dass er nach Jahren des Zauderns und der Blockade einen Punkt erreicht hatte, an dem er seinen Roman schreiben *musste*, entweder das oder aufhören, ein Schriftsteller zu sein. Er sagte: »Mir kam plötzlich der Gedanke, dass sich die Inspiration vielleicht eher *während* des Schreibens als *vorher* einstellen würde. Also setzte ich mich einfach hin und schrieb das verdammte Ding.« Den ersten Entwurf von *This Cold Heaven* verfasste er in vier Wochen und verbrachte die nächsten zehn Monate damit, ihn zu überarbeiten, ihn zu »sieben«, wie er es nannte, »bis ich die Spreu vom Weizen getrennt hatte«.

Aus einem Impuls heraus zog ich mein Nachthemd aus und meine Malsachen an. Vermutlich würde ich nichts

Vorzeigbares produzieren, aber zumindest würde ich wieder arbeiten. Der Prozess, nicht das Ergebnis, hieß die Losung für den Moment. Ich holte meine Farben hervor, die größtenteils immer noch in den Umzugskartons ruhten. Ich räumte den Tisch neben dem westlichen Schlafzimmerfenster ab und breitete meine alte verkleckste Decke darüber, die ich schon seit Wochen nicht mehr gesehen hatte. Bei dem vertrauten Anblick durchströmte mich Erleichterung. Sobald meine Utensilien einmal ausgepackt waren, würde ich sie das ganze Jahr dort liegen lassen, ob ich nun gute Ergebnisse erzielte oder nicht. Ich würde sie in der Erwartung dort lassen, sie jeden Tag zu benutzen. Auch wenn ich letztendlich gelegentlich in meinem Atelier arbeiten sollte, benötigte ich immer noch eine komplette Arbeitsausstattung in meiner Wohnung.

Ich ging ins Wohnzimmer und holte mir die Chet-Baker-CD, die Michael mir zum Geburtstag geschenkt hatte, kehrte ins Schlafzimmer zurück und schob sie in den Gettoblaster neben meinem Bett. Chets stimmungsvoller Sound erfüllte den Raum.

Ich drehte meine Bogenlampe, sodass das Licht in den roten Glaskrug fiel und ihn wie Wasser füllte.

Obwohl ich Clara gesagt hatte, ich wolle den roten Krug malen, stimmte das nicht ganz. Ich fand es nur schwierig, ihr zu erklären, dass ich ihn benötigte, um ihn zu betrachten. Diese Betrachtung war für einen Maler echte Arbeit.

Und das tat ich jetzt. Ich studierte lange den roten Glaskrug, und als Chet *My Funny Valentine* sang, begann ich die Farben zu mischen. Der Geruch der Farben und des Leinöls brachte eine Flut von Erinnerungen an mein altes Ich zurück, mein Ich, das gemalt hatte, egal, was sonst in meinem Leben geschah. Ich dachte an Michael auf Martha's Vineyard, im Bett mit Brenda; ich dachte an unsere Liebesspiele, daran, was ich wollte, wonach ich gierte, was ich begehrte.

Ich mischte Rot, rote Schattierungen, für die ich keinen Namen kannte, applizierte sie auf die Leinwand, zunächst ängstlich wie eine Anfängerin; es war zu lange her. Die Ölfarben waren dick und üppig, und zusammen mit der Intensität der Farbtöne war das der Grund, warum ich sie den Acrylfarben vorzog. Ich begann, die Farben schneller aufzutragen, mit Schwung, wechselte mittendrin von meinem dicken Marderhaarpinsel zum Palettenmesser, damit ich dieses Rot in Klecksen auf die Leinwand auftragen, sie schieben und formen, sie verteilen und glätten konnte. Irgendwann klingelte das Telefon, aber ich konnte nicht aufhören, obwohl es Michael sein musste, und ich wollte ihn nicht strafen oder ihn auflaufen lassen, wollte ihm nichts antun, war nicht einmal froh, dass er eine Möglichkeit gefunden hatte, sich von Martha's Vineyard aus bei mir zu melden; ich malte einfach nur, malte wie eine Verrückte, ein Engel, eine Kriminelle, verarbeitete all die Rottöne, dann mischte ich mehr davon, diesmal mit Schwarz, ich mischte eine Menge Schwarz darunter, *noir*, wie getrocknetes Blut. Ich malte immer weiter, obwohl ich wusste, dass das auf der Leinwand nicht mein bestes Werk war, noch nicht einmal besonders gut, aber ich machte weiter, arbeitete

die ganze Nacht durch, und falls ich lausig war, kümmerte es mich nicht, es zählte nicht. Dies war es, was ich
wollte, was ich brauchte, und ich musste es haben, ich
gierte danach, wie ich nach Michaels Körper gierte, aber
ich musste es nicht begehren, weil es schon mir gehörte,
es war mein.

Wahrscheinlich begann alles in meiner Kindheit mit den Mysterien der Kirche und der Faszination, die diese auf mich ausübten: Karfreitag, der Kreuzweg, die rituellen Weihrauchschwaden, Dies Irae, die göttliche Gnade, keusche Nonnen, die die Hingabe Unseres Herrn im Schulzimmer diskutierten. Der Faszination, die all das immer noch auf mich ausübt: die Furcht, Ergebenheit, unterdrückte Leidenschaft, ein Verlangen, über die Erde erhoben zu werden. Die Taufe, das »unsichtbare Zeichen«, wie die Nonnen sagten, welches sie auf mir hinterließ wie eine Tätowierung, so schien es mir als Kind, eine Tätowierung auf meinem Herzen. Und dann erwachte mein Körper, und mit dem Erwachen kam die Frage Heranwachsender: Warum wird der Tod Jesu Seine Hingabe genannt?

Ich entschied, dass an dem Tag, da man die Nähe der Hingabe zum Tod zu verstehen beginnt, der Tag ist, an dem dein Verlangen, erhoben zu werden, dich erhebt. Die Kirche verkündet, dass man nicht den Freuden des Fleisches nachgeben und trotzdem eine reine Seele besitzen kann. Leidenschaft macht dich vogelfrei, schließt dich von der Welt der allumfassenden Gnade aus. Aber der Körper kann nicht lügen, auch *wenn wir uns selbst belügen können, und letztendlich sieht es so aus, als hätte man keine Wahl außer der, die der Körper trifft.*

Dann wird man von der gleichen Furcht und dem Verlangen, die einen einst an die Kirche banden, zur erotischen Begierde geführt. Man lebt für die Augenblicke, in denen das Entzücken ewig erscheint. Hinterher spürt man Furcht, Schuld, ist sicher, dass die unsterbliche Seele verdammt ist. Jede Nacht entwirft man geistige Briefe an Gott und andere Fremde, in denen man alles erklärt. Dann hört man auf zu beten – aus Angst, dass niemand zuhört, aus Angst, jemand könnte es hören.

Und endlich, eines Nachts, betet man dennoch, weil es nach all diesen Jahren scheint, als müsse man es tun, und während man betet, steigt der Duft des Liebhabers zwischen den Brüsten auf. Man atmet ihn wie Weihrauch, atmet ihn ein und betet gleichzeitig, und irgendwie ist die Scham verschwunden. Man erkennt, dass jedes menschliche Verlangen, gleichgültig, ob körperlicher, seelischer oder geistiger Natur, das Verlangen ist, über die Erde erhoben zu werden.

Danach kann man wieder beten, aber nicht in Kirchen, sondern dort, wo das eigene Sehnen in der Lage ist, sich zu erheben. Aber immer, egal, wie weit man glaubt, sich von den Ritualen und Ermahnungen seiner Kindheit entfernt zu haben, egal, wie weit man sich von Gottes Haus entfernt zu haben meint, zeichnet der Herzschlag das unsichtbare Zeichen. Die Tätowierung, die wie eine

Narbe darin eingegraben ist, warnt davor, sich zu weit über die Erde zu erheben, erinnert daran, wie tief man gefallen ist – und trotzdem erhebt man sich, erhebt sich, erhebt sich.

Kapitel 4

Es war Freitagabend. Ich marschierte den langen, schmalen Flur meiner Wohnung auf und ab, wobei ich die schadhaften Stellen in dem zerschrammten Holzboden zählte. Ab und zu wünschte ich mir, Claras Einladung für diesen Abend abgelehnt zu haben. Sie wollte mit mir und einem befreundeten Paar aus Santiago essen gehen. Ich hatte es sehr lieb von ihr gefunden, mich zu fragen, aber im Augenblick hatte ich einfach keine Lust, neue Leute kennen zu lernen, und außerdem wusste ich, dass die drei den ganzen Abend aus Rücksicht auf mich nur Englisch sprechen würden. Mit dieser Gewissheit würde ich mich wie das fünfte Rad am Wagen fühlen. Nach einem Vorfall zwischen Michael und mir zu Beginn der Woche glaubte ich nicht, dass ich das aushalten konnte.

Also marschierte ich auf und ab und bereute all die Male, als ich über Freundinnen vorschnelle Urteile gefällt hatte, die sich in unerreichbare Männer verliebt und dann gejammert hatten, dass ihr Leben vor die Hunde ging. Es war so einfach gewesen, sie für selbstzerstörerisch, rückgratlos, unemanzipiert, nach Ärger suchend zu halten. Wie oft hatte ich solchen Frauen geraten, doch »einfach« Schluss mit dem Mann zu machen, von dem sie so völlig abhängig waren. Wie oft hatte ich den Merkspruch für unverheiratete Frauen hergebetet; wenn er seine Frau nicht bis zum Ende des ersten Jahres verlässt, verlässt er sie nie!

Nun erkannte ich, wie schwer es meinen Freundinnen gefallen sein musste, mir den Einfluss zu erklären, den ihre Liebhaber auf sie ausübten. Und es war keineswegs Missbrauch im Spiel, obwohl ich das oft so gesehen habe. Es war etwas noch wesentlich tiefer Gehendes – es war *erfülltes Verlangen*. Erotische Erfüllung war so viel mehr als erfüllte Sexualität. Sie bedeutete Einheit, rückhaltloses Vertrauen, grenzenlose Intimität, beschwingte Vorstellungskraft, einen sicheren Hafen, absolutes Annehmen. Sich dem sexuellen Verlangen völlig zu überlassen war eine Art Erleichterung, begleitet von einem Gefühl der Freiheit; etwas in einem selbst wurde von seinen Fesseln befreit. Es war einfach Pech, wenn diese Gefühle durch die Liebe eines verheirateten Manns geweckt wurden.

Ich marschierte weiter. Jedes Mal wenn ich das Nordende des Flurs erreichte, hatte ich die Wahl, ins Wohnzimmer zu gehen, am südlichen Ende konnte ich mich ins Schlafzimmer begeben und mich den wilden Rottönen des Bildes überlassen, das ich in der Nacht zuvor begonnen hatte, aber im Moment fühlte ich mich seinem Zorn, seiner Gier und dem Verlangen nicht gewachsen.

Schließlich machte ich es mir mit einem Gedichtband von Devi Bhujander auf dem Sofa im Wohnzimmer bequem (jetzt erkannte ich, warum Clara sie aufwühlend genannt hatte; die Gedichte waren leidenschaftlich, lyrisch, sozial engagiert).

Bald musste ich mich allerdings wieder meiner eigenen Arbeit stellen. Diese Woche standen die Dinge zwischen Michael und mir nicht zum Besten, es gab Spannungen, und das hatte mich in eine Stimmung versetzt, in der ich die Arbeit selbst als spannungsgeladen, ja sogar gefährlich empfand. Aber war ich nicht diejenige, die immer betonte, dass Kunst gefährlich sein sollte? Könnte sein. Früher am Tag war ich spazieren gegangen. Ich hatte gehofft, dass ich mich weniger einsam fühlen würde, wenn ich freitagnachmittags zwischen den Passanten durch die Straßen laufen würde, aber es hatte die gegenteilige Wirkung gehabt, meine Stimmung wurde noch düsterer. Bis auf die Jongleure, die Straßenmusikanten und die Außenseiter waren alle Menschen zu zweit oder zu dritt unterwegs.

Ich ging vier Mal am Brattle Street Theater vorüber und wünschte mir jedesmal, ich würde mich trauen, mich anzustellen und mir eine Karte zu kaufen, aber ich hatte Angst – was völlig albern war, da Michael in Brookline lebte –, er könnte mit Brenda dort drin sein. Sie gingen selten zusammen ins Kino, aber mittlerweile litt ich an Verfolgungswahn. Und meiner Ansicht nach aus gutem Grund.

Am vergangenen Dienstag war ich unerwartet bei einer Veranstaltung gelandet, die Michael in Begleitung seiner Frau besuchte. Ich war nachmittags bei Aperçu gewesen, um ein paar letzte Details für den Umschlag eines neuen Buches mit meinem Chef Ed Hershorn zu besprechen, und Ed erinnerte mich an eine Lesung des Autors am gleichen Abend und schlug vor, dass ich als Repräsentantin des Verlages hingehen sollte. »Um ihm zu zeigen, dass der Verlag ihn unterstützt«, meinte er. Der Autor war auf dem Weg, ein bedeutender Dichter zu werden, und Hershorn war begeistert, dass er für sein zweites Buch bei ihm unterschrieben hatte.

Manchmal hatte ich den Eindruck, dass Ed mich während meiner einjährigen Auszeit auf die Probe stellen wollte, um herauszufinden, ob ich Aperçu gegenüber nach wie vor loyal war, und das ärgerte mich ein bisschen. Aber da ich an diesem Abend nichts vorhatte, sagte ich Ed, ich würde ihn vertreten. Ich wählte diese Worte absichtlich, um ihm deutlich zu machen, dass es sich um eine Gefälligkeit handelte, und nichts, wozu ich verpflichtet war. Ich entschloss mich, direkt vom Verlag zum MIT zu laufen, und mir wäre nicht im Traum eingefallen, dass ich Michael und Brenda dort treffen könnte.

Ich kann mich an kein einziges Wort der Lesung erinnern; nur an den Schock, Michael dort als die eine Hälfte eines Paares zu sehen. Sie saßen vier Reihen vor mir, und die ganze Lesung über konnte ich die Augen nicht von ihnen abwenden. Ich hatte mich noch nie so einsam gefühlt.

Ich wollte sie nie wieder irgendwo gemeinsam sehen, wo sie vor den Augen der Welt wie ein glückliches Paar wirkten und ihre Freunde um sie herumschwärmten. Ich glaube, für mich war es schmerzlicher, wenn andere sie als Paar sahen, als wenn ich selbst es tat, weil es eine Bestätigung von Michaels anderem Leben, seinem *wirklichen Leben* war.

Früher am Tag hatten wir uns getroffen. Wir hatten uns in meinem Bett geliebt, während der Regen gegen die Fensterläden und auf die Straßen prasselte. Später, nach dem Besuch einer Ausstellung, gingen wir an der Back Bay spazieren und spielten *Fenster aussuchen*. Wir stellten uns vor, welche Fenster wohl zu unserer Wohnung gehörten, und beschrieben uns gegenseitig die Einrichtung bis ins kleinste Detail. Es begann zu nieseln, und wir flüchteten uns in ein kleines Café.

»Ich bewundere deine Hände«, sagte er. »An ihnen kann man erkennen, dass du eine Künstlerin bist.« Und er legte seine Hände um meine und lachte über seine »riesigen, ungeschickten Pfoten«. Ich liebte seine Hände. Es waren Arbeiterhände, nicht schmal und zart, wie man es bei einem Schriftsteller oder Gelehrten erwarten würde, sondern ausdrucksstark und ständig in Bewegung. Sie erinnerten mich daran, dass er in seiner Jugend unter anderem als Totengräber, auf dem Bau und als Nachtwächter gearbeitet hatte, um seinen Lebensunterhalt zu verdienen.

Zurück in meiner Wohnung, liebten wir uns wieder, ausdauernd, langsam und liebevoll im kühlen grauen Zwielicht des Nachmittags. Die Geräusche des Verkehrs auf der Brattle Street begleiteten die Bewegungen unserer Hände und Glieder, unser heftiges Zwillingsatmen, das Gefühl, als sein drängender Schwanz mich füllte, mich dahin stieß, wo Vergnügen und Schmerz fast dasselbe bedeuten, und schließlich die Explosion, die plötzliche Erlösung, die meinen Körper durchströmte, meinen Kopf, meine Adern und Knochen, grenzenlos, keine Barrieren mehr zwischen ihm und mir. Danach lagen wir lange umschlungen da, und keiner von uns sagte ein Wort. Er sah nicht ein einziges Mal auf die Uhr. Schließlich sagte er: »Weißt du, ich weiß schon lange, dass ich ohne dich nicht leben will. Plötzlich wird mir klar, dass ich ohne dich nicht leben *kann*, und das macht mir eine Höllenangst.«

Und nur vier Stunden später sah ich ihn als Teil von *ihnen*, wie er Bekannte begrüßte, die mit ihm ein Leben teilten, an dem ich keinen Anteil hatte.

Als sie gehen wollten, wandte Michael sich um und entdeckte mich, und unsere Blicke trafen sich. Sogar aus dieser Entfernung konnte ich sehen, wie er zusammenzuckte. In diesem Moment empfand ich meine Unwichtigkeit, meine einzigartige Demütigung überdeutlich. Ich verließ das MIT vor dem anschließenden Empfang.

Und deshalb ging ich an diesem Abend nicht in das Brattle Theater, ich lief einfach mit hochgezogenen Schultern weiter.

Als ich am Radcliffe Yard vorüberkam, quatschte mich ein Kiffer an, der dort auf einer Parkbank hockte. »Hey, du siehst toll aus.« Bevor mein gesunder Menschenverstand wieder das Ruder übernehmen konnte, überrollte mich eine Welle der Dankbarkeit, weil er mich der menschlichen Rasse zurückgegeben hatte, und ich erwiderte: »Danke.« Ich kann einfach nicht fassen, dass ich diesem Kiffer für seine Anmache dankte.

»Willst du einen Joint?«, fragte er mich dann, von meiner Reaktion offensichtlich ermutigt. »Nein danke«, antwortete ich doch tatsächlich, »ich bin verlobt.«

Nein danke, ich bin verlobt? Mein Gott, was *war* das? *Ich würde mich freuen, mit einem völlig Fremden Drogen einzuwerfen, aber leider bin ich verlobt?* Ich hastete zurück in meine Wohnung, da ich der Welt draußen augenscheinlich noch nicht gewachsen war.

Zurück in meiner Wohnung, beschloss ich, mich nicht der Verzweiflung zu überlassen, alles in allem war es doch keine so schlechte Woche gewesen.

Zum einen war ich mit Clara bei dem wöchentlichen Mittwochskolloquium im Larkin gewesen. Clara, die neben mir saß, hatte beinah gekeucht, als Devi Bhujander den Raum betrat und allein in einer Reihe auf der anderen Seite Platz nahm. Meine Nachbarin litt eindeutig an einem Starfimmel, dachte ich, und schaute hinüber zu Devi, um herauszufinden, warum sie wohl solche Reaktionen hervorrief. Sie saß kerzengerade, die kleinen Hände im Schoß gefaltet, ihr dicker, glänzender Zopf, der von einem mit safranfarbenen Perlen besetzten Haarband gehalten wurde, fiel bis auf ihre Taille hinunter. Auf ihrem Gesicht lag ein Ausdruck tiefster Konzentration, und sie schien nichts außer der Sprecherin wahrzunehmen. Ich war von dem Vortrag zu Tode gelangweilt und vollkommen bereit, zuzugeben, dass dieser Unterschied in unserer Reaktion auf die Sprecherin in Devis überlegenem Intellekt begründet sein musste.

Nach der Lesung folgte eine Diskussionsrunde, und als Devi leise den Raum verließ, war Clara sichtlich enttäuscht. Clara besaß eine Art rührender Naivität, sie gehörte zu den Menschen, die denjenigen, die sie bewundern oder mögen, völlig ergeben sind. Mittlerweile schämte ich mich ein wenig wegen meines ablehnenden Verhaltens zu Beginn unserer Bekanntschaft. Nun sah es so aus, als würden wir Freundinnen werden, und ich dachte mir, dass ich sie bestimmt einmal sehr gern haben würde.

Nach dem Kolloquium gingen wir gemeinsam zum Essen und ins Kino und verabredeten, nach den Vorträgen gemeinsam auszugehen, wann immer unsere Stundenpläne es erlaubten. Es war ein sehr netter Abend, aber ich fühlte mich mit Clara nicht wirklich wohl. Ich glaube, es lag daran, dass sie mir während des Essens so viele persönliche Fragen stellte. Zugegebenermaßen konnte es aber auch an meiner eigenen augenblicklichen Zurückgezogenheit und meinem manischen Verlangen nach Ungestörtheit liegen.

Ein weiteres angenehmes Erlebnis war der Besuch meines Ateliers, das mir ausnehmend gut gefiel. Vielleicht, *vielleicht* kann ich doch hier malen, dachte ich. Ich würde hauptsächlich zu Hause arbeiten, aber es konnte interessant sein, herauszufinden, was sich in diesem Raum mit seinem wundervollen Tageslicht entwickelte.

Was zum Hauptereignis der Woche führt: Ich hatte jede Nacht gemalt – meine kreative Blockade war vorüber. Zunächst hatte ich hauptsächlich mit verschiedenen Rottönen experimentiert und sie auf der Leinwand ausprobiert, aber es schien, als würde dieser Weg nirgendwo hinführen.

Donnerstagnacht hatte ich mit einem gegenständlichen Bild begonnen, von dem ich glaubte, dass daraus etwas werden konnte. Es war ein Akt (ein Selbstporträt, obwohl ich es nicht so nennen würde), leicht stilisiert, ein wenig lang gezogen, in roter Umgebung – die Decke, die Wände, die Vorhänge schimmerten in unterschiedlichen Rottönen, die von zartem Melonenrot bis zu dem dunklen Rot reichten, das ich *Blut* getauft hatte. Sogar der Nachthimmel, der aus der Entfernung gesehen schwarz wirkte, bestand aus einem von mir mit Schwarz gemischten, dunklen Rot. Die Gestalt war in normalen Fleischtönen gemalt, ihre Haare braun, die Augen braungrün. Die Rot-in-rot-Schattierungen beeinflussten die Atmosphäre des Raums – er schien um die Frau herum zu explodieren, und trotzdem entstand der Eindruck, dass diese Atmosphäre einfach von der Hitze und dem Verlangen der Frau selbst herrührte. Sie lag dort, und auf ihrem Gesicht war der Ausdruck zu erkennen, den ich auf dem Heimweg am Dienstag im Fenster der U-Bahn bei mir selbst beobachtet hatte. Ein gieriger Blick, den ich beunruhigend fand, sogar hässlich, aber als ich zu malen begann, wollte ich ihn unbedingt festhalten.

Auf dem Bild direkt hinter der Gestalt hängt mein roter Kimono über der Staffelei, so wie ich es ein paar Tage zuvor beobachtet hatte – wie ein Liebhaber.

Das Rot des Kimonos hat beinah die gleiche Schattierung wie das der Decke, auf der die Frau sich räkelt, aber die Satineinfassung und der gestickte schwarze Drache auf dem Rücken des Kimonos trennen ihn optisch von der Samtdecke. Die schwelgerische Masse der Rottöne um und unter dem Körper der Frau, die darin gefangen, darin aufzugehen scheint, vermittelt gleichzeitig mit den anderen Elementen ein Bild des Verlangens, einer gefährlichen Gier – Begehren.

Sobald ich zurücktrat, um das Bild in mich aufzunehmen, kam mir ein Gedanke, warum diese Art Verlangen zu den Todsünden gehörte. Weil sie wie ein Rankgewächs war, Körper und Seele lähmte, alles verdrängte bis auf den Augenblick des Verlangens und das Objekt der Begierde.

Mutter rief an, um sich zu erkundigen, warum ich nicht zu Hause gewesen war, und mir fiel ein, dass ich vergessen hatte, sie zurückzurufen. Als ich ihr von meinem Spaziergang um den Harvard Square erzählte, begann sie von den kürzlich verübten Morden an Frauen in Los Angeles zu berichten, die dumm genug gewesen waren, nachts allein auszugehen.

»Du setzt dein Leben aufs Spiel«, mahnte sie in Unheil verkündendem Tonfall. »Eine schöne junge Frau wie du, die allein in den dunklen Straßen der Stadt herumstreunt.« Es amüsierte mich, meine Mutter das Wort herumstreunen verwenden zu hören – eine von Michaels bevorzugten Vokabeln. Ich pustete mir eine Strähne aus dem Gesicht, meine freie Hand war mit roter Farbe verschmiert.

»Da hast du Recht, Mutter«, erwiderte ich fröhlich. »Es ist mein Leben.«

»Nie hörst du auf mich«, sagte sie. »Schon seit du klein warst. Du bist zu sorglos. Du hältst alles für selbstverständlich, als ob du Herkules wärst.«

Bei dieser Vorstellung musste ich mir mühsam das Lachen verbeißen. »Ich passe auf mich auf, Mutter«, versicherte ich ihr. »Du wirst dich freuen, zu hören, dass ich mit der Zeit immer ängstlicher werde.«

Michael rief sehr spät an, und zunächst waren wir beide ein wenig wortkarg und distanziert, als ob wir den anderen in einem neuen und größeren Zusammenhang sähen, der uns momentan verwirrte und uns die Vertrautheit verwehrte, die wir in unserer kleinen privaten Welt für selbstverständlich gehalten hatten. Seine Frau und seine Freunde waren, nicht nur theoretisch, sondern leibhaftig in diese Welt eingedrungen, eine ganze Gesellschaft, die die beiden als Paar betrachtete, während ich einsam im Hintergrund lauerte – und warum sollten sie das auch nicht tun? Er war verheiratet. Was hatte ich erwartet? Michael war auch nicht mehr zu dem Empfang gegangen. Es war eindeutig, dass keiner von uns einen weiteren Zusammenstoß unserer unterschiedlichen Welten ertragen konnte. Es war, als hätten wir die letzten fünfzehn Monate auf dem Mond gelebt und müssten uns nun erst wieder an die Erdatmosphäre gewöhnen.

Auf meinem Heimweg in der kalten Abendluft waren mir aus der Dunkelheit die Geigenklänge von *Stardust* entgegengeschwebt. Ich entdeckte den dürren Straßenmusikanten, einen jungen Schwarzen mit einnehmendem Gesicht, der auf dem Bürgersteig stand und auf einer Art elektrischer Geige spielte. Der Klang seiner

Musik war ebenso schön wie schmerzlich. Ich konnte es kaum aushalten, die Verletzlichkeit kaum ertragen. Sie schien mich zu überfluten, mir Schauer der Einsamkeit über den Rücken zu jagen. Die langen, zitternden Töne quälten mich, als ich in der Dunkelheit an ihm vorüberging und den Blick auf den Bürgersteig gesenkt – einen Fünfdollarschein in seinen Hut fallen ließ. In diesem Augenblick schien es mir, als müssten meine Einsamkeit und mein närrisches Verlangen für ihn wie für jeden, der mich ansah, offensichtlich sein. Ich konnte es kaum erwarten, zurück in meine Wohnung zu gelangen, wo ich nur meinem eigenen Blick ausgesetzt war. Das war in letzter Zeit schlimm genug.

Die ganze Nacht wach, grübelnd. Wirst du mich mit deinem Körper in die Hölle bringen? Wirst du das? Wenn es kein Leben danach gibt, keinen Himmel und keine Hölle, was ist dann die Hölle, der Verlust der Ehre? Verliere ich meine Ehre, weil ich einen Mann liebe, der sich einer anderen Frau versprochen hat, einen Mann, der lügen muss, um mich treffen zu können?

Ich habe einmal gelesen, dass Sünde das ist, was die Seele verdüstert. Für mich ergab das einen Sinn. Wenn ich mir gestatte, dich zu lieben, verdüstert das meine Seele? Falls das stimmt, wieso fühle ich mich dann so lebendig, wenn ich mit dir zusammen bin?
Ist dich zu lieben nur dann eine Sünde, wenn ich mit dir schlafe? Oder ist es schon eine Sünde, dich nur zu lieben?

Vielleicht gibt es gar keine Sünde.

Aber angenommen, es existiert so etwas wie ein Leben danach, ein System ewiger Belohnung und Strafe. Komme ich dann in die Hölle? Und du?

Wie kann ich die Sünde fürchten, auch nur theoretisch, wenn ich gelegentlich nicht einmal sicher bin, dass ich an einen bestimmten oder besonderen Gott glaube? Würde ich die Sünde fürchten, wenn man mich nicht dazu erzogen hätte? Fast jeder, der an einen Gott glaubt, hält Ehebruch für eine Sünde. Aber was ist mit der Einstellung? Wie sehr zählt sie? Wenn ich es nicht als Sünde ansehe, mit dir zu schlafen, ist es dann trotzdem eine?

Die Nonnen sagten, wenn wir es als Sünde ansähen, einen Kiesel in einen Teich zu werfen, und es trotzdem täten, hätten wir tatsächlich eine Todsünde begangen, auch wenn die Handlung an sich nicht sündhaft sei. Alles Licht würde aus unseren Seelen schwinden, versicherten sie uns, als hätten wir eine der schlimmsten Sünden begangen wie Mord oder Ehebruch; und falls uns dann, zum Beispiel, auf dem Weg zur Schule ein Brotlaster oder Bus überfuhr und wir in diesem Zustand starben, würden wir mit allen Verbrechern, die seit Anbeginn der Menschheit dorthin gekommen waren, in der Hölle schmoren. Auf ewig.

Sollte es dann nicht auch andersherum funktionieren? Wenn ich eine Sünde nicht als Sünde ansehe, ist es dann eine?

Vielleicht nicht. Aber nur, falls es einen Gott gibt. Wenn Gott nicht existiert, bin ich auf meine eigene Barmherzigkeit und mein Verständnis angewiesen. Dieser Weg könnte riskanter sein.

Ich quäle mich die ganze Nacht damit, bis ich – ohne Vorwarnung und immer noch wach – träume, dass dein Arm mich umschlingt, dein Körper sich an mich schmiegt. Die Stimme Gottes wird zu einem Murmeln, und meine Selbstzweifel und meine Selbstverurteilung verstummen, als die Zellen meines Körpers den Druck und die Hitze deiner Zellen spüren, und ich schlafe schließlich ein, als ob ich nur ich selbst wäre, die dich liebt, und keinesfalls eine Sünderin.

Aber nicht ganz. Denn auf halbem Weg dämmert mir die Frage, ob etwas wahrhaftig und richtig sein kann, wenn man zwei Menschen dazu braucht?

Nach endlosen Stunden in der Dunkelheit, in denen die Seele zu viel spricht, glaube ich, jeder würde laute Nachbarn, bellende Hunde, mitternächtliche Güterzüge, die einen Meter vom Schlafzimmerfenster entfernt vorüberdonnern, begrüßen. Alles ist besser als das.

Kapitel 5

Seit mehr als einer Woche malte ich fieberhaft. Es lief so gut, dass ich jede Unterbrechung mied; ich bereute sogar die Zeit des Schlafs. Ich hatte das Bild der Frau im roten Schlafzimmer beinah beendet und erkannt, dass es das erste eines Rote-Räume-Zyklus gegenständlicher Bilder war. Wenn ich nicht an dem ersten Bild arbeitete, machte ich mir Notizen für die folgenden. Liz riet mir zu, mein Tempo nicht zu verringern, wenn ich auf diese Weise vorankam.

»Die Franzosen sagen, verlässt du die Kunst auch nur einen Tag, verlässt sie dich für drei«, informierte sie mich.

»Ich liebe die Art, wie du ein einzelnes Zitat einer ganzen Nation unterschiebst, als ob ›die Franzosen‹ das jeden Tag sagen würden.«

»Sie müssen etwas zu tun haben, wenn sie nicht essen«, antwortete sie.

Dreitausend Meilen voneinander entfernt bereiteten wir uns beide auf unsere abendliche Arbeit vor, ich auf das Malen, sie auf das Schreiben an ihrem neuen Buch, und dieses telefonische Vorgeplänkel war unsere verdrehte Art zu sagen: »Geh raus und schieß ein Tor!«

»Ich verstehe einfach nicht, wie du nachts malen

kannst«, sagte sie. »Normale Künstler tun das nicht, oder?«, dann schnaubte sie. »Normale Künstler? Was rede ich da? Das ist ein Oxymoron.«

Sie hatte Recht, es war ein wenig ungewöhnlich, nachts zu malen. Ich kannte nur Wenige, die das ebenfalls taten. Immerhin war Licht für uns das Wichtigste. Wir töteten für einen Arbeitsplatz mit guter Beleuchtung. Ursprünglich hatte ich diese Angewohnheit angenommen, weil ich tagsüber arbeiten musste; mittlerweile war es mir lieber so. Auch wenn ich meine Farben gewöhnlich nachmittags, wenn das Licht unbestechlich war, mischte, entstanden meine besten und gefährlichsten Arbeiten nachts.

Das sagte ich Liz und fügte hinzu: »Kunst muss gefährlich sein – nicht nur hübsch anzuschauen.«

»Aber sicher«, antwortete sie. »Ich bin davon überzeugt, dass Kunst Unbehagen bereiten sollte.«

»›Der Hässliche kann schön sein, der Hübsche niemals‹, hat André Gide mal gesagt. Er war vielleicht ein Arschloch, aber damit hatte er Recht. Übrigens, fällt dir auf, dass ich meine Zitate auf eine einzige Quelle beziehe und nicht einer ganzen Nation zuschreibe?«

»Deshalb ist er trotzdem Franzose«, beharrte sie.

Die Nächte waren jetzt schwer, obwohl ich so hart arbeitete – oder vielleicht gerade deshalb. Wie immer öffnete die Kunst mich, ich spürte die Dinge eindringlicher, und vor kurzem, als ich nach Mitternacht noch arbeitete, hatte mich die Vorstellung von Michael und Brenda im Bett gequält, die plötzliche, aus dem Nichts entstandene Überzeugung, dass sie in diesem Moment

Sex zusammen hatten. Ich versuchte, diese Vorstellung zu verdrängen und weiterzumalen, aber je heftiger ich arbeitete, umso mehr verfolgte mich meine Fantasie. Ich verlor allmählich die Geduld. Michael musste sich entscheiden, oder ich würde Schluss machen. Schlimm genug, dass unsere Beziehung mein gesellschaftliches Leben eingeschränkt hatte und ich deswegen meine beste Freundin anlog, jetzt bedrohte sie auch noch meine Kunst.

Nachdem ich mir so viele Nächte vorgestellt hatte, wie er neben Brenda schlief, während ich auf den Beginn unseres gemeinsamen Lebens wartete, fiel mir die Vorstellung, mit ihm Schluss zu machen, nicht schwer. Schwer fiel mir der Gedanke an die Tage und Nächte, die darauf folgten. Ich konnte mir meine Welt ohne ihn nicht vorstellen, konnte ohne seinen Körper nicht leben. Trotzdem spürte ich, wie dieser Entschluss immer näher rückte.

Es schien Schicksal, dass er gerade zu Beginn dieses Arbeitskreislaufs eines Morgens unerwartet hereinplatzte, als ich in wenig liebevoller Stimmung war. Ich war die ganze Nacht auf gewesen, geplagt von finsteren Grübeleien und auf dem Höhepunkt meiner Menstruation – heftige Krämpfe, unvermittelt auftretende Gereiztheit und Unmassen von Blut, mein Bauch war aufgebläht wie eine Qualle, und mein Rücken schmerzte höllisch. Ich kam gerade aus der Dusche, als er klingelte, ich hatte nicht mal Gelegenheit, mich zu föhnen. Mürrisch drückte ich auf den Summer, warf einen alten Frotteebademantel über und ging zur Tür. Vielleicht wollte ich ihn abschrecken, damit nicht ich diejenige war, die Schluss machte.

»Schau dich an.« Er grinste, als ich die Tür öffnete, und bevor ich wusste, wie mir geschah, spürte ich, wie sich zwei riesige Arme um meinen feuchten unordentlichen Körper schlangen. Mein jämmerlicher Körper, der keinen Stolz zu kennen schien, reagierte umgehend, aber ich gab nicht nach.

»Lass dich anschauen«, sagte er und versuchte, mein Kinn anzuheben. Ich weigerte mich. Ich war nicht in der Stimmung für einen Julia-Roberts-Moment.

»Du kannst reinkommen, aber halte den Blick gesenkt, wenn du noch einen Rest Anstand besitzt.«

»Habe ich nicht«, sagte er, während er mich auf Armeslänge von sich hielt, um mich besser ansehen zu können. »Du siehst aus wie zwölf.«

»Soll das ein Kompliment sein?«, fragte ich und führte ihn ins Wohnzimmer. Warum glaubten Männer immer, dass man ohne Make-up jünger aussah? Und für wen trugen wir das Zeug eigentlich? Offensichtlich nicht für sie.

»Setz dich«, sagte ich und wies auf das Sofa. »Ich koche dir Kaffee.« Als ich mich umdrehte, zog er mich am Handgelenk zu sich auf die Couch, schloss mich wieder in die Arme und küsste mich langsam. Michael war der beste Küsser, den ich kannte, ich liebte die Art, wie er zart begann, sich zurücknahm, seinen Mund an meinem nur zögernd öffnete wie ein Geheimnis. Viele Männer benutzten gleich die Zunge, als bewiese das ihre Männlichkeit. Sie wussten nicht, was Michael wusste – dass selbst beim Küssen der Weg schon das halbe Vergnügen war. Obwohl ich nicht wollte, erwiderte ich den Kuss. *Prima*, dachte ich, *ich bumse mit dir, aber ich werde nicht nett zu dir sein.*

»Vergiss den Kaffee«, murmelte er. »Ich möchte mehr hiervon, bitte.« Ich ließ mich von ihm auf das Sofa legen. Er öffnete das Oberteil meines Mantels, leckte an meinen Brustwarzen, bis sie hart wurden, und saugte dann abwechselnd daran, was heftige Schauer in meinem Unterleib verursachte. Plötzlich fiel mir ein, dass ich noch keinen Tampon eingeführt hatte.

Ich konnte das warme Blut zwischen meinen Schenkeln spüren.

»Verdammte Scheiße«, fluchte ich. *Das würde ich auf keinen Fall tun.*

»Was?« Er befand sich noch nördlich des Krisengebiets.

»Das willst du gar nicht wissen.« Ich versuchte aufzustehen, aber er presste sein Gesicht an meinen Busen und drückte meine Schultern zärtlich nach hinten.

»Schsch«, war alles, was er sagte.

»Leicht gesagt, ich blute alles voll.«

»O Gott«, stöhnte er, »ich will dich anschauen, Honora.« Bevor ich antworten konnte, hatte er die Kordel meines Bademantels gelöst und ihn auseinander geschoben. Er wanderte mit seiner Zunge langsam meine Brust und meinen Bauch entlang, dann glitt er tiefer, zwischen meine Schamlippen, die nass von Blut waren. Kein Mann hatte mich jemals während meiner Periode geleckt, geschweige denn mitten in der heftigsten Phase, und ich wünschte mir verzweifelt, dass er aufhören und doch nicht aufhören möge. Er presste seinen Mund gegen mich, drängend und begierig, öffnete mich weiter und weiter, seine Zunge wanderte dorthin, wo mein Blut mich erfüllte, und ich konnte nicht aufhören, mich mit ihm zu bewegen, mich gegen seine Lippen und seine Zunge zu drängen, konnte nicht aufhören, ich kam schnell und intensiv, und er kreiste weiter mit seiner Zunge in mir, während ich wieder und wieder meine blutnassen Schauer an seinem Mund spürte.

Er riss sich Hemd und Jeans herunter, seine Unterhosen, und ich sah mein Blut auf seinem Gesicht. Ich hätte mich zu Tode geängstigt, wenn ich Zeit zum Denken gehabt hätte, aber ich wollte ihn, und er war scharf, stieß in mich, stieß hart, und ich blutete auf meinen Bademantel, auf das Sofa unter uns, bis er unter konvulsivischem Zucken mit einem Schrei kam, der in meinem ganzen Körper widerhallte.

Wie sollte ich ohne ihn leben? Und wovon sollte ich ein neues Sofa bezahlen? Antwort: 1. Keine Ahnung, weil ich es mir nicht vorstellen konnte. Und 2. Ich konnte definitiv nicht. Also Schonbezüge ausprobieren.

Ein paar Nächte später beschloss ich, das erste Bild eine Weile zur Seite zu stellen, damit ich es objektiv beurteilen konnte, und begann mit der Arbeit am hoffentlich zweiten Gemälde meines Zyklus. Ich war gerade an dem Punkt angelangt, da oberflächliches Interesse der Konzentration wich, als Clara bei mir klopfte. Ich antwortete nicht.

Sie klopfte einfach weiter. Ich konnte es nicht fassen. Sie

würde nicht aufhören – einfach dort stehen und klopfen, bis ich an die Tür kam.

Innerhalb kürzester Zeit hielt ich es nicht mehr aus, aber ich öffnete trotzdem nicht. Vermutlich hörte Clara die Musik und wusste, dass ich zu Hause war. Na und, dachte ich – ihr musste doch klar sein, dass ich arbeiten oder ungestört sein wollte, wenn ich nicht öffnete. Konnte Clara das nicht verstehen? Scheinbar nicht. Erstaunlich, dass sie nicht schon mal angekommen war, als ich mit Michael im Bett lag, nicht dass sie ihn hätte kommen oder gehen sehen – zumindest dessen war ich mir ziemlich sicher. Während sie hartnäckig weiterklopfte, fragte ich mich, wie ich mit dieser Situation umgehen sollte, wenn es unvermeidlich dazu kam.

Nach einer langen Zeit – bestimmt sechs oder sieben Minuten – gab sie auf und kehrte in ihre Wohnung zurück. Ich seufzte. Mir wurde bewusst, dass ich die ganze Zeit kaum geatmet hatte. Ich kehrte an die Leinwand zurück, und nachdem ich sie eine Weile angestarrt hatte, merkte ich, dass ich meine intensive Konzentration nicht wieder aufbauen konnte. Ich starrte einfach nur auf die Leinwand.

Dann klingelte das Telefon. Ich ging nicht dran, wie immer, wenn ich malte, und nach einiger Zeit sprang der Anrufbeantworter an. Claras Stimme erfüllte das Zimmer.

»Norrie«, sagte sie, »geht es dir gut? Ich habe die Musik gehört, aber du hast nicht aufgemacht. Du musst abnehmen, damit ich weiß, dass du okay bist.« *Musst.* Ich hob ab, um ihrem hartnäckigen Drängen ein Ende zu setzen.

»Ja?« Ich hörte die Ungeduld in meiner Stimme und bemerkte, dass ich nicht einmal hallo gesagt hatte. Es war mir egal.

»Geht es dir gut?«, fragte sie wieder.

»Sicher«, antwortete ich. »Ich versuche nur zu arbeiten.«

»Oh«, sagte sie. »Nun, hast du vielleicht trotzdem einen Moment Zeit?«

»Nein. Ich kann nicht. Ich bin mitten in der Arbeit, und wenn ich jetzt aufhöre, komme ich vielleicht nie wieder rein.« Es war bereits zu spät, um »wieder reinzukommen«, aber ich wollte sie nicht ermutigen, mich auch zukünftig zu stören, wann immer ihr danach war.

»Ich wünschte, du hättest einfach aufgemacht und es mir gesagt«, sagte sie. »Mir war heute Abend nur nach ein wenig Gesellschaft.«

»Aber Clara, ich arbeite. Ich kann nicht einfach an die Tür gehen und dann an meine Arbeit zurückkehren. So funktioniert das beim Malen nicht.«

»Na ja, die Leute machen ja auch mal eine Pause«, bohrte sie weiter.

»Ich weiß nicht, was ›die Leute‹ machen, Clara.« Plötzlich war ich der Sache überdrüssig. »Man kann nicht einfach mal ein Päuschen einlegen, wenn man versucht, künstlerisch zu arbeiten.«

»Ach, *Kunst*«. Ich hörte die Gereiztheit in ihrer Stimme. Schweigen trat ein, dann sprach sie weiter. »Nun, ich *schreibe* ein *Buch*, aber wenn du mich brauchen würdest, wäre ich für dich da, gleichgültig, wie versunken ich im Augenblick auch wäre. Ich bin deine *Freundin*,

Norrie, und ich werde immer für dich da sein, wenn du mich brauchst.«

»Aber ich würde dich nie von deiner Arbeit wegholen, Clara«, sagte ich fest, »ich würde nicht einmal daran denken.«

»Ich versichere dir, dass du das *darfst*«, beharrte sie, und das Schweigen, dass ich nicht mit der gleichen Versicherung füllen konnte, wurde unerträglich. Die Dinge bis zu diesem Punkt gedeihen zu lassen war ein Fehler gewesen.

In diesem Moment beschloss ich, unsere Mittwochsverabredungen zum Essen und ins Kino aufzugeben, obwohl ich sie genoss; die Routine hatte nur zu falschen Erwartungen geführt. Ich würde weiterhin mit ihr die Vorträge besuchen, denn ich wollte sie nicht aus meinem Leben ausschließen, ich wollte die Dinge nur etwas gemäßigter laufen lassen.

Bei einem Spaziergang am folgenden Freitag entdeckte ich im Aushang des Amerikanischen Repertoiretheaters eine Ankündigung für *Die Heimkehr*. Pinter hatte ich immer gemocht. Ein Theaterbesuch schien genau die richtige Ablenkung zu sein und könnte mich sogar inspirieren, besonders dieses Stück mit seinen um sexuelle Dominanz kämpfenden Charakteren.

Ich ging zum Kassenhäuschen und kaufte eine Einzelkarte für die Abendvorstellung. Ich war noch nie allein im Theater gewesen.

Es war eine hervorragende Vorstellung, und ich genoss den Abend. Ich war stolz auf mich, weil ich allein ins Theater gegangen war. Auf dem Weg nach Hause las ich die Ankündigung für eine Karen-Finley-Vorstellung und beschloss, auch diese zu besuchen.

Ich spazierte gemächlich die Brattle Street entlang und genoss die sanfte Brise, die schwach nach Atlantik roch. Alle Geschäfte hatten geschlossen, und nur noch wenige Menschen waren unterwegs, einige führten ihre Hunde aus. Auf seiner üblichen Bank vor dem Radcliffe Yard saß kiffend wie gewöhnlich dieser abgerissene Typ, der sich weiblichen Passanten neulich als »Hammel« vorgestellt hatte.

»Hey, Süße, willst du mal an diesem Joint ziehen?«, fragte er und hielt mir ein Ofenrohr entgegen. Ich schüttelte den Kopf und ging weiter.

»Auch gut, willst du mal an *diesem* Joint saugen?«, hörte ich ihn im Vorübergehen sagen. Ich musste mich nicht umdrehen, um herauszufinden, was er meinte. Ich schauderte. Sein Lachen schien über die Steine der Brattle Street zu spritzen, als ich über die Stufen ins Haus hastete.

Als ich meine Wohnung betrat, klingelte das Telefon. Drei Nachrichten befanden sich bereits auf meinem Anrufbeantworter. Ich nahm hastig ab.

»Hallo«, meldete ich mich ein wenig atemlos.

»Ich habe mir Sorgen um dich gemacht«, sagte Michael. »Warst du aus?« In letzter Zeit schien er sich zunehmend Sorgen zu machen, dass ich meiner einsamen Wochenenden überdrüssig werden und jemand anderen finden könnte. Diesmal spannte ich ihn ein wenig auf die Folter, als ich antwortete.

»Ich war im Theater«, sagte ich, ohne weitere Einzelheiten preiszugeben. Sollte er doch glauben, dass ich eine Verabredung gehabt hatte.

»Im Theater? Wirklich?« Das Heben seiner Stimme sollte Begeisterung ausdrücken, aber sie klang nur ängstlich. Als ich nicht sofort antwortete, fuhr er fort: »Hey. Ohne Witz, du warst im Theater.«

»Ja«, sagte ich schließlich. »*Die Heimkehr* im ART.«

»Mit deiner Freundin Clara?«, fragte er, seine Stimme verriet seine Anspannung.

»Nein«, erwiderte ich, dann schwieg ich, ich wollte ihm nicht die Erlösung verschaffen, nach der er suchte. Sollte er doch spüren, wie Eifersucht ist. Spüren, wie man sich fühlt, wenn man nicht dazugehört.

Es herrschte einen Moment Funkstille, und als ich gerade sagen wollte: »Ich bin allein gegangen«, sagte er etwas wie: »Prima, ich will nicht in deinem Privatleben herumschnüffeln.«

Dann sagten wir gleichzeitig: »Was?« und schwiegen wieder.

»Du zuerst«, forderte er mich schließlich mit müder unsicherer Stimme auf, die überhaupt nicht jung klang. Ich schämte mich meiner Teenagertricks.

»Ich bin allein gegangen«, erzählte ich ihm. »Ich war allein im Theater, und es war sehr nett. Ich hatte viel Spaß.« Ich war seltsam stolz und stellte mir vor, wie glücklich und erleichtert er reagieren würde. Stattdessen klang er bekümmert.

»O Norrie«, sagte er zärtlich. »Ach Baby, ich fühle mich so beschissen, weil ich dich die ganze Zeit allein lasse.«

Es ist komisch, wie wenig Spaß es macht, jemanden, den

man liebt, zu quälen. Dennoch, ich war mit meiner Geduld in jenen Tagen beinah am Ende, und ich hatte Angst, ich würde es wieder tun, wenn ich die Gelegenheit dazu bekäme. Eifersucht schien meine niedrigsten Instinkte zu wecken.

Sehr früh am nächsten Morgen ging ich in den Keller, in der Hoffnung, eine freie Maschine für meine Schmutzwäsche zu finden. Als ich den Waschraum betrat, sah ich eine Frau in einem Chenillebademantel, die mit dem Rücken zu mir an einer der Maschinen stand. Ich erkannte die indische Dichterin Devi Bhujander sofort an dem Zopf, der über ihre Taille fiel. Ich wusste nicht, ob ich sie ansprechen sollte oder nicht, da sie neulich im Larkin so reserviert gewesen war. Aber dann drehte sie sich um, sah mich und lächelte mich freundlich und offen an.
»Oh, hallo, du bist die Künstlerin.« Ich war überrascht, dass sie wusste, wer ich war. »Honora, stimmt das?«
»Ja, aber meine Freunde nennen mich Norrie. Und du bist die Dichterin. Ich habe *Of Earth and Sky* gelesen und finde es wundervoll.«
»Danke«, erwiderte sie. »Ich würde mir gern einmal deine Arbeiten anschauen. Vor ein paar Monaten habe ich ein Buch nur wegen deines Umschlags gekauft. Ich fand ihn hinreißend.« Ich war überrascht – es war mir immer so vorgekommen, als ob die Leute Umschlaggestaltung gar nicht beachteten. Ich war neugierig, um welches Buch es sich handelte, und erkundigte mich danach.
»Das Buch heißt *The Night Room*, ein Gedichtband von Marie Sarvosa, der Umschlag ist der tollste, den ich seit

langer Zeit zu Gesicht bekommen habe, sehr erotisch, und beim Lesen des Impressums stellte ich fest, dass du ihn gemacht hast.«

Bei ihrem Lob errötete ich vor Freude. Ich hatte viele Stunden mit der Arbeit an diesem Umschlag verbracht. Es handelte sich um ein Aquarell auf Reispapier, leicht verschwommen im impressionistischen Stil in Rost, Pfirsich, Blaugrün, Elfenbein, Maisgelb, Lila und Dunkelgrau. Das Bild zeigt ein nur schemenhaft zu erkennendes Pärchen vor einem nächtlichen Fenster, beide sind nackt und schmiegen sich aneinander, er steht hinter ihr, und das Bild ist gerade noch abstrakt genug, um nicht pornografisch zu wirken. Man musste es sehr genau betrachten, um die Erotik zu erkennen.

»Seitdem kenne ich deinen Namen«, sagte Devi. »Ich dachte, wie schön es wäre, wenn du einen Umschlag für eines meiner Bücher zeichnen könntest.«

»Ich freue mich, dich endlich kennen zu lernen«, begann ich und wollte zu einer Erklärung ansetzen, warum ich lieber zu Hause als im Larkin arbeitete.

»Es ist meine Schuld, dass wir uns noch nicht getroffen haben«, erwiderte sie reuevoll. »Ich war bis jetzt nur selten in meinem Büro. Ich hoffe, das wird sich bald ändern.«

»Ich wollte gerade sagen, dass es meine Schuld ist. Ich besuche nur die Mittwochskolloquien. Jane Coleman hat mir erst letzte Woche erzählt, dass sie noch nie so ein Rudel Einzelgänger hier hatten wie in diesem Jahr.«

Wir begannen, über die Einsamkeit zu reden, die wir brauchten, um arbeiten zu können.

»Ich kann mit so vielen Menschen um mich herum einfach nicht arbeiten«, sagte sie. »Ich weiß auch nicht, warum.«

»Das geht mir ganz genauso«, lachte ich.

Devi vertraute mir an, dass die Aufmerksamkeit, die ihr galt, ihr unbehaglich war, weil sie das Gefühl hasste, »beobachtet zu werden«. Ich registrierte, dass sie zu bescheiden war, um die Gründe für diese Aufmerksamkeit zu erwähnen – ihre Nominierung für den Nobelpreis und der *British's Standish Award*, der ihr für das Buch verliehen worden war, das ich gerade las.

Während ich meine Handtücher in die Maschine stopfte, lud Devi mich ein, in den nächsten Tagen zu ihr zum Abendessen zu kommen.

»Ich koche schrecklich gern«, sagte sie, »und vielleicht magst du ja indisches Essen?« Sehr gern sogar, und das sagte ich auch. »Also dann, abgemacht.« Sie lächelte. »Morgen Abend Abendessen bei mir. Um sieben Uhr?«

»Ja, das passt prima«, erwiderte ich.

Am nächsten Abend empfing sie mich in einem langen, violetten Baumwollkleid. Sie war barfuß und trug ihr bis über die Hüften reichendes, langes schwarzes Haar offen. An jedem Handgelenk trug sie ein gutes Dutzend silberne Armreifen, die bei jeder ihrer Bewegungen erklangen. Devi war auf eine Art weiblich, die westlichen Frauen fremd war, dachte ich, mir plötzlich meiner Jeans und meines einfachen langärmeligen Pullovers bewusst.

»Würde es dir etwas ausmachen, die Schuhe auszuziehen, bevor wir ins Wohnzimmer gehen?«, bat Devi mich. »Du kannst sie hierhin stellen.« Sie deutete auf eine Stelle im Flur, wo mehrere Paare ihrer eigenen Schuhe standen. Gehorsam schlüpfte ich aus meinen Clogs, wobei ich mir wünschte, ich würde Socken tragen. Exotische, köstliche Düfte erfüllten die Wohnung. Ich hatte großen Hunger, denn ich hatte wieder einmal vergessen, zu Mittag zu essen.

Devi und ich betraten das Wohnzimmer, und die kraftvollen Farben überwältigten mich – überall leuchtete Rot: purpurrote Seidentücher über den beiden Lampen, burgunderrote brennende Kerzen auf dem Kaminsims, ein in verschiedenen Farbtönen gewebter Teppich in der Mitte des Zimmers und große, scharlachrote Kissen auf dem Fußboden. Rot und purpur gestreifte Gazevorhänge bauschten sich an den Fenstern, und auf dem Sofa lag ein gewebter Überwurf in Karmesinrot mit goldfarbener Stickerei an den Rändern. Sogar auf den Fensterbrettern und auf dem Boden davor standen Töpfe mit rotblättrigen Buntnesseln. Sobald ich mich daran gewöhnt hatte, war die Wirkung elegant, warm und einladend. Und ein wenig verstörend, wenn man die Arbeit bedachte, mit der ich momentan so intensiv beschäftigt war – die Farben hätten meine eigenen sein können.

Devis Wohnung lag im dritten Stock direkt unter meiner, beide waren gleich geschnitten, aber irgendwie schien ihre im Vergleich geradezu königlich zu sein. Selbst ihre Fußböden waren geschliffen und versiegelt. Im Kamin brannte ein kleines Feuer, obwohl dies momentan nicht erlaubt war, da die Kamine gewartet und repariert werden mussten, ein Ereignis, das in diesem Jahrhundert offensichtlich nicht eingeplant war. Aus einer kleinen Stereoanlage in einer Ecke drang leise Sitar-Musik.

»Es ist schön bei dir«, sagte ich. »Und, Devi, deine Böden. Sie sind grandios. Meine sehen aus, als wäre jemand mit einem Trecker darüber gerollt.«

»Nun, ich habe dem Verwalter gesagt«, flüsterte sie verschwörerisch, »dass ich glatte Böden brauche, weil ich hier barfuß laufe und mir Splitter in die Fußsohlen ziehen könnte. Ich sagte ihm, dass es Teil meiner Kultur sei, im Haus barfuß zu laufen, und aus Achtung davor müssten sie den Fußboden schleifen und versiegeln.«

»Und das haben sie getan.«

»Ja«, erwiderte Devi. »Selbstverständlich.«

Sie nahm mit ungezwungener Anmut auf dem Sofa Platz und winkte mich an ihre Seite. Ich fühlte mich unbeholfen, ungepflegt und war plötzlich um Worte verlegen.

»Du bist sehr aufrecht«, bemerkte Devi fröhlich.

»Was?« Meinte sie meine Sexualität? Mein Verhalten? Was?

»Deine Haltung«, fuhr sie fort. »Du hältst dich sehr aufrecht. Das ist mir schon ein paarmal aufgefallen. Du bewegst dich wie eine Tänzerin.« Bevor ich verlegen werde konnte, fragte sie: »Möchtest du Tee?«

Auf dem Tisch dampfte der Tee in einer kleinen Teekanne, daneben standen zwei einzelne Tassen. Eine war angeschlagen. Dann fiel mir auf, dass das Sofa unter dem eleganten roten Überwurf abgewetzt und mit einem hässlichen senffarbenen Tweedstoff bezogen war – vermutlich vom Flohmarkt. Die Vorhänge waren aus den billigen indischen Bettüberwürfen genäht, die man überall in Cambridge kaufen konnte. Bewundernd registrierte ich, dass sie diesen banalen Ort mit ein paar billigen Artikeln und einigen Dingen aus ihrer Heimat und ihrem exotischen Sinn für Schönheit verwandelt hatte. Wir tranken Tee und sprachen über unser Leben und unsere Arbeit.

Beim Abendessen benutzte Devi nach Sitte ihrer Heimat die Finger. Ich war erleichtert, dass sie mir eine Gabel hingelegt hatte. Nach dem Essen erzählte ich ihr, dass ich glaubte, mit dem Zyklus, den ich gerade begonnen hatte, mein Larkin-Projekt bestreiten zu können. Ich war deswegen nach wie vor unsicher. Alles, was wirklich zählte, war, dass ich wieder malte, erinnerte ich mich – *der Prozess, nicht das Ergebnis*. Glücklicherweise sah ich es so, denn das Bild, bei dem Clara mich gestört hatte, war nichts geworden. Aber immerhin war das erste Bild fast fertig, dachte ich, und ich wusste, dass es gut war.

»Wann ist deine Präsentation?«, fragte sie mich.

»Ich habe Mai vorgeschlagen«, sagte ich. »Ich dachte mir, es sei besser, am Ende des Jahres auf die Nase zu fallen, als gleich zu Beginn.«

»Aber du glaubst doch nicht wirklich, dass du sie enttäuschen wirst«, meinte sie.

»Macht der Gewohnheit, schätze ich, aufgrund meiner angeborenen Bescheidenheit. Ich habe mir einfach den spätesten Termin gesichert.«

»Mein eigener Termin ist auch im Mai«, sagte Devi. »Ich würde gern etwas von dir sehen, wenn es dir nichts ausmacht.«

»Willst du gleich mit raufkommen?«, fragte ich. Meine Antwort erfolgte so spontan, dass ich sie im gleichen Moment zu hören schien, in dem ich sie aussprach. Mir wurde klar, dass mir sehr viel daran lag, Devi meine neue Arbeit zu zeigen. Sie mit ihren Augen zu sehen könnte mir helfen, sie einzuschätzen und mit der nächsten weiterzumachen. Ich freute mich, als sie meine Einladung annahm.

Ich hatte Angst, Clara könnte uns hören und herauskommen, weil ich wusste, dass ich sie dann auch einladen musste, mein neues Bild anzusehen, und im Moment wollte ich nichts weniger als das. Ich schloss hastig die Tür auf und ließ sie eintreten.

Als Devi die Frau im roten Zimmer sah, schwieg sie lange. Mir wurde unbehaglich, aber ich hielt den Mund, damit sie es in Ruhe betrachten konnte.

Schließlich wandte sie sich zu mir um, ihre Augen leuchteten.

»O Norrie«, war alles, was sie zunächst sagte. Ich schaute sie an, unsicher, was sie dachte, und voller Angst, es könnte ihr nicht gefallen. Dann drehte sie sich wieder zu dem Bild um und fuhr fort: »Es ist ein erstaunliches Werk, so kraftvoll. Die Art, wie du mit den Farben Licht und Hitze schaffst. Und dieses ungeheure Verlangen in ihrem Gesicht – es tut beinah weh, sie anzuschauen.« Sie drehte sich zu mir. »Es ist brillant.«

Ich seufzte erleichtert.

»Das bist du«, stellte sie dann fest – sie fragte nicht –, während sie auf die Frau in dem Bild wies. »Sie ist du.« Ich nickte ein wenig verlegen. »Was ist passiert?«, fragte sie leise, die Augen wieder auf die Frau gerichtet. »Warum hast du das empfunden? Nur Liebe kann so etwas auslösen.«

»Ich weiß nicht«, antwortete ich. »Ich meine, ich kann wirklich nicht darüber sprechen, Devi. Ich wünschte, ich könnte.«

»Natürlich«, sagte sie. »Ich verstehe.«

Und ich wusste, dass es so war. Aber plötzlich überkam mich das überwältigende Bedürfnis, das Versteckspiel zu beenden. Ich brauchte schon seit Ewigkeiten jemanden, mit dem ich reden konnte. Aber ich konnte mein Versprechen gegenüber Michael nicht brechen. Ich beschloss, Devi von ihm zu erzählen, ohne verräterische Einzelheiten preiszugeben.

»Ich liebe einen verheirateten Mann«, sagte ich schließlich. Ich empfand sowohl Erleichterung als auch Furcht beim Klang dieser Worte, bei der Enthüllung dieses lange gehüteten Geheimnisses. »Wir wollen zusammen neu anfangen. Aber ich lebe seit über einem Jahr im Verborgenen, und es ist schwierig. Es wird immer komplizierter.«

»Ja«, sagte sie. »Ich weiß, wie schwer es ist, eine so mächtige Kraft wie die Liebe in so einem kleinen Raum wie dem menschlichen Herzen zu beherbergen. Du möchtest jubeln, aber du darfst nur flüstern.«

»Wenn überhaupt«, pflichtete ich ihr bei. »Oft bin ich stumm, einfach stumm.«

»Das ist für dich als Frau nicht gut«, sagte sie. »Aber offensichtlich blüht die Blume, die in deinem Leben abgeschnitten wurde, in deiner Kunst.« Niemand außer Devi konnte eine so poetische Sprache benutzen, ohne lächerlich zu wirken, dachte ich. Ihre Stimme klang nun ein wenig scheu. »Ich habe mich in London in einen Mann verliebt – ich habe niemals zuvor eine solche Liebe empfunden –, aber wir dürfen nicht zusammenleben. Vielleicht verstehe ich deshalb die Not und den Hunger in deinem Bild, diese ungezügelte Begierde.« Ich versuchte, mir mein Erstaunen nicht anmerken zu lassen, als Devi von »ungezügelter Begierde« sprach. Warum sollte es mich erstaunen, dass die zarte, ikonische Devi ebenso wie ich ein sexuelles Wesen war? Trotzdem war ich überrascht.

»Ist er verheiratet?«, fragte ich.

»Nein, nein, aber er ist kein Inder. Ich könnte niemals einen Nicht-Inder heiraten. Meine Familie würde das nicht gestatten. Und seit ich hier in den Staaten bin, sehe ich viel klarer, und ich habe beschlossen, ihn niemals wiederzusehen, gleichgültig, wie schmerzlich das für uns beide ist.« Sie senkte den Blick. »Er fehlt mir jeden Tag. Es ist sehr schwer, ohne Hoffnung auf eine Zukunft zu lieben.«

Vielleicht, dachte ich, war diese Beziehung ja eher romantischer als lüsterner Natur.

»Hast du noch Kontakt zu ihm?«, erkundigte ich mich.

»O ja, wir schreiben uns, und manchmal telefonieren wir auch. Aber ich habe ihm deutlich gemacht, dass es mit uns nicht mehr weitergeht. Meine Familie bedeutet mir alles, und egal, wie sehr ich ihn liebe, ich kann meine Eltern nicht verletzen und unsere Familientraditionen und meine Abstammung verraten, nur um mein Verlangen zu stillen.«

»Du hast so viel Selbstdisziplin. Ich schäme mich geradezu meiner eigenen Schwäche.«

»Nein, nein, du darfst mich nicht für besser halten, als ich bin, Norrie. Um ganz ehrlich zu sein, ich habe die Kraft, mich von ihm zu trennen, erst gefunden, seit ich in den Staaten lebe und weit von ihm entfernt bin. Ich habe mich lange Zeit damit gequält, was ich meiner Familie antue, aber solange ich mit Paul zusammen war, schien mein Handeln nie mit den Forderungen meines Gewissens übereinzustimmen.«

»Trotzdem, Devi, ich glaube nicht, dass ich es geschafft hätte.« Wir beiden schwiegen einen Augenblick.

»Ich arbeite an einem Gedicht über das Verlangen«, sagte sie schließlich. »Ich würde es dir gern einmal zeigen. Kennst du das Konzept der Chakras?«

»Na ja, ich habe den Begriff schon mal gehört. Ist das nicht so etwas wie das dritte Auge?«

»Ja, genau, das ist eines der sieben Chakren im menschlichen Energiekreislauf – Wurzel, Sakralchakra, Solarplexus, Herz, Kehle, Krone und drittes Auge. Mein Gedicht handelt von dem sakralen oder Swadhistan-Chakra, das ist das Zentrum der Kreativität und sexuellen Energie bei Frauen – zwei Kräfte, die in deiner Kunst so machtvoll verschmelzen. Deshalb glaube ich, dass du mein Gedicht instinktiv begreifen wirst. Es ist noch nicht ganz fertig, aber ich wäre froh, es jemandem zu zeigen, dem ich vertrauen kann.« Sie umarmte mich kurz.

Als wir uns am Eingang verabschiedeten, trat Clara mit einem Korb voller Schmutzwäsche aus dem Fahrstuhl, und als sie unseren Teil des Flurs betrat, blieb sie abrupt stehen und schaute erstaunt auf Devi. Sie blieb stumm, sichtlich verwirrt. Ich bekam Mitleid und stellte sie einander vor, wobei ich Devi erzählte, wie sehr Clara ihre Gedichte schätzte. Clara entspannte sich ein wenig und lächelte; aber dann unterlief ihr eine unglückliche Fehleinschätzung, und mir schien es, als hätte jeder andere gewusst, dass dies der falsche Weg war, die zurückhaltende indische Dichterin anzusprechen.

»Du bist mein Vorbild«, sagte Clara. »Ich bin dein größter Fan. Ich möchte dich schon seit zehn Jahren kennen lernen. Ich kann kaum glauben, dass ich dich hier treffe, direkt vor meiner eigenen Wohnung. Das ist die größte Ehre meines Lebens.« Jede einzelne dieser Bemerkungen wäre mehr als genug gewesen, dachte ich und krümmte mich innerlich ein wenig. Aber Clara wusste nicht, wann es Zeit war, aufzuhören.

Devi schaute unbehaglich drein, war aber freundlich. Sie streckte Clara die Hand entgegen, und Clara nahm sie – und küsste sie. Ich traute meinen Augen nicht. Devi verbarg ihre Bestürzung rasch hinter einem Lächeln und sagte: »Ich muss gehen. Es war sehr nett, dich kennen zu lernen, Clara.«

»Würdest du gern noch ein Glas Wein bei mir trinken?«, ließ meine Nachbarin nicht locker. »Die Einladung gilt selbstverständlich für euch beide.«

Vollkommen synchron erwiderten Devi und ich: »Ich kann nicht«, und dann fügte Devi hinzu: »Ich muss nach Hause, ich muss heute Nacht noch arbeiten.« Ich war erleichtert, dass jemand anders diese Worte zu Clara sagte, die erst Devi und dann mich anschaute, wobei sich ein Ausdruck der Unsicherheit auf ihrem Gesicht ausbreitete. Sie ist einer von diesen Menschen, die nie richtig dazugehören, dachte ich, vielleicht weil sie so schrecklich viel erwartete.

Doch sie gab nicht auf. »Vielleicht möchtest du am Mittwoch mit Norrie und mir zum Essen und ins Kino gehen?« Im gleichen Augenblick wurde mir bewusst, dass ich Clara noch nichts von meinem Entschluss, diese Verabredungen aufzugeben, gesagt hatte.

Hastig bemerkte ich: »Ich werde es diesen Mittwoch nicht schaffen, Clara. Eigentlich glaube ich nicht, dass ich überhaupt noch abends ausgehen werde – meine Malerei nimmt immer mehr Zeit in Anspruch, und ich arbeite nur noch nachts.«

Clara sah verletzt und verbittert aus. »Oh, *deine Malerei*.« Dann wandte sie sich an Devi, aber Devi hatte ihre Frage geahnt und sagte rasch: »Ich arbeite auch nachts, Clara. Nach fünf Uhr unternehme ich fast nie irgendetwas. Heute Abend war eine echte Ausnahme«, fügte Devi freundlich hinzu. »Ich kenne Norries Werk schon seit einiger Zeit und wollte mit ihr über den Auftrag für einen Schutzumschlag sprechen.«

Das schien Clara zunächst zufrieden zu stellen und dann zu stören. Ich vermutete, dass sie einen Anflug von Eifersucht spürte, weil Devi meine Arbeiten kannte.

»Ich hoffe, du gehst am Mittwoch mit mir zum Larkin«, sagte ich zu Clara. Ihr Gesichtsausdruck entspannte sich ein wenig, und sie wandte sich an Devi.

»Möchtest du am Mittwoch mit uns zusammen zum Larkin gehen?«

»Gern«, sagte Devi. »Das wäre schön.«

Als Devi gegangen war, zog ich mich rasch in meine Wohnung zurück. Ich wollte vermeiden, dass Clara mich fragte, wie ich dazu kam, einen Abend mit ihrer Lieblingsdichterin zu verbringen. Sie tat mir Leid, und ich fragte mich, ob ihr bewusst war, wie unangenehm ihr Benehmen wirkte – wie selbsterniedrigend.

Ich hatte gerade angefangen, ein neues Bild zu skizzieren, als das Telefon klingelte. Ich ahnte, dass es Clara war, und nachdem, was heute Abend geschehen war, musste ich mit ihr reden.

Wir begrüßten uns angespannt. Dann kamen die Fragen.

»Ich bin neugierig, wie es dazu gekommen ist«, sagte sie. Sofort regte sich bei mir neuer Widerwille.

»Was meinst du damit, Clara?« Ich ließ es nicht wie eine Frage klingen, um meine Ungeduld zu zeigen.

»Ich meine ganz einfach, dass du Devi Bhujander zuerst gar nicht gekannt hast, und auf einmal bist du ihre Freundin.«

»Ja«, antwortete ich langsam. »Ich glaube, das stimmt.«

»Das ist doch ziemlich seltsam, oder? Woher kennst du sie so gut?«

»Ich würde nicht behaupten, dass ich sie *gut* kenne, Clara. Ich habe sie gestern zufällig im Waschkeller getroffen, und wir sind ins Gespräch gekommen.«

»O ja, ich bin sicher, ihr zwei habt viel gemeinsam«, sagte Clara, »als *Künstler*.« Beim letzten Wort klang ihre Stimme ausdruckslos. Was sollte das mit den Künstlern? Ich wusste, dass man uns als Gruppe nur schwer ertragen konnte, aber Claras Benehmen ärgerte mich.

»Ich glaube, das haben wir«, meinte ich bewusst lässig. Dann beendete ich das Gespräch, um an die Arbeit zurückzukehren. »Ich sehe dich dann am Mittwochnachmittag«, sagte ich gezwungen fröhlich.

»Ja«, antwortete sie. »Ich nehme an, das wirst du.«

Ich war total überrascht, als du gestern mitten in der Nacht ohne Vorwarnung zu mir kamst. Du hast gesagt, du seist um ein Uhr nachts aufgestanden und direkt zu mir gefahren, weil du das unbedingt hättest tun müssen. Du hast mir nicht erzählt, was du zu deiner Frau gesagt hast, als du gingst, und ich brachte es nicht über mich, zu fragen. Vielleicht hat sie außerhalb übernachtet.

Die Klingel ertönte, gerade als ich meine Arbeit für diese Nacht beendet hatte – ich war wesentlich früher als üblich fertig, da ich die Frau im roten Zimmer soeben beendet hatte. Wie sich herausstellte, war nicht mehr viel zu tun gewesen – nur ein paar Kleinigkeiten, die mir aufgefallen waren, als Devi es sich ansah. Ich war sicher, dass es jetzt fertig war, und spürte die anfängliche Hochstimmung gleichzeitig mit der üblichen subtilen Angst und dem Bedauern, die sich einstellen, wenn eine spannende Arbeit vollendet ist. Als deine Stimme aus der Gegensprechanlage erklang, nahm ich an, dass etwas Schreckliches passiert war – du warst noch niemals zu dieser Stunde bei mir gewesen.

Ich öffnete die Tür in meinen verschmierten Malsachen.
Du nahmst mich in die Arme, und als du mich küsstest,
vergaß ich alles andere. Ich hatte dich mehrere Tage
nicht gesehen, und ich hungerte nach dir – hatte die ver-
gangenen Stunden nach dir gehungert, in denen ich die
letzten Pinselstriche auf das Bild gesetzt hatte. All die
Nächte, die ich die Frau im roten Zimmer gemalt hatte,
hatte ich nach dir gehungert, und als ich nun ihr Gesicht
in dem Gemälde betrachtete, konnte ich die Auswirkung
dieser Nächte erkennen. Ich erkannte zum ersten Mal,
was Devi in diesem Bild gesehen hatte, und es ängstigte
mich – dieser Hunger, diese Begierde. All das durch-
strömte mich, während du mich küsstest, und ich konnte
nicht glauben, dass ein einfacher Kuss eine solche eroti-
sche Verwandlungskraft besaß. Plötzlich war ich ein ein-
ziger Muskel, mein gesamter Körper war ein einziger
Muskel voller Verlangen, und ich führte dich zu meinem
Bett, zog dich aus und entkleidete mich dann selbst,
während du zuschautest, und dann bumste ich dich. Das
war es, was ich tat – ich bumste dich, über dir auf dem
Bett hockend wie eine Reiterin, kein Vorspiel, keine
Zärtlichkeit. Wir kamen beide so heftig, dass die Lampe
neben dem Bett klirrte. Du hattest mich noch nie so er-
lebt, sagtest du später. Ich sage es dir jetzt, falls du es im-
mer noch nicht weißt – du hast keine Vorstellung von der
Macht meiner gestauten Begierde. Nicht die geringste
Vorstellung.

Einige Zeit danach bemerktest du das Bild. Ich hatte es
zum ersten Mal während deines Besuchs mit der Vorder-

seite zum Zimmer hin stehen lassen, und es schien uns zu betrachten, unser Liebesspiel zu beobachten. Du sahst sie lange Zeit an, wie Devi, aber als du dich zu mir umdrehtest, war dein Gesicht ruhig, und deine Augen glänzten stark.

Gott, sagtest du, mein Gott, Honora, es ist nur schwer zu ertragen.

Du magst es nicht.

Es mögen? Es überrascht mich, es rührt mich an – es besitzt Kraft. Aber mir gefällt nicht, was ich dort in deinem Gesicht lesen kann. Die Vorstellung, dir das angetan zu haben, ängstigt mich.

Michael, es ist ein Bild.

Es ist das Leben, und du weißt das. Ich ruiniere dein Leben.

Nachdem du gegangen warst, stand ich noch lange vor dem Bild, betrachtete es mit deinen Augen, erkannte, was du gesehen hattest.

Damals hasste ich die Frau, weil sie dich dazu brachte, darüber nachzudenken, mich zu verlassen.

Dann fiel mir ein, dass sie ich war.

Kapitel 6

Seit der Nacht, in der Michael beim Betrachten meines Bildes festgestellt hatte, dass er mein Leben eigenhändig – und mit anderen Teilen seines Körpers – ruinierte, war ich nicht mehr in der Lage gewesen, zu arbeiten.

Und es war nicht nur meine Arbeit; alles schien seit dieser Nacht zum Stillstand gekommen zu sein. Michael und ich befanden uns in einer Art Sackgasse, und ich kann nicht behaupten, ich hätte es nicht kommen sehen. Mehr denn je quälte er sich mit Schuldgefühlen und seiner Unentschlossenheit, wechselte zwischen dem Versuch, Abstand von mir zu gewinnen, und leidenschaftlichen Versöhnungen.

Ich für mein Teil wurde weiterhin von meinen Fantasien ihrer ehelichen Intimitäten gefoltert. Die Vorstellung, seine Sexualität, und sei es auch nur am Rande, mit einer anderen Frau zu teilen, quälte mich. Im Traum sah ich manchmal, wie sie – wie sollte ich das nennen? Ich weigerte mich, es als *Liebesspiel* zu bezeichnen, aber ich konnte sie dabei wie bei einer Nahaufnahme beobachten; ihr Bauch und darunter ihr Schamhaar, sein Penis, der in sie eindrang. Es war furchtbar, klinisch und abstoßend. Ich erwachte aus diesen Träumen immer mit der absoluten Gewissheit, dass sie in dieser Nacht Sex gehabt hatten. Ich begann zu glauben, dass ich wirklich wusste, wann sie Sex hatten.

Trotz der Tatsache, dass unser Sex immer intensiver wurde, oder vielleicht auch deshalb, wurden wir uns beide immer schmerzvoller Michaels Doppellebens bewusst. Ich spürte das dringende Bedürfnis nach einem klärenden Gespräch – einem meiner »Seminare«, wie Michael das nannte – je eher, desto besser.

Es war Donnerstagabend. Michael hatte auf dem Heimweg von einem Kurs, den er gab, bei mir hereingeschaut. Wir saßen im Wohnzimmer auf dem neu bezogenen Sofa (der Stoff war ein bräunliches Dunkelrot) und ein altes Van-Morrison-Band spielte im Hintergrund *Inarticulate Speech of the Heart*, als wollte es ihn vor dem, was ich vorhatte, warnen. Wir hatten beide Platz genommen, bevor ich den Mund aufmachte.

»Schläfst du immer noch mit ihr?«

Erst sah er überrascht, dann verlegen aus. Mein Herz krampfte sich zusammen.

»Selten«, erwiderte er unbehaglich. »Sehr selten. Und es ist nicht so, na ja, nicht so wie mit dir. Eher routiniert, würde ich sagen.«

»Wie kannst du das tun und gleichzeitig mit mir ins Bett gehen?«, verlangte ich zu wissen. Ich hatte noch nie zu zwei Männern gleichzeitig eine sexuelle Beziehung unterhalten; so etwas taten meiner Ansicht nach nur Schlampen mit fragwürdiger Moral. Aber um gerecht zu sein, ich war Single, als wir uns kennen lernten. Ich konnte nicht dafür garantieren, wie ich mich verhalten hätte, wäre ich ebenfalls verheiratet gewesen. Trotzdem fragte ich ihn: »Wie kannst du das tun?«

»Ich … o Gott«, sagte er reuevoll. »Schau, es ist unverzeihlich, aber es kommt … es kommt nicht oft vor. Eigentlich fast nie. Aber wenn sie Anstalten macht, dann, dann denke ich einfach, wenn ich jetzt Nein sage, ist unsere Ehe am Ende, und ich kann es ihr im Augenblick einfach noch nicht sagen – oder meinen Kindern, um ganz offen zu sein.«

»Nun, ich kann es einfach nicht ertragen. Es ekelt mich an, dass du so zwischen uns hin und her pendelst.«

»Also so ist das nicht, und ich bin sicher, du weißt das, Norrie. Bitte, mach es nicht schlimmer, als es wirklich ist.« Er wirkte elend. »Ich weiß nicht, was ich sagen soll. Ich kann mich nicht verteidigen. Du weißt, dass ich dich liebe. Und ich will wirklich mit dir zusammen sein – nur mit dir – aber im Augenblick … im Augenblick bin ich einfach nicht fähig, Brenda zu sagen, dass es vorbei ist, nachdem sie den größten Teil ihres Lebens mit mir verbracht und mir zwei Kinder geboren hat.« Er sprach immer drängender, auch wenn seine Stimme leiser wurde. »Aber noch mehr fürchte ich, meine Kinder zu verlieren, ihr Leben durcheinander zu bringen. Finn ist jetzt zwar an der Uni, aber er empfindet unser Haus nach wie vor als sein Heim, und ich will, dass das so bleibt. Und Bird ist trotz ihrer dreizehn Jahre so unausgeglichen, so emotional, solch ein *Kind*. Sie kommt jeden Abend mit fünfzig verschiedenen Dingen an, die sie mir unbedingt erzählen muss, und alle sind *unglaublich*, in letzter Zeit findet sie alles *unglaublich* …«

Er verstummte, seufzte. »Außerdem habe ich Angst vor den Reaktionen meiner Familie und meiner Freunde, wenn ich sie verlasse. Weißt du, ich war das einzige Kind im Getto, dessen Vater sich nicht verdrückt hat. Die einzigen Männer in diesen Familien, abgesehen von Großvätern oder unfähigen älteren Brüdern und Onkeln, waren Liebhaber, und sie blieben nie lange. Irgendwie schaffte mein Vater es trotz aller Nöte und Sorgen, aller Streitereien in unserem Haus, bei uns zu bleiben, als jeder andere schon von seinem Vater verlassen worden war.« Ich wollte protestieren, Michael beweisen, dass er seine Kinder nicht im Stich ließ, wenn er mit mir zusammenlebte, aber obwohl ich das für die Wahrheit hielt, hätte es wie eine Verkaufsstrategie geklungen.

»Ich habe Angst vor dem Schmerz, Norrie.« Er sprach ganz leise. »Ich habe Angst vor dem Schmerz.«

Ich glaubte ihm, dass er mit mir zusammen sein wollte, aber was für mich am deutlichsten herausklang, war seine enorme Angst, sein unbändiges Verlangen, seine Kinder zu beschützen, seine Familie zusammenzuhalten. Wie konnte ich ihn dafür tadeln? Er wollte einfach nicht der miese Kerl sein. Wie hatten wir jemals glauben können, wir würden es schaffen?

Plötzlich überrollte mich der Zorn. Wenn er die Dinge so empfand, warum hatte er dann etwas mit mir angefangen? Die Musik verklang, und das Schweigen wurde drückender. Ich musste damit fertig werden, dass ich nichts außer mir selbst kontrollieren konnte.

»Ich verstehe dein Verlangen, dein Zuhause und deine Familie zu beschützen, Michael. Aber gleichzeitig habe ich kein eigenes Leben mehr, und selbst das bisschen, was ich von dir habe, muss ich mit Brenda teilen. Ich kann nicht mehr. Ich kann nicht glauben, dass ich das wirklich sage, auch wenn ich es, weiß Gott, oft genug gedacht habe. Ich glaube wirklich, wir sollten Schluss machen.«

Meine Worte hingen im Raum wie ein Banner.

Michael erschrak, sah zu Boden, dann wieder mir ins Gesicht. Unsere Blicke trafen sich und verschmolzen ineinander, schienen den Raum zwischen uns zu erfüllen. Nach einem Augenblick nickte er, ein kurzes resigniertes Nicken. »Wie kann ich dir widersprechen.«

Ich sagte nichts. Vielleicht wünschte ich, er würde dagegen angehen, statt mich zu verstehen. Nach einer wie es schien sehr langen Zeit fügte er hinzu: »Dieser ganze Betrug, diese Heuchelei – das macht uns fertig, es tötet unsere Seelen, ich weiß.«

Sünde ist, was immer die Seele verdüstert.

Ich musste nicht antworten. Ich hatte ohnehin Angst davor.

Schweigend saßen wir lange zusammen in meinem Wohnzimmer, der Mondschein vor dem Fenster beleuchtete unsere Umrisse, Glieder und Gesichter mit seinem schwefligen Licht, und durch das Schweigen hörte ich den Verkehr auf der Brattle Street. Ein Autoalarm schrillte irgendwo.

Schließlich fragte Michael: »So, und was jetzt, Norrie? Was machen wir jetzt? Hören wir einfach auf, miteinander zu schlafen – oder reden wir auch nicht mehr miteinander?« Bevor ich antworten konnte, redete er hastig weiter. »Nein, vergiss es. Das würde ich nicht aushalten. Ich muss dich weiterhin sehen.«

Er drehte sich zu mir um und wollte mich umarmen, dann ließ er die Arme sinken, zuckte die Schultern und seufzte resigniert. »Offensichtlich hilft einander zu berühren nicht weiter, wenn wir ab jetzt nur noch Freunde sein wollen«, sagte er bedauernd und vielleicht ein wenig bitter.

Ich sehnte mich nach seiner Umarmung. Als er sich zurückzog, traf es mich wie ein Schlag in die Brust. Aber ich konnte ihn nicht bitten, mich zu halten; ich konnte mich nicht überwinden. Wann immer ich jemanden verlor, ließ ich ihn einfach ziehen.

Können wir Freunde sein?, fragte ich mich. Ich brachte es nicht über mich, die Frage laut zu stellen.

Es war Ende Oktober, Michael sollte bald für seinen britischen Verlag nach England und Irland auf Lesereise gehen. Als er an diesem Abend meine Wohnung verließ, hatten wir uns verständigt, unsere Freundschaft in irgendeiner Form zu retten, auch wenn wir physisch nicht länger zusammen sein konnten. Als wir uns verabschiedeten, hielten wir einander lange Zeit fest.

Nachdem er gegangen war, stand ich eine Weile einfach so da. Dann ging ich, streifte meine Malsachen über und zog eine frische Leinwand heraus. Ich wusste, nur auf meine Arbeit konnte ich immer zählen. Ich begann wie gehetzt Ölfarben zu mischen, wobei ich mir die Tränen aus den Augen wischte. Wieder entstanden auf meiner Palette Rottöne, aber nicht die des ersten Gemäldes. Diesmal mischte ich reines Gelb darunter mit einem

Hauch Grau, um es zu dämpfen, sodass das Rot eine flammenähnliche Qualität annahm – nicht Orangerot, eher die Rotschattierung, die man bei einem Hausbrand beobachten kann. Von diesem Ton ausgehend, dämpfte ich die Farbe zu Apricot und dann zu einem leuchtenden, rosastichigen Gelb. Danach skizzierte ich auf der Leinwand die groben Umrisse der Szene, die ich im Kopf hatte. Zunächst wählte ich als Umgebung eine Küche oder ein Wohnzimmer, aber wieder einmal befand sich die Frau in einem Schlafzimmer, und ich erkannte, dass ich ebenso gut alle Bilder in diesem Raum ansiedeln konnte.

Man sah die nackte Gestalt dieses Mal von hinten, wieder waren ihre Glieder leicht in die Länge gezogen. In der Haltung der Frau lag eine Andeutung von Traurigkeit oder Erschöpfung. Sie stand am Fenster und schaute hinaus, die Vorhänge umrahmten sie, das Rot leuchtete im Kontrast zur Blässe ihres Körpers. Auf dem Boden lag eine Decke, dieses Mal in einem grelleren Rot. Sie hielt den Kimono in der linken Hand, und er floss in leuchtenden Bahnen über ihre Schenkel, der Saum schleifte auf dem Boden neben ihren Füßen.

Ich begann, die angemischten Farben aufzutragen. Das Licht im Schlafzimmer der Frau war so intensiv, wie es künstliche Beleuchtung gelegentlich sein kann, und beinah schmerzhaft hell – ein Angriff auf ihre Haut, die seltsam gefroren wirkte, wofür ich einen Hauch zartes Hellblau unter die blassen Fleischtöne gemischt hatte und ein tieferes Blau in die Grautöne, mit denen ich ihren Körper schattierte. Vor dem Fenster schien ein

147

roter Mond, so blass – nein nicht blass, *dünn* –, dass er beinah nicht rot war, und trotzdem leuchtete er am nächtlichen Himmel.

In diesem Zimmer wollte ich eine Qualität des Lichts erreichen, die nicht auf die Leinwand beschränkt blieb, sondern ausstrahlte, wenn man das Bild als Ganzes betrachtete, sie betrachtete, wie sie dort stand, ein Licht, das einen Gegensatz bilden sollte zur körperlichen Präsenz der Frau, zu ihrem Fleisch, kalt und leicht bläulich, zu nackt in der grellen, gleißenden Helligkeit des Raums. Sogar das Mondlicht würde grell und unerbittlich scheinen.

Um vier Uhr morgens hörte ich auf, stellte das Telefon ab und schlief bis Sonntagmittag. Ich brauchte eine Weile, bis ich wach genug war, um meinen Anrufbeantworter abzuhören, auf dem sich drei Anrufe von Michael befanden, in denen er sich vor seinem Flug nach London von mir verabschieden wollte. Während ich zuhörte, überkam mich eine Welle der Trauer, beim zweiten Abspielen traf es mich mit voller Wucht. Er gehörte nicht länger mir, und ich verfiel in eine Art dumpfes Brüten.

Ich frühstückte um eins, dann machte ich mich auf den Weg nach Brookline, um Ida zu besuchen. Den ganzen Weg über versuchte ich, nicht an Michael zu denken, aber meine Gedanken kehrten unweigerlich zu dem Schmerz zurück, so wie man mit der Zunge immer wieder über eine wunde Stelle an den Lippen fährt. Wie hatte ich es gestern Nacht geschafft, so gute Arbeit zu leisten? Es war, als ob ich mich angesichts dieses undenkbaren Ereignisses in meine Kunst geflüchtet hätte, mein einziger Schutz vor der zerstörten Landschaft unserer Liebe. Was für ein Witz, Kunst als sicheren Hafen zu betrachten. Kunst, voller Risiken, unbekannten und ungewissen Ergebnissen. Sie faszinierte mich, forderte mich heraus, und ich war überzeugt, dieser Herausforderung gewachsen zu sein, während mir das Vertrauen in die Liebe fehlte.

Ida schien heute körperlich geschwächt, aber geistig war sie rege. Wieder einmal trug sie den Morgenmantel, den ich ihr gekauft hatte, aber heute fehlte der Lippenstift. Es war das erste Mal, dass ich Ida ohne Lippenstift sah; ihre Lippen waren dünner, als ich vermutet hatte, und genauso blassgrau wie ihre Haut.

Heute sprach Ida über die alten Zeiten, die Depression, wie die Menschen damals »zurechtkommen« mussten und »nicht so viel erwarteten wie die jungen Leute heutzutage« und wie Kinder sich damals ihr eigenes Spielzeug bastelten. »Damals war nicht alles elektrisch«, bemerkte sie mit einer Art fröhlicher Verachtung oder Mitleid für die heutige Jugend. »In jenen Tagen musste man Fantasie besitzen.«

Als ich sie zum Abschied umarmte, fühlte sich ihr Körper zart und schwerelos an. Es machte mich traurig, und ich fragte mich bei jedem Abschied, ob ich sie am nächsten Sonntag noch lebend antreffen würde.

Zu Hause schlüpfte ich rasch in meine Malkleidung und aß nur schnell ein Erdnussbuttersandwich. Clara war über das Wochenende weggefahren, und ich war erleichtert, dass sie mich nicht stören würde. Wie immer plagten mich wegen meiner Nachbarin zwiespältige

Gefühle. Sie tat mir Leid, wirklich. Ich hatte sie kürzlich zwei Mal allein draußen gesehen, eher marschierend als gehend, die Bücher wie ein Schulmädchen fest an die Brust gepresst, und ihre dünnen Haare wehten im Wind. Beide Male hatte ich mich zu einem Schaufenster gedreht, um ihr zu entgehen.

Ich begann, an der Frau am Fenster zu arbeiten, wie ich das Bild mittlerweile nannte. Jedes Mal, wenn ich an Michael dachte, meine Liebe, aber nicht länger mein Liebster, verdrängte ich ihn gewaltsam aus meinem Kopf und mischte ein wenig Ocker an zwei der Rottöne, das ihnen die Schwere verlieh, die die Stimmung erforderte. Die Gestalt der Frau stimmte mich traurig, während ich ihre Glieder schattierte, ihre Schultern und ihren Torso, die Spalte ihres Gesäßes. Sie signalisierte Verlust, und sie war ich. Prima, dachte ich, und jetzt male! Ich malte die ganze Nacht und hörte erst auf, als das helle Tageslicht durch meine Fenster strömte. Ich sah, dass es zehn Uhr war, ich hatte sechzehn Stunden ununterbrochen gemalt, die Leinwand nur zwei Mal verlassen, um zu pinkeln. Ich war ausgetrocknet, und als ich in die Küche ging, um mir ein Glas Wasser zu holen, war mir schwindlig, und ich schwankte. Ich zog mich aus und ließ mich ins Bett fallen, ohne mich zu waschen, mir die Zähne zu putzen oder auch nur ein Nachthemd überzustreifen. Mir fiel ein, dass ich das Telefon abstellen sollte, und ich schaffte es gerade noch, mich hinüberzubeugen und diese Aufgabe zu bewältigen, bevor ich einschlief.

Als ich um vierzehn Uhr aufwachte, blinkte der Anrufbeantworter. Ich drehte mich um und schlief bis sechzehn Uhr weiter.

Als ich endlich aufstand, fühlte ich mich benommen und wacklig auf den Füßen. Ich wusste, dass ich es letzte Nacht übertrieben hatte, aber als ich mein fast vollendetes Bild in Augenschein nahm, war ich überzeugt, dass es das wert gewesen war. Dieser Zyklus begann mich gefangen zu nehmen. Ich beschloss, ihn *Hunger* zu nennen.

Zwei Nachrichten waren von Clara, die gestern spät in der Nacht zurückgekehrt war, eine von Devi, die von ihrem neuen Gedicht berichtete, und zwei weitere von meiner Mutter. Ich rief erst meine Mutter an und dann Devi, der ich eine Nachricht auf ihrem Anrufbeantworter hinterließ, dass ich es kaum erwarten könne, das Gedicht zu lesen.

Ich war erleichtert, als Clara nicht abnahm, und ich traf in Sekundenschnelle eine Entscheidung, um mein Bild ungestört beenden zu können. Ich sagte, ich würde sie in den nächsten Tagen nicht treffen können, weil ich wie wild malte, aber dass ich mich schon auf unsere Verabredung im Larkin nächsten Mittwoch freute. Der Gedanke, Clara für die nächsten Tage loszusein, erfüllte mich mit einer Erleichterung, die in keinem Verhältnis zur Situation zu stehen schien.

Abends beschloss ich, vor der Arbeit auszugehen, denn ohne jede Ablenkung zu arbeiten, das tat einem Bild nicht gut, man malte zu routiniert, und das konnte man dem Ergebnis ansehen. Ich wollte ein paar Stunden auf dem Platz verbringen, etwas essen, in Buchhandlungen stöbern, mir die Straßenmusiker anhören. In der Hoffnung, ein Zusammentreffen vermeiden zu können, schlich ich mich an Claras Wohnungstür vorbei. Ich war von den beiden letzten Nächten müde und traurig wegen Michael; ich wollte einfach nur allein sein.

Im Fahrstuhl stellte ich fest, dass es mir insgesamt nicht besonders gut ging. Als ich draußen auf den Bürgersteig trat, fühlte ich mich sehr schwach. Wurde ich zu alt für dieses besessene Arbeiten? Um Gottes willen, ich war erst sechsunddreißig. Oder war das gar keine Erschöpfung? Ich merkte, dass es sich tatsächlich um etwas anderes handelte. Ich war krank. Mit jedem Schritt fühlte ich mich schlechter. Mein Kopf schmerzte, und sogar meine Haut, und mir war gleichzeitig heiß und kalt. Nach nur einem Block kehrte ich um. Mein Spaziergang hatte nicht einmal zwei Minuten gedauert. Schwankend nahm ich eine Abkürzung und betrat das Gebäude durch den Hintereingang.

Mein Kopf dröhnte und hämmerte, als ich im vierten Stock anlangte. In der Wohnung maß ich sofort Fieber: 39,5 Grad. Ich konnte es nicht glauben, ich hatte nie Fieber.

Ich war erst ein paar Minuten zurück, als ich es hörte. Jemand versuchte, leise meine Tür zu öffnen. Bildete ich mir das nur ein? Dann hörte ich das Geräusch von Metall, das in das Türschloss glitt, und mein Herz begann heftig zu klopfen. Ich stapfte laut über den Holzboden zur Tür und brüllte: »Wer ist da?« Der Schlüssel oder Dietrich wurde hastig aus dem Schloss gezogen, und ich hörte das Geräusch rennender Füße im Flur. Es klang wie eine einzelne Person, dachte ich.

Ich musste die Polizei verständigen. Sollte ich die Harvard Police anrufen? Nein, beschloss ich, ich musste mit der *richtigen* Polizei sprechen. Ich wählte 911 und wurde mit dem Cambridge Police Department verbunden. Als die Polizisten eintrafen, zitterte ich am ganzen Körper. Die Beamten, ein Schwarzer mittleren Alters, Greene, und ein jüngerer, muskelbepackter Rotschopf namens Porter, nahmen meine Aussage auf. Als ich fertig war, schwitzte ich heftig und war völlig erschöpft.

»Geht es Ihnen gut?«, fragte Greene.

Ich sagte ihm, das ich eine Grippe bekam. Unerwartet kicherte Porter, was mich ärgerte, denn was war an einer Grippe so witzig? Ich warf Porter einen verächtlichen Blick zu.

Die beiden Männer wollten aufbrechen, boten mir aber noch verschiedene Erklärungen für den Vorfall an. Porter meinte, vermutlich sei ein anderer Bewohner im falschen Stockwerk ausgestiegen und habe die falsche Tür erwischt. Er klatschte in die Hände – ein Mal –, während er rief: »Passiert andauernd!« Ich zuckte zusammen. Dieser Typ war eine Zumutung, und im Augenblick war ich absolut nicht in der Verfassung, damit umzugehen.

»Falls es so harmlos war, warum sollte er dann wegrennen?«, forderte ich den Schwarzenegger-Klon heraus.

»Oh, einfach Verlegenheit«, erwiderte er, breitbeinig dastehend, seine Popeye-Arme in die Hüften gestützt. Ich schwitzte am ganzen Körper, und meine Haut fühlte sich wund an. Falls dieser Typ noch irgendetwas Nerviges tat, würde ich einen großen Stein suchen und ihn erschlagen.

Greene vermutete einen Tathergang, der mit meiner Annahme übereinstimmte. »Ich glaube, dass der Dieb, der schon das ganze Jahr über die Wohnungen ausraubt, die Bewohner beobachtet, um zu erfahren, wann sie ausgehen. Vielleicht hat er auch jemanden, der das für ihn erledigt und ihn dann anruft.« Interessanterweise ist bei jeder Theorie der Täter ein Mann. Ich war eher geneigt, anzunehmen, dass wir Frauen genauso kriminell sein konnten wie die Männer.

»Kurz vorher waren Sie ausgegangen«, dachte Greene laut. »Ungefähr zehn Minuten, richtig?« Ich nickte, und er kratzte sich am Kinn und sah grübelnd zur Decke. Ich hatte gar nicht gewusst, dass Menschen so etwas auch außerhalb von Comics taten. »Deshalb«, sagte er, »glaube ich, dass sie so vorgehen, dass einer der beiden das Gebäude beobachtet und dann den anderen anruft, der die Drecksarbeit für ihn erledigt. Das würde auch die Zeitspanne erklären, die zwischen Ihrem Verlassen der Wohnung und dem Eintreffen des Täters an Ihrer Tür liegt. Könnte einer der anderen Bewohner sein oder der Pförtner, der Hausmeister, wer auch immer. Sie wurden davon überrascht, dass Sie den Hintereingang benutzt haben. Sie nahmen an, dass Sie den gleichen Weg wie beim Verlassen des Hauses benutzen würden.« Das leuchtete mir ein. Von jetzt an würde ich beim Betreten und Verlassen des Gebäudes die Augen offen halten.

Nachdem ich Greene und Porter hinausgelassen hatte, fühlte ich mich plötzlich einsam und ängstlich und gottverdammt krank.

Ich verriegelte meine Tür und stellte einen Küchenstuhl

dagegen. Danach fiel ich völlig entkräftet, ohne zu essen, ins Bett und schlief, bis mich nachts um eins das Telefon weckte.

Es war Michael. Abzuheben hatte mich so erschöpft, dass ich kaum sprechen konnte. Mein Kopf dröhnte, meine Kehle brannte und schien wie zugeschnürt.

»Gott, wie ich das hasse«, begann er ohne jedes Vorgeplänkel. »Ich halte es ohne dich nicht aus, Norrie. Seit ich weggeflogen bin, denke ich nur an dich – du bist diejenige, zu der ich nach Hause kommen möchte. Ich ertrage den Gedanken nicht, dass der gottverdammte Atlantik zwischen uns liegt.« Ich machte ein bellendes Geräusch, und er fragte: »Geht es dir gut?«

Ich versuchte zu sprechen und stellte fest, dass ich keine Stimme mehr hatte. »Nicht wirklich«, krächzte ich endlich, und von der Anstrengung musste ich husten. Interessant – von dem Husten hatte ich noch nichts gewusst. Scheiße, ich war nicht nur krank, ich war übel dran.

»Ich bin krank«, flüsterte ich, nachdem der Hustenanfall vorüber war, aber Michael übertönte mich: »Norrie, Norrie, was ist los?«, und machte so meine Anstrengung zunichte.

Mein Seufzer löste wieder einen Hustenanfall aus. Ich überlegte, mit dem Finger Morsezeichen auf den Hörer zu klopfen, das wäre einfacher, als zu sprechen. Aber ich konnte nicht morsen. Michael rief noch immer meinen Namen, und ich war verdammt sicher, dass ich ihm noch nicht geantwortet hatte. Ich holte tief Luft und sammelte all meine Kraft. Brust und Hals schmerzten, als ich heftig einatmete.

»Krank. Einbrecher war hier«, bellte ich.

»Ein Einbrecher? Mein Gott, Norrie, bist du verletzt?«

»Nein«, murmelte ich und schloss die Augen. Ich fuhr mit einem Ruck hoch, als mir der Hörer in den Schoß fiel. Ich hob ihn zurück ans Ohr und hörte Michael meinen Namen rufen.

»Was?«, fragte ich.

»Mein Gott, bist du auch noch krank?«

Auch noch krank. Das war lustig. Wenn ich hätte reden können, hätte ich ihm gesagt, wie komisch ich das fand; stattdessen gelang es mir, ein Ja zu zischen. Irgendwie hörte er mich, auch über den Atlantik hinweg.

»Glaubst du, es ist die Grippe?«, fragte er.

»Ja«, keuchte ich.

»Du klingst wirklich beschissen«, bemerkte er. »Man kann dich nicht allein lassen. Bevor ich auch nur anrufen kann, sind bei dir Einbrecher, und Mikroben attackieren deinen schönen Körper. Nimmst du Medikamente?«

»Muh.«

»Das ist gut. Wer ist denn bei dir eingebrochen?«

»*Versucht*«, gelang es mir zu sagen. Hätte ich reden können, hätte ich ihn selbstverständlich gefragt: »Woher, zum Teufel, soll ich das wissen?«

»Muss die Einbruchserie in eurem Gebäude sein«, folgerte er brillant. »Scheiße, nun werde ich mir jede verdammte Minute Sorgen machen, bis ich wieder zurück bin.« Zuvorkommenderweise nahm ich davon Abstand, ihn daran zu erinnern, dass ich auch *nach* seiner Rückkehr kein bisschen sicherer sein würde, weil er woanders lebte, mit seiner kleinen Frau. Vielleicht fiel es ihm selbst auf, denn er seufzte. Erstaunlich, wie all diese Seufzer und das Zischen über Tausende von Meilen hinweg zu hören waren. »Ich kann mich auf nichts konzentrieren«, lamentierte er. »Ich will nicht mal hier sein.«

»Tut mir Leid«, erwiderte ich. Irgendwie gelangte ich ins Badezimmer, nachdem wir aufgelegt hatten, ich hielt mich an den Wänden fest und ließ mich auf die Klobrille fallen, wo ich entdeckte, dass ich an Durchfall litt. Großartig. Ich wünschte, der Scheißkerl würde einbrechen und mich umbringen, wer auch immer es war. Ich schlich mit einer Flasche Evian ins Bett zurück, zog den Telefonstecker heraus und schlief wieder ein.

Dienstagmorgen oder Mittag erwachte ich zitternd in meinem Evian-durchtränkten Hemd. Scheiße. Ich lag im Sterben. Ich suchte nach meinem Thermometer und konnte es nirgends entdecken. Vielleicht war das auch besser so. Ich war nicht in der Stimmung für schlechte Nachrichten.

Der Anrufbeantworter blinkte, blinkte, blinkte, scheiß Maschine. Ich kämpfte mich aus dem Bett und zog mir mein Hemd aus und einen alten Jogginganzug an. Ich zitterte immer noch, deshalb warf ich mir den roten Kimono über und wanderte mühselig ins Bad, wo ich auf dem Klo hockend eine halbe Flasche Evian trank. Gott sei Dank war der Durchfall vorbei.

Die erste Nachricht auf dem Anrufbeantworter war von Michael. Er gab mir eine Nummer, für den Fall, dass ich ihn brauchen sollte. Es handelte sich um eine lange Auslandsnummer, und er wiederholte sie. Ich begann hysterisch zu kichern. Krank, wie ich war, schien mir doch die 911 die bessere Wahl zu sein.

Liz hatte sich gemeldet: »Nichts Wichtiges.« Prima, dann musste ich nicht zurückrufen.

Die nächste Nachricht stammte von Clara (natürlich hatte sie meine Lass-mich-in-Ruhe-Bitte ignoriert). Scheiße. Verdammte Scheiße. Ich wollte Clara nicht anrufen.

Sie nahm sofort ab, und als ich ihr von meiner Grippe berichtete, meinte sie: »Du klingst furchtbar! Hast du etwas zu essen da?« Mir fiel auf, dass ich seit mehreren Tagen nicht gegessen hatte, und ich stellte fest, wie hungrig ich war.

»Nein«, krächzte ich schwach, genau wissend, was auf diese Eröffnung folgen würde. Aber ich war so müde und hungrig, dass mir sogar Clara, die mir etwas zu essen in die Wohnung brachte, besser erschien als dieser Zustand.

»Ich bin in fünf Minuten bei dir«, verkündete sie. »Ich habe noch etwas Suppe vom Abendessen übrig.«

»Was? Wie spät ist es?«, fragte ich verwirrt.

»Sechs Uhr abends«, antwortete sie. »Norrie, du bist *wirklich* krank.«

Als sie kam, führte ich sie ins Wohnzimmer, damit sie meine Bilder nicht sah. Sie trug ein Tablett mit einer Tasse Suppe und etwas Toast. Ich war so glücklich über das Essen, dass ich die Rindfleisch-Gemüse-Suppe löffelte, ohne mir über meinen Semivegetarismus Gedanken zu machen.

Ich schaute zu Clara hoch, während ich das Essen hinunterschlang, und der Ausdruck echter Besorgnis auf ihrem breiten Gesicht rührte mich. Wie gemein ich bin, dachte ich. O Gott, wie gemein.

»Clara«, sagte ich, voller Reue wegen meiner vergangenen, gegenwärtigen und mit Sicherheit auch zukünftigen miesen Gedanken, »du bist ein Engel.«

»Das sehe ich anders«, erwiderte sie dankbar lächelnd. »Oh – ehe ich es vergesse, ich habe Devi Bhujander angerufen und sie eingeladen, morgen mit mir das Colloquium zu besuchen, und als ich erwähnte, dass du krank bist und nicht hingehen kannst, meinte sie, sie würde diesmal vermutlich auch nicht hingehen.« Der bedauernde Ausdruck auf Claras Gesicht verriet den Schluss, den sie daraus gezogen hatte; sie war überzeugt, dass Devi nicht ohne mich gehen wollte. Ich fragte mich, ob Devi Clara mied, wie ich es bis vor fünf Minuten getan hatte.

»Vielleicht muss sie arbeiten«, versuchte ich sie aufzumuntern. »Ich weiß, dass sie an einem neuen Gedicht über das dritte Auge arbeitet, und vor ein paar Tagen stand sie kurz vor dem Durchbruch.« Ich hatte eigentlich gehofft, Claras angeschlagenes Ego zu besänftigen, aber ein Schatten flog über ihr Gesicht, und mir wurde klar, dass sie darüber nachgrübelte, auf wie vertrautem Fuß ich mit ihrem Idol stand, um solche privaten Dinge zu wissen.

»Ich glaube, sie mag mich nicht«, sagte Clara. Als ich antworten wollte, fuhr sie eilig fort: »Es macht eigentlich nichts. Ich verbringe meine Zeit sowieso lieber mit dir.«

»Clara«, erwiderte ich aufrichtig, »du bist ein sehr guter

Mensch und Devi auch. Ich glaube, sie lebt sehr zurück-gezogen.«

»Ja, das weiß ich«, erwiderte Clara nun doch ein wenig bitter. »Aber *dich* mag sie – mit *dir* möchte sie zusammen sein.«

»Ach, ich weiß gar nicht, inwieweit sie tatsächlich mich *persönlich* meint«, sagte ich. »Ich hab sie nur einige Male zufällig getroffen, und da haben wir hauptsächlich über unsere Arbeit geredet.« Plötzlich dachte ich, wie sehr das nach der Ausrede klang, die man seinem Freund serviert, wenn man mit einem anderen Mann beim Essen gesehen worden war. Ich rechtfertigte mich schon wieder. Ich schaute auf die halb leere Schüssel hinunter und spürte eine Mischung aus Schuldgefühlen und Ablehnung. Ich sah Clara an und entdeckte auf ihrem Gesicht einen Ausdruck von Zorn gepaart mit Leidenschaft. Vielleicht war sie in Devi verliebt, oder glaubte es zumindest.

»Ich gehe jetzt und lasse dich in Ruhe essen«, sagte sie, und ich hörte einen Klang von Selbsterniedrigung oder Selbstmitleid, vielleicht von beidem.

»Du kannst ruhig bleiben, Clara«, sagte ich wenig überzeugend.

»Ach nein, ich muss noch etwas tun. Ich *arbeite* an einem Buch, weißt du.«

»Natürlich«, erwiderte ich. »Ich hoffe, du kommst gut voran.«

Nachdem sie gegangen war, ging ich mit dem Tablett ins Schlafzimmer und aß alles auf. Dabei fühlte ich mich die ganze Zeit schuldig, ohne zu wissen, warum.

Ich ging zu Bett, stellte das Telefon ab und schlief rasch ein. Ich erwachte erst am Mittwochmorgen von Claras Klopfen an meiner Tür, wo sie mit einem Frühstückstablett wartete. Ich schleppte mich zur Tür und machte dabei eine Bestandsaufnahme. Kopf, Hals und Haut schmerzten nicht länger, aber ich hatte einen tiefsitzenden Husten, und mein Körper fühlte sich an, als hätten Wissenschaftler, während ich schlief, jeden einzelnen Muskel entfernt.

Die Würstchen und Eier rochen so überirdisch gut, dass ich wie ein großer, eifriger Köter um das Tablett in Claras Händen strich. Ich war sogar wild auf das Würstchen, obwohl ich normalerweise kein Fleisch aß. Vermutlich machte ich mich in dem kurzen Moment, bis Clara mir das Tablett reichte, dreier Todsünden schuldig.

»O mein Gott«, sagte ich, als ich es entgegennahm, »wie kann ich das je wieder gut machen?« Es war nicht ernst gemeint, nur eine Floskel, um meine Dankbarkeit auszudrücken. Aber Clara nahm die Frage ernst.

»Du kannst meine liebste Freundin sein«, erwiderte sie leise. »Sonst nichts.«

Und in ihrem Ton lag etwas so Schweres, Eindringliches und Endgültiges, dass mich das Gefühl überkam, meine Seele für ein Frühstück verkauft zu haben.

Wieso konnte ich das Telefon hören? Ich hatte es abgestellt und war rasch eingeschlafen, und als Nächstes saß ich im Bett, presste den Hörer an mein Ohr, und deine Stimme strömte wie Nektar in mich. Und so krank ich auch war, plötzlich war ich geil. So geil. Deine Stimme war wie eine Berührung, und ich spürte, wie mein Körper sich öffnete, ich war nass vor Begierde. Morgens wusste ich nichts mehr von dem, was du gesagt hattest, ich erinnerte mich nur noch an den Klang deiner Stimme, den hypnotischen Rhythmus deiner Worte, die in der Dunkelheit in mich flossen, und wäre mein Körper nicht gesättigt, wäre ich mir der Nachwirkung des Orgasmus nicht bewusst gewesen, hätte ich nicht geglaubt, dass es wahrhaftig passiert war. Als wir in der nächsten Nacht telefonierten, schämte ich mich, es zu erwähnen, ich dachte, vielleicht war es nur ein Traum. Woher hätte ich auch wissen sollen, dass das Telefon klingelte? Nachdem wir eine Weile gesprochen hatten, sagtest du: Es war verrückt, als ich dich geweckt habe – hier war es schon morgens, und ich wollte nicht, dass es diese Wendung nimmt, aber als du mich gebeten hast, musste ich es tun, ich wollte es auch.

Als ich dich gebeten habe? Als ich dich gebeten habe. Ja, jetzt erinnere ich mich an den Klang meiner eigenen Stimme: Fick mich, bitte fick mich, ich brauche dich, ich muss dich haben. Fick mich.

Kapitel 7

Als Michael aus England zurückkehrte, änderte sich alles, das heißt, alles wurde wieder wie vorher. Er sagte, so weit weg von zu Hause wäre ihm bewusst geworden, dass ich die Frau war, zu der er zurückkehren, mit der er leben wollte. Er würde mit Brenda sprechen, wir würden uns eine Wohnung mit einem extra Zimmer suchen, in dem die Kinder schlafen konnten, wenn sie zu Besuch kamen.

Er dachte wieder und wieder laut darüber nach, was er Brenda erzählen und was er verschweigen wollte. Er wollte unsere gemeinsame Zukunft nicht mit dem Gewicht ihrer Bitterkeit und ihres Zorns beginnen, aber er wollte sie auch nicht anlügen. Ich versuchte, ihm zuzuhören, ohne irgendwelche Vorschläge zu machen, was mir niemals leicht gefallen war, aber in diesem Fall wusste ich, dass ich mich heraushalten musste. Er beschloss, Schritt für Schritt vorzugehen. Zunächst würde er Brenda gestehen, dass seine Gefühle sich geändert hatten. Er würde in sein Arbeitszimmer umziehen. Er hoffte, die Ehe nach und nach beenden zu können, weil er die heftigen Streitereien vermeiden wollte, die unweigerlich aufkamen, wenn eine solche Entscheidung über Nacht getroffen und durchgezogen wurde.

Seinen Anteil an ihrem Haus würde er Brenda über-schreiben, damit die Kinder ihr Zuhause behielten. Und er würde ihr die Hälfte des Vorschusses für sein nächstes Buch überlassen. Tatsächlich verdiente sie mehr Geld als er, aber unter den Umständen hatte er das Gefühl, es ihr schuldig zu sein.

»Ich habe ihr vor langer Zeit ein Versprechen gegeben«, sagte er zu mir, »und nun werde ich es brechen. Ich will, dass es ihr gut geht, und ich will, dass sie das weiß. Die Kinder müssen das ebenfalls wissen.«

Ich hatte so lange darauf gewartet, dass Michael sich entschied; über ein Jahr hatte ich von diesem Ergebnis geträumt, dem goldenen Ring. Als er jetzt meine Woh-nung verließ, um mit Brenda zu sprechen, war ich ver-wirrt; jetzt war der richtige Zeitpunkt, teilte er mir nüchtern mit, da Bridget bei einer Freundin übernach-tete. Nach seinem Aufbruch war ich zu nervös zum Malen; stattdessen lief ich auf und ab. Mich überkam das wilde Verlangen, ihn anzurufen und ihn zu bitten, es nicht zu tun. Vergiss es einfach, könnte ich ihn auffor-dern. *Tu es nicht*. Ich stand am Telefon, griff nach dem Hörer und legte ihn dann, ohne zu wählen, sanft zurück auf die Gabel.

Ich lief weiter den Flur auf und ab, bis sich die Erkennt-nis in mir festsetzte: Es wäre falsch, ihn anzurufen und darum zu bitten, denn nun, da er sich entschieden hatte, würde er trotzdem weitermachen wie bisher, aber dann musste er die Last allein tragen. Ich würde mich aus der Verantwortung stehlen, und das hieße, meinen Anteil daran zu verleugnen.

Ich wanderte stundenlang auf und ab, zu nervös, um das Licht einzuschalten, und durchdachte die ganze Sache wieder und wieder.

Brenda war kein Monster, das wusste ich. Es hätte den Gedanken an das, was an diesem Abend geschah, leichter gemacht, hätte ich mit einem gewissen Vergnügen glauben können, dass ihr nur Recht geschah. Aber in Wahrheit war sie ein vollkommen anständiger Mensch – eine gute, wenn auch etwas strenge Mutter, eine erfolgreiche Investmentbankerin und eine aller Wahrscheinlichkeit nach treue Ehefrau.

Sie hatten mit Anfang zwanzig geheiratet, Michael unterrichtete damals in Tufts, und Brenda trat in die Fußstapfen ihres Vaters und machte ihren Abschluss in Wirtschaftswissenschaften an der Harvard. Nachdem Michael einen bedeutenden Preis für eine Kurzgeschichtensammlung gewonnen hatte, begann er kreatives Schreiben an der Emerson zu lehren, während Brenda eine Anstellung bei der angesehenen Shearson Lehman Bank fand. Finnian wurde geboren, als beide Ende zwanzig waren, Bridget fünf Jahre später. In jenen Tagen waren sie vermutlich ein ganz normales Ehepaar der Mittelschicht gewesen.

Während Michael sich immer mehr auf das Schreiben konzentrierte, wurde Brenda in der Finanzwelt zunehmend erfolgreicher; und bald verdiente sie mehr als ihr Mann. Das unterschiedliche Einkommen hatte sie lange gestört, sagte Michael, aber für ihn bestand das Problem darin, dass sie seine Karriere als Schriftsteller nicht so ernst nahm wie ihre eigene. Sein literarisches Schaffen war über Jahre das »Große Unausgesprochene« gewesen, wie Michael es nannte, erst jetzt, da sein Roman sich gut verkaufte, brachte Brenda das Thema bei Treffen mit Freunden und Kollegen häufiger zur Sprache. Michael war selten zynisch – es war einfach nicht seine Art –, aber wenn er darüber sprach, hörte ich einen scharfen Ton in seiner Stimme und ahnte die Kränkung.

Michael rief mich vier Stunden später von seinem Haus in Brookline aus an. Zu diesem Zeitpunkt war ich nervlich ein Wrack, aber es gelang mir, eine kühle Fassade aufrechtzuerhalten. Er klang erschöpft, und ich konnte mir vorstellen, was er durchgemacht hatte.

»Es war schrecklich«, berichtete er. »Sie ist vollkommen durchgedreht. Sie warf ein Kochbuch nach mir. Dann schlug sie auf mich ein und begann zu weinen. Jetzt ist sie ins Bett gegangen.« Er seufzte. »Ich komme mir vor wie ein Schwerverbrecher.«

»Lieber Himmel, Michael. O Gott.«

»Es war schrecklich«, sagte er wieder.

»Hast du ihr gesagt, dass du sie verlässt?«

»Nein, ich habe ihr eine Art Trennung von Tisch und Bett vorgeschlagen, bis ich weiß, was ich tun will. Ich sagte ihr, dass ich sie nach wie vor schätze, sie aber nicht mehr liebe. Ich bin sicher, dass jedes verdammte Arschloch so etwas sagt, wenn es seine Frau verlässt. Und ich habe angekündigt, dass ich ab sofort in meinem Arbeitszimmer schlafen werde. Das alles ist so ein typisches beschissenes Neunziger-Jahre-Klischee.«

»Dann tu es nicht, Michael. Tu es nicht, wenn du nicht

wirklich überzeugt davon bist.« Es schien meine Pflicht zu sein, ihm diese Möglichkeit einzuräumen, aber es war schwierig, zu entscheiden, was richtig war. Wenn überhaupt zu diesem Zeitpunkt irgendetwas richtig sein konnte.

»Norrie – ich sehe das nicht so, ich sage nur, wie es jemandem erscheinen muss, der davon hört. Besonders wenn … ach, ich weiß nicht.«

»Wenn was?«, fragte ich alarmiert. Es musste etwas mit mir zu tun haben. »Wenn was?«

Er antwortete nicht. Es sei denn, ein Seufzer zählt als Antwort. Ich glaube schon.

»Wenn man uns zusammen sieht?«, erkundigte ich mich.

»So in der Art.«

»Warum? Ich bin keine Schlampe – ich bin eine ganz normale, nette Frau.«

»Du bist die wundervollste Frau, die ich je getroffen habe. Das meine ich ernst. Das bist du. Aber du bist erst sechsunddreißig, Norrie. Es ist das klassische Midlife-crisis-Klischee.«

»Du meinst, weil du siebenundvierzig bist?«

»Ja, aber eigentlich, weil *Brenda* siebenundvierzig ist. Und stellen wir uns den Tatsachen, du siehst jünger aus, als du bist.«

»Wirklich?« Das war mir neu.

»Ich glaube, es ist eine Image-Frage«, sagte er. »Ein Ego-Ding. Ich möchte bewundert und für einen tollen Kerl gehalten werden. Ich bin nicht eben scharf darauf, Humbert Humbert zu spielen.«

»Herrje, Michael, ich bin keine gottverdammte Lolita. Ich könnte Lolitas Mutter sein. Wären wir in den Appalachen, sogar ihre *Großmutter*.«

Er lachte verhalten. »O sicher. Ich bin total erledigt. Morgen werde ich die Dinge bestimmt in einem anderen Licht sehen. Ich habe dich nur angerufen, um dir zu sagen, dass ich dich liebe. Ich liebe dich so sehr, dass ich sogar jetzt noch zurechnungsfähig bin. Fast.«

»Noch zurechnungsfähig impliziert eine präexistente Kondition«, erinnerte ich ihn. »Ich bin nicht sicher, ob du darauf Anspruch erheben darfst.«

»Was würde ich nur ohne dich machen?«, fragte er mit einem schwachen Kichern.

Ich seufzte. »Nicht das hier, vermute ich.«

Brenda blieb während der nächsten beiden Tage im Bett, und Michael wurde zunehmend besorgter. Er brachte ihr Milch und massierte ihr die Schultern, aber er gab nicht nach. Am dritten Tag stand Brenda auf und ging ins Büro. Von dort rief sie Michael an, um ihm zu sagen, dass sie ihn hasste. Am selben Abend versuchte sie, mit ihm zu schlafen.

Nach sechs Tagen hatten sie zu einer Art Koexistenz gefunden, erhielten vor Bridget die Fassade aufrecht und waren sogar zwei Mal zusammen zum Essen gegangen, um die Spannung abzubauen, wie Michael sagte.

Was soll ich den Kindern sagen?, hatte Brenda ihn gefragt.

»Erst einmal gar nichts, wir müssen erst selbst klarkommen, den Rest klären wir später«, hatte er erwidert.

Das *wir* schmerzte, als er mir von dem Gespräch berichtete; es lag eine selbstverständliche Nähe darin, eine gemeinsame Geschichte. Natürlich war es so. Aber trotzdem zuckte etwas in mir zusammen, als er es sagte.

Danach begannen sich die Dinge zu normalisieren. Michael und ich schauten uns gemeinsam Eigentumswohnungen in Somerville und Watertown an. Jedes Mal, wenn wir eine Wohnung besichtigten, die uns gefiel, entspannte ich mich ein wenig mehr. Es dämpfte das nervöse Zögern, das mich immer befiel, wenn ich mich völlig dem Vertrauen in die Liebe überlassen wollte. Unsere Laune hob sich von Tag zu Tag, und er besuchte mich nun häufiger und zufällig meistens dann, wenn Clara nicht zu Hause war. Nach und nach hörte ich auf, mir wegen ihr Gedanken zu machen.
Dann begegneten wir Clara eines Nachmittags in der Eingangshalle, als wir gerade das Gebäude verließen. Nervös stellte ich sie einander vor. Clara ließ kein Anzeichen erkennen, dass sie schon von Michael gehört hatte, worüber ich erleichtert war. Ich stellte ihn, beinah wahrheitsgetreu, als Autor von Aperçu vor, für dessen Buch ich Schutzumschlag und Design entwarf. Während ich mit ihr sprach, schaute sie Michael an; seltsamerweise starrte sie die ganze Zeit, in der er mit ihr redete und ihr sagte, wie erfreut er sei, sie kennen zu lernen, in mein Gesicht, als wollte sie sich der Wahrheit seiner Worte vergewissern. Als wir den Hof vor dem Gebäude überquerten, drehte ich mich noch einmal um. Sie stand immer noch auf der Treppe und beobachtete

uns. Ich winkte ihr zu, wobei ich mein Unbehagen verbarg, und sie nickte und ging hinein.

»Dumme Ziege«, sagte Michael. Ich antwortete nicht.

Eine Woche später gingen Michael und ich in einen Club in Allston zum Tanzen. Es war ein hauptsächlich von Schwarzen frequentierter Laden mit hervorragender Livemusik, Jazz und Rock. Wir wollten nicht unbedingt zusammen gesehen werden, und dieser Club war sicher, da keiner von ihren Freunden tanzen ging und sie niemanden in Allston kannten, sagte Michael.

Ich war so aufgeregt, als wäre es meine allererste Verabredung, und verbrachte Stunden damit, mich herzurichten. Ich hatte mir sogar extra einen schwarzseidenen Wickelrock und ein schwarzsilbernes Stretch-T-Shirt mit Dreiviertelärmeln für diesen Abend gekauft. Aber meine wichtigste Vorbereitung bestand darin, meine, nun ja, meine unteren Regionen zu enthaaren. Ich hatte das noch nie vorher getan, für niemanden, aber es schien mir eine nette Überraschung für Michael zu sein. Ich wollte ihm nichts davon verraten – er sollte es selbst herausfinden.

Nach dem Bad rieb ich mich mit Lotion ein und lief zwanzig Minuten nackt herum, damit sie einziehen konnte. Dann zog ich mir das T-Shirt über den Kopf und strich es an meinem Körper glatt – es saß wirklich hauteng – und zog den schwarzseidenen Wickelrock an, der bei den richtigen Bewegungen ein hübsches Stück Bein enthüllte. Ich schlüpfte in ein paar schwarze Sandalen, da keine anderen Schuhe zu diesem Outfit zu passen schienen. Und das war es. Ich habe keine Unterwäsche erwähnt, weil ich keine Unterwäsche trug. Heute Abend wartete eine doppelte Überraschung auf Michael – keine Unterwäsche unter meinen seidenen Kleidern und, nun ja, die seidenglatte Muschi.

Der Club war dunkel und verraucht. Es störte mich nicht, obwohl ich verqualmte Luft sonst nicht mag. Wir setzten uns an einen Tisch an der Wand und bestellten Getränke, aber wir kamen fast nicht dazu, zu trinken, da wir zu beinah jedem Song tanzten, den schnellen, den langsamen, und denen dazwischen. Es war sehr sexy, zu den mittelschnellen Stücken zu tanzen. Tatsächlich gerieten wir nach einem dieser Songs leicht in Schwierigkeiten. Michael war ein großartiger Tänzer, und wir passten gut zusammen – das Problem, wenn es denn ein Problem war, bestand darin, dass wir von Tanz zu Tanz geiler wurden, besonders bei den Stücken, die einen gewissen Körperkontakt und größere Bewegungsfreudigkeit erforderten.

Es war nach *Sunshine Superman*, wir gingen zu unserem Tisch zurück, und Michael zog mich auf seinen Schoß. Ich spürte seine Erektion durch meinen dünnen Seidenrock. Ich erinnere mich, dass die Band eine erotische Version von *After Midnight* spielte, der Sänger klang zu meinem Erstaunen fast genauso wie Bobby McFerrin. Michael ließ seine Hand mein Bein hinaufgleiten, fand den Schlitz in meinem Rock, schob sie meinen nackten Oberschenkel empor und dann dorthin, wo deutlich wurde, dass ich keine Unterwäsche trug und mein Schamhaar abrasiert hatte.

»O Gott«, stöhnte er. »Ich glaube es nicht.« Seine Finger streichelten meine glatte Scham, dann meine Schamlippen, und er flüsterte: »Du bist so nass!« Ja, das war ich tatsächlich. Dann zog er seine Hand weg, und ich fragte mich, ob etwas nicht in Ordnung war. Er rutschte auf dem Stuhl herum, und dann erkannte ich, dass er seine Jeans hinunterschob. Ich musste annehmen, dass er völlig entblößt hinter mir saß, und ich war sehr froh über die Dunkelheit im Club. Ich spürte, wie das schlüpfrige Material meines Rocks hinten hochgeschoben wurde – weil es ein Wickelrock war, wirkte ich von vorn züchtig verhüllt –, und im nächsten Moment spürte ich Michael in mir. In mir. Zum ersten Mal ohne Kondom in mir, das allein war schon erregend. Und dann verharrte er völlig bewegungslos – tief in mir, aber ohne jede Bewegung. Diese Selbstbeherrschung gehörte zu den Dingen, die ich an Michael immer ungeheuer sexy gefunden hatte. Ich versuchte, mich ebenfalls ruhig zu verhalten, obwohl ich wusste, dass ich weniger Selbstkontrolle als er hatte und es eine enorme Anstrengung für mich bedeutete. Ich schwebte am Rand eines Orgasmus, während wir so dasaßen und *Angel Eyes* hörten, und zu dem Zeitpunkt, da sie zu *Body and Soul* überleiteten, war die Tatsache, ihn in mir zu spüren, nackt und steif, beinah nicht zu ertragen.

Bei *How High The Moon* hielt Michael es nicht länger aus und begann, sich in mir zu bewegen. Ich war so geil und so nass, er war so hart und so geil – das Ende war unvermeidlich.

»Oh«, keuchte er, und dann kam und kam und kam er.

Ich kam im gleichen Moment, sein Stöhnen galt für uns beide. Auch nachdem er gekommen war, blieb er in mir, und ich massierte ihn mit meinen Vaginalmuskeln im Rhythmus der Musik, und im nächsten Augenblick war er wieder hart, und innerhalb von wenigen Minuten kam er erneut. Das ging zwei Stunden lang so, und später vertraute er mir an, dass er noch nie vier Mal hintereinander gekommen war. Das war im Auto, wo wir an Nummer fünf arbeiteten.

Während ich mich nach seinem Aufbruch fürs Bett fertig machte, wurde mir bewusst, dass ich in meinem ganzen Leben noch nicht so viel Sperma in mir gehabt hatte. Erst wollte ich baden, aber dann änderte ich meine Meinung. Ich wollte es beim Einschlafen zwischen meinen Beinen spüren, wollte den Duft die ganze Nacht lang einatmen.

*S*exuell scheinen wir es weiter und weiter zu treiben, wir tun Dinge, die wir noch nie getan haben. Ich frage mich, warum. Ahnen wir die Freiheit, nachdem wir uns so lange versteckt haben, und sind wir trunken von dieser Vorstellung?

Oder ist diese verstärkte Lust das Ergebnis des Wissens, dass wir endlich nur einander gehören und den anderen körperlich mit niemandem teilen müssen? Verleiht uns das eine Art Vorrecht, ein Ahnung, dass es, wie die Kämpfer sagen, keine Grenzen mehr gibt? Dass wir, wenn wir einander gehören, miteinander machen können, was wir wollen? Vielleicht. Und allein das Nachdenken darüber erregt mich.

Sage ich damit, dass Monogamie sexy ist? Vielleicht. Es ist rein theoretisch. Aber für uns gilt offensichtlich das alte Sprichwort vom Reiz der verbotenen Frucht nicht. Unser Sex ist nicht länger »verboten«, und er ist drängender, wilder als jemals zuvor.

Nachdem du mich heute Abend verlassen hattest, fragte ich mich einen Augenblick lang, ob wir bei unseren sexuellen Experimenten nicht vorsichtiger sein sollten, bei unserer Ausbeutung des jeweils anderen Körpers – nicht nur vorsichtiger im offensichtlichen Sinn, sondern vorsichtiger, was Verständnis, Schutz und die Achtung gegenseitiger Grenzen angeht.

Und dann dachte ich: Warum soll ich Bedauern oder einen Willen zur Mäßigung heucheln? Wenn du hier wärest, wären wir uns einig, ohne Zögern alles zu tun, was der andere will. Alles.

Offensichtlich denke ich mittlerweile die ganze Zeit an dich, jede Minute des Tages, egal, womit ich mich gerade beschäftige oder wo ich bin, ich spüre dich in mir.

Und dieser fast permanente Erregungszustand hat den Weg in meine Malerei gefunden. Wie könnte es auch anders sein? Ich möchte sie dir zeigen, die Frau im Roten Zimmer, ich will, dass du sie in diesem neuen Bild siehst, damit du verstehst, wie mein Verlangen nach dir für mich ist. Du sollst es auch spüren, als wären wir ein Körper.

Sie liegt auf dem Rücken auf einer zerknitterten roten Decke, die Haut ihres Körpers und ihres Gesichts badet im Schein der Lampen, gerötet, blühend. Ihre Augen sind wie in einer Art Traum geschlossen, ihre Lippen leicht geöffnet und ihre langen Beine leicht gespreizt, ihre Knie sanft gebeugt, gerade genug, um anzudeuten, *dass sie soeben sexuellen Verkehr hatte. Ihre Kleidung liegt in einem Haufen neben ihr.*

Der rote Seidenkimono hängt über einer Stuhllehne, das schwarze Satinband um den Saum ist abgerissen. Wenn man genau hinschaut, kann man das schwarze Band gerade noch unter dem Hals der Frau erkennen. Ihre Arme sind zur Seite ausgebreitet, als wolle sie fliegen, als ob sie eben höchste Erregung erfahren habe und noch nicht bereit sei, zu eher konventionellen Vergnügungen zurückzukehren.

Ich mischte lebhafte Rottöne für diese Szene, kräftiges, strahlendes Rot für die Vorhänge, die Decke, den Kimono und den Mond, heute Nacht kein Vollmond, sondern nur eine Sichel mit scharfen Umrissen, wie ein dünner scharfer Schnitt. Er sieht aus wie eine Sensenblatt, eine gefährliche Waffe, die durch das warme, befriedigte Fleisch schneiden könnte. Dies ist das einzige Element des Bildes, das rätselhaft wirkt, als ob es eine Warnung vor den Gefahren des Fleisches sein soll, vor der Gefahr, sich dem Verlangen zu sehr zu überlassen. Und doch ruft diese Farbe, dieses züngelnde Rot der Mondsichel: Hör nicht auf, hör niemals auf.

Und ich weiß, dass ich es nicht kann. Natürlich will ich es auch nicht, aber darum geht es nicht. Ich meine, ich kann nicht. Ich kann nicht aufhören, und ich werde es auch nicht.

Kapitel 8

Im Verlauf des Herbstes sah ich Devi häufiger, und zwischen uns begann sich eine enge Freundschaft zu entwickeln – nicht so intim wie meine Freundschaft zu Liz, aber Devi und ich waren uns auf ähnliche Weise nahe wie Liz und ich –, eine angenehme, schwesterliche Vertrautheit.

Ich erzählte Liz von Devi und sehnte mich nach einem Treffen zu dritt. Liz kannte Devis Gedichte und schätzte sie sehr. Und Devi erwähnte zu meinem Entzücken, dass sie in den vergangenen Jahren viel von Liz gelesen und es immer fesselnd gefunden hatte.

Wir drei planten, zusammen essen zu gehen, wenn Liz im neuen Jahr auf einer Lesereise nach Boston kommen würde.

Weil Clara so eifersüchtig und unsicher war, versuchte ich, meine Freundschaft mit Devi vor ihr zu verbergen. Um die Dinge noch komplizierter zu gestalten, blieb Devi bei ihrer ablehnenden Haltung gegenüber Claras Annäherungsversuchen, was zu einer gewissen Spannung führte, wenn wir drei uns zufällig trafen. Devi sprach nie schlecht über Clara, aber ich spürte ihre Ablehnung – und Clara ebenfalls.

Eines Abends beschloss ich schließlich, mit Devi darüber zu sprechen. Ich aß wieder einmal bei ihr zu Abend, sie liebte es, zu kochen, und ich liebte es, zu essen, deshalb befriedigte dieses Arrangement uns beide. Ich fragte sie geradeheraus, ob ihr Clara unangenehm war. Devi antwortete ohne Umschweife.

»Natürlich nicht«, sagte sie, »aber sie behandelt mich wie einen Star und nicht wie einen Menschen, und das ist mir zuwider. Sie ist die Quintessenz all dessen, was mir an der Aufmerksamkeit nicht gefällt, die mir neuerdings zuteil wird. Ich mag es nicht, wenn man mir nachläuft.«

»Ich verstehe. Ich dachte nur, sie würde sich beruhigen, wenn du ihr eine Chance gibst.«

»Norrie, ich sage dir nicht, wie du dein Leben führen oder mit wem du deine Zeit verbringen sollst. Das fänden wir beide zu persönlich, habe ich Recht?« Devis Stimme klang freundlich, aber fest. Ich kam mir vor wie ein Holzklotz.

»Ja … du hast natürlich Recht. Außerdem gehe ich Clara selbst aus dem Weg – wann immer sich die Gelegenheit bietet. Um die Wahrheit zu gestehen, ich glaube, aus mir spricht mein schlechtes Gewissen.«

»Um ebenfalls ganz ehrlich zu sein«, erwiderte Devi, »ich kann sie in letzter Zeit kaum noch ertragen. Letzte Woche kam sie auf mich zu und erzählte mir, sie hätte von mir geträumt und habe das Gefühl, wir seien in einem früheren Leben eng verbunden gewesen.«

»Du lieber Gott.«

»Ja, mich hat es auch sehr aufgebracht. Sie beobachtet mich die ganze Zeit mit diesem hungrigen Blick, dich hat sie neulich auch so angesehen.«

»Was?«

»Ja, wirklich, Norrie. Sie starrte dich genauso an. Du hast dich lebhaft mit Serena Holwerda unterhalten, und ihr habt gelacht. Ich drehte mich zufällig zu Jane Coleman um und sah Clara, die neben ihr stand. Ihr Blick ruhte auf dir, sie war völlig gebannt, wirkte aber irgendwie auch gequält. Ich fand diesen Blick äußerst beunruhigend.«

Ich spürte bei der Beschreibung selbst eine gewisse Unruhe. »Willst du damit sagen, sie bringt uns romantische Gefühle entgegen?«

»Ach, wer weiß? Der Grund ihres Benehmens ist mir ziemlich gleichgültig. Ich habe keine Zeit, mir darüber Gedanken zu machen.«

»Nun, Clara hatte kein leichtes Leben, das könnte einiges erklären.«

»Ja?«

»Ja, sie hat ihre Eltern früh verloren. Ihr Vater war ein bekannter Zeitungsherausgeber in Santiago, der wegen seiner politischen Äußerungen ermordet wurde. Ihre Mutter starb Jahre später an Krebs, und das hat Clara traumatisiert. Sie steht ganz allein in der Welt.«

»Wie traurig. Das ist wirklich schlimm. Aber, Norrie, auf die ein oder andere Weise haben wir alle in unserem Leben schon gelitten. Das gibt uns nicht das Recht, andere zu besitzen und zu kontrollieren.« Sie schwieg einen Moment. »Schau, Norrie, du und ich, wir sind doch wirklich gute Freundinnen geworden, oder?«

»Ganz bestimmt.«

»Und deine Freundin Liz ist von der Idee, mich kennen zu lernen, ganz begeistert, stimmt's?«

»Ja sicher. Sie weiß, dass ich dich mag und gern mit dir zusammen bin.«

»Genau. Und aus dem gleichen Grund freue ich mich darauf, Liz kennen zu lernen. Wenn sie dir so viel bedeutet, ist sie sicherlich jemand, den zu kennen sich lohnt. Aber Clara ist nicht so, Norrie. Das erkennst du doch selbst. Sie beobachtet uns argwöhnisch, wenn wir miteinander reden, und manchmal wird sie sogar zornig. Das ist keine Freundschaft. Das ist Besitzwut. Und ich will kein Besitz sein.«

»Vielleicht fühlt sie sich ausgeschlossen«, erwiderte ich, aber ich hatte das Engagement, Clara zu verteidigen, verloren.

»Ihr Benehmen führt auch dazu«, erwiderte Devi mit einem Blick auf meinen Teller. Ich hatte fast nichts gegessen. Ich war nicht so hungrig wie sonst.

»Du isst ja gar nichts, Norrie. Schmeckt das Essen nicht?«, fragte Devi mit besorgtem Gesicht.

»Es ist lecker wie immer«, versicherte ich ihr, »aber ich weiß nicht, es ist … vielleicht ist es wegen Clara. Mein Magen ist irgendwie in Aufruhr, und ich habe keinen Appetit.«

Devi schaute mich lange Zeit an, als hätte sie etwas auf dem Herzen, traute sich aber nicht, zu sprechen.

»Was?«, fragte ich. »Was ist?«

»Nichts«, erwiderte sie zögernd. »Nichts, ehrlich … Ich schaue dich nur an, und in meinen Augen siehst du verändert aus. Außerdem bist du nicht so schwungvoll wie sonst, und jetzt fehlt dir der Appetit. Mir fallen diese Veränderungen an dir schon seit einer Woche auf. Ich habe mich sogar schon gefragt, ob du vielleicht ...«

Sie musste den Satz nicht beenden, ich wusste, was sie dachte, und im gleichen Moment erkannte ich, dass es stimmte. Ich war schwanger. Sofort erschien vor meinem inneren Auge das Bild von Michael in diesem Nachtklub vor vier Wochen – in mir, ohne Kondom. Ich rechnete nach. Meine Periode war letzte Woche fällig gewesen. Jetzt, wo ich darüber nachdachte, stellte ich fest, dass ich mich schon seit einigen Wochen nicht mehr so besonders wohl fühlte. Ich schaute Devi an und brachte zunächst kein Wort heraus. Seit der Nacht, in der ich ihr von Michael erzählt hatte, ohne seinen Namen zu nennen, hatten wir nicht mehr über ihn gesprochen.

»Himmel, Devi«, sagte ich. »Was bist du? Eine Gynäkologin? Eine Art Hellseherin? Brauche ich auch eine neue Plombe?«

»O Norrie ... entschuldige, ich wollte nicht unverschämt sein«, erwiderte sie. »Aber du scheinst nicht du selbst zu sein. Wenn ich jemanden gut kenne, erkenne ich häufig die ersten Anzeichen für eine Schwangerschaft. Ich wusste alle vier Male, dass meine Schwester Rina in anderen Umständen war, bevor sie es selbst merkte.« Sie errötete. »Mein Gott, hör dir das an. Ich klinge wie ein Waschweib. Oh, Norrie, geht es dir gut?«

Ich atmete tief durch und machte Inventur. »Nein«, entschied ich. »Es geht mir gar nicht gut. Himmel, man könnte meinen, ich wäre irgendein dummes Schulmädchen. Wie konnte ich das zulassen?«

»Dazu gehören zwei«, erinnerte mich Devi, genau wie Liz es getan hätte, wenn sie es gewusst hätte. Aber Liz wusste noch nicht einmal von meiner Beziehung.

Darüber konnte ich mir später Gedanken machen. Ich hatte andere Sorgen. Ich konnte mir nicht vorstellen, was Michael sagen würde, falls ich wirklich schwanger war.

Als ob sein Leben gerade jetzt nicht kompliziert genug wäre.

Wieder in meiner eigenen Wohnung, starrte ich mich nervös im Badezimmerspiegel an. Ich hatte keine Ahnung, was für eine Veränderung Devi an mir bemerkt hatte. In meinen Augen sah ich genauso aus wie immer. Aber es stimmte, ich war ein wenig lustlos, und mein Appetit, normalerweise der eines Scheunendreschers, ähnelte im Moment eher dem eines Supermodels. Meine Brüste hatten sich in letzter Zeit wund angefühlt. Und gestern Morgen hatte ich nach dem Frühstück mein Rührei erbrochen. Ich hatte angenommen, dass die Eier nicht mehr gut waren, und sie weggeworfen.

Ich wollte Michael anrufen, sofort, aber ich musste warten, bis er sich bei mir meldete, um sicher sein zu können, dass Brenda sich nicht in Hörweite befand. Ich lief nervös und ängstlich im Schlafzimmer auf und ab und starrte das Telefon an.

Wenn mich eine Sache beunruhigte, machte ich mir sofort über alles andere Gedanken. Nun begann ich darüber nachzugrübeln, dass sich seit ihrem Bruch die Dinge bei ihnen nicht bemerkenswert geändert hatten – seit dem »Samstagnacht-Massaker«, wie Brenda es nannte.

(Das gehört zu den Dingen über Michaels Frau, die ich hätte erwähnen sollen – sie besaß beißenden Witz und konnte manchmal sehr komisch sein.)

Michael schlief nach wie vor im Arbeitszimmer, aber das lag direkt neben dem Schlafzimmer, und sie benutzten ein gemeinsames Bad. Ich konnte es vor mir sehen, wie Michael am Becken stand und sich die Zähne putzte, während sie auf der Toilette saß und pinkelte.

Dadurch kam mir ein weiterer unangenehmer Gedanke: Hatte ich nicht häufiger als sonst pinkeln müssen?

Ich kochte, lief herum, wartete auf Michaels Anruf. Zog meine Malsachen an, malte nicht. Versuchte, mir zurechtzulegen, was ich ihm sagen wollte. Ich konnte noch warten, bis ich beim Arzt gewesen war – zumindest bis ich einen Schwangerschaftstest gemacht hatte. Aber Michael und ich verhielten uns nicht so, ich war es nicht gewöhnt, ihm etwas zu verheimlichen. Das war mir zu sehr wie *Alle lieben Lucy*. Nein, ich würde ihm sagen müssen, dass ich glaubte, schwanger zu sein.

Um Mitternacht klingelte das Telefon, und ich nahm beim ersten Ton ab. Ich würde es ihm schonend beibringen.

»Hallo«, meldete ich mich in meinem ruhigsten Tonfall.

»Tell me, dear«, sang er in einer erbärmlichen Elvis-Imitation, »are you lonesome toniiight?«

»Nicht so sehr einsam wie schwanger«, antwortete ich. Länger konnte ich nicht warten.

»Himmel«, sagte er ernüchtert. »Wirklich?«

»Ich weiß nicht.«

»Norrie, rede mit mir.«

»Ich glaube, ich könnte schwanger sein. Heute Abend hat mich Devi danach gefragt, und sie weiß so etwas immer, bevor man es *selbst* weiß.«

»Nun, Devi ist bestimmt ein wundervoller Mensch, aber man kann das nicht unbedingt eine wissenschaftliche Diagnose nennen.«

»Okay, aber meine Periode ist überfällig, ich bin ständig müde, meine Brüste schmerzen, ich muss andauernd pinkeln, und gestern habe ich mein Frühstück ausgekotzt.«

»Das klingt schon eher nach den Beweisen, die ich suche«, erwiderte er und stieß die Luft aus, wie er es immer tut, wenn er in der Klemme steckt. »Also, was glaubst du, wie weit du schon bist?«

»Oh – ich weiß nicht –, ich schätze ungefähr vier Wochen, vielleicht fünf.«

»Wirklich? Ich dachte immer, Frauen wüssten irgendwie sofort, wenn sie schwanger sind«, sagte er. Die Implikation lautete (zumindest in meinen Ohren): *Brenda* wusste es. Das machte mich wirklich wütend. Ich hatte das Gefühl, er wollte mir sagen, dass ich in meinem Job als Frau versagte, dass ich nicht so im Einklang mit meinem Körper war wie Brenda, das Renaissance-Weib.

»Ich war noch nie schwanger, Michael.« Ich sprach absichtlich tonlos.

»Richtig«, sagte er. »Ich wollte nicht ...«

»Ich bin eine alte Jungfer, okay? Und ein Einzelkind. Ich habe nicht mal meine Mutter schwanger gesehen. Oder meine Schwester, da ich keine habe.«

»Sicher, Norrie, reg dich ab. Du musst erst einmal zum

Arzt. Dann können wir darüber reden, wie es weitergehen soll.«

Das wir beruhigte mich, aber der Rest seines Satzes nicht. Ich fragte mich, was er damit meinte: wie es weitergeht. Ich hatte immer das Recht auf Abtreibung befürwortet, aber ich war gesund, und dieses Kind war in Liebe gezeugt worden. Wie konnte ich unter diesen Umständen eine Abtreibung rechtfertigen? Plötzlich hatte ich Angst, Michael würde genau das vorschlagen. Würde ich es tun müssen, wenn er darauf bestand, schließlich hatte er in dieser Angelegenheit ein Mitspracherecht? Aber wenn er wirklich darauf bestand, würde ich sowieso nicht mehr mit ihm zusammen sein wollen. Würde ich das Baby dann allein großziehen?

Direkt nachdem wir aufgelegt hatten, brach ich in Tränen aus. Während ich in den Ärmel meines Malhemdes schniefte, fiel mir ein, dass Weinen ebenfalls ein Anzeichen für Schwangerschaft ist. Ich fragte mich, ob Paranoia auch dazu gehörte.

Das Telefon klingelte.

»Hallo«, schluchzte ich.

»O Himmel«, sagte er. »Deshalb rufe ich an. Ich dachte mir schon, dass du weinst.«

»Und damit ist der Fall dann erledigt?«, heulte ich.

»Ich fürchte, ja, Liebling. Unwiderlegbarer Beweis.« Er wurde ernst. »Weißt du, Norrie, ich habe nur angerufen, um dir zu sagen … dass wir uns lieben.«

»Ohne Scheiß, Sherlock.« Ich putzte mir lautstark die Nase.

»Ich meine, außer dass es uns im Moment beängstigend

erscheint, was ist schon so schlimm daran, außer dem Zeitpunkt? Wenn wir ein Baby bekommen, nun ja« – er machte wieder das Luftablassgeräusch –, »dann bekommen wir eben ein Baby. Jetzt gehst du erst einmal zum Arzt, und dann setzen wir uns in Ruhe zusammen und planen den Rest unseres Lebens.« Er klang ebenso zärtlich wie nervös.

»Okay«, antwortete ich. Gott sei Dank. Ich hätte niemals an Michael zweifeln dürfen.

»Aber wirklich, du musst dir Mühe geben, dich zu beruhigen.«

»Okay«, sagte ich wieder. Offensichtlich hatte ich vom Weinen auf Gehorsam umgeschaltet. War Gefügigkeit nicht ebenfalls ein Anzeichen für Schwangerschaft?

»Soll ich ein paar Minuten rüberkommen und dich in den Arm nehmen?«, fragte er. »Bitte sag ja – lass mich kommen und dich wie einen kleinen Sämling einhüllen.« Ich konnte nicht fassen, dass er mir angesichts der Situation mit Brenda anbot, nach Mitternacht das Haus zu verlassen – das wäre ein sicherer Beweis für sie, dass es noch jemanden in seinem Leben gab.

»Lieber nicht«, sagte ich. »Aber danke für das Angebot. Wir haben schon genug Probleme. Bleib lieber zu Hause.«

»Geht es dir auch gut?«

»Sicher«, sagte ich. »Vielleicht male ich sogar.« Aber ich wusste, dass ich das nicht tun würde. Ich war erschlagen, körperlich und seelisch erschöpft.

»Malen?«, sagte Michael. »Jetzt? Meinst du nicht, du solltest ein wenig schlafen? Außerdem musst du mit

dem Arzt darüber reden, ob es klug ist, Farbdämpfe ein-
zuatmen.«
Ich begann zu lachen. Ich weiß nicht, warum. Ich lachte
auf dem ganzen Weg ins Bad, wo ich mich wieder über-
gab. Aber das hatte nichts zu bedeuten.

Vielleicht war es die Vorstellung, wie du mich wie einen kleinen Sämling einhüllst, die es bewirkte. Ich weiß nur, dass ich es sah, als ich gestern Abend zu Bett ging und die Augen schloss – zu klein, um es Fötus oder Embryo zu nennen, eher wie ein winziger Sämling in meiner Gebärmutter, der aufkeimte. Er erinnerte mich an das Armband aus Senfsamen, das Vater meiner Mutter bei ihrer ersten Verabredung geschenkt hatte. Sie hatte es aufbewahrt, es lag immer in der kleinen Schmuckschale auf ihrer Kommode, aber sie trug es nie. Als ich noch klein war, schlich ich mich oft in ihr Zimmer, um mir die kleinen gelben Samen anzuschauen, die rein und einzigartig in der Kristallschüssel schwammen, und während ich in das Glas schaute, schien es mir wie ein unendliches Universum. Nun sieht es so aus, als schwämme ein Sämlingbaby im Universum meines Uterus. Armer kleiner Kerl.

Ich empfinde zärtlich für es – ihn oder sie. Ihnsie. Es … ich nenne es es, weil ich es im Moment noch als Sämling sehe. Ein kleiner Kern voller Leben, der in dem Schoß schwimmt, der erst vor so kurzer Zeit Empfänger heftigen, unermüdlichen Sexes war. Ich schaudere, wenn ich mir vorstelle, wie sich dein Penis für den kleinen Sämling angefühlt haben muss – wie eine Ramme, schätze ich. Ich habe ein schlechtes Gewissen, wenn ich daran denke, aber natürlich konnten wir es nicht wissen.

Ich lag stundenlang mit geschlossenen Augen im Bett, in dem Wissen, dass es in mir war, ganz allein, ohne irgendeine Ahnung. Werde ich eine gute Mutter sein? Ja, weil ich dieses kleine Geschöpf lieben werde, das du und ich in einem verrauchten Blues-Club gezeugt haben, in einer Nacht, in der ich keine Unterwäsche trug und meine Scham so glatt rasiert hatte wie die eines Babys. Gott sei Dank war es zu beschäftigt damit, gezeugt zu werden, um die Vorgänge um sich herum näher zu betrachten. Dennoch macht mich der Gedanke daran ein wenig verlegen.

Zeugung: Das Wort hat so einen würdevollen Klang. Es bleibt den Menschen vorbehalten, einen solch geheiligten Moment in etwas Derbes zu verwandeln.

Aber es war eine ekstatische Angelegenheit. Welchen besseren Weg kann es geben, ein neues Leben willkommen zu heißen.

Kapitel 9

Am folgenden Dienstag hatte ich einen Termin bei meiner Gynäkologin vereinbart, und bis dahin konnte ich mich unmöglich auf meine Arbeit konzentrieren. Das Warten war schrecklich, aber ich wollte zu meiner behandelnden Ärztin, und die befand sich im Skiurlaub. Ich hatte seit dem Abend bei Devi nicht mehr gemalt. Ich schien die kreative Energie nicht aufbringen zu können. Im Augenblick verbrauchte ich all meine Energie damit, mich selbst zu quälen, und das verlangte mir eine Menge ab.

Offensichtlich war ich schwanger; mit jedem Tag war ich mir sicherer. Ich schwankte zwischen Zärtlichkeit für das Samenbaby, das in mir wuchs, und dem Grauen, dass es dort war. Was, um alles in der Welt, sollte ich mit einem Baby? Manchmal schien es bereits ein willkommener Teil meines Lebens zu sein; in anderen Momenten, wie kurz auch immer, wollte ich es loswerden.

Ich beschloss, einen Schwangerschaftstest zu machen, und kaufte drei Stück auf einmal. Alle drei färbten sich blau.

Etwas geschah mit mir, als ich die drei Ergebnisse sah – ich wurde ruhig, ganz ruhig, und ich wusste, dass ich Michael das Ergebnis nicht mitteilen wollte, wie verlockend das auch war. Er und Brenda führten schon die ganze Woche Marathon-Diskussionen, die bis in die frühen Morgenstunden dauerten, und er war ein Wrack. Wie oft sollte ich ihm noch sagen, dass ich schwanger war?

Als ob er nicht schon genug Probleme gehabt hätte, kam nun sein Buch dazu. Stürmisch gefeiert von Kritik und Publikum, war es dennoch zum Ziel ätzender Angriffe einiger Bewohner von South Boston geworden, die Anstoß an Michaels ungeschminkter Beschreibung des Lebens in den Sozialsiedlungen nahmen. Niemand bestritt seine Kenntnis dieser Dinge, aber seine Schilderungen wurden als »illoyal« bezeichnet oder, wie eine Frau es formulierte, »als Verrat am eigenen Fleisch und Blut«.

Ein siebenundsechzig Jahre alter Mann schrieb an den *Globe*, er halte Michael für »treulos«. Eine Frau, die sich selbst als »nur eine alte Irin, die glaubt, Loyalität sei nicht aus der Mode gekommen«, beschrieb, äußerte »Schande über dich, Michael Sullivan, denn du hast Schande über uns alle gebracht, selbst über deine verstorbenen Eltern, indem du uns als rüde und roh und promiskuitiv beschreibst. Reicht es nicht, das du es geschafft hast, aus Southie herauszukommen? Du solltest der Wahrheit ins Gesicht sehen. Seit du die Broadway Bridge überquert hast, bist du ein Außenseiter. Du musstest nicht zurückkommen, um diejenigen zu demütigen, die früher deine Familie waren, diejenigen, die dir deinen Anfang schenkten.«

Es kam noch schlimmer, als Aidan O'Connell, ein jähzorniger, reaktionärer Radiomoderator, auf den fahrenden Zug sprang und die Bewohner von Southie aufforderte, sich telefonisch in seiner Nachmittagsshow Luft zu machen.

Michael war erschrocken und verletzt, er fühlte sich zu Unrecht beschuldigt.

Gewiss, versicherte er mir, er hatte über seine Kindheit und Jugend in South Boston die ungeschminkte Wahrheit geschrieben, aber nicht ohne Achtung und Mitgefühl gegenüber seiner Familie und dem Viertel. Und sicher hatte er die Armut und Gewalt in der Alten Kolonie und anderen irischen Sozialsiedlungen mehr als nur beiläufig erwähnt, und er hatte über den Alkohol und die sexuelle Freizügigkeit geschrieben, mit der manche Bewohner der Eintönigkeit ihres unbefriedigenden Daseins zu entgehen versuchten; ebenso wie über die Drogen, mit denen das organisierte Verbrechen in den Vierteln handelte. (Speziell zu diesem Thema erwähnte Michael in seinem Buch den Mann, der viele Jahre hinter dem Drogenhandel gestanden hatte, Whitey Bulger, und vom lokalen Helden zum berüchtigten Verräter geworden war, als herauskam, dass er die ganze Zeit dem FBI als Informant gedient hatte.)

Michael behandelte in seinem Roman auch einige Vorfälle, die sich ereignet hatten, nachdem er Southie hinter sich gelassen und mit einem Stipendium an der Columbia University studiert hatte. Er war der Ansicht, dass die Wurzeln dafür in den Lebensbedingungen der unverstandenen irischen Arbeiter des Lower End lagen, unter denen auch er aufgewachsen war, jene, die man als »faul«, »dumm« und – am schlimmsten von allem – als »rassistisch« gebrandmarkt hatte.

Ich hatte immer den Eindruck gehabt, dass Michael eine persönliche Schuld beglich, indem er dieses Buch schrieb.

Sein vierzehn Jahre alter Bruder Kevin war erstochen worden, als er sich eines Samstagabends zu weit aus der Alten Kolonie gewagt hatte, und Michael empfand es nach wie vor als seine Schuld, da er damals weit weg am College gewesen war und nicht dort, um auf seinen kleinen Bruder aufzupassen. Deshalb traf ihn die Bemerkung über den »Verrat am eigenen Fleisch und Blut« ganz besonders.

»Ich habe geglaubt«, sagte er zu mir, »*Heaven* sei in gewisser Weise ein Tribut an den Kampfgeist der Menschen, die dort leben, wo ich aufgewachsen bin. Ich habe nur versucht, ehrlich zu bleiben, habe versucht ›die Stimme des Blutes‹, wie Kipling es nennt, zu unterdrücken. Wenn ich es anders gemacht hätte, wäre ich einfach nur ein beschissener rührseliger Schön-Schwätzer.« Ich hatte ihn noch nie so aufgebracht erlebt, und ich erkannte, dass es nicht nur verletzter Stolz war, er fühlte sich auch furchtbar missverstanden.

Er war besessen davon, redete die ganze Zeit über nichts anderes, bis ich ihn eines Nachmittags drängte, in der Aidan-O'Connell-Show anzurufen. Ich setzte ihn an das Telefon im Schlafzimmer und ging in den Wohnraum hinüber, wo ich seinen Anruf und die Reaktionen der Zuhörer darauf im Radio verfolgen konnte. O'Connell, sichtlich aufgeregt, dass der Autor selbst sich zu Wort meldete, schaltete ihn sofort auf Sendung. »Also, hier haben wir ihn höchstpersönlich«, kündete er

Michael mit hörbarem Sarkasmus an. »Den Mann, der über euch schreibt, Leute.«

»Zunächst einmal handelt es sich um einen Roman und nicht um eine Autobiografie«, begann Michael. »Aber ich habe mich ehrlich bemüht, meine Erinnerungen an Southie genau wiederzugeben, und ich kann dabei nur von meinen eigenen Erfahrungen ausgehen, von meinen Erinnerungen, von dem, was ich selbst erlebt habe oder was Mitgliedern meiner Familie widerfahren ist.«

Wie immer, wenn er aufgeregt war, drang bei Michael der Akzent von Southie durch.

»Es war eine Welt für sich«, fuhr er fort. »Es existierte kein Besitz in der Southie, kein Eigentum, und in jeder wachen Minute war uns bewusst, dass wir da draußen Feinde hatten, die uns nicht verstanden, die uns in den Rücken fallen würden, sobald wir ihnen eine Möglichkeit dazu boten. Wir bleiben so nah an unserem Zuhause wie möglich, um am Leben zu bleiben. In Southie herrschte Krieg, und mein kleiner Bruder Kevin fiel ihm zum Opfer. Meine Vettern Tommy und Liam ebenfalls. Meine Schwester und meine Tante begingen Selbstmord, und ich betrachte sie als Opfer desselben Krieges. Jeder, den ich kenne, verlor mindestens einen geliebten Menschen in den Straßenkämpfen, an den Alkohol oder an Drogen. Ich habe genau das gleiche Recht, über Southie zu sprechen, wie jeder andere.

Ich habe dieses Buch für Kevin und Tommy und Liam geschrieben«, verkündete er dem lauschenden Publikum. »Ich schrieb es für meine Schwester Maureen, die eine Überdosis nahm, als sie ihr Leben nicht mehr ertragen konnte, und für meine Tante Molly, die sich zehn Monate, nachdem ihre beiden einzigen Söhne ermordet worden waren, erhängte, und vor allem schrieb ich es für meine Eltern, die Jahre um Jahre des Schmerzes und der Entbehrung ertrugen, schwer arbeiteten und dann vor Erschöpfung und Verzweiflung viel zu jung starben.

Wissen Sie, ich habe versucht, niemanden zu beleidigen. Ich war einfach nur darum bemüht, diese Welt zu schildern, wie ich und meine Familie sie erlebt haben und wie vielleicht einige von Ihnen in Southie sie immer noch erleben. Ich bin es leid, den irischen Akzent der Menschen in Southie verdammt zu wissen. Eine Frau, die an den *Globe* schrieb, kritisierte mich für den Verrat an meinem eigen Fleisch und Blut. Ich möchte dazu nur bemerken, dass ich so etwas nicht einmal tun könnte, wenn ich es wollte – und ich will es keinen Moment lang.«

Nachdem Michael aufgelegt hatte, wandten sich O'Connells Anrufer dem Thema Whitey Bulger zu, und ich sagte zu Michael, dies sei ein Zeichen dafür, dass er seine Sache gut gemacht hatte. Er antwortete nicht.

Einige Tage später bemerkte ich ihm gegenüber, dass die zornigen Briefe an den *Globe* weniger zu werden schienen. »Diese Woche ist nur ein einziger gekommen«, sagte ich. Aber selbst eine einzige ablehnende Stimme aus Southie schmerzte ihn, und in seinen ruhigeren Momenten konnte ich es an seinem Gesicht ablesen.

Eines Tages beim Mittagessen berichtete er mir, dass Ed Hershom ihn angerufen hatte, der von der ganzen Aufregung hocherfreut war. »Das ist großartig für das

Buch«, sagte er zu Michael. »Sie sollten sich freuen, dass darüber geredet wird.« Dann, berichtete Michael, hatte Ed sich über Philip Roth ausgelassen, der einen ähnlichen Angriff erdulden musste, als eine Reihe von Juden ihn in Leserbriefen an die *Times* attackierten, in denen sie ihn beschuldigten, Juden in seinen Büchern negativ darzustellen. »In Reaktion darauf schrieb er ein großartiges Essay«, betonte Ed.

»Selbstverständlich kenne ich Roths Essay«, meinte Michael. »Es ist genial. Aber irgendwie macht es das auch nicht einfacher für mich, mir die Sachen anzuhören, die die Leute über mein Buch sagen.«

»Die Leute«, erwiderte ich. »Michael, die meisten äußern nichts als Lob für *This Cold Heaven*. Nur einige wenige Leute haben etwas daran auszusetzen.« »Ja, Norrie«, sagte er, »aber es sind meine Leute.« Dazu fiel mir nichts mehr ein. Es ging nicht um Eitelkeit oder Stolz; er war verletzt.

Einer Sache war ich mir sicher: Es gab keinen Grund, ohne ärztliche Bestätigung der Schwangerschaft zu seinen Sorgen beizutragen.

Obwohl ich es nicht wollte, begann ich mir das Leben, das in mir wuchs, vorzustellen. *Falls du ein Mädchen bist, lieber Embryo*, wisperte ich eines Nachts beim Einschlafen, *verliebe dich niemals in einen verheirateten Mann, besonders nicht in einen freundlichen, gut aussehenden Iren, dessen Berührung dich dahinschmelzen lässt.*

Eines Morgens blieb ich auf dem Rückweg vom Einkaufen an einer roten Ampel stehen. *Warte*, dachte ich, während die Ampel auf Grün umsprang, *hier, nimm meine Hand und achte auf Rechtsabbieger. Sei vorsichtig beim Überqueren, schau nach links und rechts.*

Diese wachsende Bindung an den Embryo war offensichtlich naturgewollt, aber das machte die Dinge für mich nicht einfacher, eher schlimmer. Ich blieb den Mittwochsvorträgen im Larkin fern, ich schützte Arbeit vor. *Deine Mutter ist ein Feigling. Werde nicht so wie ich.*

Ich war ein wandelnder Aphorismus, mein Kopf summte von Ratschlägen an den Fötus. *Heute ist der erste Tag vom Rest deines Lebens. Kurz vor dem Morgengrauen ist es immer am dunkelsten. Oh, welch wirres Netz wir spinnen, wenn wir auf Trug und Täuschung sinnen. Was du heute kannst besorgen, das verschiebe nicht auf morgen.*

Als Liz mich am Donnerstag anrief, hob ich nicht ab und rief auch nicht zurück – wie hätte ich das tun können? Wie hätte ich mit ihr reden können, da ich wahrscheinlich schwanger war und sie nicht einmal wusste, dass es einen Mann in meinem Leben gab!

Auch die Anrufe von Clara und Devi beantwortete ich nicht. Devi verstand den Hinweis, aber Clara fuhr fort, mich anzurufen und weinerliche Botschaften auf dem Anrufbeantworter zu hinterlassen. Beinah hatte ich schon Spaß daran, nicht auf sie zu reagieren; es war fast so, als würde ich ihr etwas heimzahlen. Wenn es überhaupt jemanden gab, mit dem ich in dieser Woche nicht sprechen wollte, dann meine aufdringliche Nachbarin. Mir blieb allerdings keine andere Wahl, als die Anrufe meiner Mutter zu erwidern. Wenn ich mich zu lange nicht bei ihr meldete, würde sie die Streitkräfte in Bewegung setzen. Ich weiß, dass das wie ein Witz klingt, aber ich scherze nicht. Als ich einmal eine Woche verschwand, nachdem ich bei einem Kunstfestival in Montana einen reizenden Cowboy kennen gelernt hatte, brachte meine Mutter die Polizei von Missoula dazu, nach mir zu fahnden. Irgendwie entdeckten sie mich im Haus des Cowboys, natürlich in flagranti. Bis heute habe ich keinen Schimmer, wie sie mich gefunden haben. Seit diesem Vorfall nahm ich immer ab, wenn meine Mutter anrief.

Es fiel mir in dieser Situation nicht so schwer, mit ihr zu reden wie mit Liz, da ich meine Mutter fast ebenso sehr zu ihrem wie zu meinem Besten schon immer angelogen hatte. *Bei mir musst du dich nicht verstellen, du kannst mir alles erzählen. Aber ich werde dir nicht nachspionieren.*

Mir war die ganze Woche schlecht, ich hatte Morgen-, Mittag- und Abendübelkeit. Und als ob das nicht reichen würde, setzten Freitagabend Krämpfe ein. Ich begann mich zu fragen, ob ich die ganzen neun Monate krank sein würde. Möglicherweise konnte ich mein Larkin-Projekt nicht beenden, ich male nicht besonders gut, wenn mein Körper nach Aufmerksamkeit schreit. Das bedeutete, dass sogar eine gesunde Schwangerschaft meine künstlerische Konzentration beeinträchtigen würde. Wenn ich einen Funken Verstand besäße, würde ich abtreiben. Aber das konnte ich nicht. Ich konnte nicht. Ich hatte Gefühle für den Embryo entwickelt.

An diesem Abend ging ich müde und mit Krämpfen zu Bett, insgeheim stinksauer auf Michael, der mit Brenda zu einem Essen gegangen war – nicht irgendein Essen mit Brendas langweiligen Finanzfreunden, o nein, bei dieser Party zählte Martin Amis zu den Gästen.

Auch abgesehen von meiner Eifersucht, war ich überzeugt, dass Brenda mitzunehmen keine gute Idee war, selbst wenn ich ihm das nicht sagen würde. Warum sollte Brenda zu diesem Zeitpunkt noch Michaels neue Freunde kennen lernen? Sie hatten sich getrennt. Bald würde ich Michael begleiten, und jeder, der ihn jetzt mit Brenda sah, war ein Freund mehr, demgegenüber ich die unbequeme Rolle der *Nachfolgerin* einnehmen musste. Wenn man genauer darüber nachdachte, war es wohl doch Eifersucht. Ich konnte das alles nicht mehr auseinander halten.

Auch wenn ich nichts gesagt hatte, konnte Michael sich denken, dass ich nicht allzu begeistert war. Während unseres Mittagessens bei Balduccis hatte er gemeint, es sei eine gute Idee, Brenda mitzunehmen, da sie die ganze Woche über gestritten hätten, und er glaubte, es könnte die Situation entspannen, wenn sie etwas gemeinsam unternähmen. Brenda liebte Partys. (Seltsam, dachte ich, da sie Menschen nicht besonders zu mögen schien.) Ich griff nach meinem Weinglas und setzte es, ohne zu trinken, wieder ab – nicht gut für den Embryo. *Ich habe nicht getrunken, mach dir keine Sorgen.*

»Ich möchte einfach, dass Brenda begreift, dass wir keine Feinde sein müssen«, sagte er. »Wenn sie erkennt, dass wir freundlich miteinander umgehen, sogar

Spaß zusammen haben können, hört dieser nächtliche Terror vielleicht auf. Die arme Bird fragt andauernd, was los ist. Ich möchte gern, dass es wieder ruhiger wird, bevor Finn zu Thanksgiving nach Hause kommt.« Er betrachtete mich über den Rand seines Weinglases hinweg. »Es tut mir Leid, wenn es dich ärgert, Norrie. Ich glaube nur, ich sollte es um meiner Familie willen tun.«

»Was denn. Ich habe nichts gesagt.«

»Ich kenne diesen Gesichtsausdruck.«

»Vielleicht denke ich ja nur, dass dieser Merlot nicht trinkbar ist.«

»Komm schon, Norrie, ich kenne dich doch.«

»Ich will deswegen nicht herumnörgeln, Michael, dafür haben wir noch ein ganzes Leben Zeit.« Ich tat so, als nähme ich einen Schluck, schmatzte hörbar und zwinkerte ihm zu. Ich hatte meinen Stolz. *Bewahre dir immer deine Selbstachtung, Embryoschatz, und vermeide Situationen, in denen du dich klein fühlst.*

Kurz vor drei Uhr morgens erwachte ich mit fürchterlichen Schmerzen. Meine Oberschenkel waren nass und klebrig. Ich setzte mich auf und spürte, dass das Laken unter mir ebenfalls nass war. Blutgeruch tränkte die Luft. Ich schlug die Decken zurück, stand auf – und krümmte mich vor Schmerzen zusammen. Im Bad saß ich auf der Toilette und beobachtete, wie zwischen meinen Schenkeln das Blut aus mir heraustropfte und gelegentlich Blutklumpen in das Toilettenwasser plumpsten. Meine Bandscheibe brachte mich um, und die

Unterleibskrämpfe waren zehnmal schlimmer als alle Menstruationskrämpfe, die ich jemals erlebt hatte.

Ich erhob mich, und sofort begann mir das Blut an den Beinen hinabzulaufen. Wie sollte ich die Blutung aufhalten? Ich war wie benebelt, das Denken fiel mir schwer; ich hatte nur Tampons zur Hand, die würden nicht reichen. Ich griff nach einem Gästetuch, rollte es zusammen und stopfte es zwischen meine Beine, hoppelte mit zusammengepressten Knien ins Schlafzimmer und schaltete das Licht ein. In einer Schublade entdeckte ich ein ausgeleiertes Bikinihöschen, das das unförmige Handtuch vermutlich an seinem Platz halten konnte. Ich zog es an und schwankte zum Telefon; jetzt erst sah ich mein Bett in voller Beleuchtung – die Mitte des Lakens war blutgetränkt. Es sah aus wie der Schauplatz eines Mordes. Bei diesem Anblick kam ich das erste Mal wieder richtig zu mir. Der Embryo.

Bist du fort? Habe ich dich verloren? Habe ich dich verloren?

Ich wusste nicht, wen ich anrufen sollte. Es war nach drei Uhr morgens, Michael konnte ich nicht anrufen, so viel wusste ich. Als Larkin-Stipendiatin war ich berechtigt, zur Notaufnahme des Holyoke-Center fahren, wo mich die beste medizinische Versorgung der Welt für nur fünf Dollar erwartete. Auf meinem Telefon klebte ein Zettel mit der Nummer des Pink-&-Black-Taxiunternehmens. Ich rief sie an und bestellte ein Taxi von der Brattle Street zur Notaufnahme des Holyoke und bat sie, sich zu beeilen. Die Zentrale teilte mir mit, dass gerade ein Wagen frei war, also sagte ich, ich würde unten auf dem Bürgersteig warten. Ich zog meine Jogging-hosen an. Holyoke war vielleicht fünf Minuten Fahrt von diesem Wohnblock entfernt.

Im Fahrstuhl hielt ich mich die ganze Fahrt abwärts am Geländer fest, ich war schwach und benommen. In meinem Körper spürte ich eine Leere. Ich wusste, es war fort; ich konnte es fühlen.

Draußen auf dem Bürgersteig war es überraschend kalt, der Wind wehte in scharfen Böen, die direkt bis auf die Knochen drangen. Ich hatte meinen Mantel vergessen und würde das Taxi verpassen, wenn ich wieder hinauf-lief, um ihn zu holen. Ich stand nahe dem Bürgersteig im Torbogen zum vorderen Hof und hielt zitternd nach den Scheinwerfern des Taxis Ausschau. Ich wartete. Kein Taxi tauchte auf, kein Taxi weit und breit.

Dann sah ich einen Mann, der sich zu Fuß näherte. Ich fand es seltsam, dass jemand nachts um drei allein unter-wegs war, aber ich war auch noch nie zu dieser Zeit draußen gewesen – vielleicht waren hier die ganze Nacht Leute unterwegs. Als der Mann an der Stelle vorüber-ging, an der ich im Torbogen stand, entdeckte er mich und sprach mich an. Seine Stimme drang tief aus seiner Brust, als spreche er in eine Büchse.

»Wie viel?«, erkundigte er sich, als hielte er mich für eine Prostituierte. Ich drehte mich um und rannte unbehol-fen zurück in das Gebäude, stieß die Eingangstür zu und verriegelte sie. Auf der Fahrt in den vierten Stock stand ich zitternd im Fahrstuhl. Etwas Finsteres, Unheimli-ches ging von diesem Mann aus. Was tat er um diese Uhrzeit dort draußen? Vielleicht war er ein Einbrecher.

Vielleicht war er *unser* Einbrecher. Zurück im Appartement, rief ich wieder das Unternehmen an, um ihnen mitzuteilen, dass das Taxi nicht eingetroffen war. Ich konnte spüren, wie das Blut stärker in das Handtuch floss.

Die Taxizentrale überprüfte kurz meinen Auftrag und meldete sich dann: »Wo waren Sie, junge Frau? Ein Taxi ist nach Holyoke gefahren, um Sie abzuholen, und Sie waren nicht da.«

»Nein«, erwiderte ich, »das Taxi sollte mich dorthin bringen!« Ich zitterte vor Wut und Angst. Später – viel später – würde Liz mich fragen, warum ich nicht einfach die Ambulanz gerufen hatte, und ich würde ihr ehrlich antworten, dass ich nicht daran gedacht hatte. Ich schätze, der Schock hatte meinen Verstand irgendwie beeinträchtigt, aber ehrlich, nicht einmal jetzt glaube ich, dass Leute bei einer Fehlgeburt die Ambulanz rufen, oder doch? Sie schien mir immer eher für Herzinfarkte, Hausbrände oder erstickende Kinder zuständig zu sein.

»Na ja«, sagte der Mann in der Zentrale, »jetzt hat das Taxi eine andere Fahrt.«

»Aber es ist ein Notfall«, sagte ich. »Und das habe ich Ihnen auch schon bei meinem ersten Anruf gesagt.«

»Schauen Sie, junge Frau, wir sind ein Unternehmen. Sie waren nicht da. Er hatte eine Anforderung und ist dorthin gefahren. Ich werde sehen, was ich für Sie tun kann. Warten Sie draußen?«

»Ja, sicher.« Mit einem blutigen Handtuch in den Unterhosen.

»Ich werde versuchen, jemanden zu Ihnen zu schicken.

Aber Sie müssen sich irgendwo hinstellen, wo man Sie sehen kann.«

Ich fuhr wieder hinunter und wartete erneut in dem Torbogen nahe dem Bürgersteig. Was, wenn der Spinner zurückkam?, dachte ich. Falls er kam, antwortete ich mir, würde ich ihn zusammenschlagen. Endlich erschien ein rosaschwarz kariertes Taxi, und ich stieg ein. Einmal drin, dauerte es nur zwei Sekunden, bis ich merkte, dass der Fahrer kein Englisch sprach. Ich meine nichts außer Hallo und Wohin wollen Sie? Ich hielt seinen Akzent für westafrikanisch. Ein paar Blocks von der Brattle entfernt, fiel mir auf, dass er in die falsche Richtung fuhr, weg vom Holyoke.

»Hey«, schrie ich, »das ist die falsche Richtung.«

Er drehte sich um, sah mich an und fuhr dann einfach weiter. Er verstand kein Wort von dem, was ich sagte.

»Nein«, rief ich. »Holyoke, Notaufnahme.« Er drehte sich wieder zu mir, und ich gestikulierte in die andere Richtung. »Hier lang«, sagte ich. Sofort bog er in eine Einbahnstraße ab – gegen die Fahrtrichtung.

»Einbahnstraße«, schrie ich. Er schien mich nicht zu hören. Ich versuchte es noch einmal, und nach zwei oder drei fruchtlosen Versuchen erledigte sich die Sache von selbst, als er die Scheinwerfer zweier entgegenkommender Fahrzeuge bemerkte und in der Mitte des Blocks wendete, wobei er beinahe beide Wagen gerammt hätte. Soweit ich das vom Rücksitz aus beurteilen konnte, ließ er während dieser ganzen Beinahkatastrophe keinerlei Gemütsbewegung erkennen und gab keinen Ton von sich.

»Holyoke Center«, sagte ich. »Bitte. Es ist ein Notfall!«
Genau in diesem Moment spürte ich, wie sich ein großer Blutklumpen löste, begleitet von Krämpfen, die so
heftig waren, dass ich beinah das Bewusstsein verlor.
»Bitte«, ich weinte fast, und dann konnte ich eine Weile
nicht mehr sprechen. Falls ich irgendwelche Zweifel
gehegt hatte, waren sie jetzt verflogen. Ich hatte den
Embryo verloren.

Innerhalb der nächsten zehn Minuten fuhr der Mann
durch ganz Cambridge, nur nicht in die Nähe des Holyoke, während ich stumm und zusammengekrümmt
auf dem Rücksitz kauerte.

Schließlich identifizierte ich eine der Straßen. Sie lag
ganz in der Nähe des Holyoke, und mir wurde klar, dass
ich besser hier ausstieg, als darauf zu hoffen, dass der
Fahrer den richtigen Weg fand.

»Raus – bitte – lassen Sie mich raus!«, rief ich. »Ich gehe
zu Fuß.« Er fuhr weiter und bog in die falsche Richtung
ab, wieder weg vom Holyoke. Ich zog einen Zwanziger
aus dem Portemonnaie und klopfte gegen die Trenn-
scheibe zwischen uns, dann wedelte ich mit dem Schein
in seine Richtung.

»Hier«, sagte ich. »Raus, ich will raus.« Er griff danach,
nahm mein Geld und hielt mitten auf der Straße an.
Dann saß er einfach da und wartete, dass ich ausstieg.
Ich konnte es nicht fassen. Ich öffnete die Tür und klet-
terte hinaus auf die Straße. Bevor ich mein Gleichgewicht wiedererlangt hatte, fuhr der Fahrer mit quiet-
schenden Reifen davon.

Außerhalb des Lichtkreises der Straßenlaternen war es

stockfinster, und ab und an sah ich Menschen in den Hauseingängen stehen, hauptsächlich Männer, und die meisten von ihnen tranken aus Flaschen in braunen Papiertüten. Ich hatte solche Schmerzen, dass ich keinerlei Angst vor einem Überfall empfand; tatsächlich glaube ich nicht einmal, dass sie mich dort mitten auf der Straße überhaupt gesehen haben.

Ich stolperte zum Straßenrand und begann meinen Weg den Bürgersteig entlang. Ein Mann in einem Türeingang bettelte um Geld, als ich an ihm vorüberkam, und in diesem Augenblick traf es mich wie ein Schlag: Der Fahrer hatte mir kein Wechselgeld gegeben, obwohl die Fahrt von der Brattle nach Holyoke höchstens drei oder vier Dollar kosten konnte.

»Tut mir Leid«, sagte ich. »Ich habe überhaupt kein Geld mehr bei mir.«

Ein anderer Mann im gleichen Türeingang sagte: »Verdammte Nutte.« Und plötzlich reichte es mir.

»Das siehst du ganz richtig«, schrie ich, und er hielt die Klappe. Meine Aufregung verwandelte sich in Wut. Es sollte bloß niemand wagen, sich mit mir anzulegen. Ich glaube, alle Typen in dieser Straße rochen den Ärger, denn danach sprach mich niemand mehr an, während ich mit dem blutigen Handtuch und in meiner Jogginghose die Straße hinunterschwankte. Frankenstein. Das Bild passte. Na und. Ich wollte nicht zum Ball.

Holyoke war ungefähr drei oder vier Blocks entfernt. Das konnte ich schaffen. Es geht mir gut, dachte ich, obwohl ich mich vor Schmerz mehr und mehr krümmte, je länger ich ging. Und Gott, es war kalt. Wo steckte

Michael, wenn ich ihn brauchte? Was würde er denken, wenn er mich jetzt sehen könnte? Und was war mit dem Embryo?

Ich begann zu weinen. Mir wurde gar nicht bewusst, dass ich das tat, aber auf einmal weinte ich verzweifelt vor mich hin. Irgendwann stellte ich mir vor, einen Türeingang für mich allein zu haben und mich einfach hinzusetzen. Das würde der Beginn meines Lebens auf der Straße sein. Vielleicht waren die Menschen hier draußen loyaler und vertrauenswürdiger als die Scheißer in meiner Welt, die zu sehr damit beschäftigt waren, sich bei Martin Amis einzuschleimen, um mir bei einer Fehlgeburt zur Seite zu stehen.

Endlich erreichte ich das Holyoke und wankte zusammengekrümmt und verheult und am ganzen Leib zitternd in die Notaufnahme. Die Schwester am Empfang schaute bei meinem Eintreten hoch, und bevor sie etwas sagen konnte, plärrte ich los: »Hilfe – ich blute.« Sie schaute mich rasch von oben bis unten an, um festzustellen, woher das Blut kam, deshalb zeigte ich auf meinen Unterleib und sagte: »Bitte – beeilen Sie sich.« Ich war jetzt absolut nicht in der Stimmung, Aufnahmeformulare auszufüllen.

Sie brachte mich in eine mit Vorhängen abgetrennte Kabine und befahl mir, mich auszuziehen.

»Ich kann nicht«, sagte ich. »Ich blute zu stark, ich werde alles schmutzig machen.« Sie bat mich, mich auf den Untersuchungstisch zu legen, ein Arzt würde gleich kommen. Von einem roten Wandtelefon aus alarmierte sie einen Arzt, aber sie blieb nicht auf ein Schwätzchen bei mir. Niemand möchte mit einer Blutenden plaudern. Ich lag auf dem Tisch, von der Taille abwärts nackt und blutig, und wurde von einem indischen Notarzt namens Souza untersucht, der mir, nachdem er mich nach Daten und Symptomen befragt hatte (ich erwähnte die drei blauen Schwangerschaftstests), mitteilte, dass ich einen Abort hinter mir hätte.

»Was?«, protestierte ich. »Nein, das habe ich *nicht*.«

»Einen Spontanabort«, sagte er. »Sie nennen es vermutlich eine Fehlgeburt. Ich werde Ihnen eine Spritze gegen die Schmerzen und etwas zur Beruhigung geben.« Es tröstete mich, dass sein Akzent dem Devis ähnelte, und ich beschloss, ihn wegen der »Zur Beruhigung«-Bemerkung nicht dumm anzumachen. Er sagte Kämpfe statt Krämpfe, aber beides schien der Situation angemessen zu sein.

Sie ließen mich auf einer Liege in der Notaufnahme ausruhen, bis die Blutung ein paar Stunden später abgeklungen war. Die Spritze hatte meine Krämpfe gelindert, aber mein Rücken schmerzte nach wie vor. Als ich um sechs Uhr dreißig so weit war, nach Hause zu gehen, gab mir Dr. Souza ein Schmerzmittelrezept und empfahl mir, wegen des Blutverlusts einige Wochen lang Eisen zu schlucken.

»Sie haben nicht so viel Blut verloren, dass eine Transfusion notwendig wäre«, versicherte er mir. »Aber Eisen ist sicherlich keine schlechte Idee.« Wie er meinte. Er sollte mal mein Bettlaken sehen. Aber da ich das Blut eines anderen Menschen in meinem Körper sowieso als Eingriff in meine Privatsphäre betrachtete, wollte ich nicht mit ihm streiten. »Und kein Sex in den nächsten vierzehn Tagen«, bemerkte er irgendwie tadelnd. Ich schaute verlegen zu Boden und nickte wie ein irregeleiteter Teenager.

Auf dem Weg nach draußen gab mir die Schwester noch ein paar besonders saugfähige Binden. »Die werden Sie noch brauchen, Süße«, sagte sie und tätschelte meinen Arm. Diese freundliche Geste ließ mich in Tränen ausbrechen, und ich lief rasch hinaus. Im Warteraum entdeckte ich ein Münztelefon und rief Michael an. Dieses Mal war es mir egal, ob es ein günstiger Zeitpunkt zum Anrufen war oder nicht.

Er klang verschlafen, als er sich meldete. Als er meine Stimme hörte, unterbrach er mich sofort: »Norrie! Was ist los?«

Ich begann wieder zu schluchzen. »Es ist fort«, sagte ich.

»Was? Norrie, wo bist du? Geht es dir gut?«

»Nein«, antwortete ich. »Geht's mir nicht.« Ich sagte ihm, wo ich mich befand. »Komm und hol mich.« Es war keine Bitte, ich bin sicher, er konnte es an meiner Stimme hören.

Er war innerhalb von zehn Minuten da, so lange dauert es von Brookline, wenn man wie ein Verrückter fährt. Ich sah ihn in seiner alten Lederjacke und Jeans in die Notaufnahme laufen, so groß und schlank, das Haar noch vom Schlaf zerzaust. Mein Herz zog sich vor Liebe zusammen. Als er zu mir kam, war alles, was ich sagen konnte: »Es ist fort.« Den ganzen Weg zum Auto hielt er mich eng an sich gedrückt und half mir wie einer Invalidin hinein. Seine Fürsorglichkeit rührte mich, und im Wagen legte ich meinen Kopf an seine Schulter.

Ein paar Blocks schwiegen wir. Um diese Uhrzeit herrschte nicht viel Verkehr, und die Luft war immer noch dunstig, beinah neblig. Michael parkte beim Mount-Auburn-Friedhof, wohin wir in glücklicheren Zeiten häufig gefahren waren, um die Vögel zu beobachten und im Freien miteinander allein zu sein. Dieses Mal schien es makaber. Ich wollte nicht auf einem Friedhof sein, aber hier standen wir.

»Es ist fort«, sagte ich. Ich starrte durch die Windschutzscheibe, sah ihn nicht an. »Ich habe es verloren.«

Dann weinten wir beide. Wir umarmten uns und weinten, während wir in dem Auto saßen und zusahen, wie der Dunst sich im dünnen Licht der Morgensonne über Grabsteinen und Urnen und Tausenden von Vögeln, die im nassen Gras umhersprangen, hob. Ungefähr eine Minute heulte ich wie ein Baby, mit offenem Mund. Michael weinte auf diese leise Art, wie es nur Männer angesichts einer Tragödie fertig bringen, und ich spürte Mitleid und Zärtlichkeit für ihn. Ich wäre nicht gern ein Mann.

Zurück in meiner Wohnung, kam er mit hinein, blieb aber stehen.

»Ich kann einfach nicht bleiben«, entschuldigte er sich. »Es tut mir wirklich Leid, Norrie, aber ich könnte Brenda und Bird einfach nicht plausibel machen, wo ich so früh am Morgen gewesen bin. Wenn ich früh genug zurückkomme, schlafen sie vielleicht noch, schließlich ist Samstag.«

Ich war zu müde, um ihn zu fragen, warum es zu diesem Zeitpunkt noch darauf ankam, was irgendjemand dachte; dafür schien es ein bisschen spät. Nach dem, was passiert war, schien es wichtiger, es gemeinsam durchzustehen.

»Bitte geh nicht«, war alles, was ich sagte.

»Vielleicht kann ich noch ein paar Minuten bleiben«, erwiderte er, aber es war nur eine nette Art, Nein zu sagen. »Ich komme heute Nachmittag mit deinem Rezept und den Sachen, die du brauchen könntest, wieder. Schreib mir doch einfach eine Liste.« Ich starrte ihn ungläubig an. Eine Liste?

»Ich kann dir jetzt keine Liste geben«, sagte ich. »Ich kann kaum denken.«

»Natürlich«, sagte er. »Ich werde meine Fantasie benutzen.«

»Ehrlich, Michael, ich habe alles da. Ich brauche einfach nur Schlaf.«

»Sag Bescheid, wenn du deine Meinung änderst«, sagte er.

Mir war nicht danach, Michael daran zu erinnern, dass ich ihm nicht Bescheid sagen konnte, weil ich ihn am Wochenende, wenn Brenda zu Hause war, nicht anrufen sollte.

»Es wird Zeit, dass ich mit Liz rede«, sagte ich stattdessen zu ihm. »Ich muss.«

»Was?« Er sah verwirrt aus, und ich gestand ihm zu, dass es zusammenhanglos erscheinen musste. Aber für mich ergab es sich zwangsläufig aus allem, was geschehen war.

»Ich muss mit Liz reden«, wiederholte ich, wobei ich auf die durchgescheuerten Knie meiner blutverschmierten Jogginghose starrte. Ich musste es sagen, und ich wollte ihn dabei nicht ansehen, weil ich Angst hatte, dann davor zurückzuschrecken. »Sie ist meine beste Freundin«, fügte ich hinzu, »und ich muss mit ihr reden. Unsere Freundschaft ist gerade sehr angespannt. Ich rufe sie überhaupt nicht mehr an, und das liegt an uns – an dir und mir. Ich habe sie gemieden, weil ich es nicht ertragen kann, etwas vor ihr zu verbergen. Es ist, als wäre jedes Wort, das ich zu ihr sage, eine Lüge.« Ich verabscheute Lügen, obwohl ich selbst reichlich gelogen hatte. Ich wollte nicht mehr lügen. Ich zwang mich, ihm direkt ins Gesicht zu sehen, um ihm zu zeigen, wie ernst es mir war. »Ich muss ihr von uns erzählen. Mehr gibt es nicht zu sagen. Es ist mein Leben, weißt du. Es kann nicht alles so laufen, wie es dir genehm ist, ohne Rücksicht auf mich.« So viel hatte ich seit Stunden nicht gesagt. Vielleicht seit Jahren.

Er schwieg einen Moment. Vermutlich eine ganze Minute. Er stieß auf die vertraute Weise Luft aus und strich sich mit den Fingern durch die Haare.

Mir begannen sich schon die Haare zu sträuben, als er endlich sprach. »Nein, nein … natürlich hast du das Recht, mit deiner Freundin zu reden.« Er zögerte. »Ich … ich bin sicher, sie ist diskret. Ich weiß, dass wir Liz vertrauen können.« Er wandte sich mir zu und zog mich in seine Arme. Er sagte in mein Haar: »Es tut mir so Leid, Liebste. Es tut mir Leid, dass ich dein Leben ruiniert habe.«

»Es ist nicht deine Schuld«, erwiderte ich. »Eines Tages werden wir es vielleicht die Feuerprobe nennen, in der wir uns bewähren mussten, um dorthin zu gelangen, wo wir sind.«

»Ich hoffe es«, erwiderte er düster. Dann stand er auf.

»Du könntest hoffnungsvoller und positiver klingen«, bemerkte ich.

»Ich komme mir wie ein regelrechtes Arschloch und ein elender Versager vor«, sagte er. »Schau, was ich dir angetan habe, schau dir an, was ich Brenda antue. Wie rücksichtslos ich gegenüber meinen Kindern bin. Ich fühle mich, als wäre ich der beschissene schwarze Tod.«

Und dann verließ er mich, küsste mich an der Tür auf die Wange. Ich ging zum Wohnzimmerfenster und beobachtete, wie sein Wagen davonfuhr.

»Wag es nicht«, flüsterte ich ihm durch die Scheibe hinterher. »Wag es ja nicht.«

Ich legte mich zum Schlafen auf das Sofa, im hellen Tageslicht, zusammengerollt unter ungefähr tausend Decken, und Schauer des Schmerzes schüttelten mich. O Gott – ich habe dich verloren, und ich spüre, es war ein Versagen meines Herzens, meiner Stärke und meiner Güte. Wenn ich nicht diese Gedanken gehegt hätte, die Angst vor dir und das Bedauern, dass du in mir bist, dann wärst du in mir geblieben. Ich weiß, dass du zu einem wundervollen Kind herangewachsen wärst. Aber du hast keine Wurzeln in meinem Körper geschlagen, um dich dort zu halten, um dich davor zu schützen, fortgerissen zu werden. Ich kann mir nicht helfen, ich denke, es könnte passiert sein, weil ich der Situation nicht gewachsen war und du das wusstest. Vergib mir, Embryo, Kleines, bitte vergib mir.

Kapitel 10

Meine Matratze war blutdurchtränkt, und ich konnte nicht darauf liegen, ich konnte es nicht einmal ertragen, sie nur anzuschauen, deshalb nahm ich alle meine Decken, nachdem ich geduscht und eine frische Unterhose angezogen und eine Binde eingelegt hatte, und rollte mich auf dem Wohnzimmersofa zusammen, wo ich eingewickelt wie ein Burrito den ganzen Tag verschlief.

Ich erwachte um Mitternacht. Im Bad stellte ich fest, dass ich immer noch blutete, aber ich erinnerte mich, dass Dr. Souza gesagt hatte, damit müsse ich rechnen.

Nachdem ich in der Küche ein Glas Milch getrunken hatte, legte ich mich wieder hin, das Rauschen des Samstagabend-Verkehrs lullte mich ein wie Musik, mein Pulsschlag in den Kissen schlug den Rhythmus dazu.

Ich war beinah eingeschlafen, als ich etwas anderes hörte.

Etwas Furchtbares.

Es war der Klang meines eigenen Atems. Wie widerlich und Mitleid erregend es klang. Was für ein hilfloses Geschöpf schien ich zu sein. Wie leicht es wäre, zu sterben.

Ich lauschte unbeteiligt – so wie ein Geschöpf, das nicht von Sauerstoff abhängig war, lauschen würde –, befremdet, angeekelt, mitleidig. So wie Kinobesucher den schleimigen, triefenden Laich dieser Kreatur *Alien* mit Ekel betrachtet hatten, so sah ich mich selbst, eine abstoßende biologische Masse, die gierig Luft einsog.

Nach – wie es schien – sehr langer Zeit begann ich einzudösen, schreckte aber immer wieder hoch. Ich hatte das unbehagliche Gefühl, etwas Wichtiges vergessen zu haben. Als ich am Sonntagmorgen erwachte, verfolgte mich dieser Gedanke noch immer, aber mir fiel nicht ein, was es sein könnte.

Ich stellte fest, dass ich Hunger hatte und schrecklich durstig war, vermutlich wegen des Blutverlusts. Ich trank eine große Flasche Wasser und machte mir eine Schüssel Haferbrei. Ich bemühte mich, nicht an den Embryo zu denken. Immer mal wieder nahm ich meine Atmung wahr – ein … aus … ein … aus … dieser lächerliche Rhythmus, als sei das Atmen etwas, das ich auf der Suche nach einer weniger primitiven Überlebensmethode nur ausprobierte.

Ich duschte noch einmal. Obwohl ich schon vor dem Schlafen zwei Mal geduscht hatte, schien ich den Blutgeruch nicht loswerden zu können. Danach fröstelte ich, also blieb mir nichts anderes übrig, als das Schlafzimmer zu betreten und mir etwas Warmes zum Anziehen zu holen. Ich glaube, sogar im Schlaf hatte mir davor gegraut.

Schlafzimmer, Gruftzimmer, ich stellte fest, dass der riesige Blutfleck auf meiner Matratze zu einem dunklen Rotbraun getrocknet war. Natürlich ist das allgemein bekannt, jeder weiß, dass Blut nicht leuchtend rot bleibt, aber der Anblick – zu tiefem Braun getrocknet, an manchen Stellen fast schwarz – traf mich wie ein Schock, und obwohl es furchtbar anzusehen war, erwischte ich mich dabei, wie ich die verschiedenen Verfärbungen einen Moment lang im hellen Tageslicht studierte, die Verwandlungsformen von Blut betrachtete.

Aber dann, erneut erschüttert von dem Verlust, den es bedeutete, suchte ich ein altes übergroßes Badetuch heraus und breitete es über den Fleck. Der dünne fadenscheinige Frotteestoff war mit einem einsamen Surfer über der Aufschrift SANTA MONICA PIER bedruckt.

Bedächtig breitete ich meine rote Decke auf dem Schlafzimmerboden aus und hockte mich, mit dem Rücken ans Bett gelehnt, vor den Fernseher. Zunächst zappte ich herum, aber dann schaute ich die Sonntagsprediger an, einen nach dem anderen, so viele ich finden konnte. Einer von ihnen hatte dünne rote Haare, die von seinem Kopf abstanden, und sein Schlipsknoten war ein wenig gelöst, als hätte er während einer frommen Ekstase daran gezerrt, die ihn nun dazu qualifizierte, den Massen zu predigen. Es kotzte mich an, ihn über die Liebe reden zu hören, während er gleichzeitig um Geld bettelte, aber dann las er ein Zitat aus der Bibel – aus den Briefen an die Korinther –, das so wunderbar war, dass ich alles andere vergaß, während ich mir die Botschaft wieder und wieder durch den Kopf gehen ließ: *Die Liebe erträgt alles, sie glaubt alles, sie hofft alles, sie duldet alles.*

Ich will nicht behaupten, wirklich überzeugt gewesen zu sein, dass diese Worte auf wundersame Weise auf mein Leben zutrafen, aber sie gaben mir Hoffnung. Obwohl alles in Dunkelheit getaucht und ich voller Zweifel war, hielt ich es immer noch für möglich, dass die Dinge zwischen Michael und mir ins Reine kamen. Es schien möglich, dass wir heirateten und ein zweites Kind zeugten, das zu einem wunderbaren Menschen heranwüchse, obwohl wir dieses Kind nie vergessen würden, unser erstes. Diese Korinther befanden sich auf dem richtigen Weg, so viel stand fest.

Das Grübeln über den Verlust eines wachsenden Kindes brachte mich dazu, mir den Schmerz vorzustellen, den man empfand, wenn man ein Kind verlor, mit dem man schon Jahre lebte – ein Kind mit einem Namen, einer vertrauten Stimme, einer bestimmten Art, sich zu bewegen. Und das erinnerte mich an Ida, die immer noch den Verlust von Henry betrauerte, wie unzulänglich er mir in gewisser Weise auch immer erschienen sein mochte. Und dann, verdammt, fiel mir ein, dass es Sonntag war und ich sie völlig vergessen hatte. Es war ausgeschlossen, in diesem Zustand nach Brookline zu fahren.

Ich rief im Pflegeheim an und erkundigte mich, ob es Ida gut genug ging, um ohne größere Anstrengung mit mir zu telefonieren. Glücklicherweise hatte Marge Dienst. Sie erbot sich, in Idas Zimmer zu gehen und ihr zu helfen.

»Falls sie zu schwach ist, halte ich ihr den Hörer ans Ohr, dann kann sie im Liegen telefonieren«, meinte sie. »Ich weiß, dass sie gerne mit dir reden würde … Was ist denn los? Hast du die Grippe?«

»Etwas in der Art«, murmelte ich, wobei ich mich

fragte, wie, um alles in der Welt, ich meinen Schwur, nie mehr zu lügen, halten sollte. Selbst im gewöhnlichen zwischenmenschlichen Umgang stellte es sich als ausgesprochen schwierig heraus.

Ida meldete sich mit schwacher, heiserer Stimme. Sie klang erstaunlich schüchtern. Als ich ihr sagte, hier spräche Norrie, dauerte es eine Weile, bis sie mich eingeordnet hatte. Sie sprach erst nach langem Schweigen. »Oh«, sagte sie, »du bist diejenige, die meinen Sohn heiraten wollte.«

Ich zögerte. »Ja, äh, Henry war schon ein Typ.« Das war keine wirkliche Lüge, es bedeutete nichts. Eine Phrase, wie das praktische »Oh, meine Güte, das *ist* aber ein Baby.«

»O ja«, antwortete sie, »er kam nach seinem Vater, Henry senior, der Harry genannt wurde. Mein Harry war auch ein Typ.«

»Wie fühlst du dich, Ida?«

»Nun, weißt du, von einer Person in meinem Alter wird *nicht erwartet*, dass sie sich gut fühlt, und mir geht es grässlich. Also nehme ich an, dass ich meine Sache gut mache.« Das klang schon mehr nach meiner Ida.

Ich versprach ihr, sie in der nächsten Woche zu besuchen, sobald ich mich etwas erholt hatte.

»Was fehlt dir, Schätzchen?«, erkundigte sie sich und klang dabei noch mehr wie sie selbst. »Bist du krank?«

»Ich hatte … eine … eine Art Frauenleiden.« Das war wenigstens nicht gelogen.

»Meine Güte«, sagte sie. »Bist du nicht ein wenig zu jung für so etwas?«

»Na ja, nicht wirklich«, antwortete ich, nicht sicher, was ich sagen sollte.

»Vielleicht musste Henry deshalb Schluss machen«, meinte sie. »Vielleicht hat er gespürt, dass du zu alt für ihn bist. Männer sind so, weißt du.«

Diese Ida war völlig in Ordnung.

Nach dem Anruf beschloss ich, jeden anzurufen, dem ich noch ein Gespräch schuldete; Liz hob ich mir bis zum Schluss auf. Zuerst meldete ich mich bei Devi. Als ich ihre Stimme hörte, fing ich vor Freude an zu grinsen; ein seltsames Gefühl, als hätte ich die betreffenden Muskeln eine ganze Weile nicht mehr benutzt.

»Norrie«, rief sie. »Ich habe geglaubt, du bist wütend auf mich.«

»Was?«

»Als du nicht zurückgerufen hast, habe ich geglaubt, du wärst verärgert, weil ich an dem Abend so offen mit dir gesprochen habe«, sagte sie zerknirscht. »Ich könnte dir keinen Vorwurf daraus machen.«

»Devi«, sagte ich, »wenn du nichts gesagt hättest, wäre es mir gestern noch schlechter gegangen, weil ich nicht gewusst hätte, was mit mir los ist.«

»Was ist dir denn gestern Abend passiert?«

»Ich hatte … ich hatte eine Fehlgeburt. Eine sehr blutige. Ich musste in die Notaufnahme.«

»Warum hast du mich nicht angerufen, Norrie?«

»Ehrlich, ich habe einfach nicht daran gedacht. Außerdem hätte ich dich ganz umsonst geweckt, du kannst ja nicht Auto fahren, und es war drei Uhr morgens. Ich habe ein Taxi bestellt.«

»Aber ich hätte dich doch begleiten können, Norrie. Du bist ein hoffnungsloser Fall. Dieser falsche Stolz ist ungesund. Du bittest ja nicht einmal eine Freundin um Hilfe, wenn du dich zu Tode blutest.«

»Ich bin nicht verblutet«, sagte ich. *Es sah nur so aus.* In dem was sie über mich sagte, lag eine Menge Wahrheit. »Jetzt bin ich wieder in Ordnung.«

»Gut, Norrie, ich möchte dich sehen«, sagte Devi, »um mich zu vergewissern, dass es stimmt.«

»Na ja, ich fühle mich nicht gut genug, um zu dir runterzukommen, und wenn du zu mir raufkommst, wird Clara dich sehen, und im Handumdrehen ist sie dann auch bei mir, und ich glaube nicht, dass ich das im Augenblick ertragen kann.«

»Clara ist gar nicht da. Sie ist im Larkin bei dem Frauen-Kultur-Festival. Sie wird nicht vor acht Uhr zurücksein. Ich weiß das, weil sie mich gefragt hat, ob ich mitkommen möchte.«

»Deshalb hat sie vermutlich bei mir angerufen«, erwiderte ich. »Am Freitag hat sie mir *vier* Nachrichten hinterlassen. Das hat mich so genervt, dass ich mir vorgenommen habe, mich ein oder zwei Tage nicht bei ihr zu melden. Warum ist eine Nachricht nicht genug? Ich hasse das.« Dann begriff ich, was Devi gesagt hatte. »Komm hoch und trink eine Tasse Tee mit mir«, lud ich sie ein. »Jetzt sofort.«

Und das tat sie, und sie brachte eine Sammlung kleiner Glasschüsseln mit, gefüllt mit ihren wunderbaren, selbstgekochten Speisen.

»Ich habe erst gestern gekocht«, erklärte sie. »Ich dachte,

du könntest Hunger haben.« Beim Gedanken an Devis Kochkunst fand ich das ebenfalls sehr wahrscheinlich.

Rückblickend kommt es mir so vor, als hätte ich in dem Moment zu reden begonnen, als wir uns setzten. Alles brach aus mir heraus, und Devi hörte zu, hörte einfach nur zu. Ich kann mich nicht einmal daran erinnern, Tee gekocht zu haben. Ich redete und redete. Was für eine Freundin. Sie ließ mich reden, sie wollte alles hören. Ich erzählte ihr von der Fehlgeburt und der Nacht auf der Straße, ich erzählte ihr von meinen Gefühlen für das winzige Leben, das in mir gewachsen war. An dieser Stelle kamen mir die Tränen, und ich schaute zu Boden, um sie vor ihr zu verbergen. Als ich sie wieder ansehen konnte, entdeckte ich, dass auch ihre Augen in Tränen schwammen.

»Es überrascht mich nicht«, bemerkte sie. »So zu fühlen ist ganz typisch für dich.« Sie nahm meine Hand, und ich spürte die ihre klein und kühl in meiner. »Du wirst eine Weile traurig sein, Norrie. Aber verkriech dich bitte nicht. Ich will, dass du mich anrufst, wenn du darüber reden musst – oder wenn du einfach nur Gesellschaft brauchst.«

Als Devi mich ein paar Stunden später verließ, dachte ich, wie bewundernswert es war, dass sie mich nicht einmal nach dem für diese Schwangerschaft verantwortlichen Mann gefragt hatte. Ohne ein Wort von mir hatte sie gewusst, dass ich nicht darüber sprechen wollte.

Es war erst vierzehn Uhr, ich hatte noch Zeit genug, meine anderen Anrufe zu erledigen. Ich hinterließ Clara eine Nachricht, in der ich mich entschuldigte, weil ich letzte Woche nicht erreichbar gewesen war. Ich erzählte ihr, ich würde diese Woche mit Malen verbringen, mich aber sehr auf ein ausführliches Gespräch mit ihr freuen, sobald sie die Muße dafür fände. Ich beschloss, mir wirklich Zeit dafür zu nehmen, wenn sie mich zurückrief.

Ich rief meine Mutter an. Einen Moment lang, den ich als eine Art emotionale Demenz ansah, war ich versucht, ihr alles zu erzählen, zu sagen: *Mama, hilf mir, ich bin traurig und habe Angst, in mir wuchs ein Leben, und ich habe es verloren.* Ich erwog sogar flüchtig die Möglichkeit, dass sie mit mir trauerte, da der Fötus zu drei Vierteln irisch gewesen war. *Dein Enkelembryo, Enkelfötus. Er ist fort.*

Rasch beendete ich das Gespräch, aus Angst, mit blutigen Einzelheiten herauszurücken. Mir war im Moment eindeutig nicht zu trauen.

Ich ging ins Bad und hockte mich eine Weile auf den Toilettendeckel, bis ich das Telefon klingeln hörte.

Der Anrufbeantworter sprang an, und ich hörte Michael sagen, »Dein Telefon war stundenlang besetzt.«

»Ich hatte einiges nachzuholen«, sagte ich, den Hörer aufnehmend.

»Hast du schon mit Liz gesprochen?«

»Noch nicht.« Mir war nicht danach, mit ihm darüber zu diskutieren, also tat ich es einfach nicht. »Was machst du heute?«, wechselte ich das Thema. Im gleichen Moment bedauerte ich das. Jede Antwort Michaels auf diese Frage konnte mich nur unglücklich machen. Schließlich war Wochenende.

Er erzählte, dass Brenda und er für Thanksgiving ein-
gekauft hatten. Treffer, das machte mich unglücklich.
Thanksgiving. Das war am kommenden Donnerstag.
Ich hatte keine Ahnung, wo ich dann sein würde. Ener-
gisch verdrängte ich die Vorstellung von Michaels häus-
lichen Festlichkeiten und sagte mir, dass ich vielleicht
Ida besuchen und ihr ein Stück Truthahn mitbringen
könnte. Aber wo würde ich welchen bekommen? Vielleicht in einem Schnellrestaurant. Ich würde mich am
Montag darum kümmern.

»Norrie?«, fragte Michael. Ich merkte, dass ich einige
Zeit geistig abwesend gewesen war.

»Ich bin müde«, sagte ich. »Lass es uns später noch mal
versuchen.« Ich spürte eine seltsame Distanz zu Michael, aber ich wusste nicht, ob es sich um eine Art unter-
bewusste Ablehnung handelte oder ob ich einfach nur
gereizt war, weil es mir nicht gut ging.

Hinterher rief ich Liz an, mein Finger zitterte, als ich
die vertraute Nummer wählte. Ihr Anrufbeantworter
sprang an.

»Geh dran«, forderte ich sie auf. »Ich bin's.« Sie nahm
sofort ab.

»Wo, zum Teufel, bist du gewesen?«, fragte sie.

»Ich habe mich versteckt.«

»Vor wem?«

»Der Welt«, antwortete ich. »Aber jetzt muss ich mit dir
reden. Falls du jetzt keine Zeit hast, sag mir, wann es dir
passt.«

Ihr Tonfall wechselte von fröhlich zu ernst. »Was ist
los?«

»Hast du Zeit?«

»Verdammte Scheiße, wenn es nicht so wäre, würde ich nicht fragen, was los ist.«

»Okay. Ich lüge dich seit zwei Jahren an.«

»Was?«

»Indem ich etwas unterschlage.«

»Was für eine Art katholischer Scheiß soll das sein?«

Ich ignorierte diese Bemerkung und redete einfach weiter. »Ich habe eine Affäre«, sagte ich.

»Na toll«, lachte sie.

»Er ist verheiratet.«

»Oh. Nun, das ist nicht so gut. Irgendwie konnte ich mir das von dir nie vorstellen.« Das würde das Äußerste an Kritik sein, was ich von Liz zu hören bekäme.

»Na ja«, sagte ich, »ich auch nicht.«

»Warum hast du mir nichts erzählt? Habe ich dir jemals das Gefühl gegeben, ich wäre eine Heilige?«

»Du kennst ihn«, sagte ich tonlos und holte tief Luft. »Er bat mich, dir nichts zu erzählen, weil du ihn kennst.«

Sie schwieg eine Weile, und ich wusste, dass sie im Kopf die Kandidaten durchging. Ich fragte mich, wie lange es wohl dauern würde. Ich war darauf gefasst, eine Ewigkeit schweigend dort zu sitzen.

»Michael Sullivan«, sagte sie neunzig Sekunden später.

»Scheiße, er ist es, nicht wahr? Es ist der gottverdammte Michael Sullivan.« Ich beschloss, sie sich aussprechen zu lassen. »Nun, ich kann dich nicht hundertprozentig verurteilen«, sagte sie schließlich. »Er ist ein attraktiver Mann. Ich war selbst mal in Versuchung.«

»Was? Du und Michael?« Mein Herz setzte aus.

»Nicht wirklich«, lachte sie, »eher ich und meine Fantasie. Er ist sehr sexy, sehr klug und … nun, ein verdammt netter Mann. Abgesehen davon ist er genau mein Typ.«
Wir lachten beide. Liz hatte sich schon immer in brillante Männer verliebt, die nicht im Mindesten nett zu ihr waren.

»Ja, er ist ein guter Typ.«

»Soweit ich mich erinnern kann, ist er mit einer spröden, blonden Finanzfrau verheiratet. Ich habe sie ein paar Mal getroffen.«

»Investmentbankerin«, korrigierte ich. »Und sie kann lächeln, aber nur, wenn man es verdient hat.«

»So reich bin ich nicht«, sagte Liz.

»Sie haben sich getrennt.« Es war mir unangenehm, über Brenda zu lästern, obwohl ich Liz' Bereitschaft, es für mich zu tun, sehr zu schätzen wusste.

»Wirklich? Ich hatte immer angenommen, Michael sei der Auf-immer-und-ewig Typ. Um ehrlich zu sein, ich hätte nie geglaubt, er würde sie betrügen.«

»Nun, das hat er auch nicht – bis jetzt. Er meint es ernst. Wir haben sogar schon zusammen Häuser angesehen. Und er schläft nicht mehr mit ihr – im Augenblick schläft er im Arbeitszimmer. Er hat ihr gesagt, er wolle sein Leben ändern.«

»Junge, bei denen muss es im Augenblick echt lustig zugehen.«

»O Gott, sie streiten jede Nacht.« Ich hatte sofort ein schlechtes Gewissen. Es war eine Sache, ihr meinen Teil der Geschichte zu erzählen, aber etwas anderes, über

Michaels Privatangelegenheiten zu sprechen. »Ich liebe ihn«, sagte ich. »Ich habe noch nie einen Mann so geliebt. Ich würde ihn morgen heiraten und Kinder kriegen.«

»Legen Sie auf«, sagte Liz. »Wer spricht dort? Woher haben Sie diese Nummer?«

»Halt die Klappe«, sagte ich. »Das war noch nicht alles.«

»Gütiger Himmel, was noch?«

»Ich bin vor ein paar Wochen schwanger geworden. Letzte Nacht hatte ich eine Fehlgeburt. Ich musste mitten in der Nacht ins Krankenhaus.«

»O Norrie«, sagte sie. »O Gott, das ist hart. Bist du okay?«

»Ja, ich glaube schon.«

»Nun dann ... ich weiß nicht ... glaubst du nicht, dass es so im Moment das Beste ist?«

»Nein. Ich wollte es.«

»Himmel.« Sie schwieg einige Zeit, dann sagte sie: »Es tut mir Leid, das es so gekommen ist, Schätzchen. Wirklich. Bist du sicher, dass es dir gut geht?«

»Ich habe Krämpfe und Blutungen. Aber es ist alles unter Kontrolle. Du fehlst mir.«

»Hast du deshalb meine Anrufe nicht beantwortet?«

»Ach, entschuldige bitte. Ich konnte es nicht mehr ertragen, dich ständig anzulügen. Ich werde nie mehr jemanden anlügen.«

»Bist du sicher?«

»Na ja, außer meiner Mutter.«

»Die zählt nicht.«

»Nein, das dachte ich mir auch.«

Sie seufzte. »Nun, da du nun mal auf diesem Ehrlichkeitstrip bist und das jesuitische Konzept der Unterlassungssünde verinnerlicht zu haben scheinst, sollte ich dir, glaube ich, auch noch etwas beichten.«

»Was?«

»Nun, ich *will* nicht wirklich, ich habe eher das Gefühl, ich *sollte*.«

»Du bist lesbisch.«

»Mach dir keine Hoffnungen, Süße«, erwiderte Liz. »Nur dass ich auch mal in einen verheirateten Mann verliebt war. Kannst du dich an den Dichter Richard Lash erinnern?«

»Mit dem du an der BU gemeinsam unterrichtet hast? Er ist nach Washington gezogen, oder?«

»Genau.«

»Hast du mit ihm geschlafen?«

»Nein, aber nicht, weil ich es nicht versucht hätte. Aber irgendwie schaffte er es, meinen Reizen zu widerstehen. Wir haben uns mal auf einer Unifete geküsst. Er hat gekniffen. Das war, nachdem er nach Washington gezogen war und wir uns sechs oder sieben Monate nicht gesehen hatten. Danach haben wir einige Monate lang ziemlich … viel telefoniert.«

»Telefonsex?«

»Für *ihn* nicht, glaube ich.« Wir lachten. »Wie ich schon sagte, irgendwie schaffte er es, meinen Reizen zu widerstehen.«

»Schwer vorstellbar – ein Mann, der dir widerstehen kann.«

»Nicht wahr? Aber es stimmt. Gott, ich war so verliebt in ihn. Und ich wusste, dass er auch etwas empfand.«

»Danke, dass du es mir erzählt hast. Jetzt fühle ich mich nicht mehr ganz so wie eine Ehebrecherin.«

»Na ja, in dieser Mea-culpa-Atmosphäre schien es nicht ganz fair, den Mund zu halten.«

Dann sprachen wir über unsere Arbeit, und Liz berichtete mir von dem Roman, an dem sie gerade arbeitete. Sie hoffte, ihn bis zum Ende des Jahres dem Lektor übergeben zu können. Ich erzählte ihr von dem Bilderzyklus und dass ich nicht hatte malen können, seit ich festgestellt hatte, dass ich schwanger war. Ich beschrieb ihr die drei Bilder, die ich beendet hatte.

»Ich kann es kaum erwarten, sie mir anzusehen. Wie nennst du den Zyklus?«

»*Hunger*«, sagte ich.

»Ich muss nicht fragen, woher das stammt.«

Michael rief mich am frühen Abend wieder an. Ich hatte gerade Devis Speisen aufgegessen und war über der Sonntagszeitung eingeschlafen. Ich schien ihm gegenüber freundlicher zu sein als einige Stunden früher am Tag. Oder vielleicht besänftigte es mich, dass er eine neue Matratze für mich bestellt hatte, die Montag oder Dienstag geliefert werden würde. Wir redeten bereits eine Weile, als ich merkte, wie ich wieder streitsüchtig wurde. Ich fragte ihn, ob er erleichtert war.

»Erleichtert, worüber?«, fragte er, und dann klickte es bei ihm. Er klang ehrlich erstaunt. »Norrie. *Um Gottes willen*, wie kannst du so etwas behaupten?«

»Ich *behaupte* es ja gar nicht – ich frage nur.«

»Nein.« Er klang verletzt. »Himmel, Honora.«

»Tut mir Leid. Ich musste es einfach wissen.«

»Um dir die Wahrheit zu sagen, ich empfinde eher das Gegenteil. Ich bin niedergeschlagen. Ich schätze, ich bin enttäuscht.«

Es tat mir gut, das zu hören. »Wirklich? Ich kann das kaum glauben.«

»Natürlich. Weißt du, es fällt mir schwer, mein Leben zu ändern – es verursacht so viel Schmerz, und man braucht viel Kraft. Aber ich weiß, sobald ich es getan habe, werde ich den Rest meines Lebens mit dir verbringen.« Er zögerte, dann fuhr er fort. »Ich denke immer daran, dass ich etwas tun müsste, wenn du noch schwanger wärst.«

Vielleicht war ihm nicht klar, wie das bei mir ankommen würde. Ich konnte nicht sprechen.

»Norrie? Bist du noch da?«

»Was redest du da?«, fragte ich schließlich. »Dass ein Baby ein guter Anlass für dich wäre, dein Leben zu ändern, aber dass unsere Beziehung allein kein ausreichender Grund ist?«

»Nein«, protestierte er. »Norrie –«

»Du sehnst dich nach einem *Deus ex Machina*, richtig? Ich dachte, ihr Literaten hieltet das für schlechten Stil. Stimmt doch, oder? Du hoffst darauf, dass jemand Überlebensgroßes in dein Leben tritt und dich zu den Entschlüssen zwingt, die du gern treffen würdest, aber für die du nicht die Stärke besitzt.« Ich hätte *Eier* statt *Stärke* sagen sollen, dachte ich. Ich merkte selbst, wie ich mich hineinsteigerte.

Michael seufzte. »Nun ja, irgend so etwas«, sagte er in

überraschend vernünftigem Ton, als ob er mich nicht beleidigen wollte. »Norrie, du bist nie verheiratet gewesen, du hast keine Kinder. Du hast keine Ahnung, wie schwer es ist, ein ganzes Leben abzulegen.«

»Das ist nicht ganz falsch«, gab ich zu. Ich wusste, dass er in diesem Punkt Recht hatte.

»Aber das heißt nicht, dass du und das Baby mir nicht wichtig wären.« Das Baby. Niemand hatte es vorher so genannt. *Das Baby.*

»Ich habe Freitagnacht von ihm geträumt, vom … Baby«, sagte ich. Komisch, wie das mit Träumen manchmal war – man erinnerte sich plötzlich daran, obwohl sie einem entfallen waren. »Bevor ich … blutend aufwachte.«

In meinem Herzen verharrte ich an der Stelle, an der ich *das Baby* gesagt hatte.

»Wirklich?«, fragte Michael überrascht. »Ich habe einen ähnlichen Traum gehabt, allerdings gestern Nacht. Hast du auch von einem Jungen geträumt.«

»Ich weiß genau, dass es ein Junge war. Ich konnte ihn im Traum ganz deutlich sehen.« *Ihn. Dich.*

»Ist das nicht irgendwie Aberglaube?«, fragte er.

»Nein, das ist irischer Glaube.«

»Da kann ich dir nicht widersprechen.«

»Willst du wissen, wie er aussah?«

»Nein«, erwiderte er. »Ich glaube nicht, das ich damit umgehen kann.«

Ungefähr eine Stunde später klingelte das Telefon. Ich war sicher, dass es Clara sein würde, und machte mich auf ein langes Gespräch gefasst. Aber Clara weinte – sie klang beinah hysterisch.

»Bei mir wurde eingebrochen«, weinte sie. »Mein Computer ist weg. Und mein Buch ist da drin. Er ist weg.«

»O nein! In deinem Büro im Larkin?«

»Nein«, heulte sie. »Ich habe ihn mit nach Hause genommen, um hier zu arbeiten, so wie du und Devi.« Jetzt klang sie wütend, so als ob ich und Devi für den Diebstahl verantwortlich wären. »Wenn ich ihn in meinem Büro im Larkin gelassen hätte, wäre das nicht passiert.«

»O Gott, Clara, ich kann es nicht fassen. Wann ist das passiert?«

»Ich weiß nicht. Irgendwann heute. Ich bin seit heute Morgen im Larkin gewesen. Als ich nach Hause kam, stand meine Tür auf, und mein Computer war weg. Und mein CD-Player. Alles ist weg.«

»Warte, ich komme sofort rüber«, sagte ich. Wir legten auf, und ich wusch mein Gesicht und zog mir ein großes Sweatshirt über, um meinen geschwollenen Bauch zu verbergen. Ich wusste nicht, warum er nach der Fehlgeburt angeschwollen war, ich hatte keine Erfahrung mit solchen Dingen, aber so war es, und ich stellte fest, dass ich den Reißverschluss meiner Jeans nicht mehr zuziehen konnte.

Ich fand Clara weinend auf ihrem Flower-Power-Sofa kauernd. Sie schaute hoch, als ich eintrat.

»Das ist das Einzige, was sie nicht mitgenommen haben.« Sie wies auf das Sofa. Nicht überraschend, dachte ich mit einem plötzlichen Gefühl von Zärtlichkeit für

Clara. Ich setzte mich neben sie und nahm sie in den Arm. Sie zitterte. Ich fragte, ob sie schon die Polizei gerufen hatte. Sie sagte, sie hätte, und sie würden gleich kommen und die Anzeige aufnehmen.

»Sie sagten, sie seien vor einigen Wochen schon bei dir gewesen«, berichtete sie. »Bei dir habe man auch eingebrochen. Warum hast du mir das nicht erzählt?«

»Ich dachte, das hätte ich«, antwortete ich. Das stimmte tatsächlich. Andererseits war ich Clara meistens aus dem Weg gegangen.

»Was soll ich bloß machen?«, rief sie und begann wieder zu schluchzen. Jesus, dachte ich, diese Typen waren direkt nebenan gewesen, vermutlich als ich geschlafen hatte, was fast den ganzen Vormittag der Fall gewesen war. Oder vielleicht heute Nachmittag, als Devi bei mir war. Wir hatten geredet und Musik gehört. Oder als ich telefonierte. Ich schaute mich in der kleinen Einzimmerwohnung um und entdeckte, dass der CD-Player verschwunden war und auch Weinflaschen aus dem kleinen Regal in der Küche fehlten. Es fehlte noch mehr, dachte ich, aber ich konnte nicht herausfinden, was – die ganze Wohnung sah ziemlich leer aus.

»Meine Mikrowelle ist auch weg«, sagte sie, »und meine Kaffeemaschine. Aber das Schlimmste ist mein Computer. Mein ganzes Buch war darin gespeichert. Meine gesamte Arbeit. Mein Leben hier ist ruiniert. Ich kann genauso gut gleich nach Chile zurückkehren, ich kann nichts von dem, was weg ist, ersetzen.«

»Clara, hast du denn nichts ausgedruckt?«

»Ein paar Seiten. Aber nicht viel, weil ich hier keinen

Drucker habe. Ich hab jeden Montag eine Diskette mit zum Larkin genommen und sie dort ausgedruckt. Ich habe die ganze Woche geschrieben, jeden Tag, und das ist alles weg. Drei Kapitel. Einfach weg.« Sie weinte wieder, und ich tätschelte ihre Schulter.

»Irgendwie werde ich dir helfen«, versprach ich. »Mach dir keine Sorgen, Clara. Wir bringen das irgendwie in Ordnung.«

»Es ist lieb, dass du das sagst, Norrie, aber dafür brauchen wir Geld. Wir haben beide keines.«

Wir sprachen über den Einbruch und dass so viele Studenten hier ständig ein und aus gingen, sodass es für die Diebe einfach war, unbemerkt zu bleiben.

»Manchmal scheint es mir, als stünde jedes Wochenende ein Umzugswagen vor der Tür«, meinte ich. In diesem Moment klopfte es.

»Oh, das könnte Devi sein«, sagte Clara, und ihr Gesicht hellte sich auf. Angesichts von Devis Gefühlen gegenüber Clara schien mir das nicht sehr wahrscheinlich, aber als ich die Tür öffnete, war sie es tatsächlich. Sie sah besorgt aus.

»Was ist passiert?«, fragte sie. »Ich war einkaufen, und als ich zurückkam, fand ich eine Nachricht von Clara auf dem Anrufbeantworter. Sie weinte und sagte, es sei ein Notfall.« Ich winkte sie herein und dachte gleichzeitig, wie clever es von Clara war, diese missliche Situation auszunutzen, um Devi näher zu kommen. Ich verdrängte diesen kleinlichen Gedanken sofort.

Clara und ich berichteten Devi, was gestohlen worden war, und Devis wunderschönes Gesicht spiegelte abwechselnd Mitgefühl und Zorn, während sie zuhörte. Als Clara über die verlorenen Kapitel sprach, musste sie wieder weinen, und auch Devis Augen füllten sich mit Tränen, wie ein paar Stunden zuvor bei mir. Doch als Clara noch einmal wiederholte, dass sie nach Santiago zurückkehren müsste, da ihr Leben hier ohnehin vorbei wäre, unterbrach Devi sie abrupt.

»Nein«, sagte sie. »Nein. Du darfst nicht aufgeben, Clara. Ich werde dir helfen. Natürlich kann ich die verlorenen Kapitel nicht wieder beschaffen, aber ich besitze etwas Geld, und ich werde dir so viel leihen, wie du brauchst, um die gestohlenen Sachen zu ersetzen. Es ist ein Rückschlag, aber du kannst weitermachen.«

Claras Augen weiteten sich. Sie war sprachlos. »Aber ich weiß nicht, wann ich es dir zurückzahlen kann«, sagte sie. »Es könnte lange dauern.«

»Das ist egal«, erwiderte Devi. »Dafür ist Geld schließlich da. Im Augenblick ist nichts wichtiger als das.« Sie lächelte Clara an. »Du musst das Geld annehmen. Mir ist es egal, und wenn du dreißig Jahre brauchst, um es zurückzuzahlen.«

Clara warf sich in Devis Arme, und ich war bei diesem Anblick hin und her gerissen zwischen Belustigung und Mitleid mit Devi, die körperliche Berührung normalerweise mied.

Schließlich löste sich Devi sanft aus Claras stürmischer Umarmung und sagte, sie müsse zurück in ihre Wohnung.

»Aber wenn du weißt, wie viel du brauchst«, sagte sie lächelnd, »gibst du mir Bescheid, und ich stelle dir sofort einen Scheck aus. Und danach reden wir nicht mehr davon. Nie wieder.«

Letzteres, wie ich wusste, sowohl um ihrer selbst als auch um Claras willen. Ich war mir sicher, dass der Gedanke an Claras ewige Dankbarkeit Devi den Angstschweiß auf die Stirn trieb.

Und obwohl ich erleichtert war, dass sich für Clara ein Ausweg aus ihren Schwierigkeiten eröffnet hatte, fragte ich mich, ob Devi ihren großzügigen Impuls nicht schon bedauerte. Ich hatte gelernt, dass Großzügigkeit gegenüber Clara zu unmöglichen Erwartungen führte. Ich konnte mir nur vage vorstellen, was die kommenden Monate für Devi bereithalten mochten. Aber eines wusste ich genau – sie würde Schwierigkeiten haben, sich aus Claras Umklammerung zu lösen.

Der Wind heulte die ganze Nacht, und jedes Mal, wenn ich erwachte, glaubte ich, ich selbst wäre es. Ich zog ein sauberes Laken auf, aber ich konnte nicht vergessen, dass das Blut darunter zu einem dunklen Rotbraun in Form einer Grauen erregenden Blüte getrocknet war. Gleichgültig, wie sehr ich mich anstrengte, ich konnte mich nicht von dem Gedanken an den Fleck befreien und an das, was er bedeutete – die Spur eines Lebens, das nun unwiederbringlich verloren war.

Die ganze Nacht über schlief ich ein und schreckte wieder hoch, der Schlaf schien mir wie eine düstere Landschaft, gefährliches Terrain. Einmal erwachte ich vom Klingeln des Telefons und lauschte deiner Stimme, die durch die Leitung zärtlich an mein Ohr klang. Ich liebe dich, flüstertest du, wir werden es schaffen.

Liebe und Zorn erfüllten mich, als ich spürte, wie mein Fleisch, mein ganzer Körper, von deiner Stimme, von deinen Worten angezogen wurde. Sag mir – womit hast du dir diese Macht über mich verdient?

Ich schaute auf den Wecker und sah, dass es drei Uhr früh war – genau die gleiche Stunde, in der ein Fremder auf der Straße mich gefragt hatte: Wie viel?

Rette mich, dachte ich, aber ich sagte es nicht laut ins Telefon. Rette mich.
Wen meinte ich? Dich? Gott? Den Embryo?

Ich stelle ihn mir vor, wie er in der Unendlichkeit treibt, wie ein Bild aus 2001 – Odyssee im Weltraum. Unendlichkeit ist für mich nicht wirklich zu begreifen.

Rette mich, flehte ich stumm.

Es ist möglich, dass ich zu mir selbst sprach.

Kapitel 11

Der Winter kam näher, und es wurde kälter. Ich spürte immer noch diese Leere in meinem Körper – ich konnte sie jeden Tag spüren, das Baby, das wir gezeugt hatten, war nicht mehr da. *Er.* Ich versuchte zu malen, aber nur halbherzig, und wenn die Leere mich überwältigte, stellte ich fest, dass ich nichts in mir hatte, das ich auf die Leinwand bannen konnte. Ich war nur eine Hülse, vertrocknet und leer, und auch wenn ich mich manchmal nach dem Malen sehnte, kümmerte mich meine Unfähigkeit eigentlich nicht.

Einige Male nahm ich an den informellen Essen im Larkin teil, und auch wenn ich niemanden näher kennen lernte, obwohl ich Witze machte und es vermied, über meine Arbeit zu sprechen, fand ich eine Art Trost in der Gegenwart der anderen Frauen. Manchmal wünschte ich mir, ich könnte mich öffnen und sie besser kennen lernen, aber dazu hätte ich ihnen die Gelegenheit geben müssen, mich kennen zu lernen, und ich war mir immer bewusst, dass ich einen wichtigen Teil meines Lebens verbergen musste.

Michael war zärtlich und fürsorglich, wenn er bei mir war, aber er konnte nicht mehr so häufig kommen – seine Welt hatte begonnen sich dramatisch zu verändern.

Im November war sein Buch auf der Bestsellerliste sowohl der *Times* als auch des *Globe* gelandet, und er erhielt nun ständig Anrufe mit der Bitte um Interviews und Signierstunden. Gerüchten zufolge wurde sein Buch für den Pulitzer-Preis in Betracht gezogen. Es erschien mir vollkommen normal, dass Michaels wundervoller Roman so viel Aufmerksamkeit erhielt und für wichtige Preise nominiert wurde, aber da ich nicht zur Verlagswelt gehörte, begriff ich vermutlich gar nicht, wie unwahrscheinlich die Nominierung für den Pulitzer-Preis war. Plötzlich war er viel öfter unterwegs – er war mehr auf Reisen als in Boston. Aber er rief mich jeden Tag an, und wenn er in der Stadt war, besuchte er mich regelmäßig und gab sich liebevoll, humorvoll und leidenschaftlich. Es wäre kleinlich gewesen, wegen seiner langen Abwesenheiten zu nörgeln, aber es gab einige Aspekte, bei denen ich mich nicht zurückhielt.

Die *Times* und der *Globe* brachten Artikel über Michael, in denen seine Ehe und ihre lange Dauer keine geringe Rolle spielten. Am schlimmsten war für mich ein Detail im Artikel des *Globe*. Brenda war gegen Ende des Interviews von der Arbeit nach Hause gekommen, und auf die Frage, was sich denn nun im Leben der Sullivans ändern würde, hatte sie ihrer Hoffnung auf den Kauf eines Sommerhauses Ausdruck verliehen.

Ich war schockiert über diese Schilderung der beiden als glückliches Ehepaar und sagte Michael das auch. »Es verletzt mich. Ich verstehe es nicht. Es gefällt mir nicht.«

»Nun, daraus kann ich dir keinen Vorwurf machen«,

meinte Michael. »Aber was hätte Brenda denn sagen sollen? Dass ihr Mann im Arbeitszimmer schläft und über eine Trennung nachdenkt? Sie hat das Erstbeste gesagt, was ihr einfiel.«

Egal, was er sagte, in meinen Augen wurde diese Ehe gefeiert, sie war ein wichtiger Punkt in jedem Artikel über Michael. Fragen, Zweifel und Eifersucht quälten mich erneut. Wollte er sein Leben überhaupt noch ändern? Ein Leben aufgeben, das seine wildesten Träume noch übertraf?

Oder war ich bloß verbittert und eifersüchtig?

»Ich frage mich, was du empfinden würdest, wenn die Sache umgekehrt liefe«, sagte ich eines Morgens, als er auf einen Kaffee bei mir vorbeischaute.

»Glaub mir, Brenda und ich sind uns der Ironie der Angelegenheit sehr wohl bewusst. Aber solange ich offiziell verheiratet bin, ist es ein Teil dessen, was die Leute über mich sagen.«

»Genau das meine ich«, murmelte ich in meine Tasse und wartete auf seine Antwort.

»Ich weiß, wie furchtbar es für dich ist, aber ich wünschte, du würdest dich einen Augenblick in meine Lage versetzen. Wie sieht das aus, wenn ich in dem Moment, wo Ruhm und Reichtum endlich greifbar sind, meine Frau verlasse?« Der South Bostoner Akzent war wieder deutlich vernehmbar. »Man wird mich als Scheusal bezeichnen.« Immerhin sagt er *wird* und nicht *würde*, dachte ich. Wo wir gerade vom Greifen nach Strohhalmen sprechen – Verbkonjugationen heute, Infinitive morgen.

»Aber es scheint, als würde Brenda dich zu einer Menge

Termine begleiten und ich ... ich glaube, ich habe das Recht, zu wissen, ob du wieder intim mit ihr bist.«

»Dieses Recht hast du, und ich bin es definitiv nicht«, antwortete er. »Aber ich kann nicht fassen, dass du mich das fragst. Glaubst du wirklich, ich würde dich so hintergehen?«

»Natürlich nicht. Ich dachte nur, vielleicht seid ihr euch ja wieder näher gekommen und ... du hättest dich nicht getraut, es mir zu sagen.«

»Norrie, ich habe dir versprochen, dass ich nicht mehr mit Brenda schlafe, wenn wir unsere Beziehung fortsetzen. Wir setzen unsere Beziehung fort, deshalb begreife ich nicht, was diese Frage soll.«

»Ja, ich weiß, was du versprochen hast. Aber es scheint, als würdest du die Dinge nicht wirklich von meiner Seite aus betrachten. Dein Leben wird jeden Tag reicher und interessanter. Und ... und auch *bequemer*. Es ist nur natürlich, dass ich mich frage, ob es dir immer noch wichtig ist, mit mir ein neues Leben anzufangen.«

Er zog mich in seine Arme und sprach in meine Haare. Ich konnte die Vibration seiner Stimme an meiner Kopfhaut fühlen, konnte seine Haut durch sein blaues Jeanshemd riechen, konnte seine muskulösen Arme spüren.

»Nichts macht mein Leben schöner als deine Gegenwart, Norrie. So will ich es.« Ich nickte, wobei ich spürte, wie sich sein Kinn an meinem Kopf rieb. »Die Dinge sind nur plötzlich viel komplizierter geworden.« Er hielt mich auf Armeslänge von sich und schaute mich ernst an. Sein Blick war besorgt, und in seiner Stimme schwang einen unsicherer Unterton mit. »Ich weiß, wie frustriert du bist. Ich kann erkennen, dass du am liebsten alles wegwerfen und einfach allein weitermachen würdest. Vielleicht auch mit jemand anders –«

»Das habe ich nicht gesagt«, versuchte ich ihn zu unterbrechen, aber er redete weiter und zog mich dabei wieder an sich. Ich spürte seinen Herzschlag an meinem Schlüsselbein.

»– aber ich will immer mit dir zusammen sein, Norrie, und ich … ich hoffe nur, du wartest noch auf mich. Zurzeit spielt alles verrückt.«

Ich seufzte gegen seine Hemdtasche. »Ich weiß«, sagte ich. Meine Stimme klang unnatürlich leise, deshalb riss ich mich zusammen und fügte lauter hinzu: »Aber du musst mir versprechen, mir sofort Bescheid zu sagen, wenn sich deine Gefühle … mir, uns gegenüber ändern. Und bitte … versuch, nicht zu vergessen, wie schwer es für mich ist.«

»Meine Gefühle ändern sich nicht«, sagte er und drückte mich so fest an sich, dass mir die Luft wegblieb. »Ach, Scheiße, Norrie«, meinte er schließlich, »es muss grauenhaft für dich sein. Und ich ernte den Ruhm, während du die Hölle durchmachst – und das ganz allein.«

»Ich habe Devi, das hilft. Mit ihr fühle ich mich nicht so isoliert. Aber ich hoffe, du weißt, wie sehr ich mich über die guten Dinge, die dir passieren, freue.« Das tat ich. Oder nicht? Einerseits war ich wirklich froh, andererseits fühlte ich mich bedroht. »Ich bin begeistert«, bekräftigte ich für uns beide.

»Ja, ich weiß, du freust dich für mich, auch wenn ich so lebe, als würdest du gar nicht existieren. Aber glaub mir, ich versuche nach wie vor, das andere Ufer zu erreichen.«

»Ich glaube dir«, versicherte ich ihm. Mein Blick fiel auf die leeren Leinwände, die an der Schlafzimmerwand aufgereiht standen. »Ich glaube dir wirklich«, wiederholte ich.

In jenen Tagen zweifelte ich am meisten an mir selbst.

Und dann kamen die Feiertage. Liz verbrachte sie in Denver bei ihrer Mutter, die sich von einer Brustamputation erholte, und konnte vor Neujahr nicht kommen. Sie und ich telefonierten wieder mehrmals in der Woche miteinander, und ich war froh über ihre Gesellschaft, auch wenn es nur am Telefon war. Ich war erleichtert, dass ich endlich mit ihr über Michael reden konnte. Sie war begeistert von den großartigen Kritiken und den Gerüchten über den Pulitzer-Preis. »Ich glaube, er hat eine gute Chance, nächstes Jahr den NBCC zu gewinnen. Aber den Pulitzer kann ich mir nicht vorstellen, nicht für einen Erstling. Zumal von einem Verlag wie Aperçu.«

»Aperçu ist ein ausgezeichneter Verlag«, protestierte ich. »Er ist zwar klein, aber sie suchen sich ihre Autoren sehr sorgfältig aus, Liz. Es ist ein literarischer Verlag.«

»He, sie haben meinen ersten Roman verlegt, erinnerst du dich? Ich greife deinen Arbeitgeber ja nicht an. Ich sage dir nur, wie die literarische Welt funktioniert, okay?« Ich nahm an, dass sie Recht hatte, aber ich konnte mir kein Buch vorstellen, das eher als *This Cold Heaven* einen Preis verdient hätte. Es war zu unverwechselbar, die Geschichte zu kraftvoll. »Denk dran«, ermahnte mich Liz, »du bist eine Malerin. Du bist für Kunst zuständig, und ich bin der Chef, wenn es um Literatur geht.«

»Prima«, erwiderte ich. »Irgendwo musst du ja anfangen.«

In diesem Moment hörte ich ihre Mutter. »Elizabeth!«

»Ich komme«, rief Liz zurück.

»Klingt, als müsstest du los … *Elizabeth*.«

»Ja, schon gut. Sie hat so große Hoffnungen in mich gesetzt, dass sie mich gleich nach zwei britischen Monarchinnen benannt hat. Elizabeth Victoria. Klingt das nicht königlich? Arme Mama. Wie sich herausgestellt hat, reicht es nur für Liz. Sie hasst das – sie sagt, es klingt nach Putzfrau. Gestern hat sie mich gefragt ›Könntest du dich nicht wenigstens Beth nennen, wie in *Betty und ihre Schwestern*?‹ Ich erinnerte sie daran, dass Beth starb.«

»Ich dachte immer, deine Mutter sei Irin. Warum hat sie dich nach zwei Königinnen von England benannt?«

»Nein, mein Vater war der Doyle, erinnerst du dich? Er war der Ire. Mama ist eine Bowles und so britisch, wie man nur sein kann, wenn man bedenkt, dass sie noch nie die Staaten verlassen hat.« Ihre Mutter rief wieder. »Ich muss auflegen«, sagte Liz. »Sie hat das Mittagessen fertig – kannst du dir das vorstellen? Ich komme den ganzen Weg hierher, um mich um sie zu kümmern, und sie macht das Mittagessen. Keine Chance, dass sie sich mal von jemandem verwöhnen lässt.«

»Viele Frauen sind so«, sagte ich. »Vielleicht fühlt sie

sich sicherer, wenn sie weiß, dass sie für sich selbst sorgen kann.«

Clara war nach Los Angeles geflogen, wo sie als Vertreterin der ausländischen Presse einen Vortrag an der Universität halten sollte. Ein entfernter Cousin von ihr lebte dort, und sie wollte die Feiertage mit ihrer Familie verbringen.

Am Tag ihrer Abreise vertraute sie mir an, dass sie eigentlich gar nicht fahren wollte. Sie sah nicht gut aus, sie hatte dunkle Schatten unter den Augen, und ihr Gesicht war verhärmt. Ich wusste, dass sie hart an der Rekonstruktion der verlorenen Kapitel gearbeitete hatte. Ich wollte sie schon fragen, ob sie genug schlief, ließ es dann aber sein, aus Angst, sie zu kränken.

Sie war herübergekommen, um mir mein Weihnachtsgeschenk zu geben – eine CD-Sammlung mit Arien von Maria Callas –, und ihre Hände schienen zu zittern, als sie mir das Päckchen überreichte. Ich fühlte mich mies. Ihr Geschenk war ziemlich teuer gewesen und sorgsam ausgewählt – sie wusste, wie sehr ich Maria Callas schätzte. Ich schämte mich, weil ich ihr nur ein kleines Kartenalbum mit Reproduktionen der Werke zeitgenössischer amerikanischer Maler gekauft hatte. Eigentlich hatte ich ihr gar nichts schenken wollen, dann aber doch etwas besorgt, weil ich sicher gewesen war, dass sie mir ein Geschenk machen würde und ich sie nicht verletzen wollte.

Als sie mich verließ, sagte sie noch: »Es wäre nett gewesen, mit dir zusammen Weihnachten zu feiern.« Und gerade als ich dachte, sie würde mich in eine ihrer Umarmungen ziehen, stellte sie sich auf die Zehenspitzen und küsste mich zart auf die Wange. »Mach's gut«, verabschiedete sie sich. »Ich nehme an, du und Devi, ihr werdet euch gut amüsieren, während ich fort bin.« Wenn sie es nur fertig gebracht hätte, diese letzte Bemerkung zu unterdrücken, wäre es ein eifersuchtsfreier Besuch von Clara gewesen.

»Devi kommt nicht vor Neujahr zurück«, sagte ich.

»Ich dachte, du wüsstest das.«

»Devi weiht mich nicht in ihre Pläne ein.« Devi war in London, wo sie sich mit ihrem Verleger treffen und die Feiertage mit ihren Eltern und ihrem jüngeren Bruder verbringen wollte. Ich vermisste sie.

Finn war über die Ferien nach Hause gekommen, und Michael war meistens bei seiner Familie zu Hause, daneben schien er endlos Signierstunden zu geben, Lesungen und Vorträge zu halten und Partys zu besuchen, gelegentlich mit Brenda an seiner Seite.

»Es ist unser letztes Weihnachtsfest als Familie«, sagte er zu mir. »Und ich denke, für Brenda ist es die letzte Gelegenheit, sich nach all meinen mageren Jahren ein wenig in meinem Ruhm zu sonnen.« Sie sollten ihr Weihnachtsfest haben.

Ich? Honora Blume, die attraktive, sexhungrige alte Jungfer mit Malblockade, verbrachte die Weihnachtsfeiertage einsam zu Hause in der Brattle Street. Vielen Dank der Nachfrage.

Zunächst glaubte ich, die Einsamkeit könnte mir gut tun – ich wollte versuchen, mit meinem Malprojekt voranzukommen, das seit der Fehlgeburt brachlag. Depressionen, vielleicht, oder Geistesabwesenheit. Trägheit, geboren aus physischer und emotionaler Schwäche. Wer weiß? Was auch immer.

Ich wusste nur, dass mich jedes Mal, wenn ich ein weiteres Selbstporträt beginnen wollte, die ich vor einiger Zeit auf Zeichenpapier skizziert hatte, bei der Betrachtung meines Abbilds eine Art Ekel überfiel. *La nausée*, wie Sartre es nennen würde. Genannt hatte. Nichts mehr von dem, was ich sagte, tat oder dachte, stammte von mir oder war von irgendeinem Wert. Mist.

Was noch? Nun, in zwei weitere Wohnungen war eingebrochen worden – dieses Mal war es im ersten Stock passiert, während beide Mieter über die Feiertage verreist waren.

Ich erhielt einen Anruf von Ed Hershom. *This Cold Heaven* war für den *National Book Critics' Circle Award* nominiert worden, genau wie Liz es vorhergesagt hatte. Jedermann bei Aperçu war »hingerissen«, versicherte mir Ed. Er plante eine große Feier zu Ehren Michaels, falls er den Preis gewann (»*wenn er gewann*«, wie Ed es formulierte).

Diese Feier war noch Monate entfernt, falls Michael überhaupt gewann, aber mir graute jetzt schon davor, den Abend mit ihm und Brenda im gleichen Raum zu verbringen, und ich versuchte verzweifelt, mir schon jetzt eine gute Ausrede für mein Nichterscheinen einfallen zu lassen.

Solche unangenehmen Situationen häuften sich in letzter Zeit, und jedes Mal schien ich an den Rand von

Michaels Leben gedrängt zu werden – und darüber hinaus. Wie konnte es, zum Beispiel, passieren, dass letzte Woche ein paar meiner Bekannten zu einer Party für meinen Geliebten gegangen waren, nur ich war nicht dort. Menschen, die Michael kaum kannten, feierten seinen Erfolg mit ihm, während ich zu Hause hockte, Chips futterte und mir Tragödien im Fernsehen ansah. Selbstverständlich hätte ich die meisten dieser Veranstaltungen auch besuchen können, aber keiner von uns konnte die »Zwiespältigkeit«, wie Michael es nannte, dieser Situationen ertragen. Und abgesehen von dem psychischen Unbehagen, den mir sein Anblick zusammen mit Brenda verursachte, wäre ich mir wie ein Stück Scheiße vorgekommen, wenn ich dort freundlich mit ihr geplaudert hätte, während ich gleichzeitig in ihren Mann verliebt war und wollte, dass er sie verließ. Michael rief mich häufig aus den Restaurants oder Häusern an, in denen die Veranstaltungen stattfanden, aber diese verstohlenen, hastigen Gespräche machten mir nur umso dramatischer bewusst, dass ich in seinem Leben ein Außenseiter war.

Verstohlen. Dieses Wort beinhaltete alles, und ich hasste es. Es hatte so etwas Nagetierartiges.

Ich hatte die Feiertage im Herbst und Winter immer am liebsten gemocht, aber diesmal waren sie bedrückend. Den Nachmittag des Thanksgiving verbrachte ich bei Ida im Pflegeheim, und ich hatte ein schlechtes Gewissen, weil ich es als bedrückend empfand, aber so war es nun mal. Die couragierte alte Dame von einst war verschwunden. Ida war schwächer geworden, sie wirkte zerbrechlich und schlief während des gesamten Nachmittags immer wieder ein, während ich ihre Hand hielt. Marge hatte an diesem Tag Dienst, und ich war erleichtert, als sie mir versicherte, dass Ida nicht immer so war. »Aber«, mahnte sie mich, »du solltest darauf gefasst sein … vermutlich bleibt ihr nicht mehr viel Zeit.«

So schlimm Thanksgiving auch war, Weihnachten war schlimmer. Heiligabend saß ich in der Badewanne und heulte beim Gedanken an die große Weihnachtsfeier, die Michael und Brenda wie jedes Jahr für ihre Freunde und die Familie veranstalteten, eine ganze Stunde vor mich hin. Ich weinte den ganzen Nachmittag des Heiligen Abends, bis ich entdeckte, dass Michael eine süße Überraschung für mich hatte.

Wie geplant kam er vor der Feier zu mir, damit wir unsere Geschenke austauschen konnten. Ich war wegen meines Geschenks für ihn sehr aufgeregt – ich hatte eine signierte Erstausgabe des *Ulysses* für ihn gekauft. Sie hatte einen großen Teil meiner Ersparnisse verschlungen, aber ich musste sie unbedingt haben, weil ich Michael etwas Besonderes schenken wollte und wusste, dass Joyce sein Held und literarisches Vorbild war. Ich freute mich, als er ein paar Minuten zu früh erschien, aber er erklärte mir, dass er noch ein paar letzte Besorgungen für Brenda erledigen musste und deshalb nicht lange bleiben konnte.

Ich war enttäuscht, dass selbst die geringe Zeitspanne, die uns zur Verfügung stand, gekürzt wurde, aber bevor ich mich beschweren konnte, reichte er mir sein Geschenk. Es war eine kleine, in rote Folie gewickelte

Schachtel. Es sah aus wie das Kästchen für einen Ring, aber ich war nicht so naiv, anzunehmen, dass Michael mir einen Verlobungsring schenkte, während er offiziell noch Teil des mittlerweile berühmten Paares war.

Sorgfältig entfernte ich das Geschenkpapier, wobei ich mir Mühe gab, es nicht einfach runterzureißen, wie ich es gern getan hätte (meine Mutter pflegte zu sagen, ich hätte ein »Problem mit der Neugier«, und das ist wahr, ich konnte es immer kaum erwarten, zu erfahren, wie etwas war, sei es nun das Wetter, ein Basketballspiel, ein Krieg, eine Beziehung – und ganz besonders natürlich Geschenke).

Es war ein Ring. Ich konnte es nicht fassen. Und das war nicht einmal das Wichtigste. Es handelte sich um einen Ring aus mattiertem Sterlingsilber, der einen großen, klassisch geschliffenen Smaragd hielt. Ich wusste sofort, worauf er anspielte.

»Mein grüner Glasring«, sagte ich mit trockenem Mund. Ich hatte Angst, losheulen zu müssen. »Das ist unglaublich. Ich fasse es nicht.« Er grinste sein schiefes irisches Grinsen, bei dem sich Fältchen in seinen Augenwinkeln bildeten.

»Du hast so oft gesagt, dass alles, alles in deinem Leben in Ordnung kommen würde, wenn du nur deinen grünen Glasring wiederfinden könntest.« Er strich mir das Haar aus der Stirn und drückte einen Kuss darauf. »So … gefällt er dir?«, fragte er, immer noch wie ein Idiot grinsend.

»Ich liebe ihn, Michael. Und dass du daran gedacht hast. Das ist das Liebste, Aufmerksamste, das je ein Mann für mich getan hat. Ich suche meinen grünen Glasring schon fast mein ganzes Leben lang –«

»– nun, um genau zu sein, ist das kein *Glas*«, spottete er. »Es ist nur ein Smaragd. Aber es war das Beste, was ich kriegen konnte.«

»Unglaublich, dass du einen gefunden hast, der meinem alten Glasring so ähnlich sieht.«

»Na ja, eigentlich habe ich ihn nicht *gefunden*«, erklärte er. »Gefunden habe ich einen ausgezeichneten Goldschmied, und dem habe ich gesagt, was ich wollte.«

»Du hast ihn machen lassen? Aber das muss ein Vermögen gekostet haben.«

»Hat dir deine Gouvernante nicht beigebracht, dass es von schlechten Manieren zeugt, nach dem Preis eines Geschenkes zu fragen, du kleine Heidin?«

»Bei Schmuck machte sie immer eine Ausnahme«, parierte ich. »Wie konntest du ihn dem Goldschmied beschreiben, du hast das Original doch nie gesehen.«

»Du hast einige Male darüber gesprochen, und ausnahmsweise habe ich zugehört. Ich musste also nur deine Beschreibung wiederholen. Ich wollte, dass er irgendwie nach Kaugummiautomat aussieht, wie einer dieser Ringe, die man verstellen kann.« Er sah sehr selbstzufrieden drein. »Nimm ihn aus der Schachtel und probiere ihn an«, forderte er mich auf.

Ich tat es. An der Innenseite schien der Ring zu überlappen, damit er wie ein Kaugummiautomaten-Ring aussah. Ein gefälschter Billigring aus Silber. Mit einem echten Smaragd. Es war überwältigend. Und dann entdeckte ich die Gravur auf der Innenseite. FÜR HONORA,

MEINE LIEBE – AUF EWIG DEIN MICHAEL. Die
Worte gaben mir Trost, zerstreuten meine Zweifel.

Einen Augenblick später öffnete er sein Päckchen und
rief: »Mein Gott, es ist signiert. Honora, du hast dich
aber wirklich in Unkosten gestürzt.« Er sah gleichzeitig
erfreut und besorgt aus.

»Hat dich nie jemand gelehrt, den Preis eines Geschenks
nicht zu erwähnen?«

»Nein«, erwiderte er, »keiner.« Dann zog er mich in seine Arme und sagte: »Norrie, du bist ein zauberhaftes
Frauenzimmer.«

»Der Autor hat es signiert«, bemerkte ich an seinem
Hals, obwohl er es schon gesehen hatte. Ich kostete die
Gelegenheit voll aus.

»Du bist erstaunlich«, sagte er. »Unglaublich, dass du es
ergattern konntest.«

»Nun, ich habe einen ausgezeichneten Fälscher gefunden, der die Unterschrift nach meinen Angaben nachge-
macht hat«, scherzte ich. Und dann überkam mich die
Angst, er könnte das für die Wahrheit halten. »Hey«,
sagte ich, »es war ein Scherz. Sie ist echt.«

»Das habe ich nicht bezweifelt. Alles an dir ist echt. Es
ist das wundervollste Weihnachtsgeschenk, das ich in
meinem ganzen Leben bekommen habe.«

Aber nichts war so wundervoll wie der grüne Glasring,
wie ich ihn von nun an nannte. Vielleicht verhieß es eine
wundervolle Änderung in meinem Leben.

Ich betrachtete es als Bestätigung, dass wir sofort ins
Schlafzimmer gingen und miteinander schliefen – alt-
modisch, in der Missionarsstellung; schnell, intensiv,

zweckmäßig und zielgerichtet. Ich kam heftig und unterdrückte mein Stöhnen, um die Nachbarn zu schonen. Einen Sekundenbruchteil dachte ich an den Embryo, wie immer in letzter Zeit, wenn wir uns liebten, und empfand den Verlust, aber ansonsten war es genau wie in unseren guten alten Tagen.

Silvester erlebte ich eine wunderbare Überraschung. Devi schaute mit ihrem Bruder Sandeep vorbei, bevor sie am nächsten Tag nach New York weiterflogen. Es rührte mich, die Geschwister zusammen zu erleben. Ihre Zuneigung zueinander kam offensichtlich von Herzen, ihr Umgang miteinander war scherzhaft und ungezwungen.

Es fror, und wir konnten unsere Atemwölkchen sehen, als wir zu Fuß zu einem indischen Restaurant gingen. Dann nahmen wir die U-Bahn nach Boston und bestaunten die Eisskulpturen auf dem Common. Wir schlenderten von einer Silvesterveranstaltung zur nächsten, ohne irgendwo bis zum Schluss zu bleiben. Devi ging voraus und erteilte uns über die Schulter hinweg begeistert Anweisungen. Wir schwärmten durch die Stadt wie Moskitos.

Einmal, als wir wieder hinter ihr hermarschierten, wies Sandeep grinsend mit den Kopf auf Devis Rücken und verdrehte die Augen: »Die Königin.« Wir begannen zu kichern. Es war so wahr. Devi benahm sich wie eine königliche Hoheit, so überzeugend, dass man ihren Befehlen nichts entgegenzusetzen hatte.

»Kommt, wir *müssen* hier unbedingt einen heißen Kakao trinken«, rief sie in unsere Richtung, und Sandeep und ich brachen in Gelächter aus. »Was ist denn so komisch?«, fragte sie ehrlich verblüfft.

Gegen zehn Uhr nahmen wir die U-Bahn nach Hause, und Devi begleitete mich noch zu meiner Wohnung. Als wir die Treppe in den vierten Stock hochstiegen, bemerkte sie: »Ist er nicht ein Schatz? Ich vergöttere meinen kleinen Bruder.« Dann erzählte sie mir von dem Treffen mit ihrem Verleger. Ihr neues Buch würde gleichzeitig als Hardcover und Taschenbuch erscheinen. »Ich habe gefragt, ob du die Umschlaggestaltung übernehmen kannst«, sagte sie. »Zuerst haben sie sich gesträubt – aber dann habe ich ihnen den Umschlag von Maria Sarvosas Buch gezeigt, und sie schlugen vor, dass du ihnen einen Entwurf schickst, damit sie es sich noch einmal überlegen können. Ich habe ihnen versichert, deine Zeit sei zu kostbar, um sie ohne Vertrag zu verschwenden. Schließlich haben sie zugegeben, dass du wundervolle Arbeit leistest, und zugestimmt, dir den Auftrag zu geben. Ich hoffe, du sagst ja.«

»Natürlich, es ist mir eine Ehre, Devi, aber wann brauchen sie denn den vollständigen Entwurf?«

»Das ist der Haken«, meinte sie. »Sie brauchen ihn bis zum ersten Juni, und da hast du gerade erst dein Larkin-Projekt fertig gestellt. Vielleicht ist es zu viel verlangt.«

»Aber nein«, versicherte ich. »Ich habe mir vorgenommen, mein Projekt noch vor Mai zu Ende zu bringen, vorausgesetzt, es kommt nichts dazwischen. Und mir gefällt die Vorstellung, einen Umschlag für dich zu entwerfen. Aber ich muss dich warnen, im Moment habe ich Schwierigkeiten, zu arbeiten – ich scheine in letzter Zeit nichts zu schaffen.«

»Ist es noch immer ein Problem?«, fragte sie mitfühlend. »Seit der ... seit deiner ...«

»... Fehlgeburt«, ergänzte ich. »Ich glaube, dass ich nur *mich* im Augenblick nicht malen kann. Vermutlich ist das mein Problem. Ich versuche es, und es endet damit, dass ich alles verabscheue, was ich gemalt habe.«

»Ich würde dir gerne Modell sitzen, wenn es dir hilft«, bot sie mir ohne Zögern an. Diese Vorstellung war so weit entfernt von der Grundidee meines Projekts, dass ich zunächst einfach Nein sagen wollte. Dann, in einem einzigen Augenblick, so wie angeblich das eigene Leben an einem vorüberzieht, bevor man die Augen für immer schließt, konnte ich den gesamten Zyklus leibhaftig vor mir sehen und erkannte, wie Devis Bild sich in die übrigen Gemälde einfügen würde – die Aussage des Zyklus würde stärker, universeller, wenn nicht nur das Abbild einer einzigen Frau das Thema war. Er würde das weibliche Verlangen an sich und nicht das Verlangen einer einzelnen Frau darstellen.

»Ja«, sagte ich. »O Devi, ich danke dir. Danke.«

Kurz danach verließ sie mich, nachdem sie mich an der Haustür auf ihre zurückhaltende Art rasch umarmt hatte. Ich erinnerte mich an die erdrückende Art, in der Clara Devi umarmt hatte, als diese angeboten hatte, ihr zu helfen. Ich wollte nicht, dass Clara von Devis Modellstehen für mich erfuhr, dachte ich, während ich die Tür hinter ihr schloss. Das würde nur enorme Eifersucht auslösen. Jetzt war wohl der Zeitpunkt gekommen, mein Larkin-Atelier zu benutzen.

Es war Viertel nach elf, als Devi mich verließ, und ich sah dem neuen Jahr allein, aber nicht unzufrieden entgegen.

»Jippie«, sagte ich leise um Mitternacht. »Juhu.« Ich konnte das Hupen der Autos in den Straßen hören und den Klang eines Feuerwerks aus der Ferne.

Michael und Brenda waren auf einer Silvesterparty. Um zwei Minuten nach zwölf rief Michael mich von dort an. Ich konnte kaum glauben, dass er das riskierte. Aber dann gab er zu, sich mit der Ausrede, einen Kontrollanruf bei den Kindern zu machen, hinausgeschlichen hatte.

»Deshalb kann ich nicht lange mit dir reden, verstehst du – ich muss sie jetzt wirklich anrufen.« Wir redeten ungefähr dreißig Sekunden. Um einen Ausbruch zu vermeiden, starrte ich den grünen Glasring an meiner Hand an. Das tat ich mittlerweile immer, wenn ich den Drang verspürte, mich biestig zu verhalten. Ich schaute ihn häufig an.

Am Neujahrstag überfiel mich eine namenlose Trauer. Im Kontrast zu den Feiern, die ich am Vorabend mit Devi und Sandeep besucht hatte, schien er besonders ruhig. Aber dann zwang ich mich, positiv zu denken. Ich wollte das neue Jahr nicht in dieser Stimmung beginnen.

Ich rief Ida an, die mich fragte, wer ich war. Als ich es ihr erklärte und ihr ein glückliches neues Jahr wünschte, erkundigte sie sich, welches Jahr wir hatten. Seltsamerweise versicherte sie mir dann, dass sie mich liebte. Ich vermute, sie hatte inzwischen begriffen, wer Norrie war. Jedenfalls wollte ich das gern glauben.

Dann telefonierte ich mit meiner Mutter, die mir von mehreren Morden durch Enthauptung im Raum Los Angeles berichtete. Nichts scheint die irische Fantasie so sehr anzuregen wie gewaltsamer Tod, dachte ich. Glücklicherweise konnte meine Mutter nicht lange plaudern, weil sie noch einige der Kirchenwitwen zum Essen und Kartenspielen erwartete.

Liz meldete sich mittags. »Ich habe gekocht«, erklärte sie stolz. »Und glücklicherweise hatten wir eine Kettensäge, um das Fleisch zu schneiden.« Liz war erleichtert, weil es ihrer Mutter besser ging, aber sie hatte auch Angst. »Sie versucht, es vor mir zu verbergen, aber sie ist sehr erschöpft«, klagte Liz. »So klein und zerbrechlich. Was, wenn sie es nicht schafft? Ich glaube nicht, dass ich das ertragen könnte.« Ich hörte, glaube ich, zum ersten Mal, dass Liz daran zweifelte, mit einer Situation umgehen zu können.

»Ich wette, es geht ihr bald wieder gut, Liz. Die Frauen deiner Familie gehören zu den starrsinnigsten und zielstrebigsten, die ich je kennen gelernt habe.«

»Guter Einwand«, meinte sie und klang ein wenig getröstet.

»Hast du dir jemals gewünscht, es gäbe etwas, zu dem du beten könntest«, fragte sie mich dann. In all den Jahren unserer Freundschaft war dieses Thema nie angeschnitten worden, und einen Augenblick lang war ich stumm vor Erstaunen. »Ach, vergiss es«, sagte sie hastig.

»Ich kann kaum glauben, dass ich überhaupt gefragt habe.«

»Nein, nein, ich meine, natürlich habe ich mir das gewünscht ... aber um die Wahrheit zu sagen, ich *tue* es, ich meine, zumindest irgendwie.«

»Was?«

»Zu jemandem beten, meine ich. Jemand oder ... Etwas. Ich tue das gelegentlich nachts, gewissermaßen aus dem Stegreif.«

»Heilige Scheiße«, sagte sie. »Warum hast du mir nie davon erzählt?«

»Du hast mich nicht gefragt.«

Michael wünschte mir telefonisch ein gutes neues Jahr, kurz bevor sie sich zum Essen setzten. Er hatte ein schlechtes Gewissen.

Die Temperatur hatte den ganzen Tag unter null gelegen, und es nieselte. Mir war nicht nach einem Spaziergang. Gegen zwei Uhr kochte ich mir eine Gemüsesuppe, in die ich alles hineinschnitt, was ich im Haus hatte. Während sie vor sich hin köchelte, buk ich ein paar Biskuits.

Gegen drei aß ich an dem kleinen Esstisch in der Nische meines Wohnzimmers und hörte dabei *La Bohème* mit Mirella Freni als Mimi. Frenis Stimme war Furcht einflößend schön, aber besonders unheimlich klang sie im vierten Akt, in Mimis Todesszene. Während ich lauschte, sah ich mich selbst als Mimi, an Tuberkulose, oder was es war, sterbend, auf Händen und Knien im Schnee, flehentlich zu Michaels Esszimmerfenster aufblickend, während sich drinnen die Familie und ihre Freunde mit vulgären Lebensmitteln voll stopften und sich mit satter Behaglichkeit über die dicken Feiertagsbäuche strichen. Ich fühlte mich tragisch und edel, bis ich mich daran erinnerte, dass ich nicht Mimi war, sondern nur eine weitere andere Frau, die offensichtlich das bekam, was sie verdiente.

Ungefähr um vier Uhr begann es zu schneien, und ich beobachtete durch mein Fenster, wie die Flocken eine Weile dichter fielen und dann wieder spärlicher wurden. Ich fragte mich, ob Ida wusste, dass es schneite – Ida liebte Schnee.

Gegen fünf zog ich meine Malkleidung an und legte noch einmal *La Bohème* auf, dieses Mal im Schlafzimmer. Ich musste wenigstens versuchen zu malen. Wenn ich es nicht tat, begann das neue Jahr unter schlechten Vorzeichen. Und dann würde ich nicht nur einsame Feiertage verdienen, sondern was immer ich bekam.

Selbst als ich die Farben mischte, hatte ich nicht die geringste Vorstellung, was ich malen sollte. Ich vermischte etwas Zinnoberrot mit einer Tube Old Rose, und dann fügte ich einen Hauch helles Grau hinzu. Es ergab eine interessante Farbe – ein warmes, aber leicht verblichenes Rot.

Ich wandte mich von den Skizzen ab, die ich vor der Fehlgeburt gezeichnet hatte. Durch Devis Angebot, mir Modell zu sitzen, war mir eine andere Idee gekommen, als nur mich selbst zum Thema meiner Gemälde zu machen. Da ich ständig an Ida denken musste, beschloss ich, zu versuchen, sie zu malen. Zu meiner Bestürzung stellte ich fest, dass ich kein Foto von ihr besaß – wie konnte das sein? –, aber ihr Bild stand mir deutlich vor Augen.

Ich mischte Fleischtöne aus Weiß, Ockergelb und Grau, und während ich arbeitete, dachte ich über Idas Leben nach und wie sehr sie ihren Henry geliebt hatte. Ich wusste von Henry, dass seine Eltern sich ihr Leben lang leidenschaftlich geliebt hatten. Er hatte mir anvertraut, dass er sich als Kind oft das Kissen auf die Ohren gepresst hatte, um die nächtlichen Geräusche aus dem Zimmer seiner Eltern nicht mit anhören zu müssen. Er sagte, seine Mutter hätte immer wunderschöne hauchzarte, lange Nachthemden getragen, und jeden Tag hätte ein von Hand gewaschenes im Badezimmer zum Trocknen gehangen. Ich dachte daran, wie lange Ida nun schon allein lebte und es niemanden gab, der sie berührte, und wie sie an Thanksgiving meine Hand umklammert gehalten hatte, obwohl ihr Gesicht entspannt und ihre Augen geschlossen gewesen waren. Manchmal vereinsamte die Haut, ich wusste das. Ich begann, direkt auf der Leinwand zu skizzieren.

Während des vierten Akts, während Frenis Stimme mich schaudern ließ, fing ich an, die Farben aufzutragen. Ich konnte alles ganz deutlich vor mir sehen.

In der Dreiviertelansicht sieht man eine alte Frau nackt und aufrecht, fast steif, auf einem hölzernen Stuhl mit gerader Rückenlehne in einem Zimmer sitzen – wieder ist es ein roter Raum, aber dunkelrot wie die Farbe alten Blutes, wie der Fleck auf meiner alten Matratze – und aus dem Fenster in den Nachthimmel schauen. Um sie herum sind rote Objekte in unterschiedlichen Schattierungen – ein langes hauchzartes kirschrotes Nachthemd hängt auf einem Bügel am Türrahmen; ein ziegelroter Wollmantel ist über einen Sessel geworfen; ein Paar lippenstiftroter Stöckelschuhe steht auf dem Nachttisch, als sei es zu Dekorationszwecken ausrangiert worden, nachdem es seine Aufgabe als Fußbekleidung erfüllt hatte. Auf dem Schoß der Frau liegt der rote Glaskrug, ihre geäderten, knochigen Hände umklammern ihn, wie man vielleicht den Griff eines Handkoffers umklammern würde, während man auf den Zug wartet. Die Haut der alten Frau ist weiß mit zarten Gelb- und Grautönen, aber ihre Lippen sind rot, leuchtend rot – ganz offensichtlich das Resultat von Lippenstift. Ihr grau meliertes Haar hat sich aus dem Knoten gelöst, und eine Strähne fällt über ihre linke Schulter. Am Himmel leuchtet ein fahler Mond, so bleich, dass er beinah durchscheinend wirkt, ebenso wie die Haut der alten Frau. Es scheint, als könnten beide nach und nach verblassen.

Ich malte den ganzen Abend und den größten Teil der Nacht, wobei ich die CD wieder und wieder hörte, weil ich keinen Stimmungsumschwung riskieren wollte. Dieses Bild gehört an das Ende des Zyklus, dachte ich. Devi würde vorher kommen.

Irgendwann mittendrin rief Michael an, aber ich wagte es nicht, mit der Arbeit aufzuhören und womöglich die Stimmung zu verderben. Ich malte weiter, während seine tiefe und sehr zärtliche Stimme mein Schlafzimmer erfüllte.

»Es tut mir Leid, meine Einzige«, sagte er. »Es tut mir Leid, dass ich dich so oft allein lasse.«

Aber ich war nicht allein. Das war das Sonderbare daran. Ich war nicht einsam.

Hin und wider unterbrach ich meine Arbeit und beobachtete, den Pinsel erhoben, den Schnee, der sanft vor meinem Fenster vom nächtlichen Himmel fiel. Ich stellte mir vor, wie er die Welt in Weiß tauchte, als ob Unschuld eine Jahreszeit wäre und eines Nachts zurückkehren konnte, lange nachdem man glaubte, sie verloren zu haben.

So geht es seit Monaten. Jedes Mal, wenn ich beginne zu glauben, dass alles hoffnungslos und närrisch ist, und jedes Mal, wenn ich mich mit dem Gedanken an ein Leben ohne dich vertraut mache, kommst du unerwartet zu mir und schürst die Hoffnung mit Verlangen. So war es auch in der Nacht, in der ich Ida malte. Ich ließ meine Sachen auf den Badezimmerboden fallen, stellte mich unter die voll aufgedrehte Dusche und kroch dann nackt zwischen die Laken, wo ich sofort einschlief.

Irgendwann in der Nacht erwachte ich von der Türklingel und stolperte zur Gegensprechanlage, um zu hören, wer es war. Mich streifte der Gedanke, es könnte der Einbrecher sein, was natürlich Unsinn war, aber zu diesem Zeitpunkt war ich zu verschlafen, als dass mir das aufgefallen wäre. Ich drückte auf den Knopf und hörte deine Stimme.

Ich bin es, Liebste, ich stehe hier in einem Schneesturm. Darf ich heraufkommen?

Ich kann mich kaum mehr erinnern, die Tür geöffnet und dich zu meinem Bett geleitet zu haben, und obwohl

wir uns liebten, weiß ich nur noch wenige Einzelheiten.
Vielleicht bin ich sogar eingeschlafen, so erschöpft war
ich. Aber ich erinnere mich daran, wie du mir meinen Ki-
mono abgestreift und mich auf den Rücken gedrängt
hast, wobei du meine Beine spreiztest und deine Lippen
auf meinen Bauch presstest. Dann glitt deine Zunge tie-
fer und drang in mich ein. Ich erinnere mich, wie deine
Zunge sich anfühlte, die hinein- und wieder herausglitt,
über meine Scham fuhr und dann wieder eindrang. Da-
ran erinnere ich mich, und daran, im Zwielicht des Son-
nenaufgangs zu erwachen und zu entdecken, dass du fort
warst.

Ja. Ich greife mit der Hand prüfend zwischen meine Bei-
ne, dann halte ich meine Finger an Nase und Zunge. Ja,
du warst hier. Es ist kein Traum. Ich atme deinen Ge-
ruch ein. Ich schmecke dich.

Ich muss wieder eingeschlafen sein. Als ich das nächste
Mal erwache, ist es schon Vormittag, und der winterliche
Sonnenschein erfüllt das Zimmer. Das Erste, was ich
beim Aufwachen entdecke, bin ich selbst auf der Lein-
wand gegenüber, ich liege auf der roten Decke und wir-
ke gesättigt, meine Arme sind wie Flügel ausgebreitet.

Kapitel 12

Einige Zeit danach, an einem silbrig strahlenden Wintertag, kam Devi in mein Atelier im Larkin. Wir hatten den Raum schon für die Sitzung vorbereitet. Am vorhergehenden Tag hatten sie und ich diverse Dinge mit dem Taxi hierher gebracht, darunter auch Sachen aus ihrem Besitz – ein paar Bahnen rote und purpurfarbene indische Baumwolle mit komplizierten, leuchtenden Mustern, Kerzen und Kissen, und einen langen roten Velours-Umhang, der im Licht genauso üppig schimmerte wie Samt.

Heute nahm ich meine rote Decke, einen kleinen Gettoblaster sowie den roten Glaskrug mit, den ich nur zögernd aus meinem Schlafzimmer geholt hatte, weil ich gern jeden Tag beobachtete, wie sich das wechselnde Licht in ihm brach. Ich wusste, dass ich ihn für die Dauer der Sitzungen hier lassen musste, weil ich zu viel Angst davor hatte, auf den vereisten Wegen auszurutschen und ihn zu zerbrechen. Und ich wollte ihn in jedes Bild malen, weil er für mich Verlangen verkörperte.

Als ich die Ateliertür hinter uns verriegelte, um Störenfriede abzuhalten, spürte ich zum ersten Mal so etwas wie Hemmungen. Ich hatte niemals zuvor eine Freundin als Aktmodell benutzt, und Devi war in gewisser Weise eine reservierte, zurückhaltende Frau; würde es peinlich werden, wenn der Moment, sich zu entkleiden, gekommen war?

Ich war überrascht, als sie einfach ungezwungen ihre Kleidung abstreifte und den roten Umhang hinüber zu der Decke trug, die ich vor dem Fenster ausgelegt hatte.

»Soll ich meinen Zopf lösen?«, fragte sie, auf der Decke stehend. Sie sah reizend aus, zartknochig und schmalhüftig, mit erstaunlich vollen Brüsten; ihr Teint war dunkel und leuchtend. Ich hatte noch nie eine solche Haut gesehen. Ihre Eigenschaften auf die Leinwand zu bannen würde eine Herausforderung bedeuten.

»Was ist denn?«, fragte sie, und nun hörte ich doch einen Anflug von Schüchternheit.

»Ich dachte gerade, wie schwierig es wird, die Tönung deiner Haut und ihre Beschaffenheit einzufangen – sie sieht aus, als würde sie von innen leuchten.« Dann fiel mir ihre Frage wieder ein, und ich antwortete: »Ich denke, wir sollten den Zopf so lassen, zumindest bei diesem Bild. Vielleicht kannst du deine Haare für ein anderes Bild lösen.«

Sie schaute hinunter auf den Umhang und erkundigte sich: »Soll ich den umlegen, wegen des Schamgefühls?«

»Möchtest du den Umhang tragen?«

»O nein, ich habe begriffen, dass es nicht zu den anderen Bildern passen würde ... aber ich dachte, vielleicht sollte ich ihn so vor mich halten.« Sie drückte den Umhang gegen ihre Brüste und ließ ihn in einem schmalen Streifen nach unten fallen, der ihre Brustwarzen und ihre Scham bedeckte.

»Natürlich kannst du ihn benutzen – Devi, bist du sicher, dass dir das Modellstehen nichts ausmacht? Ich möchte nicht, dass du dich aus Freundschaft dazu verpflichtet fühlst.«

»Mir geht's prima«, antwortete sie. »Ich fühle mich hier zusammen mit dir vollkommen wohl. Aber ich glaube nicht, dass meine Familie erfreut wäre, wenn ich völlig nackt auf Bildern posiere, die öffentlich ausgestellt werden.« Da Devi mit fünfunddreißig aus Angst vor dem Missfallen ihrer Familie nicht mit dem Mann zusammen war, den sie ehrlich liebte, würde ich sie mit Sicherheit nicht darum bitten, dieses Missfallen für mich zu riskieren.

Zu den Klängen von *Aida* machten wir uns an die Arbeit. Ich dachte daran, wie paranoid ich beim Gedanken, hier zu arbeiten, reagiert und wie falsch ich die anderen Larkin-Stipendiatinnen eingeschätzt hatte. Niemand klopfte an, und außer gelegentlichen Schritten auf dem Flur war von draußen nichts zu hören. Es war himmlisch – das vollkommene Atelier. Wenn ich es nicht vorgezogen hätte, zu Hause zu malen, weil die in Arbeit befindlichen Bilder mir weiterhalfen, wäre es ideal für mich gewesen. Ich entschied mich, dieses Bild als Tageslichtszene zu malen. Alle anderen Bilder spielten in der Nacht, im künstlichen Licht der Lampen – keine Deckenbeleuchtung –, und so hatte ich ursprünglich alle gestalten wollen, da ich angenommen hatte, die Nacht wäre erotischer. Aber das war albern, dachte ich nun, das Verlangen überfällt Körper und Verstand schließlich nicht nur nachts.

Während ich arbeitete, war ich zunehmend von Devis Fähigkeit beeindruckt, so lange Zeit bewegungslos zu verharren. Ich konnte mich nicht erinnern, jemals jemanden kennen gelernt zu haben – nicht einmal professionelle Aktmodelle in der Akademie –, die so still sitzen oder auf die Art und Weise ruhig *sein* konnten wie Devi. Obwohl es mich nicht stört, mich beim Malen zu unterhalten, waren Devi und ich in ein angenehmes Schweigen verfallen.

Als wir eine Pause machten, fragte ich sie nach ihrer Begabung zur Ruhe, und sie antwortete: »Oh, aber das ist eine Täuschung. Mein Verstand arbeitet wie wild.« Sie lachte amüsiert. Ich verstand nicht immer, warum Devi über etwas lachte – das machte für mich einen Teil ihres Reizes aus. Und ich bin sicher, dass sie meine Witze auch nicht immer begriff. Aber wir lachten oft zusammen, weil wir viele Dinge auf die gleiche Weise betrachteten.

»Würdest du mir verraten, woran du gedacht hast?«, fragte ich sie. »Als du so ruhig schienst?«

»Aber sicher. Zuletzt habe ich über das Swadhistan-Chakra nachgedacht«, sagte sie. »Ich habe dir doch davon erzählt, vom Sakral-Chakra?«

»Es ist die Quelle der Kreativität und der weiblichen sexuellen Energie, richtig?«

»Ja genau. Aber wenn sich das System nicht im Gleichgewicht befindet, ist es außerdem die Quelle der Eifersucht und Besitzwut. Ich habe an einem Gedicht über Eifersucht gearbeitet.«

»Ich dachte, du hättest gesagt, das dritte Auge hätte etwas mit Eifersucht zu tun.«

»Richtig, aber nur am Rande – man glaubt, dass die Probleme des dritten Auges sich verstärken, wenn Chakren unrein sind, besonders in einer romantischen Beziehung. Wenn eine Person einen unreinen Kraftpunkt besitzt, kann die andere Person der Eifersucht ausgesetzt sein.«

»Das ist aber mehr oder weniger eine bequeme Ausrede für Eifersucht, oder? Wenn du eifersüchtig bist, sagst du einfach, dein Liebhaber sei schuld, weil seine Chakren unrein sind.« Ich versuchte, mir Michael mit unreinen Chakren vorzustellen, gab aber auf, da in meiner Fantasie ein Chakra irgendwie wie Tofu aussah.

»Exakt. Und darum ziehe ich es vor, mich auf Swadhistan als eigentliche Ursache der Eifersucht zu konzentrieren, anstatt zu viel über die Verbindung mit dem dritten Auge nachzudenken. Denn man muss ehrlich sein, muss Verantwortung übernehmen und zugeben, dass Eifersucht meistens aus der gleichen Quelle stammt wie das Verlangen. Der Weg zu spiritueller Erleuchtung besteht auch darin, nicht andere für die eigenen Gefühle verantwortlich zu machen.« Typisch Devi.

»Denkst du an deinen Liebhaber in London?«

»Meinen ehemaligen Liebhaber«, korrigierte sie mich, dann seufzte sie. »Ja, ich vermute, ich kann es genauso gut zugeben. Er ist sehr geistreich und gut aussehend, und von Zeit zu Zeit quält mich der Gedanke an all die Frauen, die gern mit ihm zusammen wären.« Sie zuckte die Schultern, und ihr Zopf fiel über eine ihrer Brüste, die mittlerweile unbedeckt waren. Sie war wahrhaftig das schönste Geschöpf, das ich jemals gesehen hatte.

»Manchmal denke ich, seine Eifersucht auf mich ist schlimmer«, fuhr sie fort. »Als ich London verließ, wusste er, dass ich mit meinem Gewissen rang und das Gefühl hatte, die Beziehung zum Wohl meiner Familie beenden zu müssen. Er versicherte mir, das er manchmal den Gedanken nicht ertragen könnte, mich lebend zu wissen, wenn ich nicht mit ihm zusammen sei. Ich fragte ihn, ob das bedeutete, dass er erleichtert wäre, wenn ich tot wäre, und er sagte, er dächte manchmal daran, und wenn wir nicht zusammen sein könnten, wäre es vielleicht eine Erlösung. Das hat mir sehr wehgetan.«

»Der Gedanke an deine Schönheit verfolgt ihn«, sagte ich leise. »Das ist keine Entschuldigung, aber so ist es.«

»Schönheit ist eine geheimnisvolle und subjektive Eigenschaft«, sagte sie. »Und Schönheit bei einem anderen wahrzunehmen, kann auch ein grausames Urteil – sogar ein Fluch – für denjenigen sein, der diese Eigenschaft angeblich besitzt. Ich finde es lästig.« Dann erzählte sie mir von einer Geschichte, die sie vor Jahren gelesen hatte. Ein Japaner hatte einen antiken Tempel angezündet und sich dann gestellt, weil er wusste, dass er Unrecht getan hatte. Als die Polizei ihn nach dem Grund fragte, hatte er einfach geantwortet: »Weil er so schön war.«

»Es geht immer um das Bedürfnis, zu besitzen«, erklärte sie. »Unerreichbare Schönheit wahrzunehmen ist für manche Menschen eine Qual. Bis zu einem gewissen Ausmaß vielleicht für jedermann. Und daraus wird die Eifersucht geboren, die Herz und Seele vergiftet.«

Ich dachte an meine Eifersucht auf Michael und seine Frau. »Ja, ich weiß«, erwiderte ich. »Ich kenne das.« Ich wechselte das Thema, vielleicht aus Unbehagen. »Wo wir gerade von Eifersucht und Besitzwut sprechen – ich glaube, es wäre besser, wenn wir mit niemandem darüber sprechen, was wir hier tun. Ich fürchte, dass Clara sonst davon erfährt, und es würde ihre Eifersucht noch steigern. Sie könnte sogar anfangen, mich zu drängen, sie zu malen. Ich kann sie richtig hören: *Oh, natürlich hast du dich für Devi entschieden, sie ist so schön.* Aber weißt du, dass du für mich sitzt, hat mit Schönheit nicht das Geringste zu tun. Ich würde dich malen wollen, egal, wie du aussiehst – wegen deiner inneren Qualitäten.«

»Danke, Norrie«, sagte sie. »Das ist ein reizendes Kompliment. Weißt du, ich wollte sowieso niemandem davon erzählen. Es geht nur uns etwas an. Aber sie wird die Bilder schließlich in deiner Ausstellung sehen.«

»Ja, aber dann ist mein Projekt abgeschlossen. Außerdem ziehe ich danach sowieso weg, wie wir alle am Ende des Sommers. Ich nehme an, dass Clara am Ende des akademischen Jahres im Mai nach Santiago zurückkehrt.«

In diesem Moment begriff ich – Devi würde auch fortgehen, zurück nach Delhi. Ich schätze, ich sah sie seltsam an.

»Was ist los?«, fragte sie.

»Du«, sagte ich, »du wirst auch fortgehen. Wie absurd, um deine Gesellschaft genießen zu können, muss ich Clara ertragen.«

»Die Götter mögen es nicht, wenn wir zu übermütig werden«, lachte sie. »Sie wollen, dass wir mit beiden Beinen auf der Erde bleiben.«

»Aber mit Clara als Nachbarin schien der Juni so unendlich fern. Wenn ich daran denke, dass du dann auch gehst, scheint er rasch zu kommen. Allzu rasch.«

Natürlich hatte ich damals keine Vorstellung von *zu rasch* und *ein Leben lang*. Ich wusste nicht, wie viel wir alle verlieren würden.

Auf dem Bild changiert das Rot der Decke in den Falten zu Purpur, und Devi kniet in einer Haltung darauf, die sie ohne jede Anweisung meinerseits eingenommen hatte. Sie presst den roten Samtumhang an ihre Brust. Ich glaube, keine von uns hatte die Idee gehabt, dass die teilweise Verhüllung das vollendete Bild noch erotischer und verführerischer wirken ließ, als vollständige Nacktheit es gekonnt hätte.

Devis dunkle Haut schimmert dort, wo das Licht darauf fällt, golden. Ich arbeitete sehr hart, um das innere Leuchten ihrer Haut auf der Leinwand wiederzugeben. Ihre warmen, lebendigen Farben standen in kraftvollem Kontrast zu dem harten winterlichen Licht. Ich experimentierte ständig mit den Rottönen, um sie in diesem kalten Licht noch wärmer zu gestalten. Devi schaut aus dem Fenster, und das einfallende Licht richtet den Blick des Betrachters auf ihr Gesicht und ihre Hände, die den Umhang an ihre Brüste drücken. Alles andere verblasst neben diesem Mittelpunkt, und erst nachdem man eine Weile hingesehen hat, bemerkt man die Blöße ihrer Haut, wo sie nicht von dem Umhang bedeckt wird, und dann beginnt man die Bahnen indischen Stoffes zu registrieren, die in reichen Falten auf der Decke liegen und eine Art Nest um Devi herum zu formen scheinen. Direkt hinter ihrer nackten Hüfte kann man den roten

Krug im gedämpften Licht auf dem Boden erkennen, wegen der Spiegelung nur in den Kanten und Wölbungen des roten Glases. Der Bauch des roten Kruges ist nur andeutungsweise zu sehen, sein dunkles Rot ist gefüllt mit wisperndem Licht, seine Farbe ist die von innen erleuchteten Blutes.

Auch Devis Gesicht scheint von innen zu leuchten, ebenso wie ihre Hände, und sogar die mehr im Schatten liegende Haut ihres Körpers besitzt eine durchscheinende Qualität. Dies war nicht die Hand des Künstlers, der dem Objekt auf der Leinwand größere Schönheit oder mystische Qualitäten verleihen wollte; sie sah wirklich so aus. Und obwohl man mir später Komplimente darüber machte, wie ich Devis Haut erstrahlen ließ, konnte ich in der Darstellung auf der Leinwand nie ihrer wirklichen Leuchtkraft gerecht werden.

Das Ungewöhnlichste an diesem Bild ist der Ausdruck auf Devis Gesicht – ein undefinierbarer Blick, der einen anzieht, während er gleichzeitig nicht ein Geheimnis preisgibt.

In den nächsten zwei Wochen trafen Devi und ich uns jeden Tag, außer am Mittwoch, an dem wir gemeinsam mit Clara zu den Vorträgen im Larkin gingen. Ich konnte spüren, dass Clara die wachsende Verbundenheit zwischen mir und Devi bemerkte, obwohl wir nie Anspielungen auf die Nachmittage machten, die wir gemeinsam verbrachten, während sie Kurse in Harvard besuchte.

Eines Abends gingen wir nach einer überraschend interessanten Vorlesung gemeinsam nach Hause. Devi verabschiedete sich im dritten Stock, und als der Aufzug weiter nach oben fuhr, begann Clara zu sprechen. Ihre Stimme klang ölig.

»Du hältst sie natürlich für absolut wundervoll.« Die Fahrstuhltüren glitten auf, und wir traten auf unseren Flur. »Sag mal, triffst du sie oft?«

»Devi?«, fragte ich lahm, wobei ich der Frage auswich, die ich nicht beantworten wollte. Ich hasste Clara, weil sie in mir das Bedürfnis weckte, etwas zu verheimlichen, das allein meine Angelegenheit war; in meinem Leben gab es bereits zu viel Heimlichtuerei.

»Ja, Devi. Du fühlst dich sehr zu ihr hingezogen, nicht wahr?«

»Am Larkin gibt es eine Menge wundervolle Menschen«, sagte ich zu Clara. »Wir alle haben Glück, hier zu sein.« Ich verabschiedete mich und ging in meine Wohnung.

Nach zwei Wochen Modellstehen hatte ich nicht nur das erste Gemälde von Devi beendet, sondern auch die nächsten beiden skizziert und war mit dem zweiten schon ziemlich weit gediehen. Ich hatte noch nie so rasch so viel gemalt. Die Dinge liefen besser, als ich mir jemals hätte träumen lassen, und es wäre das vollkommene Arrangement gewesen, wenn sich nicht am Ende der zweiten Woche ein Vorfall ereignet hätte.

Es war wie ein Glücksfall erschienen, dass Clara wochentags Vorlesungen besuchte und nicht zu Hause war, um Fragen nach meinem oder Devis Verbleib zu stellen. Während dieser Phase trank ich hin und wieder mit Clara in ihrer Wohnung Tee, wenn sie mich einlud. Ich wollte herzlich sein und vielleicht auch die Fragerei auf ein Minimum reduzieren.

Dann, eines Nachmittags, verließ ich kurz nach Devi mein Atelier und ging noch ins Büro, um meine Post zu holen. Auf meinem Weg nach draußen hielt mich Serena Holwerda, die Friedensforscherin, auf und sagte mir, dass Clara Brava nach mir gesucht hatte. »Erst suchte sie dich«, sagte Serena, »und dann fragte sie, ob ich wüsste, wo Devi Bhujander sei. Ohne nachzudenken antwortete ich ihr, dass ich euch zwei zusammen gesehen hätte, aber dass ich nicht wüsste, wohin ihr gegangen seid.« Serena schien verlegen. »Clara ging ziemlich rasch weg, ohne noch weiter mit mir zu reden. Ich … ich hoffe, es war nicht indiskret von mir, ihr das zu erzählen.«

»Natürlich nicht«, beruhigte ich Serena, wobei ich mich gleichzeitig fragte, ob sie annahm, dass Devi und ich ein Paar waren. »Alles in Ordnung. Clara steigert sich nur manchmal in Dinge hinein. Vielleicht wollte sie dringend etwas mit mir besprechen.«

»Ja, vermutlich war das alles«, stimmte Serena zu. Sie schien nicht überzeugt.

Es gefiel mir nicht. Dies war das erste Mal, dass ich von Claras Besessenheit von der Brattle Street bis zum Larkin verfolgt wurde.

Und nun, da ich darüber nachdachte, fiel mir wieder ein, dass Devi ein leises Klopfen an der Ateliertür zu hören geglaubt hatte, aber die Musik war laut, und ich sagte ihr, sie solle sich keine Gedanken machen. »Ich gehe nie an die Tür, wenn ich male.« Nun wurde mir klar, dass es Clara gewesen sein konnte.

Claras Vortrag hatte in der Woche zuvor stattgefunden, und sie hatte ihre Sache gut gemacht, aber ihre Schriften über den Feminismus in Chile so mechanisch vorgetragen, dass es schon beinah beleidigend wirkte; sie hatte das Ganze direkt vom Blatt abgelesen, den Kopf über das Katheder gebeugt. Trotzdem waren die Larkies großzügig wie immer, und die Frage-und-Antwort-Stunde am Ende des Vortrags war gut gelaufen – besser eigentlich als die Rede selbst.

Diese spezielle Seite des Larkin war mir mittlerweile bewusst geworden; man konnte in dieser Umgebung praktisch unmöglich versagen, weil die Frauen einander bedingungslos unterstützten. Aus der größeren Harvard-Gemeinde war deswegen eine Menge Kritik laut geworden, und tatsächlich gehörte dies zu den Dingen, die dazu geführt hatten, dass viele es für besser hielten – zumindest für intellektuell ehrlicher –, wenn das Larkin sich für beide Geschlechter öffnete. Sollte das Radcliffe mit Harvard verschmelzen, konnte ich beide Standpunkte verstehen. Ich glaubte nicht an die rührselige Idee, dass alles, was Frauen taten, der Mühe wert war; aber andererseits, wenn Männer am Larkin arbeiteten, wäre es vielleicht nicht mehr so entspannt und heiter und anregend für die Arbeit. War es nicht wichtig, dass ein Ort existierte, an dem Frauen sich versammeln konnten, um zu denken, zu reden, zu studieren und zu erschaffen? Aber immer, wenn Männer das Gleiche taten, wurden diese Institutionen wegen ihrer Exklusivität kritisiert. Ich wusste nur eines, ich war dem Larkin-Institut dankbar für das Jahr, das sie mir schenkten, damit ich meine Kunst weiterentwickeln konnte. So eine Gelegenheit hatte sich mir nie zuvor geboten, und sie würde vielleicht nie wiederkehren.

In dieser Zeit reiste Michael viel, und manchmal kam er nach seiner Landung in Logan direkt zu mir, egal, ob Tag oder Nacht.

»Ich musste dich unbedingt sehen«, sagte er dann immer, die Haare noch zerzaust, das Hemd noch verknittert vom Flug. Ich gewöhnte mich an seine regelmäßige Abwesenheit und kam damit besser zurecht als zuvor. Natürlich vermisste ich ihn, wenn er fort war, aber eher auf abstrakte Weise. Meine Malerei erfüllte mich vollständig.

Nachdem ich mein Leben lang einsam gearbeitet, in völliger Abgeschiedenheit gemalt hatte, stellte sich mir zwangsläufig die Frage, wie viel von dieser neuen, kreativen Kraft das Ergebnis davon war, dass ich den Schaffensprozess auf intime Weise mit einer Freundin teilte. Unvermeidlich fand alles, worüber Devi und ich während der Arbeit sprachen, seinen Weg in die Gemälde. Die Ergebnisse waren wegen dieser unvorhergesehenen Zusammenarbeit umso fruchtbarer. Die Kunst beherrschte nun wieder meinen Geist, ähnlich einem Liebhaber; nachts träumte ich häufig von meiner Arbeit.

Dennoch, wann immer sich Michael vor meiner Tür einfand, war ich ausschließlich für ihn da. Es kam mittlerweile zu erregenden erotischen Zweikämpfen, wenn wir ins Bett fielen; im Gegensatz zu vielen anderen Männern war Michael ein gemächlicher Liebhaber und konnte, wenn ich es zuließ, stundenlang mit Fingern, Lippen und Zunge auf meinem Körper verweilen. Aber sosehr ich auch seine leidenschaftliche Zärtlichkeit genoss, verlangte mein Körper nach einer Weile ungeduldig nach dem Höhepunkt. Besonders wenn wir längere Zeit nicht miteinander geschlafen hatten, wollte ich, dass er über mich herfiel, wollte es hart und schnell und explosiv. Und Michael wusste genau, wie weit er mich reizen konnte, bevor mir das Warten unerträglich wurde. Unterschiedslos wand ich mich in Agonie, bis er endlich in mich eindrang, und manchmal gelangte ich schon im Moment seines Eindringens zum Höhepunkt. Er wusste genau, wie er mich nehmen musste, und die erotische Spannung unseres Liebesspiels machte einen guten Teil seiner Explosivität aus und, ohne Wenn und Aber, seiner Erfüllung. Ich dachte oft, wie gut es sich traf, dass ich kein Mann geworden war. Ich wäre furchtbar gewesen – ein absolutes *Schwein* von einem Liebhaber, der Typ, den die meisten Frauen verabscheuen, und das aus gutem Grund.

Eines Nachts im März rief Michael mich aus Chicago an, wohin er zu einer Lesung gereist war.

»Norrie«, sagte er aufgeregt, »sitzt du?«

»Was? Geht es dir gut?«

»Sandy hat gerade angerufen. Du wirst es nicht glauben. Der NBCC – ich habe ihn. Sandy rief mich von der Verleihungszeremonie aus an – ich kann nicht fassen, dass ich nicht hingefahren bin. Ehrlich, ich habe einfach nicht daran geglaubt. Kannst du dir das vorstellen?«

»O mein Gott! Das ist eine Überraschung. Natürlich meine ich nicht *Überraschung* – ich war immer überzeugt, dass du ihn bekommen müsstest, aber überraschend, weil –«

»Ich weiß, was du meinst. Niemand hat geglaubt, dass ich gewinnen könnte. Auf diese Art und Weise geschieht es nicht sehr oft. Gott, ich bin ganz zittrig.«

»Was hat Brenda gesagt?« Ich versuchte herauszufinden, ob er sie zuerst angerufen hatte.

»Ich rufe sie gleich an«, antwortete er. »Ich wollte es zuerst dir erzählen.« Ich hätte ihm die Füße küssen mögen.

»Danke«, sagte ich. »Wann werde ich dich sehen, damit ich dir zeigen kann, wie sehr ich mich freue?«

»Ich hatte geplant, morgen den Flug um sechzehn Uhr dreißig zu nehmen, aber ich fliege früher, dann haben wir den Nachmittag für uns. Ich kann gegen ein Uhr bei dir sein.«

Morgen Nachmittag malte ich Devi, und sie hatte ihren Terminkalender unter großen Schwierigkeiten an die Sitzungen angepasst, sie hatte sogar eine Lesung abgesagt, um kommen zu können. Normalerweise hätte ich alles verschoben, um Michael sehen zu können – und dies war wirklich wichtig –, aber ich wusste, was ich tun musste, und ich hörte mich sagen: »Da male ich Devi, Michael. Wie wäre es stattdessen mit morgen Abend?«

»Oh, aber Norrie, alle meine Bekannten werden anrufen und vorbeischauen, um mir zu gratulieren, und ich kann dann unmöglich weg. Wenn ich als Erstes bei dir vorbeikomme, wird niemand wissen, dass ich schon wieder in der Stadt bin. Sicher kannst du Devi dieses eine Mal absagen?«, erwiderte er, und ich glaubte eine gewisse Anspannung in seiner Stimme zu hören.

»Eigentlich nicht ... ich kann wirklich nicht, Michael. Sie hat Himmel und Hölle in Bewegung gesetzt, um sich diesen Termin freizuschaufeln. Kannst du nicht einfach so fliegen wie geplant und um sechzehn Uhr dreißig für eine Stunde vorbeikommen? Bitte? Wenn du es niemandem erzählst, weiß auch dann keiner, dass du in der Stadt bist.«

»In Ordnung«, sagte er ein wenig steif genau in dem Augenblick, da ich dachte, wir würden uns deswegen zu streiten beginnen. »Vielleicht ist so ohnehin besser. Weißt du, ... ich ... ach vergiss es.«

»Nein, was? Lass das. Was?«

»Ich weiß nicht. Es scheint nur merkwürdig. Ich meine, ich glaube, dies ist das erste Mal, dass dir etwas wichtiger ist als unser Treffen, weißt du? Ach Scheiße, das klingt so verdammt männlich, ich weiß. Vergiss es. Es ist deine Arbeit. Natürlich musst du sie an erste Stelle setzen.«

»Aber, Michael, es ist nicht die Arbeit, die nicht warten kann. Wenn es nur um mich ginge, wäre es ein Leichtes, meinen Terminplan zu ändern – und das würde ich auch. Das weißt du doch. Es geht wirklich nicht um die Arbeit.«

»Was willst du damit sagen? Meinst du, es geht um Devi?«

»Ja, genau. Du hast keine Ahnung, was sie alles geopfert hat, um mir helfen zu können. Und sie hat mich buchstäblich aus der größten kreativen Dürre befreit, in die ich je geraten bin.«

Er stieß die Luft aus. »Honora, bist du sicher, dass es nur Dankbarkeit ist?«

»Nur? Was meinst du mit *nur* Dankbarkeit?«

»Na ja, ich weiß nicht. Vielleicht bin ich ... bin ich ein wenig eifersüchtig. Ich weiß, es klingt albern, aber ich muss einfach fragen – bist du sicher, dass es nicht ... nicht *mehr* ist?«

Ich wusste, was er damit meinte, aber ich konnte es nicht glauben, und ich wollte ihn zwingen, es auszusprechen. Es war beinah komisch. Beinah. »Was willst du damit sagen, Michael? Komm schon, spuck's aus.«

Er seufzte vernehmlich. »In Ordnung«, sagte er. »Sicher. Ich meine, ich frage mich, ob Devi ... nun, ob sie dir auf *andere* Art wichtig geworden ist. Ich meine, ihr zwei verbringt eine Menge Zeit gemeinsam drüben in deinem Atelier.« Er lachte verlegen. »Splitternackt. Unter diesen Umständen könnte jeder entdecken, dass er, nun, *Gefühle* oder so etwas für den anderen hegt.«

Ich konnte einen Augenblick lang nicht sprechen. Vielleicht hätte seine Eifersucht mich amüsieren oder mir schmeicheln sollen. Aber ich war stinksauer. »Michael? Du leidest an Halluzinationen. Erstens bin ich nicht splitternackt, während Devi mir Modell steht, okay?«

»Nein, ich –«

»– und gleichgültig, welche private Version der beliebtesten Männerfantasie dir auch vorschwebt, ich schlafe nicht mit Devi. Geht das in deinen Schädel, ja?«

Er schien ein wenig gekränkt oder verlegen, vielleicht beides. »Ja, okay. Ich entschuldige mich. Lass uns vergessen, dass dieses Gespräch jemals stattgefunden hat, einverstanden? Offensichtlich bin ich ein Tölpel.« Ich wurde weich.

»Wie kann ich dieses Gespräch jemals vergessen?«, fragte ich ihn. »Wo es mit so einer wundervollen Botschaft begann. Hör mal, es tut mir Leid, dass ich so sauer bin. Es ist nur, weil Männer immer so über zwei Frauen denken, und es wird langsam ermüdend, okay?«

»Ach Scheiße, Honora«, erwiderte er zerknirscht. »Wir alle sind so plumpe, närrische Geschöpfe, und wir erfreuen uns an plumpen närrischen Vorstellungen von nackten Frauen. Ich komme mir noch mehr als üblich wie ein Idiot vor, und das kann nicht gut sein.«

»Sicher kann es das«, lachte ich. »Soll ich dir die Möglichkeiten aufzählen?«

»Also dann … ich sehe dich morgen gegen fünf.«

»Wundervoll. Ich kann es kaum erwarten. Und Glückwunsch, Liebster. Ich könnte mich für niemanden mehr freuen. Das Buch verdient es und du auch.«

»Ich weiß nicht, ob einer von uns es verdient«, sagte er, von der Nachricht immer noch überwältigt. »Ich weiß nur, dass ich glücklich bin, ein Narr, aber glücklich.«

»Nun, befördere dein närrisches Selbst morgen zu mir, und ich werde dich sehr, sehr weise machen.«

»Das ist ein Angebot«, lachte er. »He, es tut mir wirklich Leid wegen … vorhin. Ich war ein Trottel.«

»Nur weil du gedacht hast, ich würde dich betrügen. Eifersucht macht uns alle hin und wieder verrückt.«

Am folgenden Nachmittag rief mich Ed Hershom an, um mir mitzuteilen, dass wir unsere Feier für Michael am ersten April abhalten würden, der gleichzeitig mein Geburtstag war – und, natürlich, Narrentag. Bei der Vorstellung, wie Brenda sich in meinem Beisein bei Michael einhakte, biss ich die Zähne zusammen.

Aber im Moment konnte ich mich mit solchen Eventualitäten nicht belasten. Die Sitzungen mit Devi waren sehr fruchtbar. Ich hatte das zweite Bild fast vollendet und arbeitete bereits am dritten. Manchmal fragte ich mich, wie ich das jemals wieder gutmachen konnte.

Eines Abends, als wir das Atelier verließen, stellte ich ihr diese Frage. Devi lächelte.

»Oh, aber das ist nicht nötig. Das Beste an einem Geschenk ist der Impuls, selbst zu geben. Ich bin sicher, dass du jemand anderem alles zurückgeben wirst, was immer ich dir gegeben habe. Und das wird mir Geschenk genug sein, Norrie, weil es meinen Namen im Himmel erklingen lässt.« Das war typisch Devi.

Ich war mit dem zweiten Bild von ihr sehr zufrieden, einer überlebensgroßen Nahansicht – man sieht nur Kopf, Schultern und die Rundung ihrer Brüste. Die Bahnen indischen Tuches hängen diesmal hinter ihr von der Decke herab, und Devi, die ihre Haare offen trägt, schaut den Betrachter direkt an. Am unteren Rand der Leinwand, in der Mitte vor Devis Brust, ragt die obere Hälfte des Krugs in das Bild hinein. Es herrscht Dämmerung, die Beleuchtung ist schwach, und das tiefe Rot des Krugs wirkt matt und beinah stumpf.

Auch Devi wirkt auf diesem Gemälde verändert, und dafür gibt es einen Grund. An diesem Morgen hatte sie einen Anruf von Paul, ihrem ehemaligen Liebhaber, erhalten, in dem er sich bitterlich beschwerte, dass sie im Dezember in London gewesen war, ohne sich bei ihm zu melden. Er hatte es nur erfahren, weil ein gemeinsamer Bekannter sie bei einem Theaterbesuch mit ihren Eltern und ihrem Bruder gesehen hatte.

»Du behandelst mich nicht einmal mit der Achtung, die du einem Bekannten entgegenbringen würdest«, hatte er gesagt. »Vielleicht muss ich mich der Tatsache stellen, das ich *nicht* dein Freund bin.«

In Wahrheit, erzählte sie, hatte sie Angst gehabt, der Versuchung zu erliegen, wenn sie ihn wiedersah, und ihrem Entschluss untreu zu werden.

»Ich muss dich sehen«, hatte Paul am Telefon gefordert. »Du musst zumindest den Anstand aufbringen, mir direkt ins Gesicht zu sagen, dass es vorbei ist. Wir haben einander alles bedeutet. Eine so wichtige Verbindung darf man nicht einfach am Telefon beenden. Ich komme nach Boston. Ich muss.«

Devi sagte, sie hätte beschlossen, nach London zu fliegen und Paul zu treffen. »Weil er Recht hat. Ich schulde es ihm, von Angesicht zu Angesicht mit ihm Schluss zu machen. Und wenn ich zu ihm fahre, kann ich den Besuch beenden, wann immer ich es möchte. Wenn er hierher kommt, dann bleibt er einfach. Ich weiß nicht, wie lange ich an meinem Entschluss festhalten kann, mit ihm zu brechen.« An dieser Stelle errötete Devi.

»Aber er würde doch sicherlich abreisen, wenn du ihn darum bittest«, protestierte ich. »Warum willst du dir die Umstände machen?«

»Du kennst Paul nicht«, erwiderte Devi. »Er ist sehr

emotional und würde einfach bleiben, bis er mich überredet hätte, ihn nicht zu verlassen. Du musst begreifen, wie ... ich benutze das Wort wieder ... *heftig* unsere Liebe war ... wie, wie überwältigend – für uns beide. So etwas habe ich nie zuvor erlebt.« Wieder errötete Devi. Sie würde umgehend nach London fliegen, sagte sie, und innerhalb einer Woche zurück sein.

Paul musste ihr immer noch viel bedeuten, dachte ich. Der Gedanke, dass sie eine so weite Reise aus einem so traurigen Grund antrat, schmerzte mich.

Die Bürde dessen, was sie zu tun beabsichtigte, lastete an diesem Nachmittag schwer auf ihr, als sie mir für das zweite Bild Modell saß. Ihr schönes Gesicht war aufgewühlt. Seltsamerweise machte sie dieser Ausdruck des Schmerzes, der Verletzlichkeit und des unerfüllten Verlangens noch schöner.

In diesem Bild arbeitete ich die Einzelheiten genauer heraus als in den anderen – jedes Härchen ihrer Brauen, jede Wimper ist deutlich zu erkennen. Sie ist so nah, dass man die Poren in ihrem Gesicht sehen kann. Ich bemühte mich, ihren Blick einzufangen – sie war so kurz davor, zu weinen, wie man sein kann, ohne tatsächlich Tränen in den Augen zu haben.

Nachdem Devi und ich an diesem Nachmittag unsere Sitzung beendet hatten, ging sie nach Hause, um für London zu packen. Wir umarmten uns auf dem Absatz vor meinem Atelier, und ich schaute ihr hinterher, während sie über die Treppen verschwand.

Ich wollte ihre drei Porträts so rasch wie möglich fertig stellen – oder zumindest so weit, dass ich auf ihre Anwesenheit verzichten konnte –, da sie, abgesehen von ihrer Woche in London, ihre Zusage erwähnt hatte, mit einer Gruppe von Dichtern an den Sonntagabenden einen Workshop abzuhalten, der in wenigen Wochen beginnen sollte, und ich wusste, dass sie dafür eine Menge Manuskripte lesen musste, zusätzlich zu den zweistündigen Workshops selbst. Mir schien, als sollten unsere Sitzungen zu einem natürlichen Ende kommen, sobald der Workshop begann. Devi benötigte Zeit für ihre eigene Arbeit, mir hatte sie bereits genug geschenkt. Ihre Vorlesung am Larkin fand eine Woche vor meiner eigenen statt, und sie musste sich darauf konzentrieren.

Nachdem sie gegangen war, stellte ich fest, dass das erste Bild von ihr bereits getrocknet war. Ich würde es morgen zu einem Rahmengeschäft an der Mass Ave bringen und schauen, ob ich einen Rahmen finden konnte, der zu dem gesamten Zyklus passte. Da alle Gemälde das gleiche Format besaßen, würde es nicht besonders schwierig sein. Ich konnte alle Rahmen bestellen, und dadurch Zeit sparen, die ich vielleicht noch brauchte, wenn der Termin meiner Vorlesung näher rückte. Ich würde auch das zweite Bild mit nach Hause nehmen – selbst wenn es nicht trocken war. Ich konnte es mit der bemalten Fläche oben in den Kofferraum des Taxis legen.

Und vielleicht nehme ich morgen das dritte Bild auch mit nach Hause, dachte ich. Ich konnte es zu Hause beenden.

Das Taxi wartete, während ich in das Geschäft lief, das erste Bild dort ließ und die Rahmen aussuchte; als ich den Laden verließ, erkannte ich Clara, die über den Bürgersteig auf mich zukam. Die einzige Person, die ich ausgerechnet jetzt nicht treffen wollte.

»Norrie«, rief sie mit einem strahlenden Lächeln. »Was für ein glücklicher Zufall.« Sie kam näher und bemerkte das Taxi. »Nimmst du ein Taxi nach Hause?« O Gott, was sollte ich sagen, wenn sie mitfahren wollte? Ich konnte ihr Devis Bild nicht zeigen, ohne Devi vorzuwarnen. Wie immer, wenn ich in der Klemme steckte, begann ich zu schwafeln.

»Clara! Ja, was für ein Zufall. Ich habe gerade ein Bild zum Rahmen gebracht« – ich nickte in Richtung des Ladens – »und nun will ich … wohin bist du unterwegs?«

»Ich? Ich habe einen Termin beim Zahnarzt, gleich hier um die Ecke.«

Ein Welle der Erleichterung überrollte mich. »Wie schade, sonst hätte ich dich mit zurücknehmen können.«

»Ja«, stimmte sie zu. »Aber warum Geld für ein Taxi ausgeben, wenn das Wetter zum Spazierengehen einlädt?«

Wie konnte ich das Taxi erklären, ich war ja nur noch ein paar Blocks von zu Hause entfernt. *Ich habe eine Aktstudie von Devi im Kofferraum?* Ich grinste verzweifelt und sagte: »Ein weiteres Beispiel amerikanischer Verschwendungssucht, nehme ich an.«

»Oh, es tut mir Leid. Ich würde nie schlecht über dich denken, Norrie. Du bist bestimmt müde oder so was.«

»Ja, das bin ich tatsächlich. Ich habe gemalt wie eine Verrückte.« Es war eine Erleichterung, Clara wenigstens einmal nicht anlügen zu müssen.

Ich stieg ins Taxi und fuhr mit dem anderen Bild im Kofferraum zurück in die Brattle Street. Michael würde bald dort eintreffen, um seine Auszeichnung mit mir zu feiern. Ich brachte das Bild im Fahrstuhl nach oben und stellte es auf eine Staffelei zwischen die Bilder von mir und von Ida. Dann erinnerte ich mich an Michaels nervöse Fragen über den Stand der Dinge zwischen Devi und mir und drehte das Bild zur Wand. Ich wollte ihn nicht von seinen Pflichten zur Feier des Tages ablenken.

Als Michael eintraf, hatte ich einen guten spanischen Sekt kalt gestellt und trug den roten Seidenkimono über etwas *Coco* von Chanel.

»Siehe, die Zeit der großen rotseidenen Verschmelzung ist gekommen«, verkündete ich träumerisch, während er eintrat und ich die Tür hinter ihm schloss. Er grinste wie ein Ire, als ich ihn am Arm ins Schlafzimmer geleitete. »In diesem Augenblick des Triumphs«, verkündete ich, »soll Michael Sullivan zu den Massen über seine Pläne zur Besserung der Menschheit sprechen.«

»Ich komme mir vor wie eine Schönheitskönigin. Aber ich bin ziemlich sicher, dass für die Besserung der Menschheit keine Hoffnung besteht.«

»Du bist eine Schönheit, aber keine Königin. Und mit deinem letzten Argument könntest du Recht haben, falls *du* ein typisches Beispiel für die Menschheit bist.«

Wir hatten unseren rotseidenen Fick, langsam und intensiv. Diesmal führte er, und ich ließ ihn verweilen, solange er wollte. Das war das Mindeste, was ich tun konnte. Nachdem er jeder Einzelheit gebührende Auf-

merksamkeit gewidmet hatte, drang er in mich ein und
bewegte sich mit langsamer Konzentration und beein-
druckender Kraft. Als er kam, stieß er ein dröhnendes
Lachen der Erlösung aus. Gott, ich liebte ihn.

Während sich Devi in London aufhielt, arbeitete ich am
Hintergrund des dritten Porträts. Ich war froh, das Bild
mit nach Hause genommen zu haben, wo ich zu jeder
Tages- oder Nachtzeit daran arbeiten konnte. Falls ich
weit genug kam, musste ich nach Devis Rückkehr nur
noch den Körper vollenden. Es war eine Kleinigkeit, die
Szenerie zu rekonstruieren, die wir im Atelier gestellt
hatten, und da es sich um eine nächtliche Szene handelte,
war das Lampenlicht einfach nachzustellen.
Ich traf mich in jener Woche zwei Mal mit Clara. Am
Montag aßen wir gemeinsam im »Casablanca«, und am
Mittwoch gingen wir zusammen ins Larkin. Clara war
freundlich und gelassen, dachte ich, nicht so verzweifelt
anhänglich wie in letzter Zeit. Wir hatten viel Spaß zusammen.
Am Abend ihrer Rückkehr rief Devi mich an und bat
mich, sie in ihrer Wohnung zu besuchen. »Ich muss mit
dir reden«, fügte sie hinzu. Ich erkannte die Dringlich-
keit in ihrer Stimme und ging sofort hinunter.
Als wir uns umarmten, stieg mir ihr würziger Duft in die
Nase. Ich zog meine Schuhe aus und folgte ihr ins Wohnzimmer, wo bereits eine Kanne Tee und zwei Tassen auf
uns warteten, aber diesmal lief keine Musik. Devi sah angespannt und aufgeregt aus. Ihr Gesicht war gerötet, und
sie lächelte viel – aber es war ein nervöses Lächeln.

»Es ist so schön, dich zu sehen, Norrie. Ich kann dir gar nicht sagen, wie froh ich bin, dein Gesicht zu sehen.«

»Ich habe dich vermisst«, gestand ich ehrlich. »Um die Wahrheit zu sagen, ich habe mir Sorgen um dich gemacht.«

»Sorgen? Aber warum denn?«

»Ich weiß nicht. Weil es sicher schwer für dich gewesen ist. Ich meine, Paul zu sagen, dass du die Beziehung beendest. Es muss sehr schmerzlich gewesen sein.«

Ihre Wangen färbten sich tiefrosa, was wegen ihres olivfarbenen Teints reizend aussah.

»Ich muss dir eine Menge erzählen«, sagte sie, während sie ihren Tee umrührte und ihn dann vorsichtig probierte. Ich musterte sie, und plötzlich wusste ich es. Ich wusste es, aber ich war erschüttert, wie absolut mein intuitives Wissen der Vorstellung meiner Freundin als beherrscht, zurückhaltend und klug widersprach.

»Oh, Devi, du …«

»Ja«, erwiderte sie verlegen lächelnd und schaute zu Boden. »Ich bin wieder mit Paul zusammen, wie früher.«

»Aber du warst doch so fest entschlossen, es zu beenden. Was ist geschehen?«

»Als ich ihm sagte, dass es vorüber sei, bat er mich, ein letztes Mal mit ihm ins Bett zu gehen. Und obwohl ich aus der Distanz betrachtet allen meinen Freundinnen versichern würde, wie verrückt so etwas ist, konnte ich nicht Nein sagen. Und ich war zornig auf meinen Vater, weil sein rigider Glaube keine Rücksicht auf menschliche Bedürfnisse und Gefühle nimmt. Ganz plötzlich spürte ich, dass ich ein Recht darauf hatte, mich dem

Mann hinzugeben, den ich liebte, und ich habe niemals in meinem Leben etwas so heftig gewollt. Ich konnte es auf der Haut spüren, so wie man Furcht spürt.«

»Ja, Verlangen und Furcht haben diese Art von Empfindung gemeinsam. Neben anderen Dingen, schätze ich.«

Sie schien mich nicht zu hören, kaum zu wissen, dass ich dort war. Sie war in ihre Erinnerung versunken und ließ sie wie einen Film vor unseren Augen abrollen.

Ich lehnte mich zurück, vergaß meinen Tee und hörte einfach nur zu. Ich hatte Devi noch nie so aufgeregt erlebt.

»Von dem Moment an, da er die Arme um mich legte, hatte ich nicht die Kraft, ihn zurückzuweisen. Ich betrachte mich selbst als starke Persönlichkeit, aber ich war überwältigt von meinem Bedürfnis, ihn … ich kann das nur so sagen … ihn zu *besitzen*. Und in dem Augenblick, in dem« – sie errötete wieder – »in dem er in mich eindrang, überkam mich eine Art gesegnete Erleichterung und dann die Erlösung. Wir waren sofort wieder eins, wie früher. Die Tage vergingen, und wir taten nichts anderes, als uns zu lieben.«

Mir brummte der Kopf bei der Vorstellung einer wollüstigen Devi, die ich bisher immer für selbstbeherrscht und selbstsicher und vor allen Dingen für unbeschreiblich *keusch* gehalten hatte. Aber hielt ich denn erotisches Verlangen für *unkeusch*, schmutzig? Ich war von meiner Reaktion auf Devis Enthüllungen genauso bestürzt wie von den Enthüllungen selbst. Immerhin war sie eine Frau genau wie ich. Wenn ich solcher Gier fähig war, warum sollte sie es dann nicht sein? Ich hörte ihre

Stimme wie aus weiter Ferne. »Kennst du das Tantra, Norrie?«

Nun war es an mir, zu erröten. Ich glaubte, tantrischer Sex hätte etwas mit dem *Kama Sutra* zu tun, dieser Sammlung erotischer Stellungen. Aber ich war immer noch stumm – nicht nur wegen der Entdeckung, dass Devi fleischlichem Verlangen genauso ausgeliefert war wie ich, sondern auch von der Vorstellung, dass dieses Verlangen ihren Willen, ihr Gespür für richtig oder falsch untergrub, genau wie es bei mir war. »Ich weiß, dass es etwas mit Intimität zu tun hat«, sagte ich endlich und klang in meinen Ohren ebenso prüde wie meine Mutter.

»Genau!« Sie lächelte, offensichtlich erfreut, dass ich Intimität statt *Sex* gesagt hatte. »Viele Menschen glauben, es ginge dabei nur um Sex, dabei bedeutet es so viel mehr. Es basiert auf der physischen und spirituellen Vereinigung von Shiva und Shakti. Es geht um ein Gleichgewicht, das durch die Vereinigung von Gegensätzen erreicht wird und dadurch die tiefste Art der Vereinigung zwischen Mann und Frau ermöglicht.

Seltsamerweise war es Paul, der Nichtinder, der Tantra kannte. Ich hatte keinerlei sexuelle Erfahrung, ich war vor ihm nur mit einem Mann zusammen gewesen, mit Ajar, in Delhi, den meine Eltern mir als Ehemann ausgesucht hatten. Wir haben uns umarmt und geküsst, aber mehr nicht.« Demnach war Devi bis Anfang dreißig Jungfrau geblieben, doch das schockierte mich nicht so sehr wie ihre erotischen Bedürfnisse. »Obwohl ich zuerst Angst vor seiner Berührung hatte, war es mit Paul anders. Ich spürte plötzlich ein Bedürfnis, das ich zuvor nicht gekannt hatte, das Bedürfnis, einen Mann intim zu erfahren.« Devi schwieg, als versänke sie in ihren Erinnerungen, und ich konnte meine Augen nicht von ihrem Gesicht abwenden. »Am Anfang unserer Liebe«, sagte sie schließlich, »lehrte er mich, den Gipfel der sexuellen Vereinigung zu erklimmen und auszudehnen, die Ekstase zu verlängern. Es wurde transzendental, ein Augenblick, in dem die Grenzen zwischen zwei Menschen sich in nichts auflösen. In der tantrischen Liebe existieren keine Verbote«, fuhr sie fort. »Die tantrische Lehre begrüßt jede ekstatische und genussvolle Möglichkeit als Gelegenheit zum Lernen.«

»Ich weiß nichts über Tantra«, bemerkte ich, »aber ich glaube, ich verstehe die ekstatische Kraft und Intensität, von der du sprichst.« Mehr als alles andere wollte ich ihr von Michael erzählen, aber ich dachte an mein Versprechen und hielt mich zurück. »Es ist beinah unmöglich, sich dem zu entziehen«, fügte ich hinzu, »wenn man dieses Stadium sexueller Intimität erreicht hat.«

»Genau«, stimmte sie mir zu. »Und deshalb bin ich mit der Absicht aus London zurückgekehrt, meinem Vater zu sagen, dass ich Paul heiraten will. So wie es zwischen Paul und mir steht, ist Heiraten der richtige Weg. Meine Familie muss versuchen, es zu verstehen, aber mir ist klar, dass ich als Allererstes mit meinem Vater sprechen muss.« Plötzlich schossen Devi die Tränen in die Augen, und als sie ihre Tasse zum Mund hob, schien ihre Hand leicht zu zittern. »Um es ganz klar zu sagen, ich bin starr vor Angst«, fuhr sie fort. »Ich habe meinem Vater nie widersprochen, nie. Ich liebe ihn sehr, und ich habe immer versucht, ihm eine gute Tochter zu sein und die Familientraditionen zu bewahren. Ich verliebte mich kurz nach meiner Ankunft in London in Paul, und seitdem haben mich Schuldgefühle gequält. Schließlich schien es leichter, einfach aufzuhören – leichter, als den Monolith in meiner Familie zu stürzen.«

»Aber jetzt denkst du anders darüber.«

»Nein, ich denke immer noch das Gleiche, aber in mir ist so ein … ein Verlangen, das ich nicht von der Liebe trennen kann. Es ist alles ein und dasselbe.«

Ich legte meine Hand auf die ihre. »Soll ich bei dir bleiben, während du mit deinem Vater sprichst?«

»O nein«, lachte sie, während die Tränen über ihre Wangen liefen. »Das muss ich allein tun, wenn ich dazu bereit bin. Ich muss stark sein. Ich werde meinen Vater am Wochenende anrufen, wenn ich Zeit zum Ausruhen gehabt habe.« Sie stand auf und streckte ihre Hände nach mir aus. »Lass uns zu dir gehen und an dem Bild arbeiten«, sagte sie. Ich war schockiert.

»Gott, nein, Devi! Du hast gerade erst einen langen Flug hinter dir und leidest bestimmt noch am Jetlag. Wir arbeiten auf keinen Fall weiter, bevor du dich ausgeruht hast.«

»Wirklich, ich bin ganz wild darauf«, versicherte sie mir. »Und ich glaube, meine momentane Stimmung ist genau richtig. Ich liebe den Gedanken, dass du das malst, was ich für Paul empfinde. Vielleicht hilft es mir sogar, es besser zu verstehen.«

»Aber können wir nicht bis morgen warten?«

»Nein, ehrlich. Ab morgen bereite ich mich mit Herz und Seele auf das Gespräch mit meinem Vater vor. Heute Abend spüre ich noch Pauls Berührung. Ich habe nicht mehr geschlafen, auch im Flugzeug nicht, seit wir das letzte Mal zusammen waren.«

Ich konnte wieder das Strahlen in ihrem Blick und die Röte auf ihren Wangen entdecken, die verblasst waren, als sie ihren Vater erwähnt hatte. Mir wurde bewusst, dass Devi Angst hatte, dieses Gefühl zu verlieren, zu verlieren, was sie mit Paul geteilt hatte, und dass sie meine Malerei als eine Art Schutz vor diesem Verlust empfand. Nicht einmal jetzt war sie sicher, sich gegen ihren Vater durchsetzen zu können.

Gemeinsam gingen wir in meine Wohnung. Wir verhielten uns mucksmäuschenstill, als wir an Claras Tür vorüberkamen. Ich machte Musik an, und Devi entkleidete sich rasch mit ihrer üblichen Anmut. Ich musste einfach zusehen, erneut ergriffen von ihrer Schönheit. Eine neue Leichtigkeit lag in ihren Bewegungen – die Gelassenheit sexueller Befriedigung. Sie bemerkte meinen Blick und lächelte versonnen. »Ich bin so glücklich«, sagte sie, als sie sich auf der Decke niederließ.

Alles, was ich mir in diesem Augenblick wünschte, war, einen Weg zu finden, der meiner Freundin dieses Glück erhalten konnte.

An dem Abend, als Devi glühend vor Sexualität aus London zurückgekehrt war, schlief sie ein- oder zwei Mal während der Sitzung ein. Ich war fasziniert von der Art, wie selbst im Schlaf ihr Gesicht vor erotischer Erfüllung leuchtete – ich sah zum ersten Mal solche Ekstase in der Ruhe. Ich fragte mich, ob ich jemals so befriedigt gewirkt hatte. Dann, in Gedanken an unser Liebesspiel, war ich sicher, dass es so war, und ich rätselte, ob du diesen Ausdruck wohl auf meinem schlafenden Gesicht gesehen hattest.

Du warst für eine Woche zu einer Lesereise nach Kalifornien geflogen, und deine Abwesenheit war mir an diesem Abend übermächtig bewusst. Ich zog mich auf dem Weg ins Badezimmer, wo ich die Wanne einlaufen ließ, im Schlafzimmer aus und sah mich zufällig in voller Größe im Spiegel, und obwohl ich nicht dazu neige, mein Spiegelbild zu betrachten – eigentlich eher im Gegenteil –, es sei denn, ich male, schaute ich mir dieses Mal beim Entkleiden zu. Ich beobachtete die Frau im Spiegel, ihre langen Glieder, ihren kräftigen Körper, die sich mit der Anmut einer Frau bewegte, in deren Bett jede Nacht ihr Liebster schläft.

Im Badezimmer träufelte ich ein wenig Öl ins Wasser. Als ich in die Wanne stieg, belebte sich meine Haut in dem warmen, öligen Wasser. Ich ließ mich langsam hineingleiten, hielt mich nicht einmal damit auf, meine Haare hochzustecken, um sie vor dem öligen Wasser zu schützen. Ich lag lange Zeit mit geschlossenen Augen da und ließ mich vom warmen Wasser umspülen, während meine Haare wie die Ophelias auf der Oberfläche trieben. Und ich fühlte mich wie Ophelia, mich im Wasser vor der Pein der Schlaflosigkeit verbergend.

Und im gleichen Augenblick erkannte ich, dass ich meinem Leben nie wie Ophelia ein Ende setzen könnte, weil ich dann nicht erfahren würde, was als Nächstes geschehen würde. Ich wollte leben. Ich wollte meine eigenen Entscheidungen treffen. Ich würde mein Leben für keinen Mann fortwerfen – auch nicht für dich, sosehr ich dich auch liebe.

Ich ließ meine Hand langsam und zärtlich meinen Bauch hinab und dorthin gleiten, wo du dich so gern aufhältst, und ich fühlte, wie es für dich sein muss, mich dort zu spüren, warm und ölig im Badewasser, so wie es sich anfühlen muss, wenn ich vor Verlangen nach dir feucht bin. Ich spreizte meine Schamlippen und schob meinen Mittelfinger dazwischen, bewegte ihn langsam vor und zurück über meine Klitoris, bis mein Körper sich spannte, drängte, dann stieß ich mit zwei Fingern hart in mich hinein, hart, hart, hart, bis ich kam und mich wie ein

Delphin über dem Wasser aufbäumte, wieder und wieder.

So bin ich, denk daran. Ich will dich, aber ich werde mein Leben nicht für dich aufgeben.

Kapitel 13

Devi glaubte, dass, falls wir die Sitzungen weiterhin in meiner Wohnung abhielten, Clara uns wahrscheinlich irgendwann beim Betreten oder Verlassen erwischen würde, und wir kamen überein (ich nur zögernd), dass es dann an der Zeit war, ihr von den Bildern zu erzählen. »Aber ich will ihr nichts sagen, bevor ich es nicht muss«, sagte ich. »Ich will malen, ohne dass ich in meiner Konzentration gestört werde.«

»Oh, das verstehe ich«, erwiderte Devi, »aber ich bin froh, dass du bereit bist, ihr davon zu erzählen, wenn du musst. Ich hatte immer das Gefühl, wir sollten uns nicht vor ihr verstecken.«

»Ich glaube nicht, dass du sie so siehst wie ich«, sagte ich nur.

Am Samstag wollte Devi bei ihrem Vater in Delhi anrufen. »Ich werde immer ängstlicher«, gestand sie mir.

Ich malte, während ich auf sie wartete, und hörte *Aida*. Seit ihrer Rückkehr aus London konzentrierte ich mich in erster Linie auf das Gesicht, versuchte, die Essenz Devis erotischer Befriedigung einzufangen. Ihre Wangen waren rosig, glühend, selbst ihre Lippen schienen voller und geröteter, als ob das Blut des Verlangens dort immer noch pulsierte.

Als sie schließlich an meine Tür klopfte, bebte sie, ihre Augen waren vom Weinen geschwollen. »Devi! Was ist passiert?« Ich führte sie zum Sofa. »Was ist passiert?«, fragte ich noch einmal.

»Nichts Gutes«, erwiderte sie. »Wie konnte ich mir nur einbilden, dass es möglich wäre, meinen Vater zu ändern?« Und dann begann sie wieder zu weinen. Es war beunruhigend, Devi, die Verkörperung der Gelassenheit und Selbstbeherrschung, so aufgelöst zu sehen. Hatte sie ihre Stärke und Sicherheit eingebüßt, als sie ihren Eid gebrochen, ihre Entscheidung mit Paul Schluss zu machen, revidiert hatte? Ich legte meinen Arm um sie und tätschelte ihre Schulter.

Ich war angesichts ihrer angeborenen Stärke erstaunt darüber, welche Macht die sexuelle Vereinigung mit Paul über sie hatte – wie nach Jahren der Zurückhaltung und der Selbstbeherrschung der ungezügelte Ausdruck physischer Begierde und die Befriedigung dieses Verlangens –, was für einen machtvollen Einfluss all das auf ihren Zustand ausübte.

Ich wartete schweigend, bis sie bereit war zu sprechen. Nach einer Weile trocknete sie sich die Augen mit einem Papiertaschentuch, dann schüttelte sie den Kopf und schien sich zusammenzureißen.

»Es war ein langes Telefonat. Ich versuchte, mit ruhiger Überzeugung zu sprechen, aber je länger ich in das Schweigen und die Distanz hineinredete, desto mehr spürte ich, wie meine Gelassenheit wich und meine Überzeugung bröckelte. Von dem Moment an, da ich über Paul sprach, war mein Vater … ich weiß nicht, wie ich das beschreiben soll, stur trifft es nicht annähernd. Er war fast brutal, sein Tonfall, seine Worte. Er sagte alles zehn Mal. Er sagte, er würde mich verstoßen. Er sagte, meine Mutter würde vor Scham sterben. Er sagte, ich würde alles zerstören, wofür er und meine Mutter gearbeitet und Opfer gebracht hatten – alles, wofür *ihre* Eltern gearbeitet hatten. Ich wäre diejenige, die unsere Familie zerstören würde.« Devi vergrub ihr Gesicht im Taschentuch und weinte leise. »Es war, als würde er mich schlagen«, sagte sie. »Die Wahrheit dessen, was er sagte, war so grausam. Wie kann ich gegen Hunderte von Jahren ankämpfen?«

Ich dachte an das Kipling-Zitat, das Michael benutzt hatte. Ich konnte mich nicht genau erinnern, aber es war eine Warnung, nicht auf »die Stimme des Blutes« zu hören. Ich wiederholte es Devi und sagte: »Das tut dein Vater – er hört auf die Stimme des Blutes. Das musst du nicht, Devi, nur weil er es tut. Du hast das Recht, für dich selbst zu denken.«

»Danke, Norrie. Ich weiß, du willst mir nur helfen. Aber dieses Zitat trifft sowohl auf meine Wünsche als auch auf den Glauben meines Vaters zu – immerhin kann die ›Stimme des Blutes‹ sich ebenso auf die Leidenschaft wie auf die Loyalität zur Familie beziehen. Wenn ich sage, dass ich mit Paul zusammen sein will, ungeachtet der Verluste, denke ich da nicht mit der Stimme des Blutes?«

»Aber du hast das Recht, zu denken, was immer du willst, Devi – das ist mein Standpunkt.«

»Aber du verstehst nicht wirklich, wie es ist. Deine

Kultur unterscheidet sich sehr von der meinen, Norrie. Empedokles hat es treffender gesagt: ›Das das Herz durchströmende Blut ist des Menschen Denken.‹ Wie können wir nicht mit dem Blut denken, Norrie? Egal, ob es um Leidenschaft oder Familientradition geht?«

»Ja, ich schätze, Empedokles ist Kipling ein paar Jahre voraus.« Tatsächlich hatte ich keine Ahnung, wann Empedokles gelebt hatte. Das wuchs mir alles über den Kopf.

»Ja«, erwiderte sie, »ungefähr zweitausend Jahre.« Sie seufzte. »Ich muss Paul anrufen. Ich halte das nicht aus. Und schon wieder am Telefon, wie beim ersten Mal. Es ist schrecklich. Er wird sich aufregen und wütend sein, ich weiß das. Ich will dir Modell sitzen, wenn ich mit ihm geredet habe. Ich muss zu dir kommen und mit dir arbeiten, ich brauche das, um nicht durchzudrehen. Modellstehen hilft mir, mich wieder in den Griff zu bekommen.«

Ungefähr eine Stunde später kam sie zurück. Sie hatte mit Paul gesprochen, und er war erst »zusammengebrochen und dann explodiert«.

»Er ist furchtbar wütend auf mich«, sagte sie. Ihr Gesicht war ruhig. »Ich habe Paul noch nie so erlebt. Nachdem wir aufgelegt hatten, ging ich ins Bad, um mein Gesicht zu waschen, und als ich wieder herauskam, hatte er mir eine beunruhigende Nachricht auf dem Anrufbeantworter hinterlassen. Erst flehte er mich an, den Hörer abzunehmen – ›ich weiß, dass du mich hörst‹, sagte er. Er nahm an, dass ich neben dem Telefon saß und ihm zuhörte, aber nicht abnahm! Das würde ich ihm niemals antun. Er entschuldigte sich für seinen Ausbruch, und als er versuchte zu erklären, wie er sich fühlte, wie sein Schmerz sich in Zorn verwandelt hatte, begann er ... zu weinen.« Devi schaute weg, ihre Augen schwammen in Tränen. »Ich habe ihn nie zuvor weinen hören. Ich weiß, dass dich das überraschen muss, aber vor heute Abend habe ich noch nie einen Mann weinen sehen.« An dieser Stelle barg Devi das Gesicht in den Händen und schluchzte.

»Kurz danach wurde er wieder wütend«, fuhr sie fort. »Vielleicht war es verletzter Stolz, weil ich sein Weinen gehört hatte, vielleicht hatten die Tränen aber auch seine Selbstbeherrschung fortgespült.« Devi trocknete sich die Augen, putzte sich die Nase und sprach mit heiserer Stimme weiter. »Er sagte immer wieder ›Heb ab, Devi! Du musst! Wie kannst du so grausam sein, mir erst Hoffnungen zu machen und mich dann fallen zu lassen? Das ist verrückt, wir waren doch letzte Woche noch so glücklich zusammen. Bedeutet es dir denn gar nichts, wie sehr ich dich liebe? Kannst du das wirklich tun, nach all dem Genuss, den wir einander bereitet haben, trotz allem, was wir einander bedeuten?‹« Sie schüttelte beschämt den Kopf.

»Und er hat Recht«, sagte sie leise. »Wir waren vollkommen glücklich. Ich habe furchtbar gesündigt, Norrie – nicht nur an unseren Familientraditionen, sondern auch an Paul, an seiner Menschlichkeit, seinem Herz.« Sie schaute lange Zeit zu Boden, bevor sie wieder zu sprechen begann. »Es wurde schlimm«, sagte sie. »Paul redete auf eine Weise mit mir, die ich noch nie erlebt hatte.

›Also *nein*, du willst nicht abheben und mit mir reden‹, sagte er. ›Großartig, ich hoffe, du hast meinen Schmerz genossen. Du bist …‹ O Norrie, ich kann das nicht wiederholen, ich kann es nicht mal denken. Er nannte mich eine Nutte, und dann steigerte er sich noch und sagte ›verfickte Nutte‹. So hat er mich genannt. Und dann hat er den Hörer aufgeknallt.«

»Devi, es tut mir so Leid –«

»Nein«, unterbrach sie mich. »Mir tut es Leid. Ich habe sein Herz mit meinem egoistischen Verlangen verletzt. Als ich bei ihm war, dachte ich nur an mich und meine Begierde. Du hast Recht, er hätte nicht so mit mir sprechen dürfen, aber ich bin für seinen Zustand verantwortlich.«

»Aber du kannst keine Verantwortung für sein mieses Verhalten übernehmen«, erwiderte ich aufgebracht. Aber noch während ich sprach, wurde mir bewusst, dass ich, auch wenn ich Paul wegen seines Benehmens Devi gegenüber verabscheute, wusste, wie man sich fühlte, wenn eine Person die Hoffnung wieder und wieder schürte und einen dann fallen ließ.

»Das verstehst du nicht, Norrie, du kennst Paul nicht. Er ist immer so liebevoll mit mir umgegangen, voller Respekt, er hat mich beschützt. Er wird niemals ausfallend, er würde nie so mit mir sprechen, wenn er er selbst wäre. Um die Wahrheit zu sagen, ich habe ihn in meiner Gegenwart nie fluchen oder schlimme Wörter benutzen hören, niemals. Es beunruhigt mich sehr. Während er mit mir redete, verwandelte er sich plötzlich in einen Fremden.«

»Die Liebe treibt die Menschen manchmal an die Grenzen ihrer Leidensfähigkeit«, sagte ich schließlich. »Ich will Pauls furchtbaren Ausbruch nicht entschuldigen, aber ich glaube, dass du so etwas bei jedem Liebenden erleben kannst, den man an die Grenzen seiner Sehnsucht getrieben hat. Das scheint die Macht der Liebe zu sein. Im Guten wie im Schlechten«, fügte ich hinzu.

»Nun, dann ist die Liebe ein gefährlicher Zustand. Wenn das stimmt, was du sagst, bedeutet es, dass wir denjenigen, den wir lieben, nie wirklich kennen, bis wir nicht bis an die Grenzen gegangen sind.«

Plötzlich wusste ich keine Antwort mehr.

»Lass uns arbeiten, Norrie«, sagte sie. »*Bitte.*« Ich konnte hören, dass sie es brauchte. Sie zog sich aus und nahm ihre Position auf der Decke ein, und ich begann zu malen. Es war bizarr, und Devi und ich schwiegen beinah während der gesamten Sitzung.

Als sie mich später verließ, sagte ich: »Vielleicht sollten wir eine Auszeit nehmen, Devi. Eigentlich können wir aufhören. Ich bin beinah so weit, ohne dich auskommen zu können.«

»Nein«, erwiderte sie fast heftig. »So hatten wir es geplant, und ich brauche etwas in meinem Leben, das so läuft, wie ich es mir vorgenommen habe. Ich komme diese Woche jeden Abend, genau wie abgesprochen. Bitte. Wir werden noch früh genug fertig. Jetzt arbeiten wir so weiter, wie wir es beschlossen haben.«

»Gut. In Ordnung.«

Mittwochnachmittag besuchten Clara und ich eine Vorlesung von Ricci Lott Swift mit dem Titel »Die zeitgenössische Frau in der Wirtschaft«. Ich fand es wenig interessant, aber Clara war ganz Ohr, was mich erstaunte.

Danach trafen wir uns mit den anderen Stipendiatinnen im Bombay Club zum Essen, wo ich sie fragte, was sie von der Lesung hielt.

»Ich bin zwar keine Materialistin«, antworte sie, »aber ich respektiere Swifts Standpunkt. Ich sehe an meinem eigenen Leben, dass wirtschaftliche Unabhängigkeit Chancen eröffnet, die ich nicht habe. Zum Beispiel die Möglichkeit, einen Roman zu schreiben, statt wie eine Sklavin für eine Zeitung zu schuften.« Ich erinnerte mich an Claras Rede und die Eleganz ihrer Prosa. Nicht einmal ihr schlechter Vortrag hatte die außergewöhnliche Qualität ihres Stils zerstören können.

»Vielleicht ist es der Gedanke an Selbstbefreiung, den ich bewundere«, sagte sie nach kurzem Nachdenken. »Mir gefällt besonders die Vorstellung einer Frau, die sich durch aktives Handeln wirtschaftlich emanzipiert. In der postindustriellen Welt ist die Wirtschaft das Herz der Freiheit.«

Später, als wir gemeinsam durch die Dunkelheit zur Brattle Street zurückgingen, sagte sie: »Weißt du, so hat es immer sein sollen.«

»Was?«, fragte ich.

»Du und ich«, antwortete sie. »Nur wir zwei. Du spürst das doch auch.«

»Ich … Clara, ich bin nicht sicher, was du damit meinst.

Es war ein netter Abend. Ich habe unser Gespräch sehr genossen.«

Sie seufzte. »Vermutlich brauchst du noch etwas Zeit, um alles zu verstehen«, versicherte sie mir, »oder vielleicht sollte ich lieber sagen, dass du lernen musst, es zu akzeptieren.« Etwas in ihrem Ton beunruhigte mich noch stärker als ihre Aussage, die schon unheimlich genug war.

»Lernen was zu akzeptieren?«

»Das Schicksal«, sagte sie, und in diesem Augenblick überkam mich das Gefühl, als wäre die Luft um uns herum fest geworden und schlösse uns ein, unverrückbar, unberechenbar.

Clara rief mich Freitag und Samstag an, aber ich nahm nicht ab.

»Ich begreife nicht, warum du ihr solche Macht über dich einräumst, Norrie«, sagte Devi am Samstagabend, während ich Karmesinrot mit Preußisch Blau, Schwarz und einem Hauch Ocker für die Deckenschattierung mischte.

»Wie soll ich das erklären«, erwiderte ich. »Das Gewicht ihrer Erwartungen erdrückt mich.«

»Du versteckst dich vor ihr.«

»Zuerst nicht, aber mittlerweile finde ich es einfacher.«

»Armes Ding«, sagte Devi daraufhin, aber ich war nicht sicher, wen von uns sie damit meinte. Ich hoffte, Clara, aber ich fürchtete, dass ich es war.

Samstagabend hatte ich das dritte Bild fast vollendet, ich war beinahe so weit, allein weitermachen zu können.

Das Gesicht, das ich in der Nacht ihrer Rückkehr aus London gemalt hatte, war ein vollkommen anderes als das Gesicht, das mich jetzt ansah. Der wollüstige Ausdruck befriedigter Begierde war Schmerz, Verlust und Selbstanklage gewichen.

Wir arbeiteten die ganze Nacht hindurch bis zum Umfallen. In den frühen Morgenstunden bot ich Devi an, auf meinem Sofa zu schlafen, und sie war so müde, dass sie blieb.

Sonntagmorgen machte ich uns Pfannkuchen, und nach dem Frühstück musste Devi gehen, um sich auf ihren Workshop vorzubereiten. Als wir uns verabschiedeten, versprach Devi, nach dem Workshop vorbeizuschauen, für den Fall, dass ich sie noch mal brauchte.

»Du bist herzlich willkommen«, versicherte ich ihr, »aber definitiv keine Sitzung mehr. Wir sind fertig. Ich glaube wirklich, dass ich ab jetzt allein weitermachen kann.«

»Gut, wenn du sicher bist«, antwortete sie.

»Bin ich. Aber komm ruhig nachher noch vorbei, wenn du nicht zu müde bist. Ich würde gern wissen, wie es gelaufen ist.«

Devi sagte, das würde sie tun. Eine Menge ihrer Energie war in meine Arbeit geflossen, und auch wenn ich wusste, dass es ihr Vorschlag gewesen war, Modell zu stehen, quälte mich doch das schlechte Gewissen. Ich musste eine Möglichkeit finden, es wieder gutzumachen.

Nachmittags besuchte ich Ida, die die ganze Zeit schlief und nur einmal aufwachte und mir, seltsam genug, »glückliches neues Jahr« wünschte.

Auf dem Heimweg forderte die pausenlose Arbeit ihren Tribut, und als ich am Harvard Square ausstieg, hatte ich das Gefühl, meine Beine nur noch hinter mir herzuschleppen. Vor dem Supermarkt gab der Seiltänzer seine Vorstellung; als ich vorbeiging, balancierte er mit zwei Fackeln auf dem Seil und schrie: »Hilfe! Eine Masse Leute starren mich an, und ich weiß nicht waruhum!« Ich beachtete ihn nicht. »He«, brüllte er. »Lächeln, Lady!« Ich hätte ihn am liebsten niedergeschlagen.

Zurück in meiner Wohnung, begab ich mich direkt ins Schlafzimmer, stellte das Telefon ab, zog meine Schuhe aus und ließ mich voll bekleidet aufs Bett fallen. Es war sechzehn Uhr dreißig. Als ich gegen einundzwanzig Uhr aufwachte, hatten Liz, Clara, meine Mutter, Michael und Ed Hershom Nachrichten auf dem Anrufbeantworter hinterlassen.

Devi kam gegen halb elf vorbei. Sie sagte, es wären einige kluge Dichter in ihrem Kurs, »und ein paar Aufschneider« – ein Wort, das sie von mir übernommen hatte. Sie wäre wirklich müde, sagte sie, und wollte nicht lange bleiben.

In diesem Augenblick klopfte es an meiner Tür. Ich öffnete einer grimmig wirkenden Clara.

»Oh«, sagte ich, »hi, Clara.« Sie sah von Devi zu mir, dann zurück zu Devi.

»Hallo«, grüßte Devi sie mit einem herzlichen Lächeln.

»Wie geht es dir, Clara?«

»Was glaubst du?«, fragte Clara. »Ich bin nicht von gestern, weißt du.«

»Clara, was willst du damit sagen?«, fragte ich, obwohl ich die Antwort fürchtete.

»Was ich damit sagen will? Ich habe euch beide das ganze Wochenende über angerufen, und keiner von euch hat meine Anrufe erwidert. Heute Morgen habe ich gehört, wie du Norries Wohnung verlassen hast, Devi. Und nun entdecke ich, dass ihr zwei wahrscheinlich das ganze Wochenende gemeinsam verbracht habt.« Tränen standen in ihren Augen. Ich fühlte mich grässlich.

»Aber Clara«, begann ich, doch sie schnitt mir das Wort ab.

»Warum versteckt ihr euch vor mir? *Warum*? Glaubt ihr, ich wüsste nicht, dass ihr euch stundenlang im Atelier einschließt?« Ihre Stimme brach. Es war herzzerreißend. In einem verzweifelten Versuch, die Spannung aufzulösen, riss ich die Situation an mich.

»Das Geheimnis kann nun gelüftet werden«, verkündete ich. »Devi und ich haben zusammen *gearbeitet*.« Dieser Zeitpunkt war so gut wie jeder andere, um es ihr zu erzählen, dachte ich – es war notwendig.

»Was meinst du damit?«, fragte Clara.

»Komm rein«, sagte ich, »ich werde es dir zeigen.«

»Würde es euch etwas ausmachen«, unterbrach Devi, »wenn ich nach Hause gehe? Ich bin sehr müde.«

»Natürlich nicht«, erwiderte ich und wünschte ihr eine gute Nacht. Clara sagte nichts. Mir ging durch den Kopf, dass es Devi vielleicht peinlich war, sich im gleichen Zimmer aufzuhalten, wenn Clara ihre Aktstudien betrachtete, und das ließ mich zögern, sie zu zeigen.

Aber Devi hatte bereits zugestimmt, und es war mit Sicherheit an der Zeit, das Geheimnis zu enthüllen.

Ich führte Clara in mein Wohnzimmer und platzierte sie auf dem Sofa. Ich beschloss, zwei der Bilder zu holen, anstatt Clara in mein Schlafzimmer zu führen, wo sie alle sehen konnte. Ich versuchte, alles auf ein Mindestmaß zu reduzieren, eine Art Schadensbegrenzung.

»Lass mich dir eines zeigen«, sagte ich fröhlich, »um dir eine Vorstellung zu vermitteln, woran ich arbeite.« Clara saß einfach nur stumm da, die Hände um die Sofakante gekrallt, das Gesicht nach wie vor düster.

Im Schlafzimmer wünschte ich mir, das erste Bild wäre hier statt im Rahmengeschäft. Die Position, in der Devis Hände den roten Umhang gegen ihre Brust gedrückt hielten, wäre am besten geeignet, um es Clara zu zeigen, dachte ich, obwohl keines der drei Bilder meine eifersüchtige Nachbarin beruhigen würde. Ich stand da und versuchte nervös, mich zu entscheiden, während Clara im Wohnzimmer wartete. Als ich das Bild von Devi auf der Decke ins Zimmer trug, wurde Clara kreidebleich. Sie sprang auf und verharrte dann regungslos, den Blick auf das Bild gerichtet. »Das, was ich dir am liebsten gezeigt hätte, ist noch beim Rahmen«, sagte ich, während ich zu erkennen versuchte, was sie sah. Seltsam genug: Als ich das Bild durch Claras Augen betrachtete, konnte ich es deutlicher sehen als zuvor.

Devi liegt auf dem Rücken auf der roten Decke, ihre Augen sind halb geöffnet, als könne sie nicht schlafen. Das Zimmer wird nur von ein paar kleinen Kerzen erleuchtet – in dieser Sequenz der drei Bilder schwindet das

Licht nach und nach aus dem Raum. Die Farben sind gedämpft, aber alles, was vom Schein der Kerzen berührt wird, erwacht zum Leben. Die Rot- und Purpurtöne sind dunkel. Ich hatte Farben angerührt, die ich in Gedanken als Brombeer, Johannisbeer, Bordeaux und Granat bezeichnete, außerdem noch ein bräunliches Rot, das ich *Tage altes Blut* nannte – ich konnte mich von der Erinnerung an den Blutfleck auf der Matratze nicht frei machen, obwohl sie längst durch eine neue ersetzt worden war. Ich konnte den Fleck immer noch vor mir sehen, wenn ich die Augen schloss.

Im Bildvordergrund liegt der zur Seite gekippte Krug, zum Teil in einem Nest rot und purpur bedruckter Stoffbahnen. Die restlichen Bahnen liegen gefaltet auf einem Stapel neben Devi, und ihre linke Hand, die über den Rahmen hinausweist, ruht auf dem Bauch des Kruges. Ihre rechte Hand bedeckt ihre Scham, ihre Brüste sind entblößt, die Warzen klein und dunkelbraun. Devi hatte entschieden, dass ihre Haltung diesen Grad der Zurschaustellung erforderte, und darauf bestanden, dass es ihr nichts ausmachte, zumal die Beleuchtung gedämpft war.

Und sie hatte Recht. Man musste wirklich genau hinsehen, um auf dem Gemälde Einzelheiten ihres Körpers erkennen zu können, obwohl eine dünne Linie züngelnden Lichts die obere Kontur ihres Körpers in seiner ganzen Länge nachzeichnete. Die roten Lichtspiegelungen des Kruges stehen in leuchtendem Kontrast zu den gedämpften Farben des Hintergrunds, und da er in der Bildkomposition eine beherrschende Stelle einnimmt, lässt der Krug Devi fast zwergenhaft erscheinen, lässt sie auf gewisse Weise zerbrechlich wirken. Ihr Gesicht schimmert im gedämpften Licht, und ihre Augen sind halb geschlossen, wie in einer Art erotischer Träumerei. Es ist das Schönste der drei Bilder, erkannte ich plötzlich, wegen der unendlichen Sehnsucht in Devis Gesicht.

Clara schüttelte heftig den Kopf, während es in ihrem Gesicht arbeitete, und ging zur Tür.

»Ich wusste es«, sagte sie, als sie mir das Gesicht zuwandte. »Ich wusste, dass ihr ein Paar seid.«

»Clara –«, begann ich. Sie fing an zu weinen. »Wir sind *kein* Paar. Sie ist meine *Freundin*.«

»Und was bin *ich*?«, schluchzte Clara. »Was bin ich?« In diesem Augenblick überkam mich Mitleid, und ich log sie an.

»Du bist auch meine Freundin«, sagte ich, obwohl ich es nicht so empfand und im gleichen Moment merkte, das ich auch nie so empfunden hatte. Ich drückte sie mit einem Arm an mich. Sie ließ es zu.

Gott, dachte ich, ich werde meinen Beschluss, nicht mehr zu lügen, nie verwirklichen.

»Bleib«, lud ich sie ein, »wir können reden.« Ich war überrascht, als sie ablehnte. Clara lehnte nie ab.

»Nein«, sagte sie. »Ich bin sehr müde.« Ich stand im Türrahmen, während sie mit geradem Rücken und gesenktem Kopf zu ihrer Wohnung ging. Ich wünschte ihr gute Nacht, als sie ihre Tür aufschloss, aber sie verschwand ohne ein weiteres Wort.

Es regnete die ganze Nacht, und ich lag hellwach im

Bett. Ich hatte ein schlechtes Gewissen wegen des Schmerzes, den ich in Claras Gesicht gesehen hatte. Ich fragte mich wieder und wieder, wie ich in all diesen Monaten netter zu ihr hätte sein, an welchem Tag ich mich hätte anders, nachgiebiger verhalten können, welchen Augenblick ich hätte wählen sollen, um sie großzügiger an meinem Leben teilnehmen zu lassen. Aber es wäre nicht anders gegangen, dachte ich. Beim Gedanken an Claras Bedürfnis, ihre unbegrenzten Erwartungen schauderte ich unter den Decken.

Ihr Verdacht. Ich konnte nicht glauben, dass ich *wieder* angeklagt worden war, mit Devi zu schlafen. Woher nahmen sie das, Michael und Clara?

Wie seltsam, an sie beide gleichzeitig zu denken.

Schließlich stand ich auf und arbeitete weiter an dem Bild. Ich mühte mich die ganze Nacht mit dem Licht ab, ich wollte es gleichzeitig gedämpft und invasiv, als ob das, was Devi fühlte, niemandem offenbar werden sollte. Seltsam, dachte ich, wie die Eindringlichkeit von Claras Blick mir den emotionalen Subtext des Bildes noch klarer vor Augen geführt hatte. Und obwohl ich bedauerte, Clara das Bild gezeigt zu haben, brachte es mir etwas in Erinnerung, was Michael oft über den Entstehungsprozess von Kunst gesagt hatte – dass ein Bild erst durch das Auge des Betrachters zum Leben erwacht, genau wie ein Buch erst durch den Leser vollendet wird. »Wir vollenden das Werk nicht«, hatte er gesagt. »Alles, was wir tun können, ist, die Elemente zusammenzufügen und zu hoffen, dass wir das fertig gebracht haben, was Ezra Pound ›eine Art inspirierte

Mathematik, eine Gleichung des menschlichen Empfindens‹ genannt hat.«

Ich nahm an, dass er Recht hatte, falls er meinte, dass das Bild von Devi gut war, obgleich es in seinem ersten Betrachter so tiefe negative Gefühle erzeugt hatte.

Am nächsten Morgen klopfte ich bei Clara, und sie öffnete mit vom Weinen verschwollenen Augen.

»Lass uns einen Spaziergang machen«, bat ich sie. »Das ist albern. Wir müssen versuchen, aus diesem Schlamassel herauszukommen.«

»In Ordnung«, willigte sie ein. Sie klang nach dem Zorn der letzten Nacht überraschend liebenswürdig. »Fragst du Devi, ob sie mitkommt?« Ich hielt diese Frage für ein gutes Zeichen, da ich glaubte, dass Clara damit ihren Gleichmut zu zeigen versuchte.

»Nein«, erwiderte ich. »Devi hat gestern mit dem Workshop begonnen und ist bestimmt ziemlich müde, zumal sie von der ganzen Modellsteherei für mich schon ziemlich mitgenommen war.« Ich hielt es für das Beste, offen über das Thema zu sprechen, damit Clara einsah, dass es sich um kein tiefes, düsteres Geheimnis handelte.

Wir spazierten um den Platz. Bei Kaffee und Muffins bei Warburtons sagte Clara, sie wüsste, dass Devi sie nicht mochte.

»Ich habe wirklich versucht, ihre Freundin zu sein«, sagte sie. »Aber ich nehme an, sie hat zuerst dich gefunden. Oder du sie.«

»Aber ich habe nicht nach ihr gesucht«, erwiderte ich. »Die Freundschaft hat sich ganz natürlich entwickelt.

Vielleicht, weil wir beide Künstlerinnen sind.« Mit dieser Bemerkung wollte ich Claras verletzte Gefühle besänftigen, aber es war ein schlechter Versuch.

»Ach ja«, antwortete sie verbittert. »Die *Kunst*. Wir wissen doch alle, dass Künstler etwas Besonderes sind, nicht wahr? Leute wie ich – ganz normale Schreiberlinge –, wir sind *nichts*.«

»Ich meinte nichts dergleichen«, erwiderte ich aufgebracht. Ich würde mich von Clara nicht erneut in die Defensive drängen lassen. Sie hörte den ungewohnten Zorn in meiner Stimme und steckte sofort zurück.

»Oh, es tut mir Leid, Norrie. Wirklich. Es ist nur, weil ich weiß, dass Devi mich im Vergleich zu dir als eine Art niederes Wesen betrachtet.«

»Das ist lächerlich«, sagte ich. »So ein Mensch ist Devi nicht.«

»Ich bin sicher, dass du das glaubst«, sagte sie. »Aber ich bin das Opfer ihres Elitedenkens und ihrer Verachtung.«

»Clara, sie hat dir ein paar Tausend Dollar geliehen, als du in der Klemme gesteckt hast. Wie kannst du so über sie reden?«

»Ich weiß nicht«, erwiderte sie mit gesenktem Blick. »Ich mag sie so gern. Es tut mir Leid.« Und danach sprach sie nicht mehr über Devi und schien sich zu entspannen, während wir die Mass Ave auf und ab spazierten, über den Harvard Yard und durch Radcliffe, wo wir uns auf eine Bank setzten und den Eichhörnchen und Vögeln zuschauten. Der Morgen war klar, aber der Boden war noch aufgeweicht und feucht vom Regen der vergangenen Nacht, und die Luft war geschwängert vom Geruch der nassen Erde.

»Sie ist sehr schön«, bemerkte Clara plötzlich aus heiterem Himmel. »Devi ist sehr schön.«

Ich antwortete nicht, tat so, als würde ich zwei Eichhörnchen beobachten, die sich um eine Eichel zankten.

Am Dienstag rief ich im Rahmengeschäft an, um mich zu erkundigen, ob mein erstes Porträt von Devi bereit zum Abholen war, und die Aushilfe der Besitzerin, Linle, ging nachsehen. Als sie erst nach sechs oder sieben Minuten zurückkehrte, hatte ich schon ein unangenehmes Gefühl im Bauch, noch bevor sie etwas sagte.

»Haben Sie es nicht abgeholt?«, fragte sie.

Mein Herz begann zu klopfen, aber ich antwortete in ruhigem Ton. »Nein, natürlich nicht. Ist es fertig?«

»Ja. Es war fertig, sagt Wendy, aber es ist nicht da – es steht nicht dort, wo sie es hingestellt hat.«

»Geben Sie mir Wendy«, sagte ich brüsk. Wendy kam eilig ans Telefon.

»Honora«, begrüßte sie mich atemlos, »warte nur noch eine Minute. Wir suchen danach, und es muss hier sein, ich weiß es genau, ich habe es selbst gerahmt. Übrigens sieht es in dem schwarz marmorierten Rahmen ganz toll aus. Was, Lin-le? Hast du es gefunden? Nein, hat sie nicht. Nun, das ist lächerlich, wirklich. Ich weiß, dass es *hier* ist …« Ihre Stimme erstarb.

Mir war speiübel. Das Bild von Devi war weg? Aber wer würde ein Bild stehlen? Mein Bild? Ich war keine berühmte Künstlerin. Wer würde so etwas tun?

»Du musst es finden«, sagte ich zu Wendy. »Es ist wichtig … Wendy, du *musst* es finden.«

»Ich weiß, dass es hier irgendwo ist«, versicherte sie mir.

»Nun ja, auf jeden Fall *war* es das.«

Nachdem wir aufgelegt hatten, begann ich zu zittern. In meiner ganzen Laufbahn als Malerin hatte ich noch nie ein Bild verloren. In dieser Nacht schlief ich nicht. Das Gefühl, beraubt worden zu sein, quälte mich zu sehr.

Ich rief Liz an. Ich rief Michael an. Ich rief Ed Hershom an. Warum ich Ed anrief, weiß ich nicht. Niemals rührselig, immer pragmatisch, sagte er nur: »Nun, dann musst du dich jetzt aber anstrengen, wenn du deine Show noch rechtzeitig auf die Beine stellen willst, oder?«

Schließlich rief ich sogar meine Mutter an. Und seltsam, obwohl Michael und Liz wegen des Verlusts meines Bildes sehr aufgeregt gewesen waren, war meine Mutter die Einzige, die sich nahezu hysterisch aufführte. Und auch wenn ihre Hysterie völlig fehl am Platz war, entsprach sie meinem eigenen Zustand – pervers.

»Junge, Junge, das gefällt mir nicht, das gefällt mir nicht«, äußerte sie ein ums andere Mal. »Ich glaube, du bist in Gefahr.«

»Mutter, ich denke nicht, dass es um meine Sicherheit geht.«

»Ich glaube aber nicht, dass du in der Lage bist, auf dich selbst aufzupassen. Du als Künstlerin denkst natürlich an dein Bild, aber ich als deine Mutter mache mir Gedanken um deine Sicherheit.«

»Warum glaubst du, dass das notwendig ist?«

»Jemand beobachtet dich.« Auch wenn es nur von meiner Mutter kam, ich schauderte, und die Furcht blieb.

Während der nächsten Tage wurde Boston von einem unerwarteten Schneesturm heimgesucht, und ich blieb bis Mittwoch in meiner Wohnung. Mein Magen revoltierte, aber es waren nur meine Nerven. Es tröstete mich ein wenig, dass ich den roten Glaskrug vor dem Ausbruch des Unwetters mit nach Hause genommen hatte. Ich versuchte, nicht an das vermisste Bild zu denken, aber ich rief Wendy jeden Tag an.

Ich zwang mich zur Arbeit und machte die letzten Pinselstriche an den anderen zwei Porträts von Devi, aber ohne das Vergnügen ihrer Gegenwart. Sie hatte sich, immer noch niedergeschlagen wegen Paul, in ihre Arbeit vergraben.

Ich wollte ihr nicht gerade jetzt die unerfreuliche Neuigkeit mitteilen; Devi machte schon genug durch. Aber ich musste es ihr bald erzählen.

Die Tage vergingen, aber Wendy hatte kein Ergebnis vorzuweisen.

Schließlich ergriff ich die Gelegenheit, ihr vom Verschwinden des Bildes zu erzählen, als Devi mich anrief, um unser wöchentliches Treffen abzusagen. Ich war überrascht, wie gleichgültig sie darauf reagierte, dass ihr Akt nun fremden Augen zugänglich war. Nein, insistierte sie, mein Verlust mache ihr wesentlich mehr zu schaffen, weil sie wusste, dass ich das Bild nicht rekonstruieren konnte. Was ihre eigenen Gefühle anging, sei sie so abgestumpft, dass es ihr egal sei.

Sie berichtete, dass Paul angerufen hatte, um sich für die Art, in der am Telefon mit ihr gesprochen hatte, zu entschuldigen. Sie hatte sich dafür entschuldigt, ihn zum zweiten Mal im Stich gelassen zu haben, und er hatte ihr vergeben.

»Nichts kann ihn ersetzen«, meinte sie traurig. »Und das wird sich nie ändern. Aber diesmal werde ich mein Wort halten. Ich habe eine harte Lektion über das Verlangen und den menschlichen Willen gelernt – und über meine eigenen Grenzen.«

Jedes Mal, wenn ich sie jetzt sah, wirkte sie noch winziger, als ließe der Verlust Pauls sie schrumpfen.

Clara und ich gingen gemeinsam zu dem Mittwochsvortrag im Larkin und danach mit den anderen zum Essen in den Bombay Club. Niemand sprach mit ihr, sie schien außer Devi und mir keine Freunde zu haben. Falls man Devi dazuzählen konnte. Oder mich. Arme Clara. Auf dem Heimweg begann es zu nieseln, und Clara legte den Kopf in den Nacken, und der leichte Regen benetzte ihr Gesicht.

»Das tut gut«, sagte sie zu mir. »Ich mag es, wenn der Regen so sanft die Haut berührt.«

Sie drehte sich zu mir um. »So ist es schöner«, meinte sie. »Nur du und ich. *Du* bist immer freundlich. Nicht *jeder* ist so freundlich wie du.«

Das Gewicht ihrer Worte lastete schwer auf mir, als wir ins Haus gingen.

In dieser Nacht träumte ich davon, dass der Schnee fiel und fiel und fiel und mich tief unter sich begrub. Als ich mich in dem blauweißen Licht umschaute, sah ich Devi schlafend neben mir liegen. Ihre Haut schimmerte goldbraun gegen den weißen Schnee, und ihre langen Haare umgaben sie wie ein schwarzer Schleier. Plötzlich überkam mich die Erkenntnis, dass ich sie hierher gebracht hatte, um zu sehen, wie ihre Haut gegen den Schnee wirkte.

Dann rief jemand nach mir, ich hörte die Stimme und wusste, dass ich gehen musste. Ich würde zu Devi zurückkehren. Ich grub mich durch den Schnee, aber als ich oben ankam und mich umschaute, konnte ich niemanden entdecken, niemand rief, nur in meiner Hand lag ein winziger roter Stein aus Glas, glatt und oval. Er wärmte meine Haut in der winterlichen Luft.

Ich musste sofort zurück zu Devi, oder sie würde ersticken. Ich legte den Stein unter meine Zunge, um ihn nicht zu verlieren, und grub und grub im Schnee. Schließlich erreichte ich die Höhle, die ich nur ein paar Minuten zuvor verlassen hatte, aber außer dem Ab-

druck ihres Körpers fand ich keine Spur von ihr. Ich rief ihren Namen, und als ich rief, fiel der Stein, der unter meiner Zunge verborgen gewesen war, in den Schnee und wurde silberweiß, unsichtbar zwischen den zahllosen Mikrokristallen auf dem Boden vor mir.

Ich kehrte ohne Begleitung in die atmende Welt zurück.

Kapitel 14

Der März ging seinem Ende entgegen, ohne dass das Bild wieder auftauchte. Wendy rief mich an und meinte, wir müssten die Möglichkeit eines Diebstahls in Betracht ziehen. Sie war so weit gegangen, die Polizei in Cambridge anzurufen, aber die schien der Ansicht zu sein, dass Wendy mehr Beweise vorlegen müsste, bevor sie eine Anzeige aufnehmen könnten.

Nur wenn ich mit Michael zusammen war, konnte ich den Gedanken an das Bild verdrängen. Er besuchte mich am Tag vor der Aperçu-Party und feierte mit mir Geburtstag. Er hatte mir einen wunderschönen, weißseidenen Morgenmantel gekauft. Als ich ihn vorführte, sagte er: »Gott, in dieser weißen Seide siehst du aus wie ein Engel. Ich möchte dich bumsen, wenn du ihn trägst.«

»Jeder Mann möchte mit einem Engel bumsen.«

»Oh, stimmt das?«, erwiderte er. »Ich dachte immer, mit einer Nonne.«

Kurz danach begaben wir uns in mein Schlafzimmer, und während er sich auszog, sagte ich: »Ich will, dass du mich wie ein Ehemann bumst.« So etwas hatte ich noch nie vorgeschlagen, geschweige denn gedacht. Ich wusste, was ich meinte, aber ich wollte nicht darüber nachdenken, wie ich auf diese Idee gekommen war. Für mich klang es einfach wunderbar – nach etwas, wovon ich zwar keine Ahnung hatte, was ich aber ausprobieren wollte. In gewisser Weise war etwas Alltägliches für mich exotisch geworden.

»Was?«, fragte er mit einem unsicheren Grinsen. »Was meinst du damit, *wie ein Ehemann*?«

»Ich meine einen gattenmäßigen, routinierten Fick – nichts Kreatives oder Perverses, keine Verkleidung, praktisch kein Vorspiel oder Küsse – nur gelassenen, normalen, langweiligen Sex, wie ihn Ehepaare haben.« Ich wollte unbedingt eine Kostprobe dieser geheimnisvollen ehelichen Vereinigung. Ich stellte mir die Missionarsstellung vor, sehr direkt, nichts Ausgefallenes. Ich wollte, dass er mich wenigstens ein einziges Mal so liebte. »So wünsche ich mir meinen Geburtstagsfick, okay?«

»›Gelassen‹ und ›normal‹«, lachte er. »Norrie, in deiner Nähe fühle ich mich absolut nicht gelassen, und mit dir zu bumsen kann unter keinen Umständen normal sein. Ich bin nicht sicher, dass ich die nötige Souveränität dafür aufbringe, vom Ergebnis mal ganz abgesehen.«

»Ach komm schon, kannst du es nicht wenigstens versuchen?«

»Wir können es ja probieren. Aber mach mir keine Vorwürfe, wenn ich nicht so gelassen bleibe, wie du dir das vorstellst, Liebling.«

»Einverstanden. Und wenn du mich hinterher noch in dem Seidenfummel bumsen willst, nur zu.«

»Zu gütig«, meinte er.

Wir liebten uns auf sehr einfache Weise – ein paar zärtliche Küsse und ein wenig Streicheln (hier musste ich ihn bremsen), und dann die Penetration und das Unvermeidliche. Interessanterweise kamen wir gleichzeitig und ausgesprochen heftig.

Als wir uns direkt danach ins Gesicht schauten, begannen wir zu lachen. Ich bin nicht sicher, ob einer von uns wusste, warum wir lachten, aber wir schienen nicht aufhören zu können. Wir hielten uns in den Armen und rollten lachend über das Bett.

Im nächsten Moment war er wieder steif. Dann war er wieder in mir. Und wir kamen wieder.

Danach erkundigte ich mich: »He, was ist mit meinem Seidenfick?«

»Für wen hältst du mich?«, fragte er. »Herkules?«

»Nun, aber behaupte nicht, ich hätte dir keine Chance gegeben«, erwiderte ich.

»Weißt du, was ich immer schon wollte, aber noch nie getan habe?«

»Impotent sein? Zugeben, dass du im Unrecht bist? Ich gebe auf.«

»Strip-Poker spielen.«

»Also ehrlich, du bist mittlerweile achtundvierzig und hast noch nie Strip-Poker gespielt?«

»Nie«, antwortete er. »Du weißt doch, ich bin Ire. Die Iren mögen keine erotischen Kartenspiele. Eigentlich lehnen sie Sex an sich ab.«

»Ja, davon habe ich gehört«, antwortete ich.

Ich fand ein Kartenspiel und ließ ihn mischen. Hätte er gesehen, wie profimäßig ich mischen konnte, hätte ihn das vielleicht entmutigt, und das lag nicht in meinem

Interesse. Natürlich zog ich mich wieder vollständig an, schließlich war das der Sinn der Sache.

Um es kurz zu machen, ich ließ ihn gewinnen. Ich wollte jedes Kleidungsstück loswerden, damit wir uns wieder lieben konnten.

Wenn er mich nackt sah, würde er wollen. Also tat ich es, er tat es, und wir taten es.

»Ich weiß, dass du mich hast gewinnen lassen«, erklärte er hinterher.

»Was soll's?«, erwiderte ich, während ich die Karten in meinem rasanten »Zauberteppich-Stil« mischte.

Alles in allem war es eine entzückende Geburtstagsfeier. Und auf uns wartete noch immer der Seidenfick. »Alles zu seiner Zeit«, sagte er an der Tür zu mir.

»Gut«. Ich küsste ihn. »Ich verspreche, den Seidenmantel bereitzuhalten.«

»Ich werde daran denken, gnädige Frau«, grinste er.

Als ich in dieser Nacht im Bett lag und einzuschlafen versuchte, graute mir mehr und mehr vor der Aperçu-Party. Ich konnte mir nicht vorstellen, mich normal zu verhalten, wenn Michael und Brenda in der Nähe standen und vor aller Welt das glückliche Ehepaar spielten. Liz war eingeladen, hatte aber beschlossen, nur dann zu kommen, wenn ich sie wirklich brauchte.

Ich teilte ihr mit, das ihre Anwesenheit die Dinge vermutlich nur noch schlimmer machen würde. Es ist einfacher, Gleichmut vorzutäuschen, wenn niemand da ist, der weiß, dass man sich im achten Kreis der Hölle befindet. Also schickte sie Michael nur einen Brief und eine Flasche Champagner.

»Außerdem sehe ich euch sowieso in ein paar Wochen«, sagte sie. »Ich komme auf Lesereise nach Boston, vielleicht können wir dann ja zusammen zum Essen gehen oder so etwas.«

Am Sonntag war ich so nervös wegen der Party, dass ich Liz anrief und sagte, ich wüsste nicht, ob ich das durchstehen könnte.

»Lass uns über ernsthafte Dinge reden«, meinte sie. »Was willst du anziehen?«

»Etwas Altes.«

»Das sagt mir gar nichts.«

»Einen schwarzen Seidenwickelrock mit Schlitz«, zählte ich auf. »Und ein neues ärmelloses T-Shirt mit Stehkragen, das ich mir extra gekauft habe.«

»Gut«, meinte Liz. »Wenn du deine Superbeine schon versteckst, zeig ihnen wenigstens deine knackigen Oberarme.« Sie wusste, wann Lästern angesagt war, und das half mir, weil sie mir damit das nötige Selbstvertrauen gab, das ich brauchte, um den Abend zu überleben.

»Der Schlitz«, erinnerte ich sie.

»Was?«

»Der Schlitz im Rock – wenn man geht oder die Beine übereinander schlägt, zeigt er eine ganze Menge.«

»Umso besser«, erwiderte sie. »Welche Schuhe ziehst du an?« Ich war mir bewusst, dass sie mich von meiner Angst ablenken wollte, und machte das Spiel mit. Es gab nichts Besseres als Oberflächlichkeiten, um das wilde Ungeheuer zu zähmen.

»Meine schwarzen Stöckelschuhe mit den Riemen über den Knöcheln.«

»Deine Bums-mich-Schuhe? Braves Mädchen«, lobte sie, und ich lachte. »Was machst du mit deinen Haaren?«
»Ich trage sie einfach offen.« Michael gefiel das.
»Schmuck?«
»Ein schweres Silberarmband, den Ring von Michael und ein paar falsche Smaragdohrclips. Sie sehen toll aus, wenn man nicht zu nah rangeht, aber vielleicht färben sie meine Ohren grün.«
»Klingt perfekt«, meinte sie. »Also gut. Zieh los und denk die ganze Zeit daran, wie schön du bist, Süße. Lass nicht zu, dass dich etwas traurig macht oder das Gefühl in dir erweckt … nun, unbedeutend zu sein.« Liz wusste genau, wie es werden konnte.

Ich spielte kurz mit dem Gedanken, zur Kosmetikerin zu gehen, kam dann aber davon wieder ab. Ich wollte nicht zu viel in meine Vorbereitung investieren, denn zu große Erwartungen konnten an diesem Abend tödlich sein.

Ich wusch mir die Haare, feilte meine Nägel und lackierte sie und bürstete meine Haare. In diesem Moment klingelte – wie in einem schlechten Film – das Telefon. Es war natürlich Michael.

»Norrie«, sagte er. »Ich weiß nicht, was ich machen soll. Die verdammten Fernsehleute waren den ganzen Nachmittag hier im Haus – der blöde Hershom und seine Publicity-Sucht –, und ich … ich bin einfach nicht sicher, ob du heute Abend kommen solltest. Ehrlich nicht.«

»Was?« Ich konnte es nicht fassen. Er wusste, dass es von mir erwartet wurde. Ob ich nun arbeitete oder nicht, es führte kein Weg an der Tatsache vorbei, dass ich sein Buch als Leiterin der Designabteilung von Aperçu gestaltet hatte. Sicher, ich hatte auch kalte Füße, aber ich wollte keinesfalls, dass er mich aufforderte, nicht hinzugehen.

»Es wäre heute Abend sowieso für uns beide schwer geworden«, fuhr er fort. »Du weißt das. Mit den ganzen Fernsehleuten, die dort herumschwirren, wird es noch viel stressiger werden.« Er schwieg, und auch ich sagte nichts. »Du könntest ja sagen, dir ginge es nicht gut. Im Augenblick ist eine Magen-Darm-Grippe in Umlauf – ich weiß nicht, ob einer von uns das wirklich mitmachen sollte.«

»Hör mal, Michael, ich bin fertig angezogen und wollte gerade los. Und da ich vor ein paar Minuten noch mit Ed Hershom telefoniert habe, gibt es auch keine Möglichkeit, eine Krankheit vorzutäuschen. Ich kann nicht fassen, dass du mir das vorschlägst. Jetzt.«

»Norrie, du weißt, dass ich dabei auch an dich denke. Ich kann voraussehen, wie grauenhaft dieser Abend wird, falls …« Er verstummte.

»Falls ich auch dort bin?«

»Ja, grauenhaft für uns beide. Es ist unvermeidlich, oder? Ich fürchte, das wird dich alles sehr aufregen. Brenda wird zweifellos den ganzen Abend neben mir stehen – sie und dieser dicke Fernsehtyp sind ganz begeistert voneinander.«

Diese Brenda, dachte ich. Sie war wirklich gerissen.

»Ich kann auf mich selbst aufpassen«, sagte ich beleidigt. Das musste ich offenbar auch. »Ich habe ebenfalls ein

Berufsleben, weißt du? Vergiss nicht, mein Arbeitgeber veranstaltet diese Feier.«

»Richtig«, sagte er. Plötzlich war die Nervosität aus seiner Stimme verschwunden. »Gut. Aber sei nicht böse, wenn ich nicht mit dir reden kann.«

»Sagst du das zu *vielen* deiner Freunde?« Ich wartete seine Antwort nicht ab und legte einfach auf. Dann wartete ich neben dem Telefon darauf, dass er zurückrief, um sich für sein mieses Verhalten zu entschuldigen. Er tat es nicht.

Ich griff nach meinem schwarzen Trenchcoat und verließ die Wohnung, wobei ich froh war, mir keine Gedanken wegen eines Zusammentreffens mit Clara machen zu müssen. Sie hatte mir erzählt, dass sie heute Abend in die Bibliothek wollte, um etwas zu recherchieren.

Auf dem Weg nach unten hielt der Fahrstuhl im dritten Stock, wo Devi einstieg.

»Norrie«, begrüßte sie mich, »wie schön, dich zu treffen. Du siehst toll aus. Wohin willst du?«

»Zu der Party, die mein Arbeitgeber für einen seiner Autoren gibt«, antwortete ich. »Michael Sullivan, der gerade den National Critics Circle Award für *This Cold Heaven* gewonnen hat.«

»Ach ja«, sagte sie. »Man sagt, es sei ein wundervolles Buch. Kennst du ihn gut?«

Ich hatte gehört, dass ein Strohhalm in einem Tornado einen Felsen zertrümmern kann. Manchmal trifft eine unerwartete Frage genauso. Man wird erwischt. Ich konnte Devi nicht anlügen, ich konnte es einfach nicht, aber genauso wenig konnte ich ihr sagen, dass Michael

Sullivan mein verheirateter Geliebter war. Ich zögerte zu lange mit der Antwort. »Ja«, gab ich schließlich zu, »so ist es.« Devi musterte mich eindringlich, und ich spürte, wie ihr die Erkenntnis dämmerte. Mir wurde einen Moment lang übel, aber dann war ich erleichtert. Wir würden nicht darüber reden – das mussten wir nicht –, aber der Gedanke, dass sie endlich auch den Rest meines Geheimnisses kannte, das mich so lange von nahezu jedem isoliert hatte, war tröstlich.

»Nun, ich hoffe, du wirst einen schönen Abend verbringen.« Sie drückte meinen Arm. Dutzende von Armreifen klirrten leise bei der Bewegung. »Danke«, erwiderte ich. »Das hoffe ich auch. Wo gehst du denn hin?«

»Zur letzten Sitzung meines Poesie-Workshops. Um die Wahrheit zu gestehen, ich bin froh, dass ich es bald hinter mir habe – ich muss mich wirklich auf mein eigenes Schreiben konzentrieren.« In erster Linie hatte sie diesen unbezahlten Workshop übernommen, weil sie, wie sie mir sagte, davon überzeugt war, dass »man etwas für die Gemeinschaft, in der man lebt, tun muss«. Mir war bewusst, dass ich mich in Bezug auf meine Kunst wesentlich egoistischer verhielt als Devi – oder in letzter Zeit geworden war. Ich beschloss, wieder eine Aufgabe zu übernehmen, die der Gemeinschaft diente. Ich erinnerte mich an die freiwilligen Mal-Workshops, die ich Downtown in einem Heim für ehemals obdachlose Frauen abgehalten hatte. Und ich hatte ein paar Mal Malkurse in Idas Altenheim gegeben. Ich hatte mich tatsächlich erst in den letzten zwei Jahren so vollständig von der Welt zurückgezogen.

Ich musterte Devi. »He, du siehst heute Abend auch toll aus«, versicherte ich ihr. Zwar wirkte sie ein wenig müde, aber sie sah wundervoll aus in ihrer weiten gelbseidenen Tunika, dem langen, braunen Gabardinehemd und den braunen Lederstiefeletten. »Ich vergesse andauernd, dass dein Kurs am Sonntagabend stattfindet. Ein schrecklicher Termin für so eine Veranstaltung.«

»Ach nun«, sagte sie. »An welchem Abend, das spielt hier am Larkin für mich keine Rolle. Ich muss ja nicht zur Arbeit. Viele der Dichter in meiner Gruppe sind Studenten oder Akademiker, und für sie ist es einfacher, solche Sachen am Wochenende zu machen.«

Als wir aus dem Fahrstuhl ausstiegen, legte sie mir kurz die Hand auf den Arm und zog sie dann zurück. »Norrie«, sagte sie, »ich habe mich gefragt, ob du wohl nachher bei mir vorbeikommen könntest, wenn du von der Party zurück bist? Ich muss mit dir reden.«

»Gerne«, erwiderte ich, »aber ich glaube nicht, dass ich vor halb zwölf zurück sein werde.«

»Ach, was bedeutet schon Mitternacht für zwei professionelle Nachteulen wie uns!« Sie lächelte. »Mein Workshop endet um zehn. Ich werde gegen halb elf zurück sein und wahrscheinlich an meinem Gedicht weiterarbeiten. Wenn du kommst, bin ich dankbar für eine Pause. Und ich brauche wirklich deinen Rat.«

»Selbstverständlich … Devi, geht es dir gut?«

»Oh, wir reden nachher«, lächelte sie, aber auf ihrem Gesicht spiegelte sich Erschöpfung, gepaart mit etwas anderem – Unsicherheit, vielleicht, oder Unbehagen. Schnell lächelte sie wie immer. »Eine schöne Party«, wünschte sie. »Ich erzähl dir alles nachher – versprochen!«

Wir traten zusammen auf die Straße in die kühle Frühlingsluft hinaus und verabschiedeten uns am Eingang zum Hof. Devi umarmte mich auf ihre zurückhaltende, rasche Art. Sie ging in Richtung Larkin davon, und ich machte mich auf zum Charles Hotel zu Michaels Party.

Es war fast zwanzig Uhr, und die Straßen waren immer noch belebt. Wenn ich nachher nach Hause kam, würden sie praktisch menschenleer sein. Mittlerweile fürchtete ich die Feier richtiggehend. Wie konnte Michael mich in letzter Minute so hängen lassen? Wir hatten immer gewusst, dass der Abend für uns beide schwer werden würde, jetzt war es noch schlimmer – zumindest für mich –, weil ich wusste, dass er mich nicht dort haben wollte.

Bei meinem Eintreten sah ich als Erstes Brenda und Michael zusammen, sie bei ihm eingehakt, wie sie dem Mann vom Fernsehen, über den Michael sich vorher bei mir beschwert hatte, ein Interview gaben. Sie trug ein knielanges, knallrotes Kostüm mit Goldknöpfen und eine dreireihige Perlenkette um den Hals. Ihre Haare schienen noch heller gebleicht und hochtoupiert, aber abgesehen davon musste ich zugeben, dass sie hübsch aussah. Sie lächelte sogar, Diamant- und Perlenohrringe glitzerten im Licht, ihre langen Nägel waren in dem gleichen Rot wie ihr Kostüm lackiert. Sie sah aus wie die Gattin eines Präsidentschaftskandidaten.

Sie hatte dürre Hühnerbeine, wie ich zu meinem Vergnügen feststellte. Man muss dem Herrn auch für kleine Freuden dankbar sein, wie meine Mutter sagen würde.

Ich bemerkte, dass Michael zu dem wundervoll geschnittenen anthrazitfarbenen Anzug ein Hemd trug, das ich ihm geschenkt hatte. Sein welliges Haar war wie immer leicht zerzaust. Er sah sensationell aus.

Das Interview schien gerade beendet zu sein, und die Leute strömten auf Michael und Brenda zu. Sein Blick schweifte zu mir herüber und dann über mich hinweg, als ob er mich nicht gesehen hätte. Konnte er mich nicht wenigstens begrüßen? Prima, dachte ich, das Spiel konnte man auch zu zweit spielen. Während ich an ihnen vorüberschwebte, wobei ich in alle Richtungen schaute, nur nicht in ihre, spürte ich gleichzeitig intensiven Schmerz und eine manische, irgendwie trotzige Erleichterung. Prima, redete ich mir ein, ich kann diese Party auch ohne Michael genießen.

Ich begab mich direkt zum Büfett und räumte die Kanapees ab, begann mit Krabbenschnittchen und machte mit gefüllten Pilzen, Artischockenherzen mit ausgelassener Zitronenbutter und winzigen Spinattörtchen weiter. Danach kamen die in Schokolade getauchten Erdbeeren und Aprikosen an die Reihe. Ich geriet in eine Art Schokoladenrausch und schlang einige Täfelchen Godiva und einige obszöne Trüffel hinunter, die daneben angerichtet waren. Als ich schließlich nichts mehr essen konnte, war es Zeit, sich unter die Gäste zu mischen.

Ed Hershom stand neben dem Büfett, deshalb ging ich direkt zu ihm. Mit Ed konnte man sich leicht unterhalten. Und da er nun einmal auf meinem Erscheinen bestanden hatte, wollte ich sicher sein, dass er mich zur Kenntnis nahm.

»Wow«, grüßte er mich. »Schau dich an.« Ich dachte, ich hätte mich bekleckert, deshalb schaute ich an mir herunter. »Ich meinte das nicht wörtlich«, sagte er. »Ich wollte damit nur sagen, dass du für eine kleine Proletarierin, die sich ewig mit ihrer Staffelei einschließt, wirklich toll aussiehst.«

»Halt die Klappe«, erwiderte ich. »Wo hast du den Anzug geliehen?«

Er lachte, und ich bemerkte, dass er nicht allein war, als er sich an einen blassen, nett aussehenden Mann und eine ziemlich hübsche rothaarige Frau neben ihm wandte. Man stelle sich meine Überraschung vor, als er sie mir als Tom Beshears und dessen Frau Nicola vorstellte, enge Freunde von Michael. Ed nannte mich eine »echte Künstlerin«, die davon lebte, für Aperçu Bücher zu gestalten.

»Sie hat den Umschlag für Michaels Buch gemacht«, sagte er, wobei er mit seinem kurzen Daumen auf mich wies.

Tom und Nicola versicherten überschwänglich, wie wundervoll sie den Umschlag fänden, und ich hätte Ed umbringen können, weil es so wirkte, als würden wir nach Komplimenten gieren. Es dauerte nicht lang, und wir vier unterhielten uns angeregt darüber, wie schwer es heutzutage war, eine künstlerische Laufbahn einzuschlagen. Ich fand sowohl Tom als auch Nicola wundervoll. Selbst als Ed sich verabschiedet hatte, tauschten wir weiter unsere Ansichten über Politik, Poesie und Theater aus.

Als ich gerade einen Scherz machte, ging Michael vorbei

und sah uns lachen; er wandte den Blick ab und rief jemandem auf der anderen Seite des Saals etwas zu. Was für ein Feigling er heute Abend war. Was, in alles in der Welt, war mit ihm los?

Ein wenig später hielt Michael seine Dankesrede, und die Gäste versammelten sich um das Podium. Zufällig stand Brenda neben mir, wir beide genau in Michaels Blickrichtung. Ich war mir sicher, dass ihm zwei oder drei Mal während seiner Rede der Gegensatz zwischen seiner aufgedonnerten Frau im Businesskostüm und der Frau neben ihr in schwarzer Seide, der Frau, die er wahrhaft liebte (egal, schließlich war es mein Drehbuch), ins Auge stach.

Nachdem er geendet hatte, ging er unter stürmischem Applaus zurück zu Brenda, die ihn umarmte, wobei ihre sorgfältig manikürte Hand auf seiner Schulter ruhte, auf dem Hemd, das ich ihm gekauft hatte. Ich sandte ihr eine telepathische Botschaft: *Finger weg von meinem Hemd*! Und an Michael: *Gestern warst du in mir – drei Mal*! Ich hätte die Feier am liebsten umgehend verlassen, aber es war erst acht Uhr dreißig, und mein Stolz und meine Sturheit verboten mir zu flüchten.

Ich werde mich vermutlich immer fragen, ob es etwas geändert hätte, wenn ich meinem ersten Impuls nachgegeben hätte. Ich denke ständig darüber nach. Aber in jenem Augenblick war mein schlimmstes Problem Michael, der den ergebenen Ehemann gegenüber seiner ihm entfremdeten Frau spielte.

Gegen neun Uhr, als Brenda mit dem Fernsehjournalisten plauderte, ging ich hinüber und begrüßte Michael.

Das hier war lächerlich, und ich würde nicht nach Hause gehen, bevor wir miteinander gesprochen hatten. Michael grüßte zurück und lächelte sogar, aber es wirkte steif und gezwungen, als spräche er mit einem Versicherungsvertreter, der ihn mit blöden Sprüchen über die Endlichkeit des Lebens in die Enge getrieben hatte. »Schön, dich zu sehen«, sagte er herzlich.

»Michael«, erwiderte ich mit gesenkter Stimme, »hör sofort damit auf.« Er schaute mich an, als ob es ihm wie Schuppen von den Augen fiele, nahm mich beim Arm und führte mich in eine ruhige Ecke.

»Norrie, ich werde hier noch verrückt. Ich hasse es. Ich komme nachher bei dir vorbei, sobald ich von dieser beschissenen Burleske verschwinden kann. Ich muss mit dir allein sein.« Mein Herz sank.

»O Michael. Ich kann nicht, ich habe Devi versprochen, sie nachher zu besuchen.«

»Devi. Toll.«

»Sei doch nicht so«, protestierte ich. »Sie ist wegen irgendetwas sehr aufgeregt und hat mich gebeten, zu ihr zu kommen. Ich bin sicher, dass etwas nicht stimmt.«

»Okay«, erwiderte er, und seine Laune besserte sich zusehends, »ich habe eine Idee. Diese verdammte Party macht dir doch sowieso keinen Spaß, und dein publicitygeiler Arbeitgeber hat dein Auftauchen zur Kenntnis genommen. Warum gehst du Devi nicht einfach jetzt schon besuchen, und ich fahre zu dir, sobald ich die Feier verlassen kann – es kann halb zwölf oder zwölf werden, aber auf keinen Fall später, versprochen. Brenda ist mit ihrem eigenen Wagen hier, weil sie früher

347

gehen muss, also ist es kein Problem für mich, auf dem Heimweg bei dir vorbeizukommen.«

»Michael, es tut mir Leid, aber ich kann einfach nicht. Devi wird selbst nicht vor halb elf zu Hause sein – sie gibt einen Workshop. Und ich muss zu ihr, sie braucht mich wirklich. Ich habe es versprochen.«

»Ich brauche dich auch, Norrie«, sagte er. »Zählt das nicht?«

»Natürlich zählt es, aber Devi –«

»Richtig«, sagte er, »dann geh zu deiner Devi.« Er drehte sich um und ließ mich stehen. Ich stand einen Augenblick da und starrte ihm ratlos hinterher.

Ich wanderte auf der gottverdammten Party herum, rempelte Leute an, entschuldigte mich, fühlte mich einsam und blöd. Ich wollte, dass Michael noch einmal mit mir redete, um die Dinge ins Lot zu bringen, aber er war ständig im Gespräch mit irgendjemandem.

Um halb zehn sah ich, dass Brenda ging, und glaubte, Michael würde sich beruhigen und mich noch einmal ansprechen, aber nun schien er in ein intensives Gespräch mit Bob Brock verwickelt. Ich unterhielt mich eine Zeit lang mit Michaels Lektorin, aber hinterher konnte ich mich nicht erinnern, worüber wir geredet hatten. Ich schlug einfach die Zeit tot. Als ich das nächste Mal hinüberschaute, war Michael fort. Ich suchte den gesamten Saal ab, konnte ihn aber nirgends entdecken.

»Wo ist unser Ehrengast denn hin?«, hörte ich Ed Hershom ein paar Minuten später seine reizbare Exgattin fragen. »Es ist noch nicht einmal halb elf. Hat er gekniffen, oder was?«

War er wirklich gegangen, ohne sich von mir zu verabschieden – nach unserem traurigen kurzen Zusammenstoß? Es sah ihm gar nicht ähnlich.

Ich hing noch eine Weile herum, weil ich glaubte, Michael würde vielleicht zurückkehren, aber er kam nicht. Schließlich beschloss ich zu gehen, wurde aber von Menschen, die ich kaum kannte, in belanglose Gespräche verwickelt. Wo hatten all diese Leute gesteckt, als ich mich wie eine miese Verliererin gefühlt hatte? Kurz nach elf gelang es mir, zu flüchten. Ich fühlte mich lausig.

Vielleicht hätte ich direkt nach meinem lächerlichen Wortwechsel mit Michael gehen sollen, aber es hat keinen Sinn, über den Zeitpunkt zu räsonieren. Es ändert jetzt auch nichts mehr.

Ich lief die breite Treppe des Charles hinunter. Es war beinah halb zwölf. Ich war froh, Devi gewarnt zu haben, dass es spät werden konnte.

Die Straßen waren wie ausgestorben, bis auf eine Sirene, die aus der Ferne ertönte. Als ich in einer kalten Meeresböe schauderte, fiel mir auf, dass ich meinen Trenchcoat vergessen hatte. Verdammt. Ich hastete zum Charles zurück, um ihn zu holen.

Ein paar Minuten später stieß ich auf meinem Weg durch die Lobby mit Delia Hershom zusammen, Eds bridgespielende Exfrau, die mir zehn Minuten lang mit schriller Stimme von einer Freundin erzählte, die auch Stipendiatin am Larkin gewesen war. Es war einfach zu erkennen, warum Ed nie wieder geheiratet hatte – offensichtlich posttraumatisches Stresssyndrom.

Als ich endlich die Brattle Street hinablief, war es nach Mitternacht, und ich war müde; wenn Devi mich nicht so dringend brauchen würde, dachte ich, würde ich sie anrufen und absagen.

Als ich mich unserem Gebäude näherte, erkannte ich erschrocken eine wartende Ambulanz, Polizeiwagen parkten an der Bordsteinkante. Vier weitere Fahrzeuge standen kreuz und quer auf der Straße, ein Polizeiauto und drei Zivilwagen der Kripo. Eine kleine Menschenansammlung stand zu beiden Seiten einer provisorischen Absperrung, und als ich näher kam, erkannte ich einige Mieter aus meinem Gebäude.

Über den Barrikaden, die den Bürgersteig bis zum Randstein abriegelten, spannte sich gelbes Absperrband auf beiden Seiten bis zum Hofeingang. Auf dem Weg zwischen den Bändern sah ich eine dunkle Spur, wie Motorölflecken, die über den Bürgersteig in den Hof hineinführte, wo sich mehrere Polizeibeamte versammelt hatten, einige von ihnen mit durchsichtigen Plastiktüten über den Schuhen. Die Neugierigen drängten sich an den Eisenzaun, um das Geschehen verfolgen zu können.

Ein Polizeibeamter stand draußen und teilte den Leuten mit, dass man nicht ins Haus konnte; ein weiterer Beamter stand auf der Treppe vor unserem Gebäude und hinderte offensichtlich jemanden daran, herauszukommen. Ich hörte, wie zwei Streifenbeamte die Leute fragten, ob sie etwas gesehen hätten oder wo sie sich zwischen zehn und elf Uhr an diesem Abend aufgehalten hatten.

»Was ist passiert?«, fragte ich ein blondes Mädchen, die auch im vierten Stock wohnte.

»Ich weiß nicht, ich bin auch gerade erst gekommen, aber ich glaube, jemand wurde vergewaltigt oder so«, sagte sie mir. »Sie sind mit ihr da drin.« Sie wies zum Hof. »Sie liegt auf dem Boden.« Mein Gott, dachte ich, es könnte Devi oder Clara sein, beide waren heute Abend ausgegangen.

»Nein, Jen«, der Mann vor ihr drehte sich zu ihr um und sagte, »das stimmt nicht. Ich habe gehört, dass jemand tot ist. Die drei Leute da drüben haben die Leiche gefunden, als sie nach Hause kamen. Es ist eine Frau.«

Ich drängte mich zwischen den Leuten hindurch, blind für alles um mich herum; ein Mann rief, als ich mich an ihm vorbeischob, aber ich drängte weiter, bis ich ganz vorn stand. Durch den Eisenzaun sah ich drei Detectives mit einem Plastikschutz über den Schuhen, die sich über den verwitterten Ziegelweg in unserem Hof beugten, über etwas, das ich nicht erkennen konnte – es musste die Leiche sein. Dann entfaltete einer von ihnen eine weiße Decke und beugte sich vor, um sie über die Leiche zu breiten. Ich bewegte mich am Zaun entlang bis zu einer Stelle, wo ich den bedeckten Körper sehen konnte; das Blut tränkte bereits die Decke und begann Pfützen zu bilden. Dann sah ich den dunklen schlanken Arm unter der Decke hervorragen, Dutzende von Armreifen.

»Devi«, schrie ich. »Devi!« Ich begann am ganzen Körper zu zittern, und genau in diesem Moment schob sich ein Polizist durch die Menge auf mich zu.

»Ma'am?«, sagte er und nahm mich beim Ellbogen. »Kennen Sie das Opfer?«

»Es ist Devi«, sagte ich. »Devi Bhujander.«

Im gleichen Moment hörte ich jemanden hinter mir sagen: »O Gott, es ist die indische Dichterin – sie ist echt berühmt.«

»Devi ist meine Freundin«, sagte ich zu dem Cop. »Ist sie, ist sie –« Ich kannte die Antwort, aber ich musste fragen.

»Es tut mir Leid, Ma'am«, antwortete er. »Das Opfer war bereits tot, als wir vor ungefähr einer halben Stunde am Tatort eintrafen. Würden Sie mich bitte zum Streifenwagen begleiten? Ich möchte Ihnen einige Fragen stellen. Aber zunächst muss ich Sie bitten, das Opfer zu identifizieren.«

»O Gott«, stöhnte ich. »O Gott, ich kann nicht.« Dennoch führte er mich in den Hof, wobei er mich aufforderte, in seine Fußstapfen zu treten, damit ich keine Spuren vernichtete. Das tiefe Rot des vergossenen Blutes schimmerte im Licht der Lampen, die beiderseits der Haustür angebracht waren.

Er zog langsam die Decke zurück, als wollte er mir das Elend ersparen. Das Gesicht der toten Frau war abgewandt, aber ich sah, dass sie kurze Haare hatte.

»Oh, Gott sei Dank«, stieß ich aus. »Es tut mir Leid, ich wollte nur sagen, Gott sei Dank ist es nicht …« Meine Stimme erstarb, als er die Decke weiter hinunterzog und ich die gelbe Seidentunika und das braune Hemd erkannte, die Devi an diesem Abend getragen hatte. Er zog mich (er zog mich buchstäblich wie eine Puppe, denn ich war wie erstarrt) auf die andere Seite, sodass ich das Gesicht der Leiche sehen konnte.

Gott, o Gott, es war Devi, die wunderschönen Augen

aufgerissen, den Mund wie zu einem Hilfeschrei geöffnet, einen Ausdruck des Grauens in ihren lieben Zügen. Man hatte ihr die Kehle durchgeschnitten – sie klaffte, eine lange, blutige Wunde –, und überall auf ihren Brüsten und Schenkeln befanden sich Stichwunden.

»Ich bin sicher, dass sie nicht mehr gelitten hat, nachdem ihre Kehle durchgeschnitten worden ist«, sagte der Beamte, als er mein Gesicht sah. »Der Rest war nur …« Seine Stimme erstarb, und er machte eine unentschlossene Bewegung mit der Hand.

»Devi hat lange Haare«, weinte ich. »Wo ist ihr Zopf?« Panik schüttelte mich.

»Sie trug einen Zopf?« Er beugte sich vor, um Devis Hinterkopf zu untersuchen. »Ja«, murmelte er. »Sieht aus, als wäre er abgehackt worden.« Er richtete sich auf und schaute mich an. »Hier ist er nicht. Der Zopf ist weg. Der Täter muss ihn als Souvenir mitgenommen haben.«

Plötzlich sah ich alles wie durch das verkehrte Ende eines Fernglases – nichts war real oder berührte mich. Ich erinnere mich, dass ich keinen Widerstand leistete, als der Beamte mich am Arm nahm und zu einem der Polizeiwagen auf der Straße führte. Er setzte mich auf den Beifahrersitz und stellte sich neben die Tür, sein Klemmbrett auf den Türrahmen gestützt. Nachdem er meinen Namen und meine Adresse aufgenommen hatte, begann er mir Fragen über Devi zu stellen – wo sie heute Abend gewesen, wann sie zurückerwartet worden war, solche Dinge. Zunächst schien ich den Mund nicht öffnen zu können, und er reichte mir einen Plastikbecher voll Wasser aus einer Thermoskanne, die auf dem Sitz lag. Das Wasser schmeckte schal wie Brackwasser. Ich beantwortete die Fragen, so gut ich konnte. *Sie wollte um halb elf zu Hause sein, leitete einen Poesie-Workshop*, all das.

»Wissen Sie, ob sie hier in der Nähe Verwandte hatte?«, fragte er.

»Nein. Ein Bruder lebt in London, die Eltern und Schwester in Delhi.« Er schaute verständnislos. »Indien«, ergänzte ich, für alle Fälle.

»Und Sie sind eine enge Freundin?«

»Ja, vermutlich die Einzige hier, die sie wirklich gut kennt – sie ist ein sehr zurückhaltender Mensch. Ich kann mir nicht vorstellen, dass jemand ihr wehtun könnte. Warum sollte jemand so etwas tun? *Der Scheißkerl*«, stieß ich hervor. »Der Scheißkerl.« Und dann begann ich zu weinen. Er wartete geduldig, bis ich mich wieder unter Kontrolle hatte, dann stellte er weitere Fragen.

»Sind Ihnen hier in letzter Zeit verdächtige Personen aufgefallen?«

»Sicher«, sagte ich, »dutzende. Kommt ganz darauf an, was Sie unter verdächtig verstehen. Ich meine, auf der Bank vor dem Radcliffe sitzt ständig ein Kiffer und bietet allen vorbeikommenden Frauen einen Zug an. Aber ich halte ihn eigentlich für harmlos … davon mal abgesehen.«

»Nun, es könnte sich auch um einen Gelegenheitstäter handeln, deshalb ist jeder auf der Straße Lebende verdächtig«, teilte mir der Beamte mit.

Ich nickte. Ich konnte es nicht ertragen, ich wollte Devis Tod nicht wahrhaben, ich wollte, dass es nur einer meiner albernen Träume war. Aber dann wurde mir bewusst, dass sie außer mir niemanden mehr hatte, der für sie sprechen konnte. Ich musste stark sein. Ich nahm all meine Kraft zusammen.

»Es war kein Raubüberfall«, sagte der knochige Beamte gerade, »wir sind ziemlich sicher, wir haben ihre unberührte Tasche gefunden. Wir waren nicht sicher, ob sie dem Opfer gehörte, bis Sie sie identifiziert haben, weil nur ein Studentenausweis ohne Lichtbild darin steckte. In der Tasche befand sich ziemlich viel Geld, und sie lag offen auf der Straße – nahe dem rechten Bordstein, als wäre sie fortgeworfen worden –, vielleicht vom Opfer selbst, um den –«

»– Angreifer von sich abzulenken«, unterbrach ich ihn. »Ich weiß. Die Polizei hat uns das in einem Selbstverteidigungskurs am Larkin beigebracht.«

»Larkin?«

»Institut«, sagte ich. »Am Radcliffe. Es ist ein Forschungs- und Lehrzentrum für Frauen.«

»Okay, ja, drüben an der Concord Street. Nun, schauen Sie, ich muss das fragen, Ma'am, hat das Opfer Drogen genommen?«

»Himmel«, erwiderte ich. »Natürlich nicht.«

»Denken Sie daran«, ermahnte er mich, »es ist nichts Persönliches. Wir müssen danach fragen, sonst weiß die Kripo nicht, wo sie mit den Ermittlungen beginnen soll. Verstehen Sie das?«

»Ja«, sagte ich. Ich konnte ihn nicht ansehen. *Drogen.*

»Wissen Sie, ob jemand dem Opfer den Tod gewünscht hat?«

»Gott, nein«, antwortete ich scharf, und dann erinnerte ich mich, wie Devi mir erzählt hatte, dass Paul manchmal gesagt hatte, er würde ihren Tod als Erlösung empfinden, wenn sie nicht mit ihm zusammen sein konnte – irgend so etwas. »O Gott«, sagte ich mit leiser Stimme.

»Was?«, fragte er. »Wissen Sie, ob sie Feinde gehabt hat?«

»Kein Feind«, murmelte ich. »Ich meine, er war ihr ehemaliger Liebhaber, und zwischen ihnen hat vor ein paar Wochen eine heftige Auseinandersetzung stattgefunden – dann rief er sie an und hinterließ eine unheimliche Nachricht auf ihrem Anrufbeantworter. Aber er hat sie später um Verzeihung gebeten. Würde jemand tatsächlich so weit reisen, um ein Verbrechen aus Leidenschaft zu begehen?«

»In so einem Fall muss man alles in Betracht ziehen«, erwiderte der Beamte. »Aber letztendlich entscheidet die Mordkommission, welche Spur verfolgt wird.«

In diesem Moment kam ein kräftig gebauter Detective in einem braunen Polyesteranzug und mit einem eigenen Klemmbrett zum Auto herüber, und der Beamte wies mich an, Detective Burns alles zu sagen, was ich »über diesen Exfreund des Opfers« wusste. Ich versuchte verzweifelt, mich zu erinnern, was Devi mir erzählt hatte.

»Sein Name lautet Paul Monnard«, berichtete ich Detective Burns. »M-O-N-N-A-R-D, glaube ich. Er lebt in London.« Burns notierte alles in seiner verkrampften Polizistenhandschrift, und ich hatte das Gefühl, langsamer sprechen zu müssen, damit er mir folgen konnte. Aber in meinem Schockzustand fiel mir das schwer. Ich wusste momentan nicht, ob Paul französischer Staatsbürger oder Engländer französischer Abstammung war; Devi hatte mir nur erzählt, dass sie ihn bei einem mit beiden befreundeten Dichter kennen gelernt hatte. An mehr konnte ich mich nicht erinnern. Daran und dass er irgendwo in London unterrichtete – Philosophie, wie ich glaubte.

Unvermittelt fiel mir das verschwundene Bild wieder ein, und beim Gedanken daran holte ich scharf Luft.

»Fehlt Ihnen was?«, fragte der Beamte.

Ich schüttelte den Kopf. »Vermutlich hat es gar nichts damit zu tun, aber ein Porträt von Devi verschwand letzten Monat aus dem Frame Up.«

»Frame Up?«

»Ein Rahmengeschäft an der Mass Ave gegenüber der Konditorei Au Bon Pain.«

»Sie behaupten also, dass jemand ein Bild des Opfers aus einem Rahmengeschäft gestohlen hat.« *Opfer*. Ich hasste diese Bezeichnung.

»Von Devi«, berichtigte ich leise. »Ja, Sie müssen sich mit der Besitzerin unterhalten. Sie kann Ihnen viel besser Auskunft geben als ich.«

Genau in diesem Moment sah ich, wie Devi, von einer weißen Decke verhüllt und auf eine Trage geschnallt, weggefahren wurde. Die Decke war in der Mitte blutgetränkt. Devi wirkte so winzig unter dieser Hülle, ihr Körper wie der eines Kindes; es war der traurigste Anblick, den ich jemals gesehen hatte. Ich begann leise zu weinen und schien nicht mehr aufhören zu können. Detective Burns reichte mir ein Taschentuch und seine Karte.

»Ich werde Sie morgen anrufen«, sagte er. »Wenn Sie sich ein wenig beruhigt haben, können wir uns mit den Einzelheiten beschäftigen. Falls Ihnen etwas einfällt, können Sie mich jederzeit anrufen. Meine Faxnummer und die E-Mail-Adresse stehen auch drauf.«

Insgesamt war ich jetzt schon seit zwei Stunden auf der Straße. Die Polizei hatte nach eingehender Beratung schließlich den Hausmeister Joe O'Connor herbeordert und beschlossen, den Hintereingang freizugeben, bis die Spurensicherung fertig war.

Es war schon zwei Uhr morgens, als ich mit den anderen Bewohnern zur Rückseite des Gebäudes marschierte. Die meisten eilten sofort zum Fahrstuhl. Sie würden in Schichten nach oben fahren müssen, deshalb entschloss ich mich wie zwei oder drei andere, darunter das Mädchen, mit dem ich auf der Straße gesprochen hatte, die Treppe zu nehmen. Draußen auf der Straße hatte noch Betriebsamkeit geherrscht, aber jetzt hatte die grausige Wirklichkeit alle eingeholt.

Im vierten Stock, auf dem Weg zu meiner Wohnung, fiel mir Clara wieder ein. O Gott, jemand musste ihr von Devi erzählen – vermutlich war ich diejenige, aber gerade jetzt konnte ich es nicht ertragen, darüber zu reden, besonders nicht mit Clara.

Ich hörte laute Opernmusik, als ich an ihrer Tür vorbeiging. *Aida*. Bei dieser Lautstärke hatte Clara wahrscheinlich nichts von den Vorgängen auf der Straße mitbekommen. Vermutlich arbeitete sie an ihrem Buch, und die Arien übertönten das Geheul der Sirenen.

Ich stand volle fünf Minuten zitternd vor Claras Tür und hob immer wieder die Hand, um zu klopfen, konnte es dann aber doch nicht über mich bringen. Ich würde ihr morgen sagen, dass die schöne indische Dichterin tot war. Sollte das falsch sein, würde ich die Verantwortung übernehmen. Plötzlich schien – außer Devis Verschwinden aus unserer Welt – nichts mehr von Bedeutung zu sein.

Aida tönte noch immer, als ich meine Wohnungstür hinter mir schloss. Ich würde diese Oper nie wieder hören können.

Ich saß wie betäubt auf dem Bettende und wusste nicht, was ich als Nächstes tun sollte. Mein Blick streifte das halb fertige Porträt Devis auf der Staffelei. Ich konnte den Anblick nicht ertragen. Lange Zeit saß ich wie blind dort. Nach einer Weile registrierte ich das Blinken meines Anrufbeantworters und drückte auf den Knopf. Mein Herz hämmerte gegen meine Rippen, als Devis Stimme erklang.

»Norrie, ich bin's, Devi. Du bist vermutlich noch auf der Party, aber falls du doch eher nach Hause kommst, wollte ich dir nur sagen, dass ich ein wenig später als geplant aus dem Büro wegkomme. Ich hatte einen wundervollen Einfall für mein Gedicht, über die Verbindung zwischen dem Swadhistan-Chakra und dem dritten Auge – ich erkläre es dir später. Es wirft ein interessantes Licht auf die Entstehung von Eifersucht. Nachdem meine Studenten weg waren, habe ich mir noch ein paar Notizen gemacht, aber jetzt gehe ich gleich. Ich hoffe, du hast noch Lust zu kommen ... Ich brauche deinen Rat. Es ist jetzt halb elf, glaube ich« – eine Pause, als sähe sie auf ihre Armbanduhr – »ja, zehn Uhr dreißig. So, hoffentlich bis bald, meine Liebe. Falls dir noch danach ist, werden wir uns prima unterhalten.« Meine Augen schwammen in Tränen.

Ich wusste, dass ich das Band der Polizei übergeben musste, aber bevor ich Detective Burns anrief, würde ich die Nachricht auf eine zweite Kassette überspielen. Ich hörte sie noch einmal – lauschte der Stimme, die ich auf andere Weise nie wieder hören würde –, bevor ich den nächsten Anruf abhörte. Es war Michael.

Seine Stimme dröhnte durch mein Schlafzimmer, und ich brauchte einen Moment, bis ich sie erkannte. Sie klang gleichzeitig vertraut und seltsam fremd.

»Norrie«, sagte er. »Norrie, bist du da? Ich kann mir nicht vorstellen, wo du um diese Uhrzeit sein könntest ... du musst mittlerweile zu Hause sein, es ist fast ein Uhr morgens!« Er seufzte und stieß die Luft aus. »Vielleicht bist du wütend auf mich und hebst deshalb nicht ab. Ich kann dir keinen Vorwurf daraus machen. Ich war ein Arschloch. Es tut mir Leid. Gott, es tut mir Leid. Ich weiß nicht, was über mich gekommen ist. Ich bin stundenlang durch die Gegend gefahren, ich war total verwirrt, und ich schäme mich ... ich weiß nicht ... vermutlich bin ich nicht damit klargekommen, mit einem Fuß in jedem Lager und auch noch im Fernsehen zu sein. Ich bin einfach durchgedreht. Bitte, versuch mich zu verstehen. Du warst so schön. Ich sah dich neben Brenda stehen, als ich da oben reden musste, und es schnürte mir die Kehle zu. Bist du da? Bitte heb ab, Norrie, um *Himmels willen.*« Er seufzte wieder, und als er weiterredete, klang er etwas beherrschter. »In Ordnung … ich kann dich nur um Verzeihung bitten. Was soll ich noch sagen? Gute Nacht. Gute Nacht … ich denke, das ist alles.«

Ich lag voll bekleidet auf dem Bett und schloss die Augen. Ich konnte Michael so spät nicht mehr zurückrufen, aber in Wahrheit wollte ich auch gar nicht mit ihm reden. Mit niemandem. Irgendwo in der Ferne hörte ich eine Sirene und fragte mich, wessen Leben heute Nacht noch zerstört worden sein mochte. Ich schlief nicht, ich wollte nicht. Der Trost des Schlafes schien mir nicht zuzustehen. Ich versuchte, an die lebende Devi zu denken, Devi, die über etwas lachte, was ich nicht verstand, Devi, die *dhal* mit den Fingern aß, Devi, die in ihrem wunderschönen roten Zimmer Tee in angeschlagene Tassen einschenkte. Aber jedes der Bilder entglitt mir, ich konnte sie nicht festhalten.

Die ganze Nacht sah ich immer wieder Devi auf dem Hof liegen, in einer Blutlache, die wie dunkler Portwein schimmerte, ihre wundervollen schwarzen Haare abgehackt. Ich konnte nicht aufhören zu weinen, obwohl ich es versuchte.

In meinen Träumen sehe ich sie schlafend auf der roten Decke liegen, ihre Lider zucken, aber sie bringt nicht die Kraft auf, sie zu heben. Es ist wie in einem Märchen, ich weiß, dass ein Kuss von mir sie wecken wird, aber ich kann nicht. In diesem Traum kann ich es nicht. Ich habe Angst davor, eine Frau zu küssen.

Ich beobachte sie stundenlang. Sie rührt sich nicht. Ich betrachte ihre blutroten Lippen, ihre geschlossenen Augen.

Clara betritt das abgedunkelte Zimmer und wirft einen Blick auf Devi, dann schaut sie mich an. Ich stehe neben der Decke, auf der unsere Freundin liegt.

Alles, was nötig war, war ein Kuss, sagt Clara. Ich hätte es für sie getan. Aber jetzt ist es zu spät. Du hast sie sterben lassen.

Kapitel 15

Die Welt ist ein gleichgültiger Ort, sie frisst ihre eigenen Kinder, ohne einen zweiten Gedanken daran zu verschwenden. Nichts ist wirklich wichtig oder zumindest nicht sehr lange. Devi war tot, und doch ging der Tag in die Nacht über, die wiederum zum Tag wurde, Autoalarmanlagen schrillten, und das Warnhupen der Mülllaster weckte mich morgens.

Am Harvard Square lief alles weiter wie bisher – Verkehr, Einkäufer, der Seiltänzer vor dem Coop. Mehrere Male sah ich Menschen lachend und plaudernd direkt neben dem Blutfleck auf dem Bürgersteig stehen, dem Flecken, der nach wie vor deutlich zu erkennen war, obwohl der Hausmeister versucht hatte, ihn mit dem Schlauch wegzuspritzen. Die Polizei hatte den Fleck als »das Resultat des ersten Angriffes« bezeichnet. Seine Form erinnerte an gar nichts. Ich konnte in seinen Konturen keinerlei Ähnlichkeit mit einem alltäglichen Objekt – Blume, Muschel, Vogel, Gesicht, Fuß, Schiff – entdecken. Er war amorph; am ehesten ähnelte er einem Bluterguss.

Michael sagte mir, dass er am Morgen nach dem Verbrechen einen kurzen Moment gefürchtet hatte, ich wäre das Opfer. Er hatte in der Zeitung gelesen, dass am Vor-

abend gegen dreiundzwanzig Uhr eine Larkin-Stipendiatin vor dem Gebäude Brattle Street 82 einem Verbrechen zum Opfer gefallen war. Der Name des Opfers
wurde nicht veröffentlicht, bis die nächsten Verwandten
informiert waren. Michael zählte zwei und zwei zusammen: Ich war nicht zu Hause gewesen, als er mich spät in
der Nacht angerufen hatte; er wusste, dass ich kurz nach
ihm die Party allein und zu Fuß verlassen hatte. Er warf
die Zeitung zu Boden und rannte zum Telefon, in der
Gewissheit, dass ich es war.

Als ich Montagmorgen um sieben Uhr dreißig den Hö-
rer abnahm, klang Michaels Stimme dünn und brüchig.
»O Gott«, stammelte er. »Gott sei Dank, es geht dir gut.
Ich dachte, du wärst – ich dachte, du wärst tot.«

»Nur seelisch«, sagte ich verbittert. Mir war nicht danach, mit ihm zu reden, und ich wusste nicht, wie ich es
erklären sollte. Also sagte ich, ich müsste hinüber zum
Larkin, was auch stimmte. »Aber als Erstes muss ich zu
Clara und ihr sagen, dass Devi tot ist.« Als ich das sagte,
wurde mir klar, dass ich zum ersten Mal erwähnte, *wer*
getötet worden war. »Entschuldige«, sagte ich. »Ich bin
völlig durcheinander. Devi ist ermordet worden.«

»O nein«, erwiderte er. »Oh, Himmel, Norrie, es tut mir
so Leid. Wie ist es passiert? Weißt du etwas?«

Das Letzte, was ich wollte, war, die bekannten Einzelheiten über Devis Tod am Telefon zu wiederholen. »Ich
kann jetzt wirklich nicht sprechen, Michael. Aber ich
bin sicher, dass sie es heute Abend in den Nachrichten
bringen. Da kannst du dann alles hören.« Ich wusste,
dass ich barsch klang.

»In Ordnung«, sagte er, und ich hörte die Unsicherheit in seiner Stimme, aber ich brachte es nicht über mich, ihn zu beruhigen. *Nun musst du nicht mehr eifersüchtig auf Devi sein*, dachte ich bitter.

»Ich rede ein anderes Mal mit dir«, sagte ich in dem Versuch, das Gespräch zu beenden.

»Heute Abend vielleicht?«

»Ich glaube nicht.«

»Norrie, es tut mir so schrecklich Leid wegen Devi. Gott, und es tut mir Leid, wie ich mich gestern angestellt habe, weil du dich mit ihr treffen wolltest. Ich war ein Scheißkerl. Ich weiß, wie die Sache mit Devi dir zusetzt, aber ist es auch wegen gestern Abend? Ich möchte mit dir darüber reden. Ich war ein Arschloch, und es tut mir einfach wahnsinnig Leid.« Unglaublich. Wie jämmerlich. Als ich sprach, war meine Stimme kalt.

»Meine Freundin ist gestern Abend ermordet worden, Michael. Ob du es glaubst oder nicht, das reicht völlig, um meine Laune zu beeinträchtigen – auch wenn man *dich* außen vor lässt.«

»Was für ein Arsch ich doch bin«, sagte er wieder. »Es tut mir Leid.«

»Vergiss es. Mir ist einfach nicht nach Reden, das ist alles. Vielleicht kannst du ja heute Abend mal anrufen. Oder morgen.«

Obwohl ich nicht sicher war, dass ich abheben würde.

»Mir ist einfach nicht nach Reden«, sagte ich noch mal. Als ich auf meinem Weg zum Larkin an Claras Tür klopfte, hatte ich Angst vor der schrecklichen Aufgabe, die vor mir lag – der hysterischen Clara zu sagen, dass

Devi ermordet worden war. Ich wartete auf dem Flur, aber niemand öffnete. Dann erinnerte ich mich, dass Clara jeden Montagmorgen um sieben Uhr dreißig eine Vorlesung in Harvard besuchte, was bedeutete, dass sie von Fremden von Devis grausamem Tod erfahren würde, bevor ich es ihr sagen konnte. Ich schämte mich, mich letzte Nacht vor der unangenehmen Aufgabe gedrückt zu haben.

Ich hatte Michael versichert, dass mir nicht nach Reden zumute war, aber in Wahrheit wollte ich nur nicht mit den Frauen im Larkin sprechen. In diesem Zustand lief ich, mit den Tränen kämpfend, die acht Blocks entlang, wobei ich mich immer wieder umsah. Es schien, als könnte niemand verstehen, was ich empfand – den Schmerz und die Furcht und den Schock. Im Verwaltungsgebäude des Larkin angekommen, fand ich die meisten der Stipendiatinnen und des Personals im Gemeinschaftsraum; es war sehr still, ein Bild des Schmerzes. Dann entdeckte ich Clara am Rand einer kleinen Gruppe, sie weinte sich die Augen aus. Wieder fühlte ich mich schuldig, weil ich es ihr nicht schon gestern Nacht mitgeteilt hatte.

Als wir später zusammen nach Hause gingen, sagte ich nichts von meiner Unterlassungssünde, und sie fragte mich nicht, wann und wo ich von dem Mord erfahren hatte. Wir schwiegen, worüber ich erleichtert war, und ich war überrascht, wie tröstlich ich Claras Gegenwart empfand.

Während wir die Garden Street hinaufliefen, sagte Clara plötzlich: »Es ist meine Schuld. Ich habe all diese schlimmen Dinge gesagt. Jetzt ist sie tot. Das werde ich mir niemals verzeihen.«

»Clara«, mahnte ich sie. »Das ist Unsinn. Natürlich ist es nicht deine Schuld. Aber ich weiß, wie du dich fühlst. Ich denke auch andauernd an Dinge, die ich anders hätte machen sollen. Zum Beispiel hätte ich diese verdammte Party früher verlassen können. Warum bin ich noch dort geblieben? Vielleicht wäre Devi noch am Leben, wenn ich eher nach Hause gegangen wäre.«

»Die Welt ist ruiniert«, sagte sie und schaute zu Boden. Wir sprachen nicht mehr. Vor unseren Wohnungstüren umarmten wir uns kurz, und ich hörte, wie sie abschloss, sobald sie in ihrem Apartment war. Ich tat dasselbe.

In Cambridge begann die Gerüchteküche zu kochen. Innerhalb der Harvard-Gemeinde und in Cambridge selbst spekulierten Leute, die Devi nicht einmal gekannt hatten, und machten versteckte Andeutungen über ihr »geheimes Leben«, mögliche Verbindungen zu Drogen, Affären – und nichts davon basierte auf Tatsachen, abgesehen von der Behauptung der Zeitungen, die sie als »zurückhaltende Frau und eine sagenhafte, internationale Schönheit« beschrieben.

Drei oder vier Mal hörte ich, wie Einwohner von Cambridge beinahe wörtlich fragten: *Glauben Sie, sie hat etwas getan, was dazu führte?*

Devi war solch eine sanfte, moralische Frau. Ich konnte mir nicht vorstellen, wie man von ihr etwas Anrüchiges oder Schlimmes annehmen konnte. Aber ich konnte mir auch nicht vorstellen, dass ihr jemand wehtun könnte, und doch war es geschehen. Einige im Larkin machten sich Sorgen, dass wir uns alle in Gefahr befanden. Immerhin war Devi auf dem Heimweg vom Larkin getötet worden, von jemandem, der ihr von dort gefolgt war. Was, wenn jemand systematisch Jagd auf Angehörige des Instituts machte? Es war möglich, versicherten einige der Frauen, da das Larkin feministisch orientiert war. Vielleicht machte irgendein verbitterter Mann Jagd auf »hochnäsige Weiber«.

In den auf Devis Tod folgenden Tagen schien das Larkin der einzig mögliche Aufenthaltsort, weil es nicht »der Welt« angehörte. Tagsüber konnte ich nicht allein in meiner Wohnung sitzen; nachts, wenn ich schlaflos im Bett lag, war es schlimm genug, auf jedes Krachen und Knacken in den Wänden, auf jedes Klopfen der Leitungen zu reagieren.

Und bis der Mörder nicht gefasst war, hatte ich Angst, im Dunkeln auf die Straße zu gehen, und sei es nur einmal rund um den Harvard Square, ja, ganz besonders rund um den Harvard Square. Nachdem ich mich jahrelang völlig sicher gefühlt hatte, war ich auf einmal überängstlich. Ohne Fahrgelegenheit ging ich nach Einbruch der Dunkelheit nirgendwo hin. Sogar tagsüber ertappte ich mich dabei, mich argwöhnisch umzusehen. Ich vermied jeden Blickkontakt mit entgegenkommenden Passanten. Der Mord an Devi beendete mein Gefühl der Sicherheit. Wenn ich am helllichten Tag die acht Blocks zum Larkin ging und Schritte hinter mir hörte, drehte ich mich um und schaute; war es ein Mann, irgendein Mann, wechselte ich die Straßenseite, selbst wenn das einen Umweg bedeutete. Eines Abends verschätzte ich mich in der Zeit, die Dunkelheit brach herein, und ich rannte, rannte tatsächlich den gesamten Weg zurück zur Brattle Street.

War ich zu Hause, schritt ich nervös auf und ab. Manchmal hörte ich im Rhythmus meiner Schritte meine Mutter: »Jemand beobachtet dich. Jemand beobachtet dich.« Der Gedanke schien auf einmal nicht mehr so abwegig. Und natürlich war es mir unmöglich, die Überlegungen zu verdrängen, dass Devis Tod etwas mit ihrem verschwundenen Porträt zu tun hatte. Jemand hatte sie ermordet, jemand hatte das Bild von ihr gestohlen – wie konnten diese beiden Vorfälle nicht im Zusammenhang miteinander stehen? Und woher wusste der Mörder, wo sich das Bild befand? Der Wert meines Bildes lag für mich nicht mehr in der Zeit und Mühe, die ich investiert hatte, sondern nur noch in seiner Beziehung zu Devi und in den Hinweisen, die das Verschwinden des Bildes zur Lösung des Verbrechens beitragen konnte. Die Polizei hatte endlich Wendys Anzeige aufgenommen, was bedeutete, dass auch sie einen Zusammenhang vermutete.

Viele der Larkin-Stipendiatinnen drückten mir in den Tagen nach Devis Tod ihr Beileid aus; ich war in meinem ganzen Leben nicht von so vielen Frauen umarmt worden. Jeder am Larkin schien zu wissen, wie nah Devi und ich uns gestanden hatten. Offensichtlich hatten meine Kolleginnen mir mehr Aufmerksamkeit gewidmet als ich ihnen; ich war beinah so weit, mich dessen zu schämen.

Eines Abends kurz nach dem Mord waren einige von uns im Larkin geblieben, um Kopien zu machen oder sich zu unterhalten – alles, um die »Sicherheitszone« nicht verlassen zu müssen. Es war dunkel geworden, ohne dass ich es gemerkt hatte, deshalb bestellte ich telefonisch ein Taxi; ich würde auf keinen Fall allein nach Hause gehen. Eine der anderen Frauen ging gleichzeitig mit mir zur Tür, und ich dachte mir, dass ich ihr anbieten sollte, das Taxi mit mir zu teilen, falls sie in die gleiche Richtung wollte. Ich tippte ihr von hinten auf die Schulter, und ich schwöre bei Gott, sie wurde einfach ohnmächtig. Kalt erwischt. Georgi Brandt hastete mit einem Becher Wasser und einem nassen Handtuch herbei, das sie der Frau auf die Stirn legte. Das war typisch Georgi, wie eine Pfadfinderin allzeit bereit.

Nach einer Weile schlug die Frau ihre Augen auf, sah von meinem Gesicht zu Georgis und dann auf die anderen Frauen, die sich um sie zusammengedrängt hatten. »Ich habe Angst, hinauszugehen«, sagte sie.

»Ich habe auch Angst, Schätzchen, die ganze Zeit«, hörte ich mich antworten. Larkin-Frauen nannten sich nicht Schätzchen, dachte ich noch, während ich es sagte, aber es war mir einfach so herausgerutscht, und es schien richtig. Während ich redete, richtete die Frau ihren Blick auf mich, ihre Augen füllten sich mit Tränen, und plötzlich begann ich zu weinen. Georgi barg ihr Gesicht in den Händen, und es dauerte nicht lange, und den anderen Larkins, die immer noch auf die Frau hinabsahen, liefen die Tränen über die Wangen. Es war wie die Beerdigungsszene in einem italienischen Film, und wie jämmerlich es auch einem Uneingeweihten erscheinen musste, es war meine erste echte Erfahrung geteilter Angst, und ich werde das Gefühl nie vergessen. Noch werde ich vergessen, wie es mir meinen eigenen idiotischen Stolz vor Augen führte, meine Weigerung, meiner eigenen Angst zu begegnen, bis jemand anderes zusammenbrach.

Clara begleitete mich jetzt meistens zum Larkin, obwohl sie die ersten zwei Tage nach Devis Tod in ihrer Wohnung geblieben war, wo sie weinte und sich Vorwürfe machte, weil sie »Devi schlecht behandelt hatte«, und sich fragte, ob der Mörder jetzt hinter uns her war. War sie vorher schon anhänglich gewesen, jetzt wurde sie unerträglich. Aber in jenen Tagen war ich selbst sehr bedürftig, und außerdem empfand ich weniger Angst, wenn Clara bei mir war. Sie würde mir nie so viel bedeuten wie Devi oder Liz, aber sie und ich schlossen uns enger aneinander an, der Not gehorchend.

Einige Einzelheiten des Verbrechens waren an die Presse durchgesickert. Eine anonyme Quelle bei der Polizei sagte dem *Globe*, Devi sei von hinten angegriffen worden, vermutlich, als sie den Eingang zum Hof passierte. Der Angreifer konnte sich vor oder hinter dem Bogengang im Gebüsch verborgen haben oder ihr vom Larkin – oder von einem anderen Punkt des Wegs aus – gefolgt sein. Eines war sicher, hatte die Quelle des *Globe* behauptet: Der Angreifer wollte sie töten.

»Er schnitt ihr von hinten die Kehle durch, im ›OJ-Stil‹, wie wir es nennen, direkt im oder nahe des Bogengangs«, wurde die Quelle zitiert. »Dafür spricht das

Blut, das über den Bürgersteig und den Bordstein rann. So viel Blut«, sagte er und fuhr mit der Erklärung fort, dass das Opfer direkt im Eingang gestürzt war, am Rand des Hofes, und dann hatte der Angreifer wieder und wieder auf sie eingestochen. Devi war zu diesem Zeitpunkt ohne Zweifel schon dem Tode nahe oder bereits tot gewesen, aber der Mörder hatte weiter zugestoßen. Der mit dem Fall betraute Detective fand es schwierig, sich »den Overkill zu erklären«, wie er sagte. »Ich wundere mich über die extreme Gewalt – besonders angesichts der Stichwunden –, die sich auf die, so sagt man wohl, intimen weiblichen Bereiche ihres Körpers richteten – die Brüste, den Unterleib und die Schenkel.«

Da so viele Menschen diesen Mord mit dem O.-J.-Simpson-Fall verglichen, dachte ich das erste Mal seit Jahren selbst wieder daran. Nicole Simpson, die schöne blonde Ehefrau. Wurde Nicole Simpson ermordet, weil O.J. sie wollte, aber nicht haben konnte, fragte ich mich, weil er den Gedanken nicht ertrug, dass jemand anders sie besaß? Konnte es so schmerzhaft sein, so unerträglich, das unerreichbare Objekt der Begierde am Leben zu sehen, vielleicht mit jemand anderem, sodass es erträglicher schien, zu morden, als den Verrat mit anzusehen?

Plötzlich erinnerte ich mich an jenen Abend, an dem ich Michael und Brenda gemeinsam bei einer Lesung gesehen hatte, nur Stunden, nachdem er und ich glücklich wie zwei Hündchen durch die Betten getollt waren. Ich erinnerte mich an den flüchtigen, aber heftigen Wunsch, beide von der Erde verschwinden zu sehen, damit ich Michael nie wieder mit einer anderen treffen musste.

Natürlich war mir nicht neu, dass Eifersucht ein Begleiter der Begierde war; aber dass diese Eifersucht zu Mord führen konnte, jagte mir Angst ein.

Und selbstverständlich brachte mich die Erinnerung an den O.-J.-Fall auf Paul Monnard, der möglicherweise über den Atlantik gereist war, um Devi auszulöschen.

Aber es konnte auch ein Verrückter gewesen sein, der sich in die schöne Inderin verliebt und ihr auf der Straße Avancen gemacht hatte, zurückgewiesen worden war und dann von dem Verlangen, sie zu zerstören, überwältigt wurde. Begierde brauchte keine Intimität. Nur Einbildungskraft war nötig, und sexuelle Fantasien sind eine starke Macht. Michael hatte, bevor wir etwas miteinander anfingen, zu mir gesagt: »Ich glaube, wir sollten unsere Fantasie zügeln.« Er hatte Angst vor dieser Macht und was sie in seinem Leben anrichten konnte.

Und wenn ich jetzt daran dachte, was aus unser beider Leben geworden war, wie langjährige Beziehungen deswegen zu zerreißen drohten, wie wir beide auf unterschiedliche Weise immer einsamer wurden und wie wir zu lügen gelernt hatten, konnte ich diese Furcht besser verstehen als damals.

Am Mittwoch, vor der Vorlesung, hielt die Polizei von Harvard und Cambridge eine zweistündige Informationsveranstaltung zum Thema Sicherheit für die Stipendiatinnen und das Personal ab. Sie gaben uns blau-weiße Trillerpfeifen mit dem Schriftzug »Harvard Police«. Pfeifen statt Keulen. Einige von uns gingen los und kauften sich Alarmsirenen (obwohl ich mich fragte, wer wohl beim Schrillen eines solchen Alarms auch nur den Kopf heben würde, wo sich schon niemand um die Autoalarmanlagen scherte, die Tag und Nacht in der Stadt ausgelöst wurden). Bei dieser Veranstaltung erkundigten sich einige Frauen nach den Einzelheiten des Mordes und ob die Darstellung des *Globe* der Wahrheit entsprach. Zunächst erschienen mir diese Fragen wie morbide Neugier, und sie verletzten mich, da ich wusste, wie zurückhaltend Devi gewesen war. Aber dann sagte Georgi Brandt, die erkannte, wie aufgebracht ich war, dass die Fragen nur Versuche der Stipendiatinnen waren, dieses furchtbare Verbrechen irgendwie zu verstehen, weil sie um ihre eigene Sicherheit fürchteten.

Einer der Beamten stand vor den versammelten Frauen und teilte uns so viel er durfte über die Umstände des Verbrechens mit und gab uns eine Zusammenfassung des »auf Tatsachen basierenden hypothetischen Tathergangs«, wie er es nannte.

»Das Opfer beendete den Lyrik-Workshop gegen zehn an diesem Abend und blieb noch im Büro, um zu arbeiten. Gegen zehn Uhr dreißig rief sie eine ihrer Nachbarinnen in der Brattle Street, Honora Blume, an und sagte, sie würde später zurück sein als geplant, hoffe aber, sie würden sich noch treffen. Ms. Bhujander wurde vom Harvard-Sicherheitsdienst gesehen, als sie kurz nach zehn Uhr dreißig ihr Büro verließ und in Richtung Harvard Square ging. Sie kann nur ungefähr eine viertel Stunde – höchstens zwanzig Minuten – gebraucht haben, um zur Brattle Street zu gelangen, was den

Zeitpunkt des Verbrechens zwischen zweiundzwanzig Uhr fünfundvierzig und dreiundzwanzig Uhr zehn festlegt, als ihre Leiche von drei Bewohnern des Gebäudes gefunden wurde, die von einem Kinobesuch zurückkehrten.«

An dieser Stelle übernahm Detective Burns. Zunächst nickte er den versammelten Frauen zu und räusperte sich, als wollte er singen; dann begann er: »Viele Einzelheiten des Mordes sind bekannt geworden, was nicht hätte geschehen dürfen, aber das heißt nicht, dass ich damit fortfahren werde.« Er zerrte an seinem Kragen und schaute sich unbehaglich um. »Einige von uns sind der Ansicht, dass die Art dieses Verbrechens auf persönliche Rache hinweist, und an diesem Punkt kommen Sie ins Spiel. Wir sind dankbar für jede Information, die Sie uns über das Leben und die Gewohnheiten Devi Bhujanders geben können. Wir wissen, dass sie eine sehr zurückhaltende Frau war und es deshalb Dinge in ihrem Leben gegeben hat, von denen sie nicht wünschte, dass sie bekannt werden.«

Auf einmal schien Devis Leben auf dem Prüfstand zu stehen. Reichte es nicht, dass sie tot war?

»Devi Bhujander war eine stille Lyrikerin, die selten ausging«, meldete ich mich. »Nur weil jemand zurückgezogen lebt, bedeutet das nicht, dass er Geheimnisse hat.«

»Ich will niemandem zu nahe treten, Ms. Blume«, antwortete Burns. »Aber in einer Morduntersuchung wie dieser ist das die normale Verfahrensweise. Falls Sie wollen, dass der Mörder gefasst und vor Gericht gestellt wird, müssen Sie das akzeptieren.« Er fuhr fort zu fragen, ob jemand etwas über Devi Bhujanders Leben wüsste, was zu dieser Tat geführt haben könnte. Er meinte offensichtlich Drogen, dachte ich, und war wütend.

Nach der Versammlung sagte Clara: »Mir ist schlecht. Ich kann das nicht mehr hören.« Sie sah schrecklich aus – beinah grün –, und deshalb folgte ich ihr in die Toiletten nahe dem Versammlungsraum, wo ich hörte, wie sie sich in einer der Kabinen erbrach. Sie weinte, als sie wieder herauskam.

»Ich habe das Gefühl, als wäre ich schuld.« Sie schluchzte. »Ich habe schlecht über Devi gesprochen, und jetzt ist sie tot. Ich hätte das niemals sagen dürfen.«

Es bestand kein Zweifel, dass es Clara schlecht ging, aber ich hatte ihre theatralischen Selbstbezichtigungen satt. Ich war versucht zu sagen: Es dreht sich nicht alles um *dich*, Clara. Aber ich ließ es. Um uns herum gab es schon zu viel Schmerz. Selbst die kühle Frühlingsluft fühlte sich in diesem Jahr schneidend an.

In dieser Phase entwickelten die Larkin-Studentinnen eine Art Bunkermentalität. Viele von uns verbrachten nur wegen der Gesellschaft mehr Zeit im Larkin als zu Hause. Ich lernte einige meiner Kolleginnen besser kennen, besonders Georgi Brandt. Es war das erste Mal seit Devis Tod, dass ich das Bedürfnis verspürte, mit jemandem zu reden. Clara hatte wieder begonnen, die Kurse in Harvard zu besuchen, sonst hätte ich diese Gelegenheit wohl kaum gehabt. Meine Nachbarin aus der

Brattle Street wurde mehr und mehr abhängig von mir und war besitzergreifender denn je.

Anderthalb Wochen nach dem Mord fand in Harvard in der Memorial Church eine besondere Trauerzeremonie statt; ich war überrascht, wie viele von Devis Verwandten aus London und Delhi daran teilnahmen, da die offizielle Trauerfeier in Indien stattgefunden hatte. Vielleicht war es ein Weg, ihr ein wenig länger nahe zu sein, sie nicht ganz aus der Welt zu entlassen.

Sandeep war dort, ebenso wie Devis schöne Schwester Rina und ihre Eltern, ein würdevolles älteres Ehepaar, die zusammenbrachen und schluchzten, als Sandeep von der Kanzel herab liebevoll über seine Schwester sprach.

»Meine Schwester war davon überzeugt, dass man jeden Tag bis zur Neige auskosten musste«, sagte er, »aber auf ihre eigene stille Art. Das Leben auszukosten bedeutete für sie, sich um andere zu kümmern, besonders um die weniger vom Glück Begünstigten, es bedeutete, sich ihrer Kunst zu widmen, die Schönheit der Welt zu erkennen. Manchmal zog ich sie auf« – an dieser Stelle blickte er mich an – »wegen ihrer ›königlichen‹ Art, und sie wusste wahrhaftig nicht, was ich damit meinte. Aber es ist wahr. So klein sie auch körperlich war, sie besaß eine innere Stärke, die sie majestätisch erscheinen ließ. Sie wird für mich immer eine Königin bleiben.«

Auch einige bekannte Dichter waren von London hierher geflogen, um zu sprechen. Sie redeten von ihrer Brillanz als Lyrikerin und ihrer Großzügigkeit als Lehrerin. Ein paar lasen ihre Gedichte; einer rezitierte John

Donnes Heiliges Sonnett Nr. 10, das mit der Zeile beginnt, »Tod sei nicht stolz ...«

Als Devis engste Freundin am Larkin hatte man auch mich gebeten, einige Worte zu sagen. Hinterher konnte ich mich nicht mehr genau daran erinnern, aber ich weiß, dass ich von ihrer Freundlichkeit sprach, ihrer gütigen Weisheit, ihrer Spiritualität, ihrem Sinn für Ästhetik und ihrer tiefen Liebe für und ihrer Achtung vor ihrer Familie. Die Rede fiel mir schwer. Nach der Feier umarmten mich Devis Eltern, und auch Rina und Sandeep. Ich wollte in ihrer Umarmung verharren, es war meine letzte irdische Verbindung zu Devi.

Georgi Brandt lud mich an einem Abend nicht lange nach dem Mord zum Essen ein, aber ich hatte Angst, nachts hinauszugehen, deshalb entschuldigte ich mich und sagte, ich sei sehr beschäftigt. (Selbst der Gedanke an ein Taxi ängstigte mich; der Mörder konnte genauso gut ein Taxifahrer sein – wer wusste das schon? Ich dachte an den mürrischen Fahrer, der mich morgens um drei Uhr dreißig ganz allein auf der Straße hatte stehen lassen.) Georgi entschuldigte sich bei unserem nächsten Treffen im Larkin dafür, so »unsensibel« gewesen zu sein.

»Es war gedankenlos von mir, dich zu bitten, einfach zu mir zu kommen«, sagte sie. »Mir fiel erst später ein, dass du vielleicht Angst hast, nachts das Haus zu verlassen. Ich denke über so etwas nie wirklich nach, weil ich ein Auto habe. Das nächste Mal, wenn ich dich einlade, komme ich und hole dich ab.«

Ich dankte ihr, und wir verabredeten, uns bald zu treffen.

Ich war emotional erstarrt. Ich weinte nicht mehr um Devi, hatte es seit der Trauerfeier nicht mehr getan, noch malte ich. Ich hatte Ida an den letzten beiden Sonntagen wie gewöhnlich besucht. Ihr geistiger Verfall erschütterte mich, aber er ersparte mir die Konversation. Allein zu Hause, schaute ich Fernsehen; gelegentlich ging ich nach nebenan und trank Wein oder Tee mit Clara. Ich telefonierte oft mit meiner Mutter und Liz und überließ ihnen das Gespräch.

Mutter war wegen des Mordes in ihrem Element, und einmal sagte sie zu mir: »Du könntest die Nächste sein! Ist dir das klar? Ich will, dass du *sofort* nach Hause kommst.«

Ich hatte seit meinem achtzehnten Lebensjahr nicht mehr in Santa Monica gewohnt oder es als mein Zuhause betrachtet. Ich war überrascht, wie sehr mich die Sorge meiner Mutter rührte. Nicht, weil sie sich sorgte – eher, weil diese Sorge vor dem Mord ein vertrauter Teil meines Lebens gewesen war. In letzter Zeit ertappte ich mich immer häufiger dabei, wie ich mein Leben in die Zeit vor dem Mord und nach dem Mord aufteilte. Alles, was vor dem Mord lag, erschien mir erstrebenswert. Ich vermute, dass Männer so etwas empfinden, wenn sie von »vor dem Krieg« und »nach dem Krieg« sprechen. Wir Menschen scheinen Traumata als Markierungen zu benutzen. Vielleicht, weil es das ist, was sie tun – sie hinterlassen unauslöschliche und unübersehbare Narben in unserem Leben.

Zwar sprach ich oft mit Liz und Mutter und traf Clara jeden Tag, aber ich hatte Michael eine ganze Weile nach Devis Tod nicht zurückgerufen und nahm, wenn er anrief, selten ab. Ich war nicht mehr wirklich wütend auf ihn, ich hatte eher Angst vor intensiven Gefühlen. Und mit Michael war immer alles intensiv gewesen – Sex, Gelächter, Zorn, Freude, Eifersucht. Mir schien, als ob nur ein echtes Gefühl, nur eine extreme Emotion, die Dämme brechen könnte. Michael und ich hatten uns seit der Mordnacht nicht mehr getroffen, und er rief immer wieder an, um zu fragen, ob er mich besuchen dürfte.

»Nur um uns eine halbe Stunde lang anzusehen«, sagte er. »Mir ist es egal, ob wir reden, und ich erwarte mit Sicherheit nicht, dass wir uns lieben. Ich möchte nur dein Gesicht sehen. Ich muss wissen, wie es dir wirklich geht, Norrie.« Schließlich stimmte ich zu. Er sollte mich nachmittags zu einer Spazierfahrt abholen. Ich wollte nicht mit ihm in meiner Wohnung bleiben.

»Wir könnten irgendwo essen gehen«, schlug er vor. »Würde dir das gefallen?«

»Okay«, antwortete ich. Ich verriet ihm nicht, dass mir im Augenblick gar nichts »gefiel«.

Ich duschte rasch, zog ein Paar alte Jeans und ein ausgeleiertes Sweatshirt an und schlüpfte in zerschrammte Clogs. Im Moment gab ich nicht viel darauf, wie Michael mich sah. Mein Haare waren frisch gewaschen, aber ich hatte sie zu einem Pferdeschwanz gebunden, damit sie nicht »sexy« wirkten, wie Michael immer sagte, wenn ich sie offen trug. Ich wollte nicht verführerisch aussehen. Ich fühlte mich nicht verführerisch. Ich hätte mir einen Zopf flechten können, aber das hätte mich an Devis Zopf erinnert, den jemand abgehackt und als makabres Souvenir mitgenommen hatte.

Als ich Michael so groß und ungelenk, mit einem besorgten Ausdruck in seinen blauen Augen und Unsicherheit im Gesicht in meinem Wohnzimmer stehen sah, spürte ich, wie mir zum ersten Mal seit Sandeeps Umarmung bei der Beerdigung die Tränen kamen. »O Gott, Norrie«, wisperte er in mein Haar. »Du hast mir so gefehlt.«

Wir blieben in der Wohnung, aber wir liebten uns nicht. Ich hätte es nicht gekonnt. Tatsächlich war ich die erste halbe Stunde ausgesprochen argwöhnisch und hatte Angst, er würde mich ins Bett drängen. Ich dachte, falls er irgendetwas auch nur annähernd Sexuelles täte, würde ich hysterisch zu schreien beginnen und die Selbstkontrolle verlieren, die ich seit dem Mord so mühselig aufgebaut hatte. Aber er tat es nicht. Er saß neben mir im Wohnzimmer und redete ruhig darüber, was er in letzter Zeit gelesen hatte, über seine Arbeit und die Kinder. Finn hatte einen bedeutenden Lyrikpreis seiner Universität gewonnen und überlegte, sein Studium abzubrechen und sich ganz dem Schreiben zu widmen. »Anscheinend hat er aus dem jahrelangen Kampf seines Vaters, verlegt zu werden, nichts gelernt.«

»Vielleicht weiß er, dass er talentierter ist als du«, zog ich ihn auf. Es war das erste Mal seit Devis Tod, dass ich etwas Lustiges sagte, und ich bekam sofort ein schlechtes Gewissen. Michael neigte den Kopf zur Seite, und in seinen Augenwinkeln kündigte sich ein Lächeln an.

»Nun, ja«, sagte er und streichelte mein Haar. »Gott sei Dank ist der Humor noch da.«

Von seinen eigenen Erziehungsproblemen kam er auf die Geschichte seiner Eltern zu sprechen. Ich glaube, er wusste, dass ich ihm gern zuhörte, auch wenn ich selbst nichts zum Gespräch beitrug. Mein Schweigen hätte viele meiner Bekannten und ehemaligen Liebhaber in die Flucht getrieben. Mir gefiel, dass Michael einfach redete, ohne Antworten zu erwarten. Irgendwann machte ich uns Haferbrei, weil ich nichts anderes im Haus hatte. Wir saßen mit der Schüssel in der einen und dem Löffel in der anderen Hand gemeinsam auf dem Sofa und aßen klumpigen Haferbrei mit braunem Zucker, aber ohne Milch.

»Ich fühle mich wie einer der drei Bären«, bemerkte Michael. Ich nickte nur, lächelte leicht. Normalerweise hätte ich ihn gefragt, welchen er meinte.

Danach nahm Michael mich ohne große Umstände in den Arm und hielt mich, und ich ließ es zu. Als ich seine vertraute Umarmung spürte und den Duft seiner Haut roch, den ich so gut kannte, gab etwas in mir nach, entkrampfte sich ein wenig. So saßen wir eine Weile da, und als er gegangen war, fühlte sich meine Haut kalt an, dort, wo seine Arme gewesen waren, als ob eine notwendige Isolierung fehlen würde.

Ungefähr eine Stunde später überraschte Michael mich mit Taschen und Tüten voller Lebensmittel, die er im Star Market gekauft hatte.

»Irgendwie missfällt mir der Gedanke, dass du außer Haferbrei, dreimal am Tag, nichts zu dir nimmst«, sagte er und tippte sich an seinen nicht vorhandenen Hut, so wie es die Männer in den Schwarz-Weiß-Filmen der Dreißiger- und Vierzigerjahre immer taten. »Nicht, dass es nicht köstlich gewesen wäre, Ma'am.«

»Es war beschissen«, erwiderte ich. »Und ich esse es auch nicht drei Mal am Tag. Was sagen dir tiefgekühlte Makkaroni mit Käse? Ist dir Iglo ein Begriff?«

»Wie konnte ich deine kulinarischen Fähigkeiten nur so unterschätzen?«, sagte er, und ich grinste tatsächlich.

Als wir uns an der Tür verabschiedeten, fragte ich mich, ob Clara uns wohl hören konnte. Dann war es mir gleichgültig. Es war viel zu spät, um sich wegen ihr noch Gedanken zu machen.

Ein paar Tage später kam Michael wieder vorbei, und dieses Mal führte er mich ins Schlafzimmer und liebte mich zärtlich. Zuerst war es schwierig, etwas zu fühlen. Und obwohl es ihm gelang, mich physisch zu erregen, hatte ich die ganze Zeit Tränen in den Augen, sogar als er mich mit der Zunge zum Höhepunkt brachte, und auch später, als er in mir war. Er sah mich an, als ich kam, und ich schloss meine Augen, weil ich seinem Blick nicht begegnen wollte. Ich wollte niemandem meine Gefühle offenbaren, nicht einmal ihm. Ich hatte alle meine Gemälde mit der Vorderseite zur Wand gedreht, bis auf das unvollendete Porträt von Devi, das, verhüllt mit einem der indischen Tücher, die wir bei den Sitzungen benutzt hatten, immer noch auf der Staffelei stand. Ich hatte ein Laken darüber legen wollen, aber das erinnerte mich an ihren Körper zurück, wie er, mit dem blutbefleckten Laken bedeckt und an der Trage festgeschnalt, abtransportiert worden war. Ich konnte im Moment nicht an dem Bild arbeiten.

Als Michael ging, blieb er in der Tür stehen und musterte mich lange Zeit. »Ich liebe dich so sehr«, sagte er. »Ohne dich fühle ich mich wie eine Pappfigur.« Normalerweise wäre ich vermutlich gerührt gewesen und hätte etwas Ähnliches erwidert, aber im Augenblick war ich ein Angsthase, fast ständig auf dem Sprung, und Liebe fühlte sich an wie eine Verantwortung, mit der ich nicht umgehen konnte. Obwohl ich genauso empfand wie er – als ob das Liebesspiel mit ihm mich wieder zum Leben erweckt hätte.

Ich erwiderte nur seine Umarmung.

Am nächsten Morgen erhielt ich zwei unerwartete Anrufe. Der erste kam von Sandeep. Er war hier, um Devis Hinterlassenschaft zu ordnen. Er rief an, um mir mitzuteilen, dass er die Leute vom Umzugsunternehmen morgen hier im Haus treffen würde, damit sie Devis Sachen einpacken und auf den Weg bringen konnten. Er bat mich, dem Hausmeister Bescheid zu geben, was ich sofort tat, nachdem wir aufgelegt hatten.

»Schreckliche Geschichte«, sagte Joe O'Connor. »So ein schönes Mädchen.« Glaubte jeder, dass es für schöne Menschen schrecklicher war, ermordet zu werden, oder taten das nur Männer?

Der zweite Anruf stammte von Marge.

»Ich glaube, du solltest kommen, Honora«, war alles, was sie sagte. Ich zog mich schnell an und rief ein Taxi. Im Heim angelangt, stolperte ich beinah durch die Türen. Marge stand am Empfang. Bei meinem Anblick fragte sie mich: »Warst du wieder krank, Schätzchen? Du siehst blass aus.«

»Eine Freundin ist gestorben«, sagte ich. Ich wollte nicht mehr erzählen. »Aber jetzt geht es mir wieder besser.«

»Nun ja, das ist aber schlechtes Timing, Liebes. Der Doktor glaubt nicht, dass Ida die Nacht überstehen wird.« Sie führte mich in Idas abgedunkeltes Zimmer. Idas Augen waren fast geschlossen, aber ich sah, dass sie nicht schlief, sondern nur schrecklich schwach war. Das Atmen schien ihr schwer zu fallen, und ihre Haut hatte sich stellenweise verfärbt und war um die Knochen eingesunken. Ich setzte mich neben ihr Bett.

»Hallo Ida«, sagte ich weich. Ihre Lider zitterten und spannten sich, als würde sie versuchen, sie zu öffnen, aber sie konnte die Kraft nicht aufbringen. Ich stand auf, ging zum Kopfende und beugte mich über sie. »Ich bin's, Norrie«, flüsterte ich ihr ins Ohr.

»Ja«, wisperte sie, dann verfiel sie wieder in Schweigen. Gerade als ich dachte, sie würde nichts mehr sagen, begann sie leise zu sprechen: »Es ist so verrückt. So verrückt. Diese Schmerzen.«

»Oh, Ida, es tut mir so Leid.« Ich hielt ihre Hand und spürte, wie sie den Druck leicht erwiderte.

»Es ist okay«, sagte sie. »So kommt man nun mal auf die andere Seite.« Ich war nicht sicher, ob sie über den Tod sprach, aber es schien so. Dann kam für einen Moment die alte Ida zum Vorschein. »Wenn man ein Ticket löst«, sagte sie, »muss man auch fahren.«

Das war für lange Zeit das Letzte, was sie sagte; sie

schien eingeschlafen. Ich kontrollierte, ob sie atmete. Sie tat es.

Einige Stunden später schlug Ida plötzlich die Augen auf und begann erneut zu sprechen. Sie klang normal, vollkommen normal.

»Nun, Schätzchen«, sagte sie. »Was machst du denn hier? Ist Sonntag?«

»Nein, Dienstag«, sagte ich. »Ich wollte dich einfach sehen.«

»Oh, ich weiß«, sagte sie mit einem matten Kichern. »Ich glaube, ich hab es fast hinter mir.«

»Nein, Ida, sag so etwas nicht. Du klingst wieder ganz normal.«

»Harry sagte immer, ich wäre nie normal, ihm gefiel das, er fand normal langweilig. Er hielt mich für ein wenig exzentrisch, obwohl ich nicht weiß, warum.« Sie hustete. »Hast du etwas Wasser?«

Ich holte ihr ein Glas und füllte es aus dem Plastikkrug, der auf dem Nachttisch stand. Als ich ihr das Glas an die Lippen hielt, trank sie gierig, wobei sie ihre Hand auf meine legte und das Glas zusammen mit mir festhielt.

»Du bist ein gutes Mädchen«, sagte sie zu mir, als sie fertig war. »Du bist eine wundervolle Tochter gewesen.« Einen Augenblick lang dachte ich, sie wäre verwirrt, aber dann fuhr sie mit klarer, kräftiger Stimme fort. »Ich wollte immer eine Tochter. Und als Henry bei dem Unfall starb, bist nur du mir geblieben. Ich hatte das Gefühl, als hätte er dich mir hinterlassen, um seinen Platz einzunehmen. So war Henry, immer fürsorglich.« Das Reden schien sie ermüdet zu haben, und nach wenigen

Minuten schlief sie wieder ein. Ich nutzte die Gelegenheit und machte mich auf die Suche nach Marge.

»Marge, Ida scheint es viel besser zu gehen«, sagte ich. »Sie hat geredet wie ein Wasserfall. Ihre Augen waren weit offen.« Marge sah besorgt aus, sie legte mir die Hand auf die Schulter.

»Schätzchen«, sagte sie, »das passiert oft kurz vor dem Ende. Ich weiß nicht, warum. Aber du darfst dir keine Hoffnungen machen. Der Doktor sagt, es könne sich nur noch um Stunden handeln.«

»Dann bleibe ich hier.«

»Ja, das solltest du, wenn es dir möglich ist. Ich komme ab und zu und sehe nach ihr. Du kannst mich rufen, falls … eine Änderung eintritt.«

Bevor ich in Idas Zimmer zurückkehrte, rief ich Michael an. Es war kein Problem, ich wusste, dass er allein zu Hause war. Ich teilte ihm mit, was geschehen war und dass ich heute Abend wohl nicht zu Hause sein würde.

»Ich wollte nicht, dass du dir Sorgen machst, bei allem, was in letzter Zeit passiert ist.«

»Norrie, der Gedanke, dass du heute Nacht allein zurück nach Cambridge fährst, gefällt mir nicht«, erwiderte er. »Ich komme und hole dich ab.«

»Aber woher willst du wissen, wann Ida – wann ich gehen kann? Ich kann dich nicht die ganze Nacht anrufen.«

»Doch, das kannst du«, sagte er. »Es ist mir egal. Ich lasse dich nicht allein nach Hause fahren. Wir wissen nicht, wer sich dort draußen herumtreibt, Norrie.« Zur Abwechslung begrüßte ich Michaels Beschützerinstinkt –

ich fühlte mich sicherer, geliebt. Nicht, dass ich das zugegeben hätte. Ich fragte mich, wie sehr ich mein Leben mit meiner Furcht, Angst oder Unsicherheit zuzugeben, eingeschränkt hatte. Vielleicht war es an der Zeit, Vertrauen zu einem Mann zu fassen und nicht davon auszugehen, dass er wieder verschwinden würde. Aber in dieser Beziehung musste ich im Augenblick meine Schutzwälle aufrechterhalten.

Um dreiundzwanzig Uhr schlug Ida die Augen auf, sagte »Oh« und hörte auf zu atmen. Ich saß noch lange neben ihr und flüsterte die Zeilen aus John Donnes Heiligem Sonett Nummer 10.

> Ein kurzer Schlaf, Erwachen in der Ewigkeit
> Und Tod wird nicht mehr sein;
> Tod, du musst sterben.

Ich konnte sie nicht verlassen, denn sobald ich ging, wäre Ida für immer fort. Ich musste sie anschauen, ihre zur ewigen Ruhe erstarrten Züge in mich aufnehmen. Auf ihrem Gesicht lag ein Ausdruck, den ich nie zuvor gesehen hatte, und ich versuchte, ihn zu deuten, als ob ich dadurch erkennen könnte, was sie in dem Moment gesehen hatte, als sie mit einem Seufzer ins Jenseits glitt.

Abgesehen von dem Ticken der Wanduhr, war es im Zimmer vollkommen still. Ich hatte sie vorher nie bemerkt. Ich dachte daran, wie Ida noch vor kurzer Zeit mit mir gesprochen hatte, und jetzt betrachtete ich ihren Körper, ihr Gesicht, den Mund und konnte sie doch nicht sehen. Ida war fort. Sie war nicht mehr in ihrem Körper. Sie hatte ihn abgeschüttelt wie einen Kokon.

Als ich schließlich Idas Zimmer verließ, hatte sich ihr Gesicht in meinen Kopf eingebrannt. Ich entdeckte Marge, die mit ihrer Tasche auf einem Stuhl im Flur saß. Ihre Schicht war lange vorüber.

»Sie ist gegangen«, sagte ich. »Danke, dass du geblieben bist, Marge.«

»Ida wollte, dass ich hier bleibe und ihrem Mädchen beistehe«, sagte sie. »Wir sollten jetzt besser der Oberschwester Bescheid geben. Sie muss mehrere Anrufe machen.« Marge ging kurz in Idas Zimmer. Ich wusste, dass sie ihren Tod bestätigen und Abschied nehmen wollte, deshalb wartete ich im Flur.

»Ich hätte es beinah vergessen«, sagte Marge, als sie wieder herauskam. »Du hast Besuch. Er wartet in der Eingangshalle.«

Es war Michael. Er stand auf, als ich das Foyer betrat, kam auf mich zu und nahm mich in den Arm.

»Norrie«, murmelte er, »o Baby, du hast so viel durchgemacht.« Auf dem Heimweg nach Cambridge kuschelte ich mich an ihn und lehnte meinen Kopf an seine Schulter. Wir redeten nicht, aber er hielt meine Hand. Als wir vor dem Gebäude parkten, sagte er: »Ich wünschte, ich könnte mit hineingehen und ein bisschen bleiben, aber ich muss zurück. Aber ich bringe dich noch zur Tür.«

Ich konnte mich nicht beklagen – ich hatte es zwar nicht gewusst, aber Michael hatte stundenlang im Pflegeheim gesessen und auf mich gewartet. Als ich ausstieg, sah ich den Fleck. Devis Blut. Es hatte sich im Beton festgesetzt. Ich war erschrocken und beunruhigt. Die Verwaltung hatte ihn am Tag nach dem Verbrechen wegspritzen lassen, und es hatte seitdem einige Male geregnet, aber der Fleck war, obwohl verblichen, immer noch vorhanden. Ich wich ihm aus, mein Körper war verkrampft wie ein überanstrengter Muskel. Vielleicht bemerkte Michael ihn ebenfalls, jedenfalls beschloss er in diesem Moment, mich bis zu meiner Wohnungstür zu begleiten.

»Wie kann ich dich einfach hier am Eingang stehen lassen? Es könnte ja jemand drinnen auf dich lauern.« Das jagte mir eine Höllenangst ein. Da wir nicht wussten, wer der Mörder war, konnte Michael Recht haben, und wie sich herausstellen sollte, war es gut, dass er mich begleitete. Er drückte den Knopf, und wir fuhren gemeinsam mit dem Fahrstuhl nach oben. Als wir ausstiegen und zu meiner Wohnung gingen, hatte ich das Gefühl, dass etwas nicht stimmte, aber ich wusste zunächst nicht, woran es lag. Dann fiel mir auf, dass der Teppichboden grau war und nicht blau, wie in meinem Flur. Plötzlich wurde mir bewusst, dass wir uns in Devis Stockwerk befanden.

»O Gott«, stöhnte ich. »Michael, du hast den falschen Knopf gedrückt.«

»Scheiße«, sagte er. »Es tut mir Leid.«

»Das ist Devis Tür«, sagte ich. »Diese hier. Ihr Bruder Sandeep kommt morgen und packt ihre Sachen.«

Michael und ich standen im Flur und blickten auf die Tür. Dann gingen wir wieder zurück zum Fahrstuhl. Während wir warteten, hörten wir, wie eine Tür aufgeschlossen wurde. Wir drehten uns um. Devis Tür. Sie öffnete sich; dann stand sie still. Mein Herz krampfte sich zusammen, ich packte Michaels Arm.

»Es darf niemand dort drin sein«, sagte ich.

Wir hörten, wie jemand sagte: »Schnapp dir das verdammte Kabel, es schleift auf dem Boden.«

Dann trat Joe aus der Tür, und hinter ihm erschien ein weiterer, jüngerer Mann. Joe trug Devis Computer; der andere Mann trug ihren Drucker, ihr Telefon lag obenauf. Sie blieben stehen und schlossen Devis Tür ab. Im gleichen Moment öffnete sich die Fahrstuhltür, und Michael stieß mich hinein, ziemlich unsanft, wie ich bemerken möchte.

»Was, zum Teufel, tust du da?«, fragte ich, als sich die Türen schlossen.

»Sie sollen nicht merken, dass sie gesehen worden sind. Wir wissen, dass sie dort nichts zu suchen haben, also handelt es sich ganz offensichtlich um deine Einbrecher. Und was ist, wenn sich einer von ihnen als Mörder entpuppt? Willst du sie wissen lassen, dass du sie gesehen hast?« Darauf war ich noch gar nicht gekommen.

»Gott«, sagte ich. »Was, wenn Joe uns erkannt hat?«

»Mich kennt er nicht, und dich kann er nicht erkannt haben«, beruhigte mich Michael. »Ich habe versucht, dich mit meinem Körper zu decken, als ich dich in den Fahrstuhl geschubst habe.«

»Danke«, sagte ich, während wir im vierten Stock ausstiegen. »Wie konntest du so rasch denken?«

»Keine Ahnung. Ich hatte nur das Gefühl, ich müsse dich verbergen.«

»Sie benutzen wahrscheinlich den Lastenaufzug«, vermutete ich. In gleichen Moment, in dem wir meine Wohnung betraten, riefen wir die 911 an, und innerhalb weniger Minuten war Detective Burns mit drei Streifenwagen zur Stelle. Sie überraschten Joe und den anderen Mann dabei, wie sie einen kleinen Lastwagen mit Devis Habseligkeiten beluden. Anscheinend hatten sie bis zu diesem Zeitpunkt die Mikrowelle, die Stereoanlage, den Fernseher und eine kleine Mahagonischatulle mit alten Goldmünzen eingeladen. Joe und der andere Mann wurden in zwei Streifenwagen fortgebracht, und danach kam Detective Burns in meine Wohnung, um mit mir zu reden.

Michael war geblieben, obwohl er nervös und unruhig wirkte. Ich wusste, dass er sich überlegte, was er Brenda erzählen sollte.

»Mir geht es gut«, versicherte ich ihm. »Du kannst fahren. Wirklich.«

»Bist du sicher?« Er schaute Burns zweifelnd an.

»Ganz sicher«, sagte ich, nahm ihn beim Arm und schob ihn zur Tür. »Und danke, Michael, für alles.«

»Hat mich gefreut, Sie kennen zu lernen«, rief Burns, als ob er sich gerade noch auf seine Erziehung besonnen hätte, und Michael rief zurück: »Ja, ebenfalls.« Im gleichen Moment steckte Clara den Kopf zur Tür heraus, um zu sehen, was los war. In meinem Kopf drehte sich alles. Burns lungerte an meiner Tür herum, und zunächst schien es, als würde er Clara ablenken, sodass sie Michael nicht bemerkte. Aber dann sah ich, wie ihr Blick Michael auf dem Weg zum Fahrstuhl eine

Sekunde zu lang folgte. Dann schaute sie mich an, und der Ausdruck auf ihrem Gesicht war nur schwer zu entziffern.

»Du wirst nicht glauben, was gerade passiert ist«, begann ich, um möglichen Fragen nach Michael zuvorzukommen. Aber ich kannte Clara gut genug, um zu wissen, dass das Thema noch lange nicht erledigt war.

Wir gingen hinein, und ich berichtete ihr von Joes Einbruch. Noch bevor wir uns im Wohnzimmer gesetzt hatten, teilte sie Detective Burns schon mit, dass sie Joe von Anfang an des Mordes an Devi verdächtigt hatte.

»Er hat andauernd etwas für sie repariert«, sagte sie. »Er war ständig um sie bemüht, in völlig unangemessener Weise.« Sie runzelte die Stirn, schaute mich an, dann wandte sie sich wieder an Detective Burns, und ihre Stimme zitterte. »Das beweist, mehr oder weniger, dass … er … *es getan* … hat, oder?«

»O nein«, erwiderte Burns. »Es beweist nur, dass manche Menschen Geier sind. Aber natürlich werden wir der Möglichkeit nachgehen.«

Ich fragte ihn nach Paul Monnard. Ich merkte, wie Claras Gesicht erstarrte, und erinnerte mich, dass sie nichts über Paul gewusst hatte – oder über irgendeinen anderen Aspekt von Devis Privatleben. Ich wusste, dass diese neue Information ihre Eifersucht wahrscheinlich wiederbelebte. Die Vorstellung, dass Clara sogar auf eine Tote eifersüchtig war, war nicht besonders weit hergeholt.

»Wir haben einige Leute in London ausfindig gemacht, die den Gentleman kennen«, sagte der Detective. »Aber er scheint sich seit ein paar Wochen auf einer Art Reise zu befinden.«

»Was für ein seltsamer Zufall, nicht wahr?«, bemerkte ich. »Es klingt ...« Ich redete nicht weiter.

»Verdächtig«, beendete er den Satz. »Ja, vielleicht, ich weiß, was Sie meinen. Aber vielleicht auch nicht. Er hat ein Freisemester und hat einige Klettertouren gemacht – scheint ein Frischluftfanatiker zu sein. Seine Freunde und Mitarbeiter an der Uni glauben, er könnte sogar auf dem Everest sein. Es dürfte schwer werden, ihn zu finden. Falls er sich dort irgendwo aufhält. Und falls er unschuldig ist, hat er keine Ahnung, dass sie tot ist.«

»Demnach halten Sie diesen Mann für einen möglichen Verdächtigen?«, fragte Clara.

»Ganz sicher«, antwortete Burns. »Gar kein Zweifel.« Er zögerte, dann wandte er sich an mich. »Schauen Sie, Sie waren eine sehr gute Freundin von Ms. Bhujander« – er nickte Clara zu – »und Sie vermutlich auch. Ich versichere Ihnen, dass wir hart an diesem Fall arbeiten. Wir werden den Kerl finden.«

Nachdem der Detective gegangen war, wandte sich Clara an mich. »Ich glaube, dass Joe es gewesen ist. Ich habe ihn die ganze Zeit verdächtigt.« Es stimmte, sie hatte diesen Verdacht schon ein oder zwei Mal geäußert, aber ich hielt es für keine gute Idee, von Einbruch auf Mord zu schließen – und vielleicht fanden wir Devis Mörder nie.

»Ich halte das nicht für zwingend«, sagte ich. »Das eine Verbrechen hat mit dem anderen wenig zu tun. Die Einbruchsserie hält schon seit einiger Zeit an – Joe hat wohl von Anfang an dahintergesteckt. Aber das heißt nicht, dass er Devi ermordet hat.«

»Warum verteidigst du ihn?«, fragte Clara wütend. »Falls er Devi ermordet hat, will ich ihn tot sehen.«

»Lieber Himmel, Clara, ich verteidige ihn doch gar nicht. Wie kannst du so etwas behaupten? Ich will nur, dass wir den richtigen Kerl erwischen. Falls der falsche Mann angeklagt wird, dauert es umso länger, den wahren Mörder zu finden.«

Sie begann zu weinen. »Wir sind nicht sicher, bis wir herausgefunden haben, was passiert ist. Ich habe Angst, allein hinauszugehen.«

Ich dachte mal wieder an den Kiffer. Devi hatte mir erzählt, dass er sie immer angemacht hatte. Das letzte Mal hatte er gerufen: »He, schöne Inderin, ich werde dich heiraten.«

Clara schluchzte. »Das alles macht mich so fertig. Ich kann nicht an meinem Buch arbeiten, ich kann nicht denken, ich kann gar nichts.« Ich wusste genau, wie sie sich fühlte, und legte den Arm um sie.

»Lass uns an diesem Wochenende einen Nachmittag ausgehen«, schlug ich vor. »Vielleicht ins Kino – wir müssen die Angst und die Trauer mal vergessen.«

»Das wäre toll«, sagte Clara. »Das würde mir gefallen.« Aber ich war schon wieder abgelenkt. Das Wort *Trauer* hatte mich an Ida erinnert. Ida war heute Abend gestorben. Es schien nicht real zu sein. Ich probierte den Gedanken aus: *Ida ist tot.* Ich werde nie mehr nach Brookline fahren, um sie zu besuchen. Selbstverständlich war

Idas Tod nicht so schockierend gewesen wie der Devis. Ich wusste, dass er für Ida die Erlösung von ihren Schmerzen bedeutet hatte.

Trotzdem überwältigte mich plötzlich das Gefühl des Verlusts, des Todes.

»Ich muss ins Bett«, sagte ich zu Clara, »ich werde gleich bewusstlos.« Auf keinen Fall würde ich Clara von Idas Tod erzählen. Ich wollte nicht etwas so Persönliches mit ihr teilen.

Clara verabschiedete sich, drehte sich jedoch noch einmal um und meinte: »Vielleicht bringst du ja deinen *Freund* mal auf ein Glas Wein mit. Ich würde schrecklich gern mit ihm über sein wundervolles Buch reden.« Ihr Übelkeit erregend falsches, beinah kokettes Lächeln strafte den beleidigenden Ton Lügen. Sie wollte sagen, dass sie den berühmten Romancier erkannt hatte. »Er führt so ein interessantes Leben«, fügte sie hinzu und wollte mir damit zu verstehen geben, dass sie alles über ihn wusste, über seine Ehe, und herausgefunden hatte, dass ich seine Geliebte war.

Ohne darauf zu achten, ohne jede Absicht, schloss ich im gleichen Moment die Tür, als ich ihr benommen eine gute Nacht wünschte. Endlich allein in meiner Wohnung, ging ich sofort zu Bett, aber ich konnte nicht schlafen. Jetzt kam etwas vollkommen Neues zu meinen Sorgen, über das ich mir Gedanken machen konnte. Soweit ich wusste, konnte es gut sein, dass Clara schon seit einiger Zeit einen Verdacht gehegt und uns beobachtet hatte. Wollte sie mir auf subtile Weise zu verstehen geben, dass sie ihr Wissen weitergeben würde, wenn ich mich nicht um sie kümmerte? Oder hatte meine Paranoia die Kontrolle über meinen Verstand übernommen? Irgendwann später rief Michael mich an, aber aus Angst vor Brenda konnte er nur flüstern, und deshalb sprachen wir nicht lange miteinander. Ich konnte mich nicht überwinden, ihm von meiner Besorgnis wegen Clara zu erzählen.

Ich legte mich zurück und versuchte einzuschlafen, aber nach einer Stunde gab ich auf und begann, in der Wohnung auf und ab zu wandern. Ich schaltete CNN ein, ich weiß auch nicht, warum. Vielleicht in der Hoffnung, dass die Kriegsnachrichten meine privaten Nöte schrumpfen ließen. Eine kurze Einspielung zeigte eine siebzigjährige Frau aus Brooklyn, die »am 9. April, nach einer eher unauffälligen literarischen Laufbahn, den Pulitzer gewonnen hatte«. Mein Gott, ich hatte völlig vergessen, dass der Pulitzer im April vergeben wurde, und Michael hatte seit dem Mord nichts mehr davon erwähnt. Er war zu beschäftigt gewesen, auf mich aufzupassen. Ich schaltete den Fernseher ab. Es tat mir Leid für Michael, für jeden. Ich war traurig, einfach nur traurig.

Ida. In meiner Vorstellung konnte ich sie deutlich vor mir sehen, wie sie in den Kissen lag und ihren letzten Atemzug tat. Ihr Gesichtsausdruck im Augenblick des Todes war mir immer noch gegenwärtig, wie ich es vorausgesehen hatte. Nun versuchte ich, aus der Erinnerung diesen Ausdruck zu deuten. Wenn ich ihn noch einmal mit eigenen Augen sehen könnte, würde ich ihn vielleicht verstehen.

Innerhalb eines Augenblicks war meine Erschöpfung wie weggeblasen – kreatives Adrenalin bewirkt das, und man weiß immer, dass man seine Gesundheit riskiert, wenn man sich in der Hoffnung auf ein neues Kunstwerk darauf einlässt, weil man für die gesamte Dauer des Arbeitsprozesses gegenüber den Warnsignalen des Körpers völlig gleichgültig wird.

Ich dachte an das Bild von Ida, das ich vor einigen Wochen gemalt hatte. Ich drehte es herum, mit der Vorderseite zum Zimmer. Dann zog ich eine frische Leinwand heraus und skizzierte die Umrisse. Ich wollte die schlafende Ida malen, ihr Körper frei von weltlichen Wünschen.

Das Zimmer hat sich abgekühlt, die Rottöne sind zu Rostrot, Ziegelrot und der Farbe alten Blutes, wie ich sie für Devis letztes Porträt gemischt hatte, verblasst. Man sieht Ida von oben, sie liegt auf weißen Laken, ihr Gesichtsausdruck ist ruhig, wenn auch irgendwie neugierig, ihre Augen sind geschlossen, ihre Hände auf der roten Decke über ihrer Mitte gefaltet. Die Farbe ihrer Haut wirkt kühl und in den Konturen und Schatten leicht bläulich, aber dennoch besitzt sie eine gewisse Leuchtkraft, als stecke ein lebendiger Geist in ihr, der sich bereitmacht, zum Himmel aufzusteigen.

Auf dem Nachttisch neben ihr steht der rote Krug, diesmal in einem kühleren Rot, fast ein staubiges Rosenrot. Jetzt, da man ihn zum ersten Mal von oben sieht, wirkt der Krug weniger wie ein Gefäß als wie eine Glaskugel, rund und schimmernd, aber ohne die Möglichkeit, etwas darin aufzubewahren. Von oben gesehen, könnte er ebenso gut nur eine Seifenblase oder eine Einbildung sein.

Ich wünschte, ich könnte mich so wie Ida vom Verlangen befreien, aber ohne zu sterben, wünschte, ich könnte beim Gedanken an dich nichts empfinden. Ich wünschte, ich brauchte dich nicht, mein Fleisch würde beim Gedanken an dich nicht erwachen. Aber eines Tages werde ich für das bereit sein, was Ida erfahren hat – den Moment, in dem alles irdische Verlangen den Körper verlässt und der Geist sich über das Fleisch erhebt.

In der Zwischenzeit muss ich zwei Dinge akzeptieren: dass Verlangen ein Teil des Lebens und naturgewollt nicht kontrollierbar ist.

Ich liege in der Haltung auf dem Bett, in der ich Ida gemalt habe, die Hände über der Mitte gefaltet. Ich verbanne jeden Gedanken an dich aus meinem Kopf. Aber mein Körper giert nach dir, weil der Körper die Wahrheit nicht leugnen kann. In unserem Fall eine Wahrheit, die unser Leben zu einer Lüge macht, ein Leben, das nicht wirklicher oder dauerhafter ist als eine Seifenblase.

Kapitel 16

Der Frühling war regnerisch, jede Nacht donnerte und blitzte es. Durch die offenen Fenster meiner Wohnung drang das volle, reiche Aroma kommenden Regens, der Verkehr zischte auf den nassen Straßen. Ich konnte mich daran erinnern, die Frühlingsstürme geliebt zu haben. Ich konnte mich an beinah alles erinnern, was irdisches Leben ausmachte.

Seit dem Mord an Devi waren drei Wochen vergangen, und bis jetzt war niemand verhaftet worden. Joe war von jeglichem Mordverdacht befreit, ebenso wie sein Komplize bei den Einbrüchen. Wie sich herausstellte, hatte der Kiffer in der Mordwoche wegen Haschkonsums in der Öffentlichkeit im Gefängnis gesessen und hatte also ein Alibi. Paul Monnard war noch immer nicht gefunden worden, mittlerweile fahndete Interpol nach ihm. Einige hielten ihn für den Hauptverdächtigen.

»Wir werden den Kerl finden«, versicherte Detective Burns, »wenn er sich nicht auf dem Mars befindet. Falls er noch auf diesem Planeten weilt, kriegen wir ihn.« Ich mochte Detective Burns irgendwie, seine unschuldige Zuversicht. Noch ein paar Jahre, dachte ich, dann würde sich auch das gegeben haben.

Das Gemälde war immer noch nicht gefunden worden. Inzwischen nahm jeder das Verschwinden sehr ernst, und das lenkte unangenehme Aufmerksamkeit auf mich als die Malerin des Porträts. Zeitungsreporter riefen an, sogar jemand von *Vanity Fair*. Ich nahm nur noch ab, wenn ich den Anrufer kannte.

Ich konnte nachts nicht schlafen. Ich begann, Geräusche zu hören, die ich mit Sicherheit vorher noch nie vernommen hatte; Klopfen, Krachen, Zischen, Kratzen. Mehrere Male war ich überzeugt, auf dem Gang Schritte zu hören, die sich meiner Wohnungstür näherten.

Eines Nachts tobte ein gewaltiger Sturm über Cambridge, Äste kratzten und schlugen gegen mein Schlafzimmerfenster. Ich wachte um zwei Uhr morgens auf und war starr vor Angst, weil das Kratzen und Krachen klang, als versuchte ein Eindringling, sich Zugang zu meiner Wohnung zu verschaffen. Ich wollte meine Nachttischlampe anschalten, dann wurde mir klar, dass ich einem Spanner damit einen Gefallen tun würde. Nach einiger Zeit legte sich der Sturm, aber ich war völlig verkrampft, und an Schlaf war nicht mehr zu denken. Während ich mich zu beruhigen versuchte, hörte ich wieder die Schritte im Gang. Dieses Mal waren sie real. Ich bewaffnete mich mit einer großen Taschenlampe, stahl mich in meinen Flur und starrte auf die Eingangstür. Mir stand wahrhaftig das Herz still, als ich durch den Spalt unter der Tür im Licht der Flurlampen zwei Füße erkannte. Ich schnappte so abrupt nach Luft, dass es sich anfühlte wie ein Schlag gegen meinen Brustkorb.

»Wer ist da?«, schrie ich. Keine Antwort. Die Füße bewegten sich. »Wer ist da draußen?«

Dann hörte ich ihre Stimme, Claras Stimme.

»Ich bin es«, schluchzte sie. »Ich habe Angst. Bitte lass mich rein.«

Was konnte ich tun? Ich musste Clara um drei Uhr morgens hereinbitten. Ich setzte sie mit einem Glas Wein auf das Sofa und sagte ihr so sanft wie möglich, dass wir es uns nicht erlauben durften, unseren Ängsten nachzugeben, weil wir dann unsere Unabhängigkeit und Selbstachtung verloren. Ich verriet ihr nicht, wie sehr mich der Anblick ihrer Füße erschreckt hatte. Sie blieb bis Sonnenaufgang, und als ich die Tür hinter ihr abschloss, fühlte ich mich gefangen wie ein Häftling.

In diesem Moment hasste ich Clara wegen der Erleichterung, die sie, ungeachtet ihres theatralischen Trauerns, meiner Überzeugung nach manchmal empfinden musste, Erleichterung darüber, sich keine Gedanken mehr machen zu müssen, ob Devi und ich zusammen waren, nicht mehr eifersüchtig sein zu müssen.

Von Tag zu Tag wurde ich verbitterter und ängstlicher. Und obwohl ich mir keine Umstände vorstellen konnte, unter denen mir Devis Tod nicht zugesetzt hätte, fragte ich mich doch, ob mein Leben während der beiden letzten Jahre bis zu dem Mord – das Geheimhalten und die Isolation durch meine Beziehung zu Michael, die Eifersucht, die Ablehnung, die unnatürlichen Höhen und Tiefen verbotener Liebe – mich verletzlicher gemacht hatte und es mir deswegen umso schwerer fiel, mit den Folgen fertig zu werden.

»Du klingst nicht gut«, hatte meine Mutter eines Abends hilfreich bemerkt. »Du solltest zu einem Psychologen gehen, bevor du zusammenbrichst.«

»Ich muss auflegen, Mutter. Da ist jemand an der Tür.«

»Mach nicht auf!«

»Hör auf damit, Mutter. Mir geht es gut.«

»Du hast ein Problem, Norrie. Du kannst nicht zugeben, dass dein ganzes Leben aus den Fugen gerät.«

Gut, dann fiel ich eben auseinander – warum nicht? Meine Freundin war in dem Hof ermordet worden, den ich jeden Tag auf dem Weg von und zu meinem Wohnhaus durchqueren musste! Seit zwei Jahren steckte ich in einer verbotenen Affäre fest. Meine alte Freundin Ida war gestorben. Eines meiner Bilder für den Larkin-Zyklus war verschwunden. Und all die Traumata der letzten Zeit wurden durch Claras ständige, erdrückende Anwesenheit verschärft.

Ich dachte an das, was sie eines Nachmittags auf dem Weg ins Kino zu mir gesagt hatte.

»Wir brauchen einander. Keiner von uns würde jetzt ins Kino gehen, wenn wir einander nicht hätten. Wir sollten wirklich nicht allein irgendwo hingehen. Bis sie den Mörder gefasst haben, ist es zu gefährlich.«

Mir war aufgefallen, dass sie ihre Harvard-Kurse weiterhin allein besuchte, aber ich beschloss, dass es nicht der Erwähnung wert war. Dennoch verriet mir diese Tatsache, dass Clara die Angst benutzte, um mich, wann immer möglich, an ihre Seite zu fesseln, und ich nahm ihr ihre selektive Nervosität übel.

Am meisten störte mich allerdings, dass sie zum Teil

Recht hatte. Allein würde ich nicht in eine Spätnachmittagsvorstellung wie diese gehen, weil ich Angst davor hätte, nach dem Film im Dunkeln nach Hause zu laufen. Wenn ich ausgehen wollte, lud ich Clara oft nur wegen der zusätzlichen Sicherheit ein, die sie mir bot. Und nun schien sie zu erwarten, dass sie mich überallhin begleiten durfte. Ich fühlte mich im immer engmaschigeren Netz ihrer Erwartungen gefangen.

Eines Tages beklagte ich mich bei Georgi über Claras Anhänglichkeit. Wir waren bei einem der informellen Essen im Larkin, an denen ich seit Devis Tod teilnahm.

»Ich glaube nicht, dass ich das noch lange aushalte«, versicherte ich Georgi. »Wohin ich auch schaue, sie ist immer da.«

»Weißt du, einige der Larkies halten Clara für ein wenig ... nun, *labil*«, vertraute Georgi mir an. »Wusstest du, dass sie ständig von dir redet? Die Leute sagen, sie wäre in dich verliebt ...«

»Was?«

»Im Ernst. Und du solltest wissen, dass einige der Larkies euch für ein Pärchen hielten, bevor Devi auftauchte.«

»Himmel hilf«, stotterte ich. »Das ist lächerlich. Warum sollten sie das annehmen?«

»Ich bin nicht sicher ... ich glaube, weil du zu Beginn des Jahres überall mit Clara gesehen wurdest, und dann, nach einer Weile, schien es, als wärest du ständig mit Devi in deinem Atelier, und Clara lief herum und fragte nach dir. Niemand wollte ihr sagen, dass du mit Devi zusammen warst, weil sie nicht wussten, was ablief.«

»Was ablief! Ich habe Devi gemalt, Herrgott noch mal.«

Ich erinnerte mich daran, wie Serena Holwerda mir gesagt hatte, dass Clara nach mir suchte, und ich mich gefragt hatte, ob Serena falsche Vorstellungen von uns hatte.

»Ja, ich weiß. Aber ich glaube, einfach weil Clara so besessen von dir ist, verbreitete sich die Vorstellung bei den Stipendiatinnen, dass es sich um ein … um eine Art Dreiecksverhältnis handelte.« Nach einem Blick auf mein Gesicht fügte sie hastig hinzu: »Ich meine keine *menage à trois*! Einfach ein Dreieck. Und nun, da Devi … fort ist … sieht man dich wieder häufig mit Clara.«

Noch ein Schaden, für den Clara verantwortlich ist, dachte ich. »Ich kann mir nicht vorstellen, dass irgendeine von diesen Frauen so schmutzige Andeutungen machen würde«, erwiderte ich hitzig.

»So war es nicht, Norrie. Bleib fair. Niemand aus dem Larkin hatte das Gefühl, etwas Negatives zu sagen, wenn man dich und Clara oder dich und Devi für ein Pärchen hielt. Immerhin *sind* einige der Frauen hier Lesben, und die Larkies sind abgeklärt genug, um sich von dieser Vorstellung nicht schockieren zu lassen. Es war Claras Besessenheit von dir, die den Anstoß für das Gerede gegeben hat.«

»Das denke ich auch. Was, wenn die Polizei von diesen Gerüchten erfährt? Für mich und Clara würde es die Hölle bedeuten – es könnte den Mord als etwas erscheinen lassen, das er nicht ist.«

»He, Norrie, du malst den Teufel an die Wand, weißt du.«

»Ja ... vermutlich.« Das tat auch meine Mutter ständig – den Teufel an die Wand malen. Verwandelte ich mich in sie?

»Willst du immer noch heute Abend zu mir zum Essen kommen? Ich habe ein wunderbares Stück Lachs gekauft.«

»Natürlich«, sagte ich. »Wenn wir nicht mehr über diese Dinge reden, okay? Ich habe genug davon.«

»Ich wollte dich nicht ärgern, Norrie, wirklich nicht.«

»Schon gut, ich weiß lieber darüber Bescheid, was über mich geredet wird – ehrlich. Es ist nur ... es mag komisch klingen, aber es ist nicht der Gedanke, dass ich von einigen der Larkies für lesbisch gehalten werde, der mich stört ... mich stört, dass irgendjemand glauben könnte, ich hätte etwas mit *Clara*.«

Zurück in der Brattle Street, traf ich Clara im Fahrstuhl, und wir tauschten Nettigkeiten aus, aber ich dachte ständig daran, was Georgi mir erzählt hatte, und war angewidert. Ich erzählte Clara nicht, dass ich abends zu Georgi wollte; ich spürte, dass es Zeit war, die geradezu siamesische Verbindung zu lösen, zu der unsere Freundschaft geworden war.

Georgi holte mich vor dem Haus ab, und wir fuhren zu ihr nach Hause. Sie servierte Lachs mit roten Kartoffeln und Chardonnay, und nach dem Essen unterhielten wir uns. Zu meiner Erleichterung redeten wir nicht über den Mord. Georgi und ich hatten nicht viel gemeinsam, aber trotzdem schienen wir über reichlich Gesprächsstoff zu verfügen. Nach einer Tasse Kaffee und einem Stück Käsekuchen als Nachtisch brachte Georgi mich zurück und wartete im Auto, bis ich im Haus war. Es war zehn Uhr abends.

Als ich meine Wohnungstür aufschloss, riss Clara ihre Tür auf, und ich hörte ihre Stimme hinter mir, schrill vor Wut. »Wo bist du gewesen? Ich habe mir solche Sorgen gemacht, ich war kurz davor, die Polizei anzurufen.« Als ich mich umdrehte, um ihr zu antworten, sah ich, dass sie weinte.

»Clara –«, begann ich, aber sie unterbrach mich.

»Wo *warst* du?«, verlangte sie erneut zu wissen.

»Ich war bei einer Freundin zum Essen. Was ist los?«

»Wie kannst du mir das antun?«, schrie sie. »Du weißt, dass ich mir Sorgen mache. Wir könnten umgebracht werden, sobald wir uns auf der Straße zeigen. Wie konntest du das tun?«

»Reg dich ab. Ich wurde abgeholt, ich bin nicht gelaufen. Aber, Clara, das kannst du nicht machen … ich kann so nicht leben, ich kann einfach nicht. Wir sind beide erwachsen – wir müssen einander nicht wegen jeder Kleinigkeit Rede und Antwort stehen!«

»Du hättest mir sagen müssen, dass du weggehst«, wiederholte sie. »Angesichts der augenblicklichen Situation. Du hättest wissen müssen, dass ich mir Sorgen mache.«

»Vielleicht hätte ich das wissen *müssen*«, erwiderte ich kalt; ich wurde wütend. »Dann lass uns jetzt gleich eine Vereinbarung treffen. Du musst mir nicht sagen, wenn du ausgehst, okay? Und ich muss dir nicht Bescheid geben, wenn ich ausgehe.«

Sie begann wieder zu weinen. »Ich habe geglaubt, du

wärst tot«, sagte sie bitter. »Ich habe geglaubt, er hätte dich auch erwischt. Ich lag zitternd im Bett und hatte Angst, die Nächste zu sein, es würde ins Schema passen, weil wir drei doch so enge Freundinnen waren.« Ich ließ diesen Selbstbetrug unkommentiert. Arme Clara.

»Es tut mir wirklich Leid, dass du dich gesorgt hast, Clara. Ehrlich. Aber ich kann so nicht leben, die ganze Zeit unter Beobachtung. Kannst du das einsehen?«

»Wir schulden einander diese Rücksichtnahme, Bescheid zu geben, wenn wir ausgehen«, beharrte sie. »Das ist das Mindeste, was wir nach dem Mord an Devi tun können.« Das konnte ich nicht akzeptieren, es war zu viel für mich, Mord hin oder her. Ich hätte nicht einmal einem Liebhaber die Macht über mein Leben eingeräumt, die Clara wollte.

»Tut mir Leid, Clara. Ich will dir keine Sorgen oder Ängste bereiten, aber damit bin ich nicht einverstanden. Ich habe den größten Teil meines Lebens mit meiner Mutter genau deswegen gestritten. Das werde ich nicht noch einmal tun. Mit niemandem.«

»Dann bist du *egoistisch*«, erklärte Clara erbost. »Wie so viele andere, die ich kannte, hast du keine Ahnung, wie man sich als Freundin verhält. Und du bist *nicht* meine Freundin.«

Sie drehte sich um, ging in ihre Wohnung und knallte die Tür zu. *Du bist nicht meine Freundin.* Ich dachte an Paul Monnards ähnlich lautende Worte gegenüber Devi. Mein Gott, was für ein schauriger Vergleich.

In der Wohnung blinkte der Anrufbeantworter, und ich wappnete mich gegen das, was mich erwartete. Abgesehen von einer Nachricht von Michael und einer von Liz, waren drei Nachrichten von Clara eingegangen, eine aufgeregter als die andere. Ich seufzte, löschte das Band und ging ins Badezimmer, um mein Gesicht zu waschen und mir die Zähne zu putzen.

Ich schlüpfte gerade in meinen Schlafanzug, als das Telefon erneut klingelte.

»Clara, ich bin müde. Ich verstehe, dass du aufgeregt warst, und ich bin nicht böse auf dich. Aber ich werde meine Meinung nicht ändern.« Zunächst sagte sie kein Wort, deshalb fuhr ich förmlich, aber mit ruhigerer Stimme fort: »Ich habe gemeint, was ich sagte.«

»Du bist so barsch«, klagte sie. »Ich wünschte, du würdest versuchen, mich zu verstehen.«

»Ich glaube, das tue ich – du hast mir deine Gefühle sehr deutlich gemacht. Aber deshalb werde ich meine Meinung nicht ändern. Und jetzt muss ich wirklich auflegen.«

»Aber ich wollte mich doch nur entschuldigen. Es tut mir wirklich Leid, dass ich im Flur die Kontrolle verloren habe. Das sieht mir gar nicht ähnlich.«

»Es ist in Ordnung. Mach dir keine Gedanken«, seufzte ich.

»Ich habe mich gefragt« – plötzlich klang ihre Stimme schmeichelnd – »ob du einen schönen Abend hattest.«

»Ja«, erwiderte ich, ohne ins Detail zu gehen.

»Hm … mit wem hast du denn gegessen? Vielleicht mit deinem guten Freund Michael Sullivan?« Mir blieb buchstäblich das Herz stehen.

»Nein«, antwortete ich langsam, während ich überlegte,

wie ich reagieren sollte. »Nein, ich habe mich nicht mit Michael getroffen.«

»Vielleicht mit einer der Frauen vom Larkin?«

»Ja«, erwiderte ich. »Genau. Clara, ich muss jetzt wirklich ins Bett.«

»Aber warum ist es denn so ein Geheimnis?«

»Warum ist *was* so ein Geheimnis?«

»Die Identität deines Begleiters zum Essen«, antwortete sie, und es klang so eigenartig, wie ein Verhör, dass ich lachen musste.

»Himmel, Clara, es ist kein Geheimnis. Ich sehe nur nicht ein, warum ich es dir erzählen sollte.«

»Prima«, sagte sie zickig. »Ich habe verstanden, und ich werde deine geheiligte Privatsphäre in Zukunft nicht mehr verletzen.«

»Okay«, erwiderte ich. »Danke. Ich sehe dich dann am Mittwoch, falls du immer noch zu dem Vortrag willst. Und jetzt muss ich Schluss machen.« Und dann sagte ich einfach Auf Wiedersehen und legte auf. Anders schien ich das Gespräch nicht beenden zu können.

Bis Mittwoch schien Clara es überwunden zu haben. Aber ich war ihr gegenüber misstrauischer als je zuvor und wahrte Distanz, selbst als wir gemeinsam zum Larkin gingen, und legte Wert darauf, mich beim anschließenden Essen auch mit anderen Larkies zu unterhalten. Als Clara und ich vom Restaurant nach Hause liefen, wurde es bereits dunkel, und ich musste mir eingestehen, dass ich froh war, nicht allein zu sein. Zu Hause angekommen, wünschten wir uns einigermaßen herzlich gute Nacht.

Ein oder zwei Tage später geschah etwas völlig Überraschendes, das ich nicht einmal in meinen wildesten Träumen erwartet hätte. Ich erhielt einen Bescheid von Idas Anwälten, in dem stand, dass sie mir etwas hinterlassen hatte. Der Brief war von meiner alten Adresse aus weitergeleitet worden, und daraus schloss ich, dass Ida ihren letzten Willen schon vor langer Zeit aufgesetzt hatte. Ich konnte es nicht fassen. Ich hatte angenommen, dass sie nach dem Verkauf ihrer Wohnung und dem Ankauf des Heimplatzes praktisch mittellos gewesen war. Ich vereinbarte einen Termin mit den Anwälten und erfuhr, dass Ida mir ihren gesamten Besitz hinterlassen hatte, da keine Verwandten existierten.

»Für Honora Blume, um dich bei der Ausübung deiner Kunst zu unterstützen«, lautete Idas Testament. Ich war sehr gerührt und dankbar – aber zu durcheinander, um zu entscheiden, was ich damit anfangen sollte. Die Anwälte schlugen vor, einen Steuerberater zu konsultieren, und nannten mir die Adressen von zwei guten Leuten.

Es war nicht genug Geld, um mich unabhängig zu machen – ich würde weiter arbeiten müssen –, aber genug, um mein Leben zu ändern. Ich konnte das Geld zum Beispiel nutzen, um mir ein wirklich schönes Haus in einer guten Gegend zu kaufen – und es bar bezahlen und so Ratenzahlungen vermeiden. *Oder* ich konnte es für mein Alter anlegen. *Oder* es investieren, um mein jährliches Einkommen aufzubessern. *Oder* es auf ein Sparkonto packen und mit den Zinsen jährlich einen Urlaub von der Arbeit nehmen – jeweils ein oder zwei Monate im Jahr –, um mich ganz auf das Malen zu konzentrieren. Ich besaß genug, um zumindest eines dieser Dinge tun zu können. Aber die Hauptsache war, dass ich es so nutzen wollte, wie Ida es beabsichtigt hatte – zur Förderung meiner Kunst.

Für den Moment zahlte ich alles auf mein normales Sparbuch ein. Es war ziemlich viel Geld, um es auf ein einfaches Sparkonto zu legen, die Verzinsung war wesentlich niedriger, als wenn ich Aktien oder Staatsanleihen gekauft hätte, aber ich wollte ständigen Zugriff darauf haben. Das gab mir Sicherheit, zumindest wirtschaftlich. Alles andere in meinem Leben schien mir – und war es auch, denke ich – unsicher. Ich hatte zwei Menschen verloren, die mir viel bedeutet hatten, und ich begann mich zu fragen, ob ich Michael auch verlieren würde.

Mir fiel auf, dass ich eine gemeinsame Zukunft mit Michael nicht in Betracht gezogen hatte, als ich überlegte, was ich mit dem Geld anfangen sollte, und es schien weniger ein Versehen als Pragmatismus. Es waren beinah sieben Monate vergangen, seit er aufgehört hatte, mit Brenda zu schlafen, und sie lebten noch immer im gleichen Haus. Bei den vorhergehenden Ereignissen hatte er sich liebevoll und fürsorglich gezeigt, er hatte sogar begonnen, für mich einzukaufen. Unser Liebesleben war intensiv wie immer, und wir hatten wieder begonnen, neue Dinge auszuprobieren.

Aber alles Leben außerhalb unserer Liebe war eine Lüge, und ein Ende zeichnete sich nicht ab. Ich fand die Lügen und die Heimlichkeiten zunehmend untragbar.

Es gab auch ohne dies so vieles, weswegen man sich unsicher fühlen und sich Sorgen machen musste.

Eines Morgens teilte ich Michael mit, dass ich glaubte, diese Beziehung »im Schutz der Dunkelheit« nicht mehr lange fortsetzen zu können. »Wir wissen nicht einmal, was all diese Lügen aus uns machen«, sagte ich. »Wenn jeder Tag unseres Lebens eine Lüge ist, gewöhnen wir uns vielleicht so sehr daran, dass wir ganz gut damit leben können.«

»Ich weiß«, antwortete er. »Und es ist eigentlich auch kein Leben, nicht für dich oder für Brenda und auch nicht für mich. Ich habe dir versprochen, bis zum Ende deines Larkin-Jahres einen Schlussstrich zu ziehen, und jetzt ist es beinah so weit. Ich schätze, ich habe Schwierigkeiten, den richtigen Moment zu finden, um mich zu trennen – seit eine gute Nachricht nach der anderen eintrifft, scheint jeder Zeitpunkt der Falsche zu sein. Aber ich will, dass wir zusammenleben, du und ich – mehr als alles andere. Ich muss mir mehr Mühe geben. Hältst du es noch ein bisschen länger mit mir aus?«

»Ich weiß es nicht, Michael. Ich weiß nicht, wie lange ich es noch ertragen kann.«

»Ich mache dir keinen Vorwurf, weil du deinen Glauben an mich verlierst, Norrie, ich lasse dich schon zu lange warten, und in letzter Zeit hast du guten Grund, dich aus meinem Leben ausgeschlossen zu fühlen. Ich weiß das. Ich glaube, ich muss dir beweisen, wie ernst es mir ist. Hör mal, ich weiß, dass Liz bald nach Boston kommt, lass uns zu ihrer Lesung gehen. Wir laden sie zum Essen ein oder so, zeigen uns als das Paar, das wir sind.«

»Gut, ich nehme an, dass die Beziehung mir dadurch weniger wie ein Märchen vorkommen wird«, stimmte ich schließlich zu.

»Ich möchte wirklich gern mit dir hingehen. Ich habe dich und Liz noch nie zusammen erlebt – zwei der witzigsten Frauen, die ich kenne.«

Du hast mich noch nie mit jemandem zusammen erlebt, dachte ich – *mit niemandem außer dir.*

Liz befand sich auf ihrer wirbelsturmartigen »Zwei Städte am Tag«-Lesereise, um für *Traue niemals einer Frau mit Hirn* zu werben, einem geistreichen Roman über die Rangeleien zwischen den Geschlechtern in Akademikerkreisen (es war eine Art Nachfolger von *Lass dich nie von einem Mann tot erwischen* von 1998, das mehrere Auflagen erlebt und ihr den Ruf, der weibliche David Lodge zu sein, eingetragen hatte). Sie reiste von einer nachmittäglichen Signierstunde in einem New Yorker Buchladen nach Boston und hatte gerade genug Zeit, um einen Vortrag in der Public Library zu halten, bevor sie zum Flughafen rasen musste, um den Nachtflug nach Seattle zu erwischen.

»Mein Verleger hat mich total in die Scheiße geritten«, beklagte sie sich eines Abends, als sie mich aus Cleveland anrief. »Der Idiot kann oben nicht von unten unterscheiden. Ich muss praktisch an zwei Orten gleichzeitig lesen. Am Morgen nach der Abendlesung in Boston muss ich in Seattle im Frühstücksfernsehen auftreten. Und das ist nicht einmal das schlimmste Beispiel dafür, was in dieser Woche dank ihm los ist.«

Sie klang hektisch und angespannt, und ich konnte am Telefon hören, wie sie den Rauch ausstieß – ich konnte nicht fassen, dass sie wieder rauchte, angesichts der gesundheitlichen Probleme, die ihre Mutter wegen des Rauchens bekommen hatte. »Das bedeutet, dass wir nicht zusammen essen gehen können. Scheiße.« Wieder hörte ich, wie sie nervös und hastig den Rauch ausstieß.

»Nun, wenigstens sehen wir uns überhaupt«, sagte ich. »Und stell dir vor – Michael begleitet mich zu deiner Lesung.« In diesem Moment fiel mir ein, dass Devi mich hatte begleiten wollen, um Liz kennen zu lernen. Ich verdrängte die Erinnerung. Was für einen Sinn hatten solche Gedanken? Ich wusste, dass noch eine lange Zeit alles, was ich tat, eine Verbindung zu Devi haben würde. Wenn ich mich nicht zusammenriss, würde ich ständig weinen. »Der Mann höchstpersönlich wird anwesend sein«, sagte ich. »In Fleisch und Blut.«

»Ohne Scheiß, er will sich wirklich mit dir vor Gott und der Welt zeigen? Gut, das ist immerhin eine Art Fortschritt.« Liz machte sich Sorgen um mich, sie fürchtete, dass ich mein Leben ruinierte. Sie hatte nicht viel gesagt, aber ich wusste es auch so. Sie mochte Michael, aber sie war überzeugt, dass er Brenda nie verlassen würde. Er war so »traditionell«, sagte sie einmal – nur dieses eine Mal –, nicht der Typ, der sich gegen Konventionen auflehnt. Sie würde das nicht behaupten, wenn sie ihn ein einziges Mal im Bett erlebt hätte.

»Er versucht, sein Leben zu ändern«, versicherte ich ihr in dem Gefühl, mich und Michael verteidigen zu müssen. »Aus diesem Grund hat er auch versprochen, sich mit dir und mir zu treffen.«

»Oho, das ist prima. Ich sage ja nicht, dass es nicht gut ist.«

»Es wird eine gewisse Erleichterung sein, jemanden zu treffen, der über uns Bescheid weiß.«

»He, ich freue mich darauf, euch beide zu sehen. Vielleicht kann ich das alles dann besser begreifen. Ich mache mir einfach Sorgen um dich, ich kann es nicht ändern.«

»Lass es, es gibt keinen Anlass dafür. Ich weiß nicht, wie ich den letzten Monat überstanden hätte, wenn Michael nicht gewesen wäre, mit dem Mord an Devi und so kurze Zeit danach Idas Tod. Er war zärtlich und fürsorglich und einfach nur wunderbar.«

»Ganz genau«, sagte sie.

»Was – willst du sagen, das sei *schlecht*?«

»Vergiss es«, murmelte Liz. Ich hörte, wie sie sich wieder eine Zigarette anzündete. »Vergiss es einfach.«

»Nein – *was*?« Ich gab mir Mühe, mich nicht über meine Freundin zu ärgern.

Sie seufzte, dann sagte sie mit hörbarem Widerstreben: »Es ist einfach, na ja, der Drang, anständig zu bleiben. Das macht es schwer, jemanden im Stich zu lassen. Und in dieser Situation ist Michael *gezwungen*, jemanden im Stich zu lassen.«

Wir schwiegen einen Moment und ließen die Implikation auf uns wirken.

»Und es ist noch schlimmer«, fuhr Liz fort und atmete aus, »weil er zum ersten Mal jemanden betrügt.«

»Was?« Ich begann mir zu wünschen, ich würde auch rauchen.

»Er hat dir versichert, Brenda noch nie betrogen zu haben, richtig?«

»Ja, aber das stimmt. Liz, ich weiß es.«

»Richtig. Und genau das ist das Problem. Er hat keine Ahnung – gar keine –, zu was er in dieser Situation fähig ist. Du glaubst ihm natürlich – es ist ihm ernst damit, ein neues Leben mit dir beginnen zu wollen. Aber er weiß absolut nicht, ob er schließlich dazu in der Lage sein wird. Und seine Vorgeschichte spricht Bände – er ist seit ungefähr tausend Jahren verheiratet.«

»Fünfundzwanzig.«

»Das ist das Gleiche.«

»Du machst mich nervös«, sagte ich. »Ich wünschte, du hättest die Klappe gehalten. Du hast keine Ahnung, wozu er in der Lage ist.«

»Entschuldigung, ich höre schon auf zu predigen. Aber du solltest bitte dran denken, ich bin älter und klüger als du.«

»Du bist acht Jahre älter als ich, aber drei jünger als Michael. Deinen Bewertungskriterien zufolge weiß er demnach mehr als du.«

»Himmel, das stimmt. Du bist elf Jahre jünger als der Kerl«, sagte Liz, die meinen Einwurf vollständig ignorierte.

»Wage es ja nicht«, sagte ich.

»Ich hasse es, wenn Leute sagen, ›wage es nicht‹. Die Antwort ist vorprogrammiert.«

»Was du brauchst, ist eine Nacht Schlaf, Liz. Du bist

heute Abend unausstehlich. Ich habe übrigens gemerkt, dass du wieder rauchst.«

»Wage es ja nicht«, sagte sie.

Am Nachmittag vor Liz' Lesung dachte ich gerade darüber nach, was ich anziehen sollte, als das Telefon klingelte. Mit einer Art instinktiver Furcht nahm ich den Hörer ab. Es war Michael.

»Scheiße«, sagte er. »Ich weiß nicht, was ich machen soll. Brenda hat gerade aus dem Büro angerufen. Sie möchte, dass wir beide heute Abend zusammen essen gehen, weil sie müde und gestresst ist – sie hatte irgendwelche Probleme mit einem Fonds, unerwartete Verluste oder so –, und ein wichtiger Kunde tobt. Ich weiß nicht, was ich ihr sagen soll.«

Ich widerstand der Versuchung, ihn aufzufordern, ihr zu sagen, dass »wir beide« heute Abend gemeinsam essen gingen.

In diesen Tagen versuchte ich, meinen Sarkasmus zu zügeln.

»Sag ihr, dass du zu einer Lesung willst«, schlug ich vor.

»Hab ich. Sie sagt, sie kommt mit. In letzter Zeit will sie mich überallhin begleiten, selbst wenn ich nur zum Briefkasten gehe. Als ob sie etwas ahnte.«

»Nun, Michael, ich glaube, jede Frau würde etwas ›ahnen‹, wenn man sieben Monate nicht mit ihr schläft. Erzähl mir nicht, sie hätte dich noch nie gefragt, ob es jemand anderen gibt.«

»Nein, nicht ein einziges Mal. Eigentlich überrascht es mich auch.«

»Nun, dann will sie es nicht wissen. Ich würde es wissen. Jeder würde das. Sie weiß es.«

Michael stieß nervös die Luft aus. »Das hilft jetzt auch nichts. Norrie, ich stecke in der Klemme. Ich werde ihr einfach sagen, dass ich mit ihr essen gehe und die Lesung ausfallen lasse, weil sie sich nicht gut fühlt. Was bleibt mir übrig?«

»Offensichtlich hast du dich schon entschieden«, erwiderte ich. Dann klappte ich den Mund zu. Ich würde es ihm auf keinen Fall leicht machen. Vielleicht hatte Liz ja doch Recht mit dem menschlichen Drang. Nicht zu vergessen das »Erst-Betrüger«-Syndrom.

»Das stimmt vermutlich«, gab er zu und seufzte. »Okay, es tut mir Leid, Schätzchen, aber ich kann nicht.«

Was sollte ich jetzt tun? Clara wollte ich nicht mitnehmen, und seit Devis Tod war ich nach Einbruch der Dunkelheit nicht mehr allein draußen gewesen.

Michael schien im gleichen Moment wie ich darüber nachzudenken.

»Schau«, sagte er, »ich komme jetzt zu dir und hole dich ab. Du wirst ein bisschen zu früh da sein, aber du kannst im »Starbucks« einen Cappuccino trinken und dann hinübergehen – es ist gleich die Straße runter. Dann musst du dir kein Taxi nehmen oder mit der U-Bahn fahren.«

Ich wusste, dass es Michaels schlechtes Gewissen reduzieren würde, mich hinzubringen, deshalb erklärte ich mich dazu bereit, auch wenn es bedeutete, dass ich anderthalb Stunden vor der Lesung dort sein würde. Und das Problem meines Heimwegs war damit auch noch nicht gelöst.

Eine halbe Stunde später holte er mich ab, und wir fuhren nach Boston, wobei wir einen Jazzsender hörten, den er ohne Zweifel eingestellt hatte, um nicht mit mir über das Vorgefallene reden zu müssen. Er drängte mir zwanzig Dollar für ein Taxi nach Hause auf. »Ich lasse nicht zu, dass du so spät noch U-Bahn fährst«, sagte er, »und du hast doch nie Geld.«

»Ich bin jetzt solvent, dank Ida, du erinnerst dich?«

»Stimmt, nun, nimm es trotzdem, schließlich ist es meine Schuld, dass du mit dem Taxi fahren musst.« Er wirkte niedergeschlagen, als er mir zum Abschied aus dem Wagen zuwinkte. Ich war selbst ziemlich gedrückt. Diese Wendung der Dinge verhieß nichts Gutes für unsere gemeinsame Zukunft. Michael hatte vor dem, was Brenda über ihn herausfinden konnte, mehr Angst, als er haben sollte, wenn er sie irgendwann sowieso verlassen wollte.

Ich saß lange bei einem Cappuccino und einem Muffin im Café und ging erst zehn Minuten vor Beginn der Lesung hinüber in die Bibliothek. Liz war noch nicht eingetroffen, als ich mir einen Platz suchte, und zehn Minuten später war sie immer noch nicht da. Sie rauschte erst fünf Minuten nach dem eigentlichen Beginn der Veranstaltung herein, sodass wir uns nicht mehr unterhalten konnten. Sobald sie mich entdeckt hatte, grinste sie mich vom Podium aus an, aber während der Lesung schweifte ihr Blick immer wieder zu meinem Platz, und mir war klar, dass sie Michaels Abwesenheit registrierte und sich fragte, was zur Änderung unserer Pläne geführt hatte.

Nach der Lesung wartete ich, während Liz Autogramme gab, und als sie fertig war, trat ich auf sie zu. Wir umarmten uns, und ich versicherte ihr, wie brillant sie gewesen war (war sie) und wie großartig sie aussah (ihre Kleidung war großartig – Liz' beschwingter eleganter Stil war das immer –, deshalb war es keine richtige Lüge, aber sie wirkte erschöpft und gestresst). Sie versicherte mir, wie toll ich aussah (was ich nicht tat, ich war zu wütend, um gut auszusehen, also log sie ganz offensichtlich). Ich verabscheute dieses Frauenritual, einander zu Beginn eines jeden Gesprächs Komplimente über das Aussehen zu machen, denn das bedeutete normalerweise, dass jeder Besuch mit einer Lüge begann. Schließlich erkundigte sich Liz, was Michaels Kommen verhindert hatte. Ich erklärte es kurz und sah dann zu, wie sie sich in bewundernswerter Weise ein »Ich habe es dir ja gesagt« verkniff. Für Liz war das keine Kleinigkeit, aber in diesem Fall wusste ich, dass sie es nicht genoss, Recht behalten zu haben.

»Ich muss mit ihm reden«, sagte ich wütend. »Ich weiß.« Sie beugte sich nur vor und küsste mich auf die Wange. »Was war das?«, fragte ich. »Der Todeskuss?«

Es war traurig, dass Liz so rasch zum Flughafen musste. Aber wenigstens wurde sie gefahren, was ich von mir nicht behaupten konnte. Ich erwischte ein Taxi vor dem Westin Grand Hotel. Auf dem Heimweg nach Cambridge wurde ich wütender und wütender, während mein Französisch sprechender Fahrer seine gegen alle Regeln auf dem Beifahrersitz mitfahrende, Französisch sprechende Freundin anschrie. Außerdem rauchten beide, was ebenfalls gegen die Regeln verstieß. Genau an dieser Stelle beschloss ich, mir von Idas Geld ein Auto zu kaufen – und Fahrstunden zu nehmen.

»*Toute de suite, toute de suite*!«, brüllte er und hob die Hand gegen sie. Der Typ war ein Arschloch, aber ich machte Michael für sein Benehmen verantwortlich, und basta. Das Taxi bog um dreiundzwanzig Uhr in die Brattle Street ein – genau zu dem Zeitpunkt, zu dem Devi, wie die Polizei annahm, ermordet worden war. Ich schauderte.

Als ich vor dem Gebäude ausstieg, sah ich einen dünnen, dunkelhaarigen Mann direkt am Eingang zum Hof stehen. Ich erstarrte, überzeugt, dass er es war. Paul Monnard. Niemand war zu sehen, und das Taxi war weggefahren. Ich wusste nicht, was ich tun sollte.

»Eh, Entschuldigung«, rief er über den Bürgersteig und kam auf mich zu. Ich hörte seinen Akzent. Er musste Monnard sein.

»Nein«, brüllte ich und rannte die Straße hoch. Ich hatte kaum den halben Block hinter mir, als mir ein dürres blondes Mädchen entgegenkam, jemandem hinter mir zuwinkte und rief: »Serge! Entschuldige die Verspätung!« Mir wurde bewusst, dass sie den Mann meinte, den ich für Devis Mörder gehalten hatte. Ich kam mir wie eine Idiotin vor und lief weiter, um meine Verlegenheit zu überspielen. Aber ich war hier ganz allein, spät in der Nacht, und lief am Radcliffe Yard vorüber. Ich blieb neben der Bank stehen, auf der der Kiffer zu sitzen pflegte. Ich wandte mich erst um, als ich sicher sein konnte, dass das glückliche Paar verschwunden war, und machte mich dann langsam auf den Weg zurück zum Gebäude.

Ohne Vorwarnung streifte etwas meine Knöchel, und ich schrie auf, dann sah ich eine Katze ins Gebüsch huschen. Lieber Gott, bitte mach, dass ich sicher ins Gebäude, in meine Wohnung komme. Ich nahm meine Schlüssel in die Hand, bevor ich den Hof betrat. Der Hof. Lieber Gott. Viel mehr konnte ich nicht verkraften. Es musste etwas passieren; der Mörder musste gefasst und eingesperrt werden.

Währenddessen verlor ich nicht aus den Augen, dass Michael mir diese Situation eingebrockt hatte.

Als ich heute Abend den Hof betrat, hatte ich plötzlich das Gefühl, sie zu sein, Devi, in dieser grauenvollen Nacht. Es muss die Furcht gewesen sein, die ich plötzlich spürte, als ob ich nicht dorthin gehörte, wo ich mich befand, und den Weg über diese blutigen Ziegel nicht überleben konnte. Ich wollte mich umdrehen und rennen, aber ich beobachtete, wie meine Beine mich Schritt für Schritt über die verwitterten Ziegel trugen, meine Füße ihre Füße, meine Beine ihre Beine, der Klang meines Atems der Klang ihres Atems. Bei jedem Schritt spürte ich das Schlagen in meiner Brust, ihr Herz.

Dann sehe ich sie, die Hände, die sich nach mir ausstrecken, in einer das Messer, und ich denke, mein Gott, ich habe diese Hände schon gesehen, ich kenne diese Hände. Aber ich kann mich nicht erinnern, wem sie gehören. Es ist, als seien sie mir so vertraut, dass ich sie nicht benennen kann. Bin ich wach? Schlafe ich?

Niemand, niemand ist sicher. Niemand ist unschuldig. Wohin ich auch blicke, erkenne ich Schuld und Schmerz. Weck mich, weck mich.

Kapitel 17

Ich erwachte am nächsten Tag mit trockenem Mund und zitternden Händen unter den zerwühlten, klammen Decken. Die ganze Nacht hatten mich grauenhafte Träume, Albträume, Schreckensbilder heimgesucht – ich konnte sie kaum auseinander halten.

Ich stellte mich unter die heiß prasselnde Dusche, zog mich rasch an und setzte mich mit einer starken Tasse Kaffee, den ich sonst nicht trank und nur für Michael im Haus hatte, an den kleinen Esstisch im Wohnzimmer.

Dann zwang ich mich, stillzusitzen und Bilanz zu ziehen.

Als ich spürte, wie die negativen Gedanken zurückkehrten, stand ich auf und legte eine Kassette mit Klavierkonzerten ein, in der Annahme, dass Chopin mich beruhigen würde. Aber die Klaviermusik erinnerte mich an die Hände in meinem Traum.

Ich musste aufhören. Ich wusste, dass ich damit aufhören und überlegen musste, was wichtig und was zu tun war.

Ich stand auf.

Aber, Moment. Was noch? Ich setzte mich wieder.

Mein Vortrag. Er rückte näher, und ich musste die Bilder für die Präsentation rechtzeitig fertig stellen, musste einen Weg finden, weiterzuarbeiten. *Aber das verschwundene Gemälde ...*

Denk nicht mehr an das verlorene Bild. Die Polizei würde sich darum kümmern. Was noch?

Alles was mir einfiel, war: *Ich will nach Hause*. Und obwohl ich diese Worte fast mein ganzes Leben lang in Gedanken gehört hatte, sah ich auf einmal das kleine Haus vor mir, in dem ich aufgewachsen war, den kleinen Bungalow in Santa Monica. *Ich will nach Hause*. Gütiger Himmel, ich fing echt an zu spinnen. Ich schüttelte den Kopf und stand wieder auf, um Michael anzurufen. Um diese Zeit war er vermutlich allein zu Hause. *Heimlich*. Ich war es verdammt Leid, alles *heimlich* zu tun.

Ich versuchte es mehrere Male, aber niemand hob ab. Wenn der Anrufbeantworter ansprang, legte ich wortlos auf und setzte mich mit einer frischen Tasse Kaffee zurück ins Wohnzimmer. Ich wurde immer angespannter.

Schließlich, nach ein oder zwei Stunden – ich hatte jegliches Zeitgefühl verloren –, ging er ans Telefon. Seine Stimme klang erschöpft, wurde aber sofort herzlich, wie immer, wenn ich am anderen Ende war.

»Norrie! Gott, bin ich froh, dass du es bist.« Und dann, genau im gleichen Moment, sagten wir wie aus einem Mund: »Wir müssen reden.«

Klar, dachte ich, er hat sich sicher eine Entschuldigung zurechtgelegt.

»Komm rüber«, sagte ich. Ich würde Schluss machen. Es war so weit, egal, was er sagte, und ich wusste es. Offensichtlich war dies der Tag, den ich so lange gefürchtet und vor mir hergeschoben hatte. Jetzt war er da. Basta.

»Gut«, sagte er. »Ich bin in einer Viertelstunde da.« Er klang düster.

Als er eintraf, wartete ich auf dem Bürgersteig. Ich wollte ihn nicht in meiner Wohnung haben. Nicht, dass ich heute leicht verführbar gewesen wäre, aber ich wollte kein Risiko eingehen.

Während der Fahrt legte Michael seine Hand auf mein Knie, tätschelte es, ließ sie dort liegen. Er hatte keine Ahnung von den Schreckensbildern in meinem Verstand. Seltsam, dachte ich, wie wir jemandem so nahe sein, ihn so sehr lieben können, und nicht die leiseste Vorstellung von dem haben, was in seinem Kopf vor sich geht. Der Anblick seiner Hand, die so liebevoll auf meinem Knie ruhte, erfüllte mich mit Trauer und Furcht vor dem, was ich zu sagen hatte.

»Vielleicht ist das kein Tag für die Wohnung«, sagte ich unbehaglich. »Werden wir in einem Restaurant wirklich ungestört sein?«

»Nein«, sagte er, »das ist nicht möglich.«

Wir beschlossen, uns Sandwiches und Getränke zu holen und an unserem alten Treffpunkt, dem Mount Auburn Friedhof, zu essen. Mir gefiel die Friedhofssymbolik nicht – das Gefühl, dass sie angemessen war –, aber nur hier wären wir ungestört. Für den Vorschlag, in meine Wohnung zurückzukehren, war es zu spät, und außerdem war Clara heute zu Hause und würde uns vielleicht sehen. Wir setzten uns mit unseren Lunchpaketen auf die Bank, und zunächst sagte keiner von uns ein Wort. Ich wusste, dass ich nicht mehr aufhören könnte zu reden, sobald ich einmal damit begonnen hatte. War ich wirklich bereit dazu?

Schließlich sprach Michael. »Ich möchte mit dir leben, Norrie. Gestern Abend habe ich Brenda um die Scheidung gebeten.«

Seine Worte, so ganz im Gegensatz zu dem, auf das ich gefasst gewesen war, trafen mich völlig unerwartet. »Ich habe mich furchtbar gefühlt, weil ich dich gestern Abend versetzt habe und du allein im Dunkeln nach Hause musstest. Da wusste ich, dass es für mich an der Zeit war, zu handeln.« Er seufzte. »Es wird schwer werden … ich muss es Bridget und Finn sagen … Aber es ist Zeit, und ich weiß es.«

Ich war so perplex, dass ich nicht wusste, was ich empfinden, was ich sagen sollte. Eine Weile saßen wir wortlos da. Ich spürte, wie mir eine sanfte Nachmittagsbrise über das Gesicht strich, während ich schweigend einen Grabstein entzifferte: *Harold Moore, geliebter Ehemann von Rita, 1909 – 1969.*

»Norrie?«

»Ja?«

»Bitte sag, dass du mich willst.« Eine Taube landete auf Harold Moores Grabstein, flatterte davon. Ich konnte immer noch nicht sprechen, obwohl ich innerlich rief: *Ja, ja*, wie Molly Bloom, *ja*, während Michael darauf wartete, dass ich etwas sagte. Der Nachmittagshimmel schien plötzlich von Lerchen, Rotkehlchen und Tauben zu wimmeln. O Gott, ich hatte Angst, es zu glauben. Ich schaute Michael an.

»Bist du sicher?«, fragte ich. Er zögerte nicht eine Sekunde.

»Ich bin absolut sicher.« Er zog mich in seine Arme und sprach in meine Haare. »Ich weiß, ich habe dich im Stich gelassen, dich zu lange warten lassen. Aber bitte sag ja. Bitte sag ja, damit wir beginnen können zu leben.«

Er hielt mich ganz fest an sich gedrückt. Ich hörte sein Herz klopfen, spürte es an meiner Wange pulsieren. *Ja*, dachte ich, *ja, ja*, aber als ich endlich wieder reden konnte, kam es zögernder als bei Molly Bloom.

»Ich möchte ja sagen, aber – ich habe Angst vor dem Glück, Michael, ich traue ihm nicht.«

»Schau mich an«, sagte er und hob mein Kinn, bis ich ihm direkt ins Gesicht sah. »Schau mich an, Norrie. Ich liebe dich inständig. Ich will den Rest meiner kümmerlichen Erdentage mit dir verbringen. Ich will an deiner Seite schlafen, wenn wir alt und runzlig sind. Ich werde dich dann genauso leidenschaftlich lieben.«

»Ich habe nicht die Absicht, runzlig zu werden«, sagte ich. Ich mache immer dumme Bemerkungen, wenn ich es mir nicht leisten kann, zu weinen. In Wahrheit wusste ich, dass dies der Moment, der einzige Augenblick in meinem Leben war, in dem ich die Chance hatte, mit einem Mann glücklich zu werden. »Ja«, hörte ich mich sagen. »Ja.«

Darauf schien es keine Antwort zu geben, und ich ließ zu, dass er mich wieder umarmte. »Ja«, sagte ich wieder und wieder, an seine Brust geschmiegt, im Takt seines Herzschlags. Ich musste es selbst hören, sprach zu diesem Hort der Begierde und Liebe, des Schmerzes und der Freude. *Hör mir zu, höre mich, ich sage ja.*

Wir saßen noch eine Weile eng umschlungen und wortlos auf der Bank. Ich war noch nie in meinem Leben so glücklich gewesen. Es war, als hätte ich dem nachgegeben, was ich immer gewollt, aber vor dem ich immer Angst gehabt hatte. Nach langer Zeit sagte Michael: »Wirst du einen anständigen Mann aus mir machen?« Er liebkoste meinen Hals mit den Lippen.

»Ich werde es versuchen, aber erwarte keine Wunder«, erwiderte ich.

»Mehr verlange ich gar nicht.«

»Wirst du mir helfen, mit dem Flunkern aufzuhören?«

»Ich bin nur ein Mensch, Honora.«

»Guter Einwand.«

Wir hatten nicht einen Bissen gegessen. Als wir das Brot zerkrümelten und an die Vögel verfütterten, umringten sie uns wie eine Schülerschar, und ihre Köpfchen wippten zu unseren Füßen.

»Wir bleiben zusammen«, sagte Michael zu ihnen. »Wir beginnen ein gemeinsames Leben.«

Zurück in meiner Wohnung, führte ich ihn zum Bett und fragte: »Überlassen Sie mir die Choreografie, Sir?«

»Es wäre mir eine Ehre«, erwiderte er. Ich öffnete seine Hose und fand ihn steif. Plötzlich wollte ich mehr als alles in der Welt sein Verlangen schlucken, es mit dem meinen vereinigen, und so nahm ich seinen Penis in die Hand und schloss meine Lippen um die Spitze und murmelte seinem Schwanz *ja, ja* zu, als sänge ich ein Wiegenlied direkt ins Mikrofon, *ja, ja, ja.* Meine Zunge glitt an seinem feuchten steifen Schwanz entlang, und als ich ihn endlich ganz in den Mund nahm, stöhnte er, und sein süßer Saft ergoss sich in meinen Mund, und ich trank ihn, ließ mir keinen Tropfen entschlüpfen, und dann zog er mich zu sich hinauf und bedeckte mein Gesicht mit Küssen. Kurz bevor wir in einen friedlichen Schlummer versanken, bemerkte ich das Licht des frühen Nachmittags vor dem Fenster, die Art, wie es auf den roten Glaskrug fiel und sicher in seiner Wölbung ruhte.

Wir erwachten gegen halb drei, und Michael zog mich in seine Arme. »Ich hatte gar nicht vor, zu schlafen« sagte er, während er meine Schulter streichelte.

»Nein, ich glaube, das hast du noch nie getan.« Vielleicht war es die Erleichterung, dachte ich.

»Ich liebe den Geruch deines Haares«, sagte er. »Es riecht nach Ingwer.« Ich war mir verdammt sicher, dass es an dem billigen Shampoo aus der Drogerie lag, aber ich sagte nichts.

Michael sah auf die Uhr und sprang auf. Er müsse um drei bei einem Softballspiel von Bridget sein, sagte er. »Brenda nervt sie schon das ganze Jahr wegen ihres Gewichts, sie wollte sie sogar schon auf Diät setzen, aber ich verabscheue es, wenn sie Bird so etwas antut. Mir kam der Gedanke, dass ein Mannschaftssport der Kleinen helfen könnte, sich zu betätigen, ohne ständig an ihr Gewicht zu denken, und dass Brenda sie dann in Ruhe lassen würde. Ich habe Bridget versprochen, zu sämtlichen Spielen zu kommen, wenn sie in einen Verein eintritt, und dass diese Zeit dann *unsere* Zeit ist, ihre und meine.« Er schüttelte lächelnd den Kopf. »Sie hat geschworen, dass sie es heute bis zur Homeplate schaffen wird, und ich will dabei sein.«

»Aber selbstverständlich. Du *musst* dort sein.«

Er umarmte mich. »Das nächste Mal schmieden wir Pläne für unser gemeinsames Leben.«

Unser Leben. Nicht *unsere* Leben. Bei dem Klang musste ich einfach grinsen.

Den Rest des Tages trödelte ich in der Wohnung herum und schlief schließlich auf dem Sofa ein, eingelullt von dem fortwährenden, gedämpften Brausen des Verkehrs auf der Brattle Street. Als ich aufwachte, war es fast vier Uhr morgens, und mir wurde bewusst, dass Michael mich nicht mehr angerufen hatte. Er hatte es versprochen und nicht getan. Ich fragte mich, ob es Streit mit Brenda gegeben hatte.

Ich versuchte, wieder einzuschlafen, aber mir war unbehaglich. Wo steckte Michael? Was war passiert?

Um acht Uhr morgens, nachdem Brenda meines Wissens das Haus verlassen haben musste, versuchte ich, ihn anzurufen, und erreichte niemanden. Ich legte auf, als der Anrufbeantworter ansprang. Was hatte das zu bedeuten? Zu der Tageszeit, zu der er normalerweise zu Hause war und schrieb, war er auch nicht da. Wich er mir aus? Hatte ihn die Reue gepackt?

Zerstreut verbrachte ich den Tag, trug Wäsche in den Keller und erledigte einige Besorgungen auf dem Yard. Immer wieder rief ich Michael an, aber er meldete sich nicht.

Später an diesem Tag entdeckte ich, dass Clara krank war. Mir war aufgefallen, dass sie mich seit einigen Tagen nicht mehr angerufen hatte, aber ich hatte diese Gunst des Schicksals nicht hinterfragt. In Boston und Cambridge geht während des akademischen Jahres häufig die Grippe um, aber man rechnet nicht mitten im Frühling damit. Sie rief mich an diesem Nachmittag an, um mir zu sagen, dass sie nicht zu der Vorlesung gehen konnte; an ihrer Stimme hörte ich, dass sie ziemlich krank war. In der Erinnerung an ihre Fürsorge, als ich vor einiger Zeit die Grippe gehabt hatte, ging ich hinüber, um nach ihr zu sehen. Sie brauchte geschlagene fünf Minuten, um mir zu öffnen.

Ihr Anblick erschreckte mich – ihr Gesicht war grünlich, und das Weiß ihrer Augen schimmerte rosa. Das kleine Sofa war zu einem Bett aufgeklappt, die Decken darauf zerwühlt.

Ich führte sie zurück und half ihr, sich hinzulegen. Dann holte ich ihr ein Glas Wasser.

»Clara, warum hast du denn nicht angerufen und um Hilfe gebeten?«

»Ich dachte, du wolltest deine Ruhe haben«, sagte sie voller Selbstmitleid.

Ihre Stirn war feucht und heiß, als ich sie berührte. Sie schloss die Augen.

»Das hat sie immer getan«, murmelte Clara. »Wenn ich krank war.«

»Deine Mutter?«

»Ja. Du hast mich daran erinnert.« Sie atmete flach. »Deine Berührung.« Arme Clara. Sie tat mir Leid. Es schien, als würde sie nie über das Gefühl hinwegkommen, dass ihre Mutter sie im Stich gelassen hatte.

»Ich bin sicher, dass sie dich sehr geliebt hat, Clara.«

Sie schlug die Augen auf und heftete ihren Blick auf mich, ohne eine Miene zu verziehen. Ich spürte, wie ihre dunklen, zornigen Augen meinen Blick festhielten. »Sag das nicht«, sagte sie. »Rede nicht über Dinge, die du nicht beurteilen kannst.« Ich wusste nicht, was ich sagen sollte. Vermutlich war meine Bemerkung oberflächlich und anmaßend gewesen, aber ich hatte sie nur trösten wollen.

»Hast du ein Thermometer?«, fragte ich, das Thema wechselnd. Sie lag mit geschlossenen Augen da und antwortete nicht. Seit meiner Krankheit vermisste ich mein eigenes Thermometer, ich hatte keine Ahnung, was daraus geworden war. Gut möglich, dass ich es zusammen mit einem Haufen gebrauchter Taschentücher weggeworfen hatte.

Ich fragte Clara noch einmal nach einem Thermometer, und dieses Mal deutete sie zittrig zum Badezimmer. Es war schwer zu sagen, ob sie einfach gereizt war oder immer schwächer wurde. Ich ging in ihr winziges Bad, konnte aber im Medizinschränkchen außer einigen verschreibungspflichtigen Medikamenten – unter anderem Prozac – nur die üblichen Toilettenartikel entdecken. Außer ein paar kleinen Gästeseifen in dem geflochtenen Korb über der Toilette gab es hier nichts.

Dann erinnerte ich mich an den Einbauschrank neben dem Bad. Wahrscheinlich hatte sie darauf gezeigt. Sie schien eingeschlafen zu sein, als ich wieder auftauchte und zum Schrank ging.

»Clara?«, fragte ich leise. »Ist es hier drin? Im Schrank?« Sie antwortete nicht, und ich hörte ihre tiefen schweren Atemzüge, sie schlief. Der missbilligende Ausdruck war aus ihrem Gesicht gewichen, und seltsamerweise sah sie nun aus wie ein Kind, faltenlos und ohne die Patina persönlicher Erfahrungen.

Im Schrank durchsuchte ich einige Kunststoffkästen und schaute in die Schubladen. Ich entdeckte eine Wärmflasche in der zweiten Schublade und schloss daraus, dass ich nah dran war. Aber auch in der dritten und vierten fand sich kein Thermometer. Ich kniete mich auf den Schrankboden, um an die zwei unteren Schubladen zu kommen.

Ich entdeckte es in der allerletzten Schublade. Nicht das Thermometer, sondern das Objekt, das den Lauf des Lebens für lange Zeit ändern sollte. Auf einer Kunststoffunterlage lag ein langer schwarzer Zopf, der mit einem mit gelben Glasperlen geschmückten Haarband zusammengebunden war. Ich schreckte zurück. Ich konnte ihn nicht anfassen. Devis Zopf. Hing ein leichter Geruch im Schrank, oder bildete ich mir das nur ein?

Ich erhob mich mühsam und stand lange Zeit einfach so da, zitternd, erschrocken.

Diese Möglichkeit war mir nie in den Sinn gekommen. Nicht einen Moment. Nun schien es plötzlich die unausweichliche Wahrheit. Clara hatte Devi ermordet. Ich dachte an all die Male, als sie gesagt hatte, dass Joe Devi getötet haben musste, an ihr Weinen und ihre Beteuerungen, sich zu ängstigen, dass der Mörder sie als Nächste erwischte. All die Male, die sie beteuert hatte, sich Sorgen um mich zu machen, wenn ich allein ausging. Vorsichtig schloss ich die Schublade und hoffte, dass nichts meine Anwesenheit verriet.

Ich hatte Angst und zitterte am ganzen Körper, als ich ins Wohnzimmer zurückging, wo Clara im Fieberschlaf lag. Ich wusste nicht, was ich tun sollte. Ich konnte nicht klar denken. Ganz einfach, es schien nicht real.

Sofort kamen mir Zweifel. Es konnte nicht Devis Zopf sein. Seit dem Mord spukte dieses Bild in meinem Kopf herum, deshalb war es nur natürlich, dass jeder schwarze Zopf der Devis zu sein schien. Vielleicht hatte Clara früher lange Haare gehabt und ihn behalten – ihr Haar war genauso schwarz wie Devis. Viele Frauen bewahrten ihre Haare auf, um sie nach dem Abschneiden als Haarteil zu benutzen, besonders wenn sie sehr lang waren. Und Devi konnte unmöglich die einzige Frau auf der Welt gewesen sein, die solche Haarbänder besaß, obwohl ich sie noch nie bei einer anderen Frau gesehen hatte und immer davon ausgegangen war, dass sie aus Indien stammten. Fürs Erste musste ich die kranke Clara als unschuldig betrachten. Ich durfte meinen Instinkten nicht nachgeben.

Ich legte Clara einen kühlen Lappen auf die Stirn und setzte mich neben sie, dankbar, dass sie zu weggetreten war, um mit mir zu reden. Ich hätte es nicht fertig gebracht, ein normales Gespräch mit ihr zu führen. Mein Blick schweifte zu ihren muskulösen Armen und kräftigen Händen, wobei ich daran dachte, was sie vielleicht getan hatten. Clara regte sich und bat um Wasser. Ich hielt ihr das Glas an die Lippen, dem Hass so nah wie kaum jemals zuvor, denn trotz meiner Entscheidung, keine vorschnellen Urteile zu fällen, hielt ich es für die Wahrheit: Clara hatte Devi aus Eifersucht ermordet.

Dann traf es mich wie ein Schlag: Claras Eifersucht auf Devi – das verschwundene Bild. War es möglich, dass Clara es irgendwie entwendet hatte? Stopp, ermahnte ich mich, lass deine Fantasie nicht mit dir durchgehen. Nach einer Weile ging ich in meine Wohnung zurück. Mir war schlecht. Ich konnte nicht essen. Je länger ich mich in meiner Wohnung aufhielt, fern von Clara, desto unwahrscheinlicher erschien mir alles, desto mehr begann ich, an meinem Fund zu zweifeln. Viele Frauen besaßen falsche Zöpfe und Haarteile; sie bewahrten sie in ihren Schränken und Schubladen auf. Vielleicht war es das, obwohl Clara nicht der Typ für solche künstlichen Artikel schien.

Und ich konnte auch nicht mit Sicherheit sagen, ob Devi dieses gelbe Haarband an ihrem letzten Abend getragen hatte, obwohl es genau die Sorte Haarschmuck war, die sie zu tragen pflegte, und sie war gelb gekleidet gewesen. Wie hätte Clara es tun sollen? War sie in der Nacht des Mordes nicht zu Hause gewesen? Ich war an ihrer Tür vorbeigegangen und hatte die Musik gehört. *Aida*. Die Geräusche hatten mich glauben lassen, dass sie zu Hause war, aber konnte sie es nicht genau so geplant haben? Ich konnte mich nicht erinnern, dass Clara die Musik schon einmal so laut gestellt hatte wie an diesem Abend. Hatte sie sie aufgedreht, um ihre Anwesenheit vorzutäuschen – womöglich die Repeattaste gedrückt? Aber hätte sie dann nicht davon ausgehen müssen, dass ich zu ihr kommen würde, um ihr von dem Mord an Devi zu erzählen? Und hätte ich es nicht merkwürdig gefunden, wenn sie nicht da gewesen wäre?

Dann erinnerte ich mich an all die Male, die Clara bei mir geklopft hatte, während die Musik lief – manchmal sogar die gleiche Aufnahme –, und ich ihr später gesagt hatte, ich hätte meine Arbeit nicht im Stich lassen können, um ihr zu öffnen. Vielleicht hatte sie vorgehabt, das Gleiche zu behaupten. Ich konnte mir vorstellen, wie sie sich an dem Gedanken erfreute, mir das ins Gesicht zu sagen.

Eines stand fest: Sie hätte nach dem blutigen Mord keine Chance gehabt, ins Haus zurückzugelangen. Sie musste den Tatort schnell verlassen, vielleicht hinten herum um das Gebäude zur Mason Street. Es war spät und sehr dunkel gewesen. Wenn sie schwarze Kleidung getragen hatte, hätte niemand das Blut sehen können. Aber wohin sollte sie um diese Uhrzeit gehen?

Dann wusste ich es. Das Larkin. Es wäre halb zwölf oder später gewesen, bis sie dort ankam, und niemand arbeitete zu dieser Stunde in den Büros. Sie hätte die Nacht in ihrem Arbeitszimmer verbringen können, nachdem sie sich in einer der Duschen, die auf jedem Stockwerk installiert waren, gesäubert hatte. Sie hätte dort zu diesem Zweck saubere Kleidung deponieren können.

Ich würde später wieder zu Clara gehen, um nach ihr zu sehen und ihr etwas zu essen zu bringen. Falls sie

schlief, konnte ich noch einmal in ihren Schrank schau-
en. Ich musste mich vergewissern, egal, wie furchtbar
diese Möglichkeit auch war. Der Zopf. Ich musste ganz
sicher sein.

Dann dachte ich an ihr Gesicht, so unschuldig im Schlaf.
Später kochte ich eine dünne Brühe, die ich ihr bringen
wollte. Sie hatte mir ihren Schlüssel überlassen, um nicht
aufstehen zu müssen, und ich unterdrückte den flüchtigen Impuls, ihn nachmachen zu lassen, damit ich mich
später, wenn sie nicht zu Hause war, hineinstehlen und
den Schrank durchsuchen konnte. Für solche Rififi-Me-
thoden war ich nicht der Typ. Ich trug die Brühe zusammen mit heißem Kamillentee und ein paar Scheiben Ho-
nigtoast auf einem Tablett zu ihr hinüber. Ich wusste,
dass sie nicht viel essen konnte, aber sie musste etwas zu
sich nehmen – in einem Winkel meines Gehirns dachte
ich, *damit man sie vor Gericht stellen kann.*

Als ich Clara mit der Brühe fütterte, stieß mich die körperliche Nähe ab, aber gleichzeitig behielt ich in Erinnerung, dass ich mir ihrer Schuld nicht sicher sein konnte,
bis ich meine Entdeckung nicht überprüft hatte. Ich
würde in dem Schrank auch nach meinem Gemälde suchen – vielleicht war es eingewickelt.

Ich wartete darauf, dass sie wieder einschlief, aber sie
schien sich mehr und mehr zu erholen. Es gefiel ihr offensichtlich, von mir gepflegt zu werden. Ich kochte in
ihrer Küche noch eine Kanne Tee und beschloss, sie in
ein Gespräch zu verwickeln.

»Ich mag deine Haare«, sagte ich. »Sie schimmern so
schön. Hast du sie schon einmal wachsen lassen?«

»O nein«, erwiderte Clara. »So lang wie jetzt waren sie noch nie – bis zum Kinn.« Mein Magen verkrampfte sich. »Meine Mutter schnitt mir immer die Haare«, erinnerte sich Clara. »Sie besaß nicht genug Geduld für eine Tochter mit langem Haar. Sie selbst hatte auch kurzes Haar, und meines schnitt sie jeden Monat mit einer großen Nähschere.« Sie warf mir einen, wie mir schien, argwöhnischen Blick zu, aber mir war bewusst, dass ich mittlerweile hinter allem und jedem finstere Absichten vermutete. »Eine der deutlichsten Erinnerungen an meine Mutter ist das Gefühl der kalten Scherenblätter an meinem Nacken, während sie mir meine Haare nimmt.« Ich spürte, wie sich die Härchen in meinem eigenen Nacken aufrichteten – die gleiche physische Reaktion auf Gefahr wie bei einer Katze, der sich entlang der Wirbelsäule das Fell sträubt.

Ich mied ihren Blick, stand auf und ging in die Küche, um das Geschirr abzuwaschen. Hin und wieder fiel mein Blick auf den Messerblock von Crate & Barrel mit den scharfen Schneide- und Hackmessern. Meine Hände zitterten so heftig, dass ich kaum das Geschirr halten konnte. Ich hörte, wie Clara vom Bett aus den Fernseher mit der Fernbedienung einschaltete. Eine alte Folge von *Alle lieben Lucy*. Es wäre komisch, wenn es nicht so grotesk wäre, dachte ich, der deftige Fünfzigerjahre-Humor im Gegensatz zu meiner wachsenden Angst. Fertig mit dem Abwasch, stand ich in der Tür und sah gemeinsam mit Clara zu, wie Lucy und Ethel sich den Mund und die Blusen mit Schokolade voll stopften, in dem Versuch, mit dem Ausstoß der Schokoladenfabrik

Schritt zu halten. Gelegentlich warf ich einen Seitenblick auf Clara, die sich zunehmend von ihrem Fieberanfall zu erholen schien.

»Komm, setz dich«, sagte sie und klopfte neben sich auf die Matratze. »Du kannst doch nicht den ganzen Abend stehen.« Da in der Wohnung keine andere Sitzgelegenheit existierte, zögerte ich, setzte mich aber dann auf den Boden.

»Es geht schon«, sagte ich brüsk. Sie sah verletzt aus. Ich konnte es nicht ändern. Weiter reichte meine Barmherzigkeit nicht.

Irgendwann erwähnte Clara, dass sie ihre Unterlagen in ihrem Arbeitszimmer im Larkin liegen gelassen hatte und sie brauchte, um an ihrem Buch weiterarbeiten zu können.

»Ich habe sie kurz nach Devis Tod dorthin mitgenommen, weil ich so oft dort war. Ich habe einfach im Büro mit der Hand geschrieben. Jetzt bin ich an dem Punkt, wo ich sie zu Hause brauche. Ich sollte arbeiten, auch wenn ich krank bin«, meinte sie. »Ich wünschte, ich hätte sie hier.«

»Vielleicht kann ich sie ja für dich holen«, bot ich an. Ich würde mich gern in ihrem Arbeitszimmer umsehen, dachte ich. »Wenn du mir deinen Schlüssel leihst.«

»Nein«, antwortete sie hastig. »Ich mag es nicht, wenn jemand an meine Papiere geht. Es ist alles geordnet, und ich habe Angst, dass etwas durcheinander gerät.«

»Sag Bescheid, wenn du deine Meinung änderst.« Ich war erleichtert und gleichzeitig enttäuscht.

Ich blieb, solange ich es aushielt, aber Clara schlief nicht wieder ein, was bedeutete, dass ich mir den Zopf nicht noch einmal ansehen konnte – um einundzwanzig Uhr dreißig beschloss ich, nach Hause zu gehen, nachdem sie meinte, sie fühle sich schon besser. Sie stand auf und schloss die Tür hinter mir ab, als ich ging. Einen Augenblick wünschte ich, ich hätte ihren Schlüssel nicht zurück auf den Küchentresen gelegt.

In meiner Wohnung marschierte ich auf und ab. Wenn Clara niemals langes Haar gehabt hatte, musste der Zopf Devi gehören. Devis Haarband war daran befestigt. Und was war mit dem Geruch nach altem Blut oder Verwesung? Vermutlich konnte er auch von etwas anderem im Schrank herrühren, aber wie wahrscheinlich war das? War er nur Einbildung gewesen? Hatte ich den Geruch zu dem hinzufantasiert, was ich zu sehen glaubte? Das Vorstellungsvermögen war eine nicht zu unterschätzende Kraft.

Mal ehrlich, konnte ich mir Clara wirklich vorstellen, wie sie auf Devi lauerte, um sie zu töten?

Man kann auf und ab laufen, bis der Rhythmus sich von selbst einstellt, und dann klärt sich das Denken. Ich lief mindestens eine Stunde hin und her und dachte über alles nach, was in den letzten Monaten geschehen war – Claras Eifersucht, ihr Schock beim Anblick von Devis Aktgemälde, ihr Verdacht, dass Devi und ich ein Paar waren. Je länger ich lief, desto überzeugter war ich, dass Clara Devi getötet hatte.

Ich dachte daran, Michael anzurufen, aber nachts ging das nicht, schon gar nicht so spät, nicht jetzt, wo alles in Aufruhr war. Aber wo steckte er? Warum hatte er nicht angerufen? Ich musste den Gedanken an ihn aus meinem Kopf verbannen, falls ich mich auf Clara konzentrieren wollte.

Trotz der späten Stunde beschloss ich, Georgi anzurufen. Ihre Stimme klang weich und träge, als sie sich meldete, so als ob sie schon geschlafen hätte. Ich fragte erst gar nicht, ob ich störte, ich verschwendete überhaupt keine Zeit mit Höflichkeiten.

»Ich habe den Zopf gefunden«, platzte ich heraus.

»Wer ist da?«

»Norrie. Ich habe den Zopf gefunden. Devis Zopf.«

»O Gott.« Sie war hellwach. »O Gott. Wo? Draußen?« Ich holte tief Luft. »Er war in Claras Schrank. Ich habe nach einem Thermometer gesucht – sie ist krank – und ihn in einer Schublade gefunden. Daran hing ein Haarband mit Glasperlen –«

»– wie Devis«, beendete sie den Satz mit gepresster Stimme.

»Gelb. In der Farbe, wie Devi sie trug –«

»O Gott. O Gott. Das ist zu furchtbar, um wahr zu sein. Sag mir, dass ich träume.«

»Was soll ich tun?«, fragte ich panisch. »Ich weiß nicht, was ich tun soll.«

»Die Polizei rufen? Ich weiß es auch nicht.«

»Wie kann ich die Polizei holen? Was ist, wenn ich mich irre?«

»Aber wie kannst du dich irren, Norrie?«

»Okay, aber ich muss eine … eine eher neutrale Alternative finden, nur für den Fall. Ich kann nicht einfach die Cops holen und sie in Ketten abführen lassen.«

»O Gott.«

»Genau. Also, was soll ich machen?«

»Weißt du, Jana Congor, die Australierin, hat gestern einen Witz gerissen, nachdem Clara den Raum verlassen hatte. Sie hatte ununterbrochen von dir gesprochen. Jana meinte, Clara hätte Devi vielleicht umgebracht, um die Konkurrenz auszuschalten.«

»O mein Gott. Was hast du gesagt?«

»Nun, sie hat nicht direkt mit mir geredet. Sie sagte es zu Kila Dotubu – du weißt schon, die schöne afrikanische Aids-Ärztin. Und Kila hat Jana zurechtgewiesen, so etwas nicht einmal im Scherz zu sagen. ›Das ist kein Anlass für Scherze‹, hat sie gesagt, ›ich schäme mich für dich.‹«

Ich murmelte: »Umso besser«, aber es traf mich wie ein Schlag, dass Clara, falls sie Devi ermordet hatte, es vermutlich wegen mir getan hatte. Ich fand den Gedanken unerträglich, in irgendeiner Verbindung zum Tod von Devi zu stehen. »Georgi«, sagte ich, »ich brauche deine Hilfe. Was glaubst du, was ich machen soll, sag es mir – *bitte*.«

»Nun, du musst sie *anzeigen*, denke ich.«

»Aber was, wenn ich mich irre?«, fragte ich wieder. »Wie kann ich das tun?«

»Ja, schon klar.« Georgi grübelte. »Wie du schon sagtest, du kannst sie nicht einfach in Ketten abführen lassen. Norrie, ich habe keine Ahnung, wie man solche Dinge handhabt.«

»Weil es *solche* Dinge gar nicht geben dürfte«, erwiderte ich. Es war grotesk, eine grauenhafte Anomalie.

»Ich habe eine Idee«, meinte Georgi. »Was hältst du vom Larkin? Es wäre ein sicherer Ort, um Clara damit zu konfrontieren, eventuell in Jane Colemans Büro – und mit Jane als Zeugin. Das wäre doch – wie hast du noch gesagt – eine zivilisierte Alternative, oder?«

»Ja«, sagte ich langsam, während ich es erwog. »Ich müsste Jane anrufen und ihr erzählen – sie davon überzeugen –, was ich gefunden habe. Den Zopf.« Ich schwieg kurz. »Sie wird mir niemals glauben, Georgi. Bestimmt. Es ist zu abgedreht, zu kaputt. Sie ist doch so eine gepflegte Oberschichtblondine.«

»Du musst es versuchen«, argumentierte Georgi vernünftig. »Falls Clara die Mörderin ist, sind wir alle in Gefahr. Du könntest die Nächste sein. Oder ich.« Das erinnerte mich daran, dass Georgi als eine Frau, die ich mochte, wahrhaftig die Nächste sein konnte, wenn Clara Devi aus Eifersucht getötet hatte. Aber war das nicht verrückt? Konnte das wahr sein? Ich schauderte, als mir klar wurde, dass es unwiderlegbar überzeugend klang.

»Ich werde Jane morgen früh anrufen«, sagte ich, laut Pläne schmiedend. »Danach könnte sie die Polizei holen. Und wir werden alle zusammen zu Clara gehen und den Zopf untersuchen.«

»Ich weiß nicht, ob es so funktionieren wird«, meinte Georgi. »Außerdem wird Jane nicht die Polizei rufen, bevor ihr beide nicht Clara wegen des Zopfes ausgefragt habt.« Wir verfielen in Schweigen, und schließlich meinte sie: »Wir sollten jetzt schlafen gehen, meinst du nicht?«

»Natürlich«, sagte ich. *Als ob*, dachte ich.

Ich grübelte die ganze Nacht. Ich wollte nichts Über-
stürztes oder Panisches tun. Ich dachte immer an die
Möglichkeit, dass ich mich irrte.

Wieder erinnerte ich mich an das verschwundene Bild.
Ich wollte Clara nicht für alles verantwortlich machen,
aber es ergab Sinn; Clara hatte mich an jenem Tag aus
dem Laden kommen sehen. Und ich war mir verdammt
sicher, dass ich an dem Abend, an dem ich ihr Devis Porträt gezeigt hatte, erwähnte, dass sich das andere im
Rahmengeschäft befand.

Irgendwann nahm ich Detective Burns' Karte aus dem
Schreibtisch und legte sie neben mein Bett. Einen Augenblick überlegte ich, ihn sofort anzurufen. Aber dann
stellte ich mir vor, wie die Polizei die mit Handschel-
len gefesselte, weinende Clara abführte. Ich dachte an
Devi – ihre Würde – und wusste, dass sie es vorgezogen
hätte, die Dinge mit so wenig Aufsehen wie möglich zu
regeln. Auch wenn Clara schuldig war, wollte ich nicht,
dass Sensationsbilder von Devis Mörderin, die von
stämmigen Polizisten abgeführt wurde, ihren Weg in die
Zeitungen fanden. Devis Vermächtnis war ihre Lyrik;
man täte ihr Unrecht, wenn man sich an sie nur als Opfer eines Mordes erinnern würde. Vielleicht konnte ich
einen Weg finden, die Geschichte aus der Presse heraus-
zuhalten. Ich würde Burns erst anrufen, wenn Jane und
ich Clara im Larkin verhört hatten. Irgendwie schien das
diskreter.

Claras Dilemma mit ihrer Arbeit lieferte mir den perfekten Vorwand, eine Taxifahrt zum Larkin vorzuschlagen,
sobald es ihr wieder besser ging. *Falls* ich Jane Coleman

davon überzeugen konnte, dass ich nicht geisteskrank war und mir den Zopf in Claras Schublade nur eingebildet hatte. Der Gedanke allein genügte, um neue Zweifel in mir zu wecken.

Ich trank drei Gläser trockenen Sherry, um einschlafen zu können. Ich würde meine ganze Kraft brauchen, um die nächsten Tage zu überstehen. Wo war Michael?

Ich erwachte früh am nächsten Morgen und ging sofort zu Clara hinüber. Ich hatte Angst, sie könnte den Zopf, den einzigen Beweis, der sie mit dem Mord in Verbindung brachte, vernichtet haben.

Aber das war natürlich Unsinn, sie wusste ja gar nicht, dass ich ihn entdeckt hatte.

Es sei denn, sie hatte mich in den Schrank treten sehen und nichts gesagt.

Ich klopfte nervös an ihre Tür. Ich hatte Angst vor Clara. Falls sie Devi ermordet hatte, konnte sie auch mich töten. Clara war nicht groß, aber muskulös. Und sie war beträchtlich größer als die arme Devi und erheblich stärker. Clara kam im Schlafanzug an die Tür. Sie war noch ein wenig blass, sah aber schon viel besser aus.

»Nach drei Tagen geht es mir endlich besser«, lächelte sie, während sie mich hereinwinkte. »Ich hab sogar schon eine Kleinigkeit gefrühstückt.«

»Oh«, machte ich und versuchte, meine Erleichterung wegen des Frühstücks zu verbergen. »Ich wollte dir gerade etwas machen – ich bin gekommen, um deine Bestellung aufzunehmen.«

»Trotzdem danke, Norrie. Du bist so gut zu mir.« Ihre

Zuneigung machte mir ein schlechtes Gewissen, aber ich musste weitermachen, für Devi.

»Ich habe über deine Bücher drüben im Larkin nachgedacht«, meinte ich. »Du brauchst sie doch. Willst du nicht morgen mit mir hingehen? Ich habe Jane Coleman gesagt, ich würde bei ihr vorbeischauen und hallo sagen, und ich bin sicher, dass sie sich freuen würde, wenn du mich begleitest.« Ich kam mir vor wie ein Spion. Es war kein angenehmes Gefühl, auch wenn ich gute Gründe besaß.

»Oh, das wäre prima«, meinte Clara, die vor Freude errötete. »Ich mag Jane sehr gern und hatte bisher keine Möglichkeit, sie näher kennen zu lernen. Aber ich glaube, ich kann noch nicht so weit zu Fuß gehen. Vielleicht können wir bis zum Wochenende warten. Dann wird es mir wieder besser gehen.«

»Aber dir fehlen doch die Bücher«, argumentierte ich. Ich wusste nicht, wie lange ich es mit diesem schrecklichen Geheimnis aushalten konnte. »Wie wäre es mit einem Taxi? Wir können uns die Fahrt teilen.«

»O ja«, stimmte Clara zu. »Das wäre viel besser. Das machen wir. Wann möchtest du fahren?«

»Ich weiß noch nicht«, sagte ich, während mein Herz beim Gedanken an die stattfindende Konfrontation zu rasen begann. »Ich rufe dich an und sage Bescheid.« Was, wenn Jane Coleman morgen gar nicht da war? Oder wenn sie mich für verrückt erklärte und ihre Mitarbeit verweigerte?

Ich rief Jane an, sobald ich wieder in meiner Wohnung war, und teilte ihrer Sekretärin Mimi mit, dass es sich um einen Notfall handelte. Jane befände sich in einer Besprechung, sagte Mimi. Ob sie zurückrufen könnte? Nein, sagte ich – es war zu dringend. Mimi stellte mich durch.

Jane meldete sich, sie klang verstimmt. »Mimi hat mir gesagt, das du sofort mit mir sprechen musst, Honora, aber hat das nicht Zeit?«

»Nein – es ist dringend«, sagte ich. Sie scheuchte jemanden aus ihrem Büro und kam dann zurück ans Telefon. Sie klang ziemlich kühl.

»Nun, worum geht es?«, fragte sie, ein »Es sollte wirklich wichtig sein!« hing unausgesprochen in der Luft.

Ich teilte ihr mit, dass ich in Claras Schrank etwas entdeckt hatte, das wie Devis Zopf aussah, mir aber dessen nicht sicher sein konnte, bis ich nicht Claras Erklärung dafür gehört hatte. Ich lauschte dem Gesagten und stellte fest, dass es weit hergeholt und abgedreht klang.

Jane war verblüfft und extrem misstrauisch. Ich machte ihr nicht den mindesten Vorwurf. Sie fragte mich, warum ich glaubte, dass Clara etwas »so Undenkbares« getan haben sollte. Ich sagte ihr, *jemand* habe das Undenkbare getan, und dann berichtete ich ihr von Claras seltsamem und eifersüchtigem Benehmen besonders mir und Devi gegenüber. Ich erwähnte meinen Verdacht wegen des verschwundenen Gemäldes. Ich erzählte Jane sogar von Claras verbitterten und völlig irrationalen Bemerkungen über den Tod ihrer Mutter. Schließlich hatte ich Jane zumindest von der Notwendigkeit eines Gesprächs mit Clara überzeugt.

»Es ist … einfach schockierend«, sagte Jane. »Was ist,

wenn sie es nicht getan hat, Honora? Könntest du damit leben?«

»Ich schätze, das muss ich, wenn sie es wirklich nicht gewesen ist«, erwiderte ich. Ich hatte wieder und wieder daran gedacht, es war ein Albtraum. »Aber ich habe den Zopf gesehen, Jane. Er sah genauso aus wie der von Devi. Und er roch … unangenehm.«

»Herr im Himmel«, stieß Jane hervor. Dann seufzte sie. »In Ordnung, aber wir werden sie nicht *anklagen*. Wir werden sie nur damit *konfrontieren*. Wir geben ihr eine Chance, es zu erklären.«

»Mehr verlange ich nicht«, sagte ich. »Ich komme morgen gegen elf mit ihr hinüber.« Mein Magen revoltierte.

Jane seufzte wieder. »Lieber Gott, ich habe geglaubt, der Mord an Devi Bhujander sei das schlimmste Erlebnis meiner Karriere gewesen. Wenn das hier stimmt, wird alles noch schlimmer.«

Ich rief bei Clara an, um ihr zu sagen, wann wir zum Larkin fahren würden, aber es klingelte und klingelte, bis der Anrufbeantworter ansprang. Wo konnte sie hingegangen sein? In der Annahme, sie wäre wieder krank, legte ich auf und ging nach nebenan. Ich klopfte gerade, als sie aus dem Fahrstuhl trat. Sie trug Baumwollhosen und ihr Schlafanzugoberteil.

»Clara! Wo warst du?!« Mir fiel auf, dass ich schon wie sie klang. Die Ironie des Rollentauschs schien ihr zu entgehen, sie antwortete bereitwillig.

»Ich habe meinen Müll zur Tonne runtergebracht«, meinte sie. »Sie werden heute geleert, und ich war, seit ich krank geworden bin, nicht mehr unten – der Müll häufte sich.«

»Aber du hättest nur Bescheid sagen müssen. Ich hätte das gern für dich übernommen.«

»Du hast Recht, ich bin von dieser kleinen Anstrengung schon wieder ganz müde.«

Den Rest des Tages war ich angespannt. Ich brachte Clara ein wenig Suppe zum Mittagessen, und danach schlief sie einige Stunden. Zum Abendessen kochte ich ihr Makkaroni mit Käse, ich hatte nichts anderes im Haus, und ihre Begeisterung überraschte mich.

Clara legte sich früh schlafen, Gott sei Dank, und ich ging nach Hause, um Liz anzurufen. Der Anrufbeantworter meldete sich, und ich legte wortlos auf. Ich konnte auf keinen Fall einer Maschine anvertrauen, was ich zu sagen hatte.

Ich hatte seit zwei Tagen nichts mehr von Michael gehört. Das war noch nie passiert. Selbst wenn man den Kummer und das Chaos bei ihm zu Hause bedachte, blieb es eigenartig. Ich konnte mir nicht vorstellen, was ihn vom Telefonieren abhalten mochte. Ich dachte nicht zum ersten Mal daran, dass mir niemand Bescheid geben würde, falls er krank war. Ebenso, falls er bei einem Verkehrsunfall verletzt wurde. Ich lief auf und ab, rang die Hände.

Schließlich zwang ich mich, zu Bett zu gehen. Ich nahm ein Glas Wein mit, um einschlafen zu können. Aber ich lag starr auf der Matratze, schlaflos und voller Furcht.

Am nächsten Morgen um Viertel vor zehn nahmen Clara und ich ein Taxi zum Larkin. Es war ein warmer Tag, es wehte kaum ein Lüftchen. Ich schwitzte heftig auf dem Rücksitz neben ihr, aber ich war nicht sicher, ob es am Wetter oder an meinen Nerven lag. Ich tastete immer wieder nach der Karte in meiner Tasche, die ich vor dem Verlassen der Wohnung eingesteckt hatte – Detective Burns' Visitenkarte.

»Möchtest du gleich zu Jane gehen?«, fragte Clara, während wir die Concord hochfuhren, »oder wollen wir erst in unsere Arbeitszimmer – ich meine, in mein Arbeitszimmer und dein Atelier –, und unseren Kram erledigen?«

»Lass uns zuerst Jane besuchen«, sagte ich und fühlte mich irgendwie hinterhältig; Jane erwartete uns um elf Uhr in ihrem Büro, wir hatten gar keine Wahl. Wieder fragte ich mich, was, wenn ich mich irrte?

Solange ich lebe, werde ich dieses Treffen nicht vergessen. Jane winkt uns mit einem angestrengten Lächeln in ihr Büro. Es war ein großer, eleganter, mahagonigetäfelter Raum mit einem riesigen antiken Perserteppich und bis zur Decke reichenden Regalen voller in Leder gebundener Bücher. Nicht im Geringsten geeignet für das, was ich vorhatte, und plötzlich wurde mir die Gefährlichkeit dessen, was ich zu sagen beabsichtigte, noch stärker bewusst.

Nachdem wir Platz genommen und Höflichkeiten ausgetauscht hatten, breitete sich Schweigen aus, die Atmosphäre wurde eisig. Jane schaute mich an, Clara schaute Jane an, und dann wandten sie sich mir zu.

Als ich endlich etwas sagte, geschah es mit der aufgesetzten Forschheit, die aus der Furcht entsteht. »Es gibt etwas, das ich dich fragen muss«, sagte ich zu Clara. Überrascht und verwirrt sah sie zwischen Jane und mir hin und her. Plötzlich spürte ich ihre Hilflosigkeit, und meine Selbstzweifel wuchsen, aber dieses Gefühl war mir in den letzten beiden Tagen nur zu vertraut geworden, und ich wusste, dass ich fortfahren musste. »Als ich gestern bei dir war«, begann ich mit zitternden Lippen, »habe ich nach einem Thermometer gesucht, um bei dir Fieber zu messen. Erinnerst du dich?«

»Undeutlich«, antwortete Clara. »Warum fragst du?« Anstatt die Frage zu beantworten, fuhr ich mit meinem Verhör fort. Jane sah aus, als hätte sie etwas Schlechtes gegessen.

»Als ich dich fragte, wo du dein Thermometer aufbewahrst, hast du zur Westwand gezeigt, wo dein Badezimmer liegt.«

»Das weiß ich nicht«, sagte Clara. »Ich kann mich an den Tag kaum erinnern – ich war ziemlich krank.« Sie runzelte die Stirn. »Mir geht es auch heute noch nicht richtig gut.« Tatsächlich, sie war ungewöhnlich blass.

»In deinem Bad war kein Thermometer«, fuhr ich fort und ignorierte den Hinweis auf ihren Gesundheitszustand. »Dann fiel mir auf, dass sich in der Wand auch ein Einbauschrank befindet.«

Jetzt änderte sich ihr Gesichtsausdruck. Ich kann es nicht anders beschreiben: Sie schaltete ab. Sie sagte nichts, gar nichts.

»Clara ... ich habe den Zopf gefunden.«

»Was? Was meinst du damit?«

»Ich habe den Zopf in deinem Schrank gefunden.«

»Aber du irrst dich. Ich besitze keinen *Zopf*.« Das letzte Wort spie sie zornig aus. »Ich weiß nicht, wovon du sprichst.«

»Das weißt du ganz genau.« Ich ging aufs Ganze. »Ich habe Devis Zopf gefunden.«

»Devis Zopf? Ich habe keine Ahnung, was du damit sagen willst.«

»In der Lade. Ich habe Devis Zopf in der Schrankschublade gefunden.«

»Aber ich besitze keinen Zopf.« Clara stieß ein heftiges, hysterisches Lachen aus und starrte mich an. »Mein Gott? Was geht hier vor?«, kreischte sie. »Was behauptest du da? Willst du sagen, ich hätte *Devi* ermordet?« Sie senkte ihre Stimme ein wenig. »Mein Gott, ich kann nicht glauben, wie du mich hereingelegt hast, um mich hier vor Jane zu demütigen. Du kannst doch nicht ernsthaft glauben, dass ich jemanden töten könnte? Und dann auch noch einen Menschen, den ich liebte und bewunderte.« Eine Träne rollte über ihre Wange. Sie begann, laut schluchzend zu weinen. Aber sie log wegen des Zopfes, und das bestätigte meine schlimmsten Befürchtungen.

»Ich habe den Zopf gesehen, Clara. Du weißt, dass er in deinem Schrank lag.«

Jane mischte sich ein. »Clara, warum sagst du nicht, was mit dem Zopf ist, und dann gehen wir alle nach Hause. Vielleicht gibt es ja eine vollkommen einleuchtende Erklärung.«

»Warum verhört ihr mich?« Clara brüllte beinah. »Das ist wie in Chile unter Pinochet. Warum stellst du ihr nicht ein paar Fragen?« Sie funkelte mich an.

»Gut«, sagte Jane ruhig und vernünftig. »Ich will von euch beiden wissen, wo ihr an dem Abend wart, an dem Devi gestorben ist.« Diese Abschwächung war typisch Jane. *Gestorben ist.*

»An dem Abend, an dem Devi ermordet wurde, war ich auf einer Aperçu-Party für Michael Sullivan«, sagte ich, dann sah ich, wie sich Claras Augen bei der Erwähnung Michaels verengten. Bevor sie zu diesem Thema etwas Peinliches äußern konnte, redete ich weiter. »Ich wurde von vielen Leuten gesehen. Das Ganze wurde außerdem von Fernsehkameras aufgezeichnet.«

»Clara?« Janes Stimme klang leise fordernd.

»Was?« Clara war jetzt mürrisch, zutiefst verärgert.

»Wo warst du an diesem Abend?« Jane bewahrte die Ruhe.

»In der Widener Library.«

»Sonntagabends schließt die Widener um zwanzig Uhr«, sagte Jane.

»Ja, danach bin ich nach Hause und habe gearbeitet. Ich habe Musik gehört, eine Oper. Die Musik lief noch, als ich einschlief.«

»Hast du mit jemandem telefoniert? Jemanden getroffen, den du kennst?«

»Nein! Nein! Was soll das? Wer, glaubt ihr, dass ihr seid? Ich weigere mich, noch ein einziges Wort zu sagen.«

Jane schaute mich gleichmütig an. »Du bist sicher wegen des Zopfes?«

»Ich habe einen schwarzen Zopf gesehen«, antwortete ich vorsichtig. »Am unteren Ende war ein mit Glasperlen geschmücktes Haarband von der Art, wie Devi sie immer trug. Die Perlen waren gelb – diese Farbe trug Devi an ihrem letzten Abend.«

»Es ist *nicht* Devis Zopf«, sagte Clara jetzt.

»Ich dachte, es gäbe gar keinen Zopf«, bemerkte Jane.

»Erzähl mir von dem Zopf«, forderte ich praktisch im gleichen Moment.

»Ich habe ihn gekauft«, sagte Clara. »Es ist nicht Devis. Es ist nicht mal Menschenhaar. Ich habe ihn gekauft, weil ich wie Devi sein wollte. Ich dachte, du würdest mich dann auch malen wollen.«

»Was ist mit dem Haarband? Es sieht aus wie das von Devi.«

»Ja, ich … ich hatte es schon seit einiger Zeit. Ich habe es auf dem Boden des Vorlesungssaales gefunden. Ich wusste, dass es Devi gehörte, aber ich habe es behalten. Es tut mir Leid«, spottete sie. »So ein Verbrechen, ein Haarband zu stehlen. Mein Gott! Ich kann nicht glauben, was hier mit mir passiert. Was habe ich getan, um eine solche Behandlung zu verdienen? Zum letzten Mal, es ist nicht *Devis Zopf*.«

»Dann geh mit uns rüber und zeig ihn uns«, sagte Jane, und ich hoffte, dass sie bluffte. Immerhin war Clara vielleicht eine Mörderin, und ich würde auf gar keinen Fall ohne Polizeischutz ihre Wohnung betreten.

»Er ist nicht mehr da«, sagte Clara. »Ich habe ihn gestern Morgen in die Mülltonne geworfen. Er hat mich nur an meine … Dummheit erinnert.«

»Ist das nicht ein bisschen viel des Zufalls?«, fragte Jane. »Den Zopf wegzuwerfen, direkt nachdem Honora ihn entdeckt hat? Bist du sicher, dass er nicht mehr da ist?«

»Ja, er ist weg. Ich sage es doch.«

»Der Müll wurde gestern Vormittag abgeholt«, informierte ich Jane. »Falls sie ihn wirklich fortgeworfen hat, ist er weg – sie werden ihn niemals finden.«

»Nun, aber sie müssen es versuchen«, sagte Jane Coleman, dann wandte sie sich mit beinah klassischer Höflichkeit an Clara. »Du weißt, dass ich die Polizei verständigen muss, Clara.«

Ich stand auf, reichte ihr Detective Burns' Karte, und sie hob den Hörer ab. Clara begann mit dünner jämmerlicher Stimme zu kreischen, es war beinahe ein Heulen. Jemand klopfte an die Tür.

»Alles in Ordnung da drin?«, ertönte Mimis nervöse Stimme. Nach allem, was in letzter Zeit geschehen war, war das hysterische Kreischen einer Frau in den Fluren des Larkin besonders Furcht einflößend.

Ich ging zur Tür und versicherte Mimi, dass alles unter Kontrolle war. Über ihre Schulter sah ich mehrere Larkins verängstigt im Foyer stehen. »Alles in Ordnung«, wandte ich mich an alle. »Nur ein Gefühlsausbruch.« Ich wollte nicht verraten, was wirklich los war – was, wenn Clara unschuldig war? Selbst jetzt noch, nach ihren verdächtigen Antworten, war ich in meiner Überzeugung, dass sie es gewesen war, unsicher.

Ein paar Minuten später öffnete ich die Tür erneut und blickte in Detective Burns' ledriges gebräuntes Gesicht und seine leuchtend blauen Augen. Es überraschte mich, aber ich fühlte mich bei seinem Anblick das erste Mal seit Wochen wieder sicher. Zum ersten Mal seit Devis Tod.

»Gott sei Dank«, sagte ich und war erstaunt, als er mir flüchtig und unbeholfen die Schulter tätschelte. Dann schaute er an mir vorbei zu Jane und Clara. Ich winkte ihn herein und drehte mich um, um die Tür zu schließen. Ich sah, wie zwei Streifenbeamte und drei Detectives in Zivil die Eingangshalle betraten. Einer von ihnen blieb an Mimis Schreibtisch stehen, und sie wies auf die Tür, in der ich stand. Ich trat zur Seite, um den Mann einzulassen. Detective Burns stellte ihn als Detective Polk vor. Diese Höflichkeit gab der ganzen Angelegenheit den Anstrich des Normalen und Gesunden.

Clara kauerte auf dem Samtsessel neben Janes Schreibtisch, ihre schäbige Kunststofftasche auf dem Schoß, und starrte zu Boden. Ich wandte den Blick ab und schloss die Tür.

Zusammen mit Burns waren vier Detectives und zwei Streifenpolizisten hier. Sie mussten mit mindestens drei Wagen gekommen sein, eher vier, vielleicht sogar fünf. Ich konnte mir vorstellen, was die Leute dachten. Ich fragte mich, ob jemand wusste, dass es Clara war, die hier in Janes Büro weinte. Ich hoffte nicht. Die Leute würden es bald genug erfahren, aber es war das Beste, Clara so lange wie möglich zu schützen – nur für den Fall.

Während Detective Polk Clara befragte, bat mich Burns, ihn in ihre Wohnung zu begleiten und ihm zu zeigen, wo ich den Zopf entdeckt hatte. Dann wandte er sich an Clara.

»Entschuldigen Sie, ich brauche Ihren Schlüssel, Ma'am«, sagte er ruhig.

»Meinen Schlüssel gebe ich nicht aus der Hand«, antwortete sie zornig. »Das ist ein Eindringen in meine Privatsphäre.«

»Ma'am, es tut mir sehr Leid«, erwiderte er höflich, »aber wir müssen Ihre Wohnung durchsuchen. Ist es nicht besser, wenn Sie uns Ihre Erlaubnis geben, als wenn wir uns einen Durchsuchungsbefehl besorgen müssen? Wir würden uns nicht gern an die Hausverwaltung wenden und dadurch Aufsehen erregen.« Clara kramte in ihrer Tasche und reichte ihm den Schlüssel. Dann schaute sie mich traurig an, und ich war verlegen.

»Ich bleibe die ganze Zeit dort«, versicherte ich ihr.

»Das ist wirklich ein Trost«, erwiderte sie scharf. »Es ist ja allgemein bekannt, wir vertrauenswürdig *du* bist.«

Ich konnte ihr kaum widersprechen. Auf dem ganzen Weg nach draußen, in Begleitung der Detectives, fragte ich mich, ob meine Kolleginnen annahmen, ich wäre verhaftet worden. Selbst wenn, momentan konnte ich nichts daran ändern. Sie würden die Wahrheit früh genug erfahren.

Ich fuhr mit Detective Burns, der zwei oder drei Mal in sein Funkgerät sprach. Die anderen beiden Detectives folgten uns. Die Realität des Geschehens überwältigte mich, ich war nahe daran, in Ohnmacht zu fallen. Ich massierte mir die Stirn, damit ich wieder einen klaren Kopf bekam.

»Alles in Ordnung, Ma'am?«, erkundigte sich Detective Burns. »Sie sehen ein wenig verhärmt aus.«

Das Wort entlockte mir ein schwaches Lachen. Vielleicht war es Hysterie.

»Was ist?«, fragte er ehrlich verblüfft.

»O nichts. Es ist nur das Wort. ›Verhärmt‹.«

»Verhärmt? Was stimmt damit nicht? Es ist ein richtiges Wort. Sogar meine Mutter und Großmutter pflegten es zu benutzen.«

»Ja, ich weiß«, sagte ich. »Darum geht es ja, denke ich.«

»*Ach*!«, sagte er, als hätte er etwas Nützliches für die Zukunft gelernt. Wir sprachen nicht mehr, bis wir am Gebäude angekommen waren. Ich führte die drei Detectives zu Claras Wohnung, wo wir uns im Flur Latexhandschuhe überstreiften, bevor sie einließ und ihnen zeigte, wo ich den Zopf gefunden hatte. Die Schublade war leer bis auf ein paar alte Socken. Also hatte sie den Zopf weggeworfen. Aber warum? Warum *jetzt*?

Im Schrank roch es nach Desinfektionsmittel, als hätte sie Lysol oder so etwas versprüht.

»Der Geruch«, bemerkte ich.

»Bitte?«

»Es riecht nicht mehr.« Kein Zopf, kein Geruch. Ich schauderte. Er notierte etwas.

»Ich frage mich, ob sie mich an dem Abend beobachtet hat, als ich den Zopf gefunden habe.«

Er zuckte die Schultern. »Ja, könnte sein.«

»Sie müssen nach dem Bild suchen«, sagte ich. »Ich weiß nicht, wo sie es verstaut haben könnte. Vielleicht in ihrem Büro, wenn es nicht hier ist.«

»Ja, okay, wir prüfen das nach«, sagte Burns.

»Macht es Ihnen etwas aus, wenn ich nach nebenan in meine eigene Wohnung gehe? Ich habe das Gefühl, ich sollte nicht hier sein.«

»Ja, das wäre mir sogar lieber. Sie müssen nicht bleiben. Vermutlich dürfen Sie das gar nicht.«

Der Anrufbeantworter in meiner Wohnung blinkte. Eine Nachricht von Michael, der erschüttert klang.

»Die Ereignisse haben sich überschlagen, sonst hätte ich mich schon eher gemeldet.«

Seine Stimme war leise, die Worte kamen in einem raschen Stakkato. »Es ist Bridget – sie wurde bei diesem Spiel von einem Schläger getroffen – irgendein dummes Kind war wütend und hat ihn achtlos weggeschleudert – der Schläger hat Bird mit voller Wucht an der Schläfe getroffen. O Gott, sie lag im Koma, Norrie. Brenda ... Brenda und ich waren die ganze Zeit im Krankenhaus, und Finn ist gestern aus New York hierher geflogen. Wir haben ihr immer wieder ihre Britney-Spears-CD vorgespielt, aber sie ist erst heute Morgen aus dem Koma erwacht, als ich zu ihr sagte: ›Birdie, los, du schaffst es, lauf bis zur Homeplate!‹ Auf einmal schlug sie die Augen auf und sagte: ›Daddy, ich habe dich überall gesucht.‹« Er unterdrückte ein Schluchzen. »Sie behalten sie noch weiter zur Beobachtung da, aber wenn sie okay ist, kann sie in ein paar Tagen mit uns nach Hause. Ich muss mit dir reden, Norrie. Wir müssen reden. Ich –«

Wie in einem schlechten Film brach die Aufnahme hier ab. Aber ich wusste, was er sagen wollte. Alles, woran ich denken konnte, war, natürlich, es musste so kommen.

Mir blieb keine Zeit, mich mit meinen Gefühlen zu beschäftigen, denn eine Minute später klopfte Burns an meine Tür und teilte mir mit, dass sie nichts gefunden hatten und jetzt gehen würden. Ich war benommen. Nur mit Mühe begriff ich, wovon er sprach. Dann traf es mich wie ein Schlag. Clara, der Zopf, das Gemälde.

»Soll das heißen, dass Sie sie nicht verhaften?«, fragte ich. Panik stieg in mir auf.

»Nein, es sei denn, die Jungs im Larkin haben etwas herausgefunden. Wir können niemanden ohne stichhaltige Beweise anklagen.« Mein Gott, dachte ich, und wenn sie die Mörderin ist? Ich konnte mir vorstellen, wie ich – sie nebenan – einzuschlafen versuchte. Es schien, als hätte Detective Burns meine Gedanken gelesen.

»Können Sie für ein paar Tage woandershin?«, fragte er.

»Während wir weiter ermitteln? Wir wollen sicher gehen, dass Sie … es bequem haben.« Ich war überzeugt, dass er *sicher* meinte.

Nachdem er gegangen war, rief ich Michael in der Hoffnung zurück, dass er noch zu Hause war. Er nahm beim ersten Klingeln ab.

»O Gott, Norrie«, begrüßte er mich. »Ich bin so froh, dass du anrufst. Aber ich habe nicht viel Zeit, ich bin auf dem Weg ins Krankenhaus. Es war schrecklich. Ich habe noch nie solche Angst gehabt. Ich habe geglaubt, sie würde sterben. Ich habe sogar gedacht, dass es vielleicht –« Er verstummte.

»Du hast gedacht, Gott würde dich für deinen Entschluss strafen, Brenda zu verlassen und mit mir zu leben.«

Er seufzte. »Vermutlich etwas in der Art. Ich bin zu sehr Ire, um in einer solchen Situation nicht an den Zorn Gottes zu denken – oder zu glauben, ich hätte einen Fluch auf meine Familie geladen. Was auch immer.«

»Ich weiß. Ich weiß auch, worüber du mit mir reden willst«, versicherte ich ihm. »Ich weiß, was du sagen willst.« *Sag es nicht, sag es nicht, bitte, sprich es nicht aus.*

»Norrie, lass uns nicht am Telefon darüber reden. Es ist furchtbar. Ich will mit dir von Angesicht zu Angesicht reden.« Ich dachte flüchtig daran, wie zornig Paul gewesen war, weil Devi am Telefon mit ihm Schluss gemacht hatte.

»Michael, wir haben keine Zeit, um uns zu treffen. Ich möchte, dass du losfährst und bei deinem kleinen Mädchen bleibst.«

»Ich kann mir einfach nicht vorstellen, nicht für sie da zu sein, wenn sie mich braucht, Norrie.«

Da wusste ich, dass ich es tun musste, ich musste es aussprechen und es hinter mich bringen, um seiner und um meiner selbst willen. »Wenn du bei deiner Frau bleiben musst, Michael, wie kann ich da widersprechen? Und *warum* sollte ich das tun?« Ich hörte das leichte Zittern in meiner Stimme und betete, dass es ihm entgangen war. »Ich kann es nur gerade jetzt … gerade jetzt will ich es nicht hören, okay? Verstehst du?«

»Großer Gott«, sagte er, »ich breche zusammen.«

»Nein, klar, wirklich, fahr einfach ins Krankenhaus. Wir sprechen uns bald. Mach dir keine Sorgen.«

»Norrie, ich liebe dich.«

»Ja, ich weiß, Michael. Es hat nichts damit zu tun.«

»Geht es dir gut?«

Wie sollte ich diese Frage beantworten? Er wusste nichts von Clara oder dem Zopf.

»Es geht so. Ruf mich an, wenn du kannst.« Dann legte ich auf, weil er es nicht zu können schien. Ich betrachtete das Bett, auf dem ich saß, dachte an unseren friedlichen Schlaf. Dachte an den Embryo, das Blut. Ich stand auf, ging ins Badezimmer und hockte mich auf den Toilettendeckel.

»Verlass mich nicht«, sagte ich aus dem kleinen Fenster neben der Toilette. »Bitte, verlass mich nicht.«

Vier Stockwerke tiefer sah ich zwei Menschen Hand in Hand über die Straße gehen, als ob Liebe ausreichte, als ob jeder das Recht besaß, ohne Furcht zu leben.

Nach einer Weile erhob ich mich und rief Georgi an, und sie kam zu mir, mit blassem Gesicht und Ringen unter den Augen – sie hatte seit der Nacht, in der ich sie angerufen und ihr von meinem Fund erzählt hatte, vermutlich nicht besser geschlafen als ich.

»Ich war im Larkin, aber ich musste da weg«, sagte sie. »Ich konnte den Anblick der Polizei nicht ertragen. Ich weiß, dass sie dort sind, um uns zu helfen, aber es schien so makaber, so unwirklich.«

»Ja, ich weiß.« Ich war nicht gesprächig. Sie hatte keine Ahnung, was in mir vorging. Ich hielt meinen Koffer auf dem Schoß, presste ihn an mich wie einen Panzer. Ich dachte an mein Bild von Ida, auf dem sie auf dieselbe Weise den roten Glaskrug in ihrem Schoß festhielt.

Meine Existenz als Malerin schien zu einem anderen Leben zu gehören. Ich dachte an Michael, und meine Augen füllten sich mit Tränen. Auf der Suche nach Ungestörtheit schaute ich aus dem Wagenfenster.

Wir fuhren schweigend. Ich brütete düster und voller Furcht vor mich hin. Ich konnte mir nicht vorstellen, jemals wieder zu schlafen – oder zu lächeln. Besonders das nicht.

Ich sehe es in meinen Träumen. Es ist immer dunkel und mondlos. Devi betritt den Hof, klein und vogelzart. In dem Gebüsch neben dem Bogengang lauert Clara. Als Devi an der Stelle vorbeigeht, wo Clara sich verborgen hält, greift Clara nach ihr und packt sie von hinten, ein Messer an Devis zarten Hals gedrückt. An dieser Stelle des Traums, wenn Clara das Messer quer über Devis Kehle zieht, erwache ich zitternd und schweißgebadet. Nach so vielen Nächten besitzt der Traum Dokumentarfilmqualität, als sähe ich echte Wiederholungen des Mordes. Ich kann nicht schlafen, ohne ihn immer wieder vor mir ablaufen zu sehen, in einer Art Grauen erregender Zeitlupe. Danach liege ich unter den klammen Decken, wunschlos, ohne Verlangen, da es in diesen Momenten scheint, als sei nichts übrig, wonach man sich sehnen könnte.

Kapitel 18

In den Tagen, die folgten, schien der Frühling die Erde zurückzuerobern – Krokusse blühten entlang der Brattle Street, nach dem langen grauen Winter wurde das Gras wieder grün, und Kinder in T-Shirts und kurzen Hosen schaukelten und lärmten auf dem Hof des Kindergartens, an dem ich jeden Tag auf dem Weg zum Larkin vorüberkam. Aber im Gegensatz zur erwachenden Erde schien ich innerlich erstarrt zu sein: Die meiste Zeit fühlte ich gar nichts, und wenn sich diese Leere verflüchtigte, spürte ich nur Trauer, Wut, Zorn oder Grauen. Ich konnte mir keine Gefühle erlauben. Ich begann zu begreifen, wie wichtig Emotionen für die Identität sind – ich fühlte nicht, deshalb schien ich auch nicht zu leben. So einfach war das.

Schlimmer noch, in der Abwesenheit von Emotionen existierten nur Gedanken. Und warum nicht? Es gab viel nachzudenken. Trotz meiner Erschöpfung schien ich das Grübeln nicht für eine Minute einstellen zu können, konnte nicht mit dem Versuch aufhören, das Geschehene zu begreifen, als ob irgendjemand den Grund für ein so undenkbares Verbrechen wie den Mord an Devi Bhujander verstehen könnte.

Michael wusste nicht, dass ich bei Georgi wohnte – tatsächlich wusste er nicht einmal, dass Clara unter Mordverdacht stand. Er hatte wieder begonnen, spät am Abend anzurufen, um »Gute Nacht zu sagen und dich wissen zu lassen, dass es Bridget besser geht«, aber wenn ich diese Nachrichten erhielt, konnte ich nicht zurückrufen, weil ich nachts nicht bei ihm zu Hause anrufen durfte. Ich meldete mich allerdings auch nicht am nächsten Tag, weil ich die Abhängigkeit von ihm fürchtete. Ich musste mich von Michael lösen. Mir blieb keine Wahl.

Eines Morgens erwiderte ich schließlich seine Anrufe. Meine Hand zitterte, als ich seine Nummer wählte.

»Norrie! O Gott, ich vermisse dich«, sagte er. »Wie sollte ich nur leben, wenn ich nicht mit dir sprechen könnte?«

»Ich weiß nicht«, erwiderte ich dumpf. Wir wussten beide, dass sein Entschluss feststand, warum also darüber lamentieren? Er fehlte mir auch schrecklich, aber ich erwähnte es nicht. Was für einen Sinn sollte es haben, wenn ich ihm sagte, wie schmerzhaft ich ihn vermisste, seine Witze, seine Meinung, seine leidenschaftlichen Augen, seine Freundlichkeit, seine Hände und Lippen auf meinem Körper?

Stattdessen informierte ich ihn über die Vorgänge in der Brattle Street und im Larkin.

Michael war schockiert. »Mein Gott«, meinte er. »Du könntest dich in echter Gefahr befinden, Norrie. Du musst dich von Clara fern halten.«

»Darum bin ich in Georgi Brandts Wohnung«, sagte ich.

»Du solltest jetzt nicht einmal ins Larkin gehen – nicht,

bevor sie nicht gegen Clara Anklage erheben und sie aus dem Verkehr ziehen.«

Niemand verstand, warum sich die Larkies im Institut trafen, obwohl der Mörder immer noch nicht gefasst war. Es war schwer zu erklären, warum wir uns dort sicherer fühlten als irgendwo anders. Ich war die ständigen Diskussionen mit meiner Mutter und Liz mittlerweile Leid, und ich wollte auch mit Michael nicht deswegen streiten.

»Natürlich gehe ich Clara aus dem Weg«, sagte ich jetzt. Ihre seltsam unangemessene Reaktion auf die Verdächtigungen erwähnte ich nicht. Sie schien die Situation nicht erfasst zu haben. Sie war tatsächlich einen Tag, nachdem man sie offiziell des Mordes verdächtigt hatte, im Larkin erschienen. Ich konnte nicht fassen, dass sie das unter diesen Umständen tat. Es war für alle furchtbar. Wie sollten wir auf sie reagieren? Niemand redete mit ihr; wir hatten Angst vor ihr, sie ekelte uns an. Das sah Clara ähnlich, dachte ich, sich den anderen auch unter den undenkbarsten Umständen aufzudrängen.

Trotz der Tatsache, dass keiner meiner Bekannten öffentlich in verantwortungsloser Weise darüber geredet hatte, schienen die Vorgänge im Larkin allgemein bekannt. Ich hatte mit Liz und Michael darüber gesprochen – wie hätte ich es verschweigen können? Aber wenn jeder mit nur ein oder zwei Leuten darüber redete, war es unvermeidlich, dass die Presse schließlich Wind davon bekam.

Und selbstverständlich trat genau das ein. Ein Reporter des *Boston Herald* schrieb einen kleinen Aufmacher, in dem er darüber spekulierte, ob der Mord an Devi ein, wie er es zartfühlend formulierte, »Verbrechen unter Frauen« gewesen war. Die Schlagzeile brüllte »Mord am Radcliffe ein Verbrechen aus Eifersucht?« Würden sie beim nächsten Schritt Andeutungen über Claras Identität machen und beim übernächsten gar ihren Namen veröffentlichen?

Ich wandte mich an Jane Coleman, und sie berief eine Versammlung ein, in der es um die Gerüchte gehen sollte, die behaupteten, dass eine der Stipendiatinnen verdächtigt wurde.

»Es ist völlig verfrüht, so etwas zu behaupten«, sagte Jane. »Ich habe Verständnis dafür, dass Sie untereinander über Devis Tod reden müssen, aber niemand sollte diese Angelegenheit außerhalb des Larkin diskutieren. Das wäre alles.« Sie erwähnte Claras Namen nicht, aber jeder wusste, wen sie meinte. Wie hätte es auch anders sein können? Eine Menge Leute hatten Clara an jenem Tag weinend aus Janes Büro kommen sehen, aus dem vorher ihre hysterischen Schreie zu vernehmen gewesen waren.

Ich hatte offensichtlich etwas in Gang gesetzt, über das ich nicht mehr die geringste Kontrolle besaß. Wenn ich die Möglichkeit in Betracht zog, dass Clara *keine* Mörderin war, lief es mir kalt den Rücken hinunter. Das vertraute ich Liz an, als sie mich eines Abends am Telefon fragte, warum ich die Sache in letzter Zeit nicht mehr erwähnt hatte.

»Was, wenn sie unschuldig ist?«, fragte ich Liz. »Mein Gott, was habe ich dann getan?«

»Ich würde sagen, es ist ganz offensichtlich, dass sie es war. Wenn ich du wäre, Norrie, würde ich mir um meine Sicherheit Gedanken machen. Pass auf dich auf!« Liz war nicht gerade ein Hasenfuß, und ich wusste, dass sie sich berechtigte Sorgen um mich machte. »Himmel«, fügte sie hinzu. »Ich hoffe, du hast dem lieben alten Mütterlein nicht gesagt, dass deine Nachbarin die Hauptverdächtige ist.«

»Du lieber Himmel, nein. Wenn sie wüsste, dass Clara verdächtigt wird, würde sie durchdrehen. Seit dem Mord an Devi herrscht bei ihr Alarmstufe rot. Außerdem hätte ich Angst, dass sie es weitererzählt. Um das übrigens klarzustellen, die Polizei bezeichnet Clara keineswegs als *Haupt*verdächtige. Man hat sie nur aufgefordert, Boston nicht zu verlassen.«

»Zweifellos«, sagte Liz. »Ich glaube wirklich, du solltest dich im Moment vom Larkin fern halten. Dort würde sie als Erstes nach dir suchen, falls ihr eines Tages ein wenig rachsüchtig zumute sein sollte.«

»Ich habe es dir schon mal gesagt, Liz. Ich *muss* dorthin. Es ist der einzige einigermaßen erträgliche Ort. Gott, ich kann ja nicht einmal in meine eigene Wohnung. Und sosehr ich Georgi auch schätze, mich bei jemand anders zu verstecken, das macht mich langsam wahnsinnig.«

»Na ja, sicher. Es ist furchtbar, wenn man nicht an seine eigenen Sachen kann.«

»Das Treffen in Janes Büro liegt schon vier Tage zurück. Glaubst du nicht, dass die Cops den Zopf schon gefunden hätten, wenn sie ernsthaft danach suchen würden?«

»Einen schwarzen Zopf? Auf einer Müllkippe? Himmel, Norrie, ich bezweifle, dass er überhaupt gefunden werden kann. Selbst wenn er nicht in einer Tüte steckt oder irgendwie eingewickelt wurde – und du weißt, dass es so sein muss –, könnte man ihn mit bloßem Auge nicht entdecken. Sie können ja nicht mal Metalldetektoren oder so was einsetzen.«

»Ich bin zu deprimiert zum Malen, aber ich weiß, dass ich es versuchen muss«, sagte ich. »Ich muss irgendwann in den nächsten Wochen mein Präsentationsprojekt fertig stellen. Aber wo? In meinem Atelier im Larkin, wo ich so viel Zeit mit Devi verbracht habe, halte ich es nicht aus. Ich kann dort nicht arbeiten. Ich muss zurück in meine Wohnung.« Georgi hatte mich am Tag zuvor mit dem Angebot, im Gästezimmer zu malen, überrascht. Die meisten Menschen mögen die Unordnung, die beim Malen entsteht, und den Geruch der Ölfarben nicht, aber obwohl ich sie warnte, bestand sie darauf.

»Und sollte ich dein Zimmer mal betreten, um dich zum Essen zu rufen oder so was, dann schwöre ich, dass ich mir deine Bilder nicht ansehen werde, es sei denn, du lädst mich dazu ein«, versicherte sie. Ich war dankbar und irgendwie überrascht – ich hatte ihr gegenüber nicht ein Wort über Ungestörtheit verloren. Ich fand es interessant, dass sie dieses Bedürfnis verstand, ohne dass man es explizit erwähnen musste, während Clara es nie begreifen würde, egal, wie oft ich sie darauf hingewiesen hatte.

Das Problem war, dass ich nicht wusste, ob ich überhaupt malen konnte. Wenn man nicht fühlen kann, wie kann man dann malen? Aber ich musste es versuchen, und dafür brauchte ich meine Utensilien, und die befanden sich in meiner Wohnung.

»Ich rate dir ausdrücklich davon ab«, sagte Liz. »Nicht, bevor Clara verhaftet wird. Mein Gott, du kannst vorher einfach nicht zurück.«

»Nun, ich nehme an, ich muss«, erwiderte ich. »Meine Arbeiten sind dort, meine Utensilien sind dort. Es wird nicht lange dauern. Ich muss es versuchen, sonst kann ich nicht arbeiten.«

»Dann ruf doch diesen Detective an und bitte ihn, dir einen Begleiter zu schicken. Glaub mir, unter diesen Umständen tun sie das.«

Aus irgendeinem Grund hatte ich daran nicht gedacht. Ich rief Detective Burns an und schilderte mein Problem. »Könnten Sie mir jemanden schicken, der mich zu meiner Wohnung begleitet? Aber bitte nicht in Uniform, ich möchte kein Aufsehen erregen.«

»Sicher, ich komme gleich rüber und hole Sie ab«, sagte er. Ich war erstaunt, dass er persönlich kommen wollte, aber ich gab ihm Georgis Adresse, und zehn Minuten später klopfte er an die Tür. Auf dem Weg zu meiner Wohnung sprachen wir nicht viel. Burns war kein großer Redner, und mir war auch nicht danach. Ich fühlte mich bei ihm sicher und genoss dieses Gefühl.

»Ich muss ein paar Sachen runtertragen«, sagte ich, als wir angekommen waren. Ich wollte meine Bilder mitnehmen.

»Kein Problem«, meinte er. »Ich helfe Ihnen, ist mir ein Vergnügen.«

Ich schloss auf. »Schönes Haus«, sagte Burns und blickte sich bewundernd um, obwohl er schon einige Male hier gewesen war. Lass den Blödsinn, dachte ich, aber ich versuchte zu lächeln und nickte, als ob das Haus mir immer noch gefiele, als wäre es nicht der Schauplatz des Mordes an Devi.

In meiner Wohnung überkam mich beim Anblick all meiner vertrauten Dinge wieder die Trauer. Vor nicht allzu langer Zeit hatte diese Wohnung noch Erwartungen und Hoffnung symbolisiert, einen neuen Anfang. Ich wandte mich ab, damit Burns mein Gesicht nicht sehen konnte. Im Schlafzimmer der rote Krug und das Bild von Devi, das immer noch auf der Staffelei stand. Burns holte tief Luft, als er Devis Porträt erblickte, und ich hatte das Gefühl, als habe ich ihn in ihre Privatsphäre eindringen lassen, aber es musste sein, wenn er mir tragen helfen sollte.

»Das ist Devi«, sagte ich leise und tonlos.

»Sie war eine wunderschöne Frau«, bemerkte er. »Es ist eine Schande, wie sie sterben musste.«

»*Dass* sie sterben musste«, korrigierte ich, und er nickte. Dann redeten wir nicht mehr, Gott sei Dank.

Sein Kofferraum bot erstaunlich viel Platz, deshalb dachte ich daran, sämtliche Bilder auf einmal mitzunehmen. Letztendlich ließ ich sie aber doch in meiner Wohnung, wo sie vor der Neugier der Menschen sicher waren. Ich wollte nicht, dass jemand Devis Bilder betrachtete, und man konnte nicht wissen, wer sie bei Georgi zu Gesicht bekommen würde. Schließlich nahm ich nur zwei frische Leinwände, eine Staffelei und eine große Kiste mit Farben und Utensilien mit sowie saubere Kleidung und Schuhe.

Als wir die letzte Ladung nach unten brachten, begegneten wir Clara, die einen Korb mit Schmutzwäsche trug. Angesichts des ihr unterstellten Verbrechens schien es irgendwie grotesk, dass sie mit solch banalen Dingen beschäftigt war. *Mörderin macht ihre Wäsche*, dachte ich. Ich erwartete, dass sie mir auswich, aber sie sprach mich an.

»Hallo, Norrie.« Sie redete abgehackt, aber es schockierte mich, dass sie überhaupt etwas sagte.

»Hi«, sagte ich zurückhaltend. Burns blieb neben mir stehen, und Clara erkannte ihn. Sie wandte sich zu mir, ihre Augen blitzten.

»So weit ist es also gekommen«, sagte sie. »Du brauchst Polizeischutz, um die Wohnung neben der gefährlichen Clara Brava zu betreten. Nicht zu fassen!«

»Okay, Ma'am, das reicht«, schaltete sich Burns ein. »Wir wollen schön neutral bleiben.«

Sie drehte sich wütend zu ihm um. »Halten Sie die Klappe!«, sagte sie. »Sie haben mir nicht zu sagen, wie ich mit meiner Freundin reden darf.«

»Clara, ich weiß nicht, was ich sagen soll, ich –«

»Auf Wiedersehen«, sagte sie. »Du kannst im Larkin nach einer Nachricht von mir suchen.« Sie knallte ihre Wohnungstür zu, und Burns und ich blickten uns an.

»Wenn ich Sie wäre, würde ich mich vorsehen«, meinte er. »Zumindest bis wir die Dinge geklärt haben.« Noch aus dem Wagen rief er Polk an und vereinbarte mit ihm ein Treffen in seinem Büro.

In dieser Nacht fanden Georgi und ich keinen Schlaf. Claras Worte schienen eine versteckte Drohung zu enthalten. Oder auch nicht so versteckt, je nachdem, mit wem ich sprach. Michael und Liz rieten mir, mich vom Larkin fern zu halten, bis Clara verhaftet wurde. Georgi war im Gegensatz dazu der Überzeugung, wir dürften uns nicht zu Gefangenen machen lassen. »Du kannst schon nicht in deine Wohnung«, meinte sie. »Lass nicht zu, dass sie dir auch noch das Larkin nimmt. Unser Jahr ist beinah um.« Ich hörte den Anklang von Devis Philosophie in Georgis Worten und entschied mich für diesen Weg.

In meinem Postfach im Larkin wartete ein schwarzes Notizbuch auf mich, als Georgi und ich am nächsten Tag hingingen. Claras darauf hinterlassene Notiz war beunruhigend. »Du kannst es der Polizei übergeben, wenn du willst«, hatte sie geschrieben, »aber ich möchte, dass du es zuerst selbst liest, damit du mich verstehst. Es gibt Dinge von Devi und mir, die du nicht weißt.«

»Was soll ich machen?«, fragte ich Georgi.

»Berühre es nicht«, antwortete sie. »Ruf sofort Burns an.« Sie hatte Recht: Clara gehörte zu den Verdächtigen, und falls das Notizbuch etwas enthielt, das sie mit dem Mord in Verbindung brachte, mussten Burns und die Spurensicherung es untersuchen, bevor ich es anfassen durfte. Aber als ich ihn anrief, hörte ich nur eine automatische Ansage. Er war an diesem Tag nicht da. Damals wurde mir zum ersten Mal bewusst, dass Burns auch ein Privatleben führte. Ich legte auf, ohne eine Nachricht zu hinterlassen. Ich wusste nicht, wer als Ersatz für ihn kommen würde, und der Gedanke, mich an einen weiteren Beamten gewöhnen zu müssen, war irgendwie unangenehm. Ich würde es morgen wieder versuchen.

Die heutige Lesung hielt Sarah Berg aus Michigan. Sie sprach über das häusliche Leben der chassidischen Juden unter besonderer Berücksichtigung der Frauen. Sie war noch nicht weit gekommen, als ihre Stimme für den Bruchteil einer Sekunde kippte. Ihr Blick wandte sich zum Eingang und verharrte dort.

Ich schaute zur Tür. Ein vernehmliches Aufstöhnen lief durch die Reihen. Ich bin sicher, dass alle anderen Clara im gleichen Moment erkannten wie ich. Sie stand bleich und zögernd im Eingang, ihr Haar war so kurz geschnitten wie das eines Jungen. Eine gewisse Ähnlichkeit mit Jeanne d'Arc fiel mir auf, und ich dachte, dass sie ihre Haare vermutlich so kurz geschoren hatte, um an die historischen Hexenverfolgungen zu erinnern – ein Symbol, das sie für ihre momentane Lage als überaus passend empfinden mochte. Das würde ihr ähnlich sehen, dachte ich, aber vielleicht fantasierte ich nur wieder. Sie suchte sich einen Platz am Ende der zweiten Reihe, saß dort starr und aufrecht und schien Sarah Berg ihre ungeteilte Aufmerksamkeit zu schenken. Arme Sarah, ich glaube nicht, dass ihr nach Claras Auftritt noch irgendjemand zuhörte.

Georgi beugte sich zu mir und flüsterte in mein Ohr: »Man hat die Müllkippen die ganze Woche durchkämmt und nichts gefunden.« Ich antwortete nicht. Ich hörte das Getuschel um mich herum und fand es unerträglich. Ich wollte hinaus. Ich wünschte, ich wäre nicht gekommen.

Wann immer ich Clara ansah, krampfte sich mein Herz vor Mitleid zusammen. Dann dachte ich an Devi, wie sie auf den Ziegeln lag, mit aufgeschlitzter Kehle, die Augen weit aufgerissen, wie ihr Blut über den Bürgersteig rann und im Rinnstein Lachen bildete. Ich wandte den Blick von Clara ab und wich ihr auch später aus, als wir alle in dem indischen Restaurant saßen, in dem sich die Larkies nach den Vorträgen trafen. Ich fand es unglaublich, dass sie unter diesen Umständen mitgegangen war. Hatte sie keinen Stolz? Nicht einmal jetzt wusste sie, wann man aufgeben musste.

»Sie hat kein Recht, hier zu sein«, flüsterte Georgi aufgebracht.

»Schön. Und was, wenn sie es nicht getan hat?«, flüsterte ich zurück. »Ich meine, versetz dich doch einmal in ihre Lage.«

Georgi schwieg einen Augenblick, dann meinte sie: »Himmel, was für eine Vorstellung!«

Ich spürte, dass Clara mich anstarrte. Einige der anderen bemerkten es auch, und ihre Blicke wanderten zwischen Clara und mir hin und her. Ich erinnerte mich daran, dass man uns für ein Pärchen gehalten hatte.

Das Essen war beinah vorüber, als Clara sprach, und sie tat es so laut, dass man sie am ganzen Tisch hören konnte. »Hast du mein Päckchen erhalten, Norrie?«

»Das Notizbuch? Klar.«

»Wo ist es?«

»Im Larkin. Ich wollte es nicht mitnehmen.«

»Wenn du es gelesen hast, würde ich gern wissen, was du davon hältst.« Damit erhob sie sich, holte tief Luft, als müsste sie sich einer Herausforderung stellen, und verließ das Restaurant.

»Sie hat nicht bezahlt«, flüsterte Georgi.

»Das ist okay«, sagte ich. »Sie weiß, dass jemand ihre Rechnung übernimmt.«

Ich ging mit Georgi nach Hause und dachte über das Notizbuch nach. Es musste sich um eine Art Tagebuch handeln, und ich war nicht scharf darauf, es zu lesen. Clara hatte nicht das Recht, so etwas von mir zu erwarten. Ihr Hunger nach Aufmerksamkeit war überwältigend, selbst jetzt noch, wo sie wusste, dass ich sie für eine Mörderin hielt.

Als das Telefon um zehn Uhr klingelte, schreckte ich zusammen. Es war Detective Burns. Ich hatte geglaubt, er hätte an diesem Abend frei.

»Alles in Ordnung?«, erkundigte er sich.

»Angesichts der Umstände einfach toll.«

Er kicherte. »Was ist los?« Eine Sekunde wusste ich nicht, ob sein Anruf privater oder beruflicher Natur war. »An der Clara-Front«, fügte er hinzu, und ich registrierte mit Erleichterung, dass es sich um Letzteres handelte.

»Sie hat heute ein Notizbuch in mein Postfach im Larkin gelegt. Ich habe es dort gelassen, Sie können es abholen.«

»Danke«, erwiderte er. »Ich hole es morgen früh ab und bringe es zur Spurensicherung.«

»Ach«, sagte ich. »Okay.«

»Nun dann«, meinte er aufmunternd. »Schlafen Sie süß, ins Bett kein Gemüs, und so weiter.« Es klickte.

Als ich meinen Anrufbeantworter abhörte, fand ich drei Nachrichten vor: von Michael, von meiner Mutter und – nicht zu fassen – von Clara.

Ihre Nachricht war kurz: »Ich vermisse dich, Norrie. Ich habe mich heute Abend sehr ausgeschlossen gefühlt. Ich mag dieses Gefühl nicht.« Dann legte sie auf. Meine Hände wurden eiskalt.

Ich wälzte mich die ganze Nacht auf dem Futon in Georgis Gästezimmer herum und fragte mich, was Clara als Nächstes tun würde. Ich bin ziemlich sicher, dass ich nicht ein Mal die Augen schloss.

Am nächsten Morgen stellte ich fest, dass Detective Burns das Notizbuch vor meinem Eintreffen abgeholt hatte. Er hatte mir eine Nachricht hinterlassen, in der er versprach, es zurückzugeben. Nein danke, dachte ich.

Während der nächsten Tage hinterließ Clara immer wieder Botschaften auf meinem Anrufbeantworter. Alle waren kurz und ungefähr folgenden Inhalts: »Du hast nicht verstanden, wer ich bin« oder »Ich habe nichts Falsches getan.« Ich wartete auf ihre Verhaftung, aber nichts geschah.

Um nicht den Verstand zu verlieren, spielte ich mit Wasserfarben herum. Ich dachte, ich könnte zumindest versuchen, einen Umschlag für Devis Buch zu entwerfen, wie ich es ihr versprochen hatte. Sie hatte es *Nach der Liebe* genannt. Ihr letztes Buch. Ich musste den Entwurf im Juni abgeben. Vielleicht weil es für Devi war –

das Letzte, was ich für meine Freundin tun konnte –, gelang es mir tatsächlich, mich so völlig auf diese Arbeit zu konzentrieren, dass ich am Ende der Nacht mit dem Umschlag fertig war.

Man sieht einen wolkigen Himmel in einem weichen, verwaschenen Blau mit violetten Einsprengseln, der nach oben hin schrittweise zu reinem Weiß verblasst. Wenn man genau hinschaut, erkennt man die Gestalt einer Frau in den Wolken, sie läuft oder tanzt, sie ist frei. Am rechten unteren Bildrand befindet sich eine sorgfältig ausgeführte kleine Hand, die nach oben weist – wie zum Gruß, möglicherweise ist es ein Flehen, vielleicht versucht sie aber auch nur, die ätherische, körperlose Frau zu berühren, die sich in eine Wolke verwandelt hat. Es schien zu dem Titel und zu meinen Gefühlen zu passen, zu der Sehnsucht nach meiner Freundin. Ich hoffte, es war nicht zu kitschig. Ich musste es ein oder zwei Wochen zur Seite legen, um es beurteilen zu können.

Die Idee war mir gekommen, weil ich mich daran erinnert hatte, wie sie einmal gesagt hatte: »Der Sinn eines Geschenks liegt darin, einen anderen zum Geben zu inspirieren. Du wirst an einen anderen weitergeben, was ich dir geschenkt habe. Und das wird mir Geschenk genug sein, Norrie, weil es meinen Namen im Himmel erklingen lässt.« Ich hoffte, dem eines Tages gerecht werden zu können, aber im Moment stellte ich mir einfach nur vor, wie ihr Name im Himmel erklang.

Ich erwiderte Michaels Anrufe immer noch nicht regelmäßig, aber heute hatte ich das Gefühl, es tun zu müssen, weil seine Nachricht so dringend geklungen hatte.

Ich musste drei Mal wählen, weil meine nervösen Finger immer wieder die falsche Nummer eintippten.

Michael nahm beim ersten Klingeln ab, und er klang noch immer erregt. »Ich muss dich sehen«, sagte er. »Ich muss.« Ich fragte mich, was los war. »Sag mir, wie ich zu Georgis Wohnung komme, dann bin ich in zwanzig Minuten dort.« Bevor ich einen Entschluss fassen konnte, fügte er hinzu: »Bitte, Norrie!«

Ich beschrieb ihm den Weg.

»Gib mir eine halbe Stunde«, sagte er. »Ich halte irgendwo und bringe etwas zu essen mit.«

»Aber du kannst mich hier nicht abholen«, erinnerte ich ihn. »Georgi könnte dich sehen.«

»Treff mich an der Ecke«, sagte er. Ich dachte, wie sehr die Verabredungen von Ehebrechern doch einer Verbrechensplanung glichen – selbst wenn sie gar kein Paar mehr waren.

Fünfunddreißig Minuten später saß ich im Auto neben ihm und versuchte, seine Hände am Steuer nicht anzuschauen. Es war ein grauer, stürmischer Tag.

»Dein Gesicht hat mir gefehlt«, sagte er. Ich wollte fragen, was los war, ich rätselte, ob er seine Entscheidung, bei Brenda zu bleiben, noch einmal überdacht hatte. Aber dann ermahnte ich mich, erwachsen zu werden. Falls ich mir wieder Hoffnungen machte, würde ich nur Schmerz ernten. Ich hoffte nur, er würde keinen Neubeginn unserer Affäre vorschlagen.

»Du bist sehr still«, sagte er.

»Ich weiß. Stört es dich?«

»Natürlich nicht«, sagte er. Und so fuhren wir lange Zeit

schweigend dahin, ließen die Wolken hinter uns, betrachteten die vorübergleitende Welt. Die gewöhnliche, ehrliche Welt, dachte ich, in der sich niemand vor den Augen der anderen verstecken muss. Ich wollte Teil dieser Welt sein, und ich würde auf keinen Fall wieder eine heimliche Beziehung zu Michael eingehen, sosehr ich ihn auch liebte.

Marblehead war kalt und stürmisch. Wir aßen auf einem Felsen über dem Meer. Das heißt, wie versuchten zu essen, aber keiner von uns schien kauen und schlucken zu können – wir waren zu nervös, uns der körperlichen Gegenwart des anderen zu intensiv bewusst. Wir saßen eng aneinander gelehnt, und irgendwann begann Michael, meine Hand zu streicheln, nur meine Hand, sonst nichts, und wir saßen schweigend da, das Gefühl unserer einander berührenden Hände hatte jedes Gespräch, jeden Gedanken zum Schweigen gebracht.

»Es ist schwer. Ich habe Schwierigkeiten, mein altes Leben wieder aufzunehmen«, sagte er irgendwann. »Das Leben scheint nicht real, wenn du nicht mit mir zusammen bist.«

Ich konnte nicht antworten, ich traute mich nicht, ihm zu sagen, wie sehr ich ihn vermisste, bevor ich nicht wusste, was er wollte.

»Bridget leidet seit dem Unfall unter Panikattacken. Sie läuft mir ständig hinterher.« Ich war überzeugt, dass er das nicht willkürlich erzählte. Ich wusste genau, was es bedeutete. Ich dachte an das letzte Mal, als wir zusammen auf einer Bank gesessen hatten, glücklich und zufrieden, während wir uns unsere gemeinsame

Zukunft ausmalen. O Gott, ich vermisste unsere Zukunft.

Ein Seevogel schwebte über unseren Köpfen und kreischte ein Mal, zwei Mal wie eine Gouvernante. Hah. Hah. In der Nähe schob eine schwangere junge Frau – sie konnte unmöglich älter als zwanzig sein – einen blonden Jungen in einem Sportwagen. Ich spürte Michaels Hand, seine Wärme, die mich vor der kalten, feuchten Welt schützte, und wusste – und dieses Wissen traf mich wie ein Schlag in den Magen –, dass er der richtige Mann gewesen war.

Als könnte er meine Gedanken lesen, sagte Michael: »Ich habe vor langer Zeit ein Versprechen gegeben, und meine Familie wurde darauf gegründet – ich versuche, es zu halten. Aber du sollst wissen, dass ich immer überzeugt sein werde, dass du und ich füreinander bestimmt waren. Ich wünschte bei Gott, ich hätte dich getroffen, bevor ich dieses Versprechen gab.«

Ich erinnerte ihn nicht daran, dass ich damals erst zehn gewesen war; ich wusste, was er meinte. Er streckte die Arme aus und zog mich eng an sich. Ich lag das erste Mal seit langer Zeit in seinen Armen, und alles, alles war noch da. Er sprach in meine Haare: »Ich muss diese Ehe aufrechterhalten, Norrie. Ich muss, besonders um Bridgets willen. Aber ich hatte das Bedürfnis, dir zu sagen, wie sehr ich dich liebe. Daran wird sich nie etwas ändern.«

Als er mich losließ, standen Tränen in seinen Augen, aber er senkte den Kopf, kniff sich in den Nasenrücken und wischte sie ab.

»Michael«, sagte ich, »nach dem heutigen Tag wird das alles noch schmerzhafter für uns werden. Alles kommt wieder hoch.« Meine Stimme schwankte, ich nicht.

»Ja, ich weiß. Es war eine blöde Idee. Ich wollte dich bitten, unsere Freundschaft aufrechtzuerhalten, aber jetzt weiß ich, dass es unmöglich ist. Ich kann dir nicht nahe sein, ohne mit dir ins Bett gehen zu wollen.« Wir schauten gleichzeitig auf die Wölbung seiner Hose, und er meinte: »Ein Mann zu sein ist die reine Hölle – wie kann man mit einem Schwanz seine Würde bewahren?« Wir lachten etwas gezwungen, dann sagte er: »Vielleicht kommen wir mit der Zeit über das Verlangen hinweg.« Ich betrachtete gerade wieder seine Jeans, als er hinzufügte: »Wem will ich eigentlich etwas vormachen?« Er seufzte. »Nun, ich vermute, uns bleibt das Telefon. Auf diese Weise verlieren wir uns nicht ganz.«

»Natürlich, wir können immer noch telefonieren. Aber manchmal möchte ich einfach nicht mir dir reden, verstehst du, Michael?«

»Glaubst du, das hätte ich nicht gemerkt? Es ist einer der Gründe, warum ich dich heute sehen wollte – wir müssen das klären.«

»Michael, das kann man nicht klären. Es ist einfach so. Ich liebe dich. Ich möchte an jedem einzelnen Tag meines Lebens mit dir schlafen. Wenn ich nicht zurückrufe, liegt es daran, dass ich mir diese Gefühle nicht leisten kann. Wenn ich dich nicht haben kann, will ich auch nicht so empfinden.«

»Ich hätte dich nicht bitten sollen, mich heute zu treffen.«

»Wahrscheinlich nicht«, stimmte ich zu. Ich würde nicht mehr lügen. Ich hatte genug gelogen.

Auf dem Boden in der Nähe lauerten etliche Möwen auf das Brot, das wir nicht essen konnten. Ich brach es in kleine Stücke und warf ihnen die Brocken zu, Michael tat dasselbe. Bevor wir wussten, wie uns geschah, saßen wir inmitten eines Schwarms von Möwen. Die junge Frau mit dem Baby ging hinter uns entlang, und der kleine Junge hob ein plumpes Händchen, zeigte auf die fressenden Vögel und rief: »Fol! Fol!«

»Vogel? Vogel? Warte, bis dein Daddy hört, dass du Vogel sagen kannst«, sagte das Mädchen stolz – eher zu uns als zu dem Baby, dachte ich.

»Fol«, rief das Kind auf dem ganzen Weg den Strand entlang, und ich sah, wie seine kleine Hand immer wieder auf die Möwen zeigte. Ich konnte meine Augen nicht von den beiden abwenden, bis sie außer Sicht waren. Dann drehte ich mich zu Michael und sagte: »Ich muss nach Hause, bitte.«

Ich träumte die ganze Nacht, wir würden uns lieben. Ich erwachte mehrmals, immer heiß und nass, als wärest du in mir gewesen. Seit langer Zeit hatte ich diese überwältigende Begierde nicht mehr verspürt, und es ist nicht gut, dass sie mich jetzt überkommt.

Kannst du begreifen, warum ich diese Sehnsucht vergessen, diese Gier meines Körpers auslöschen muss?

Warum hast du das getan? Warum bist du für einen Augenblick zu mir zurückgekehrt, obwohl du wusstest, dass du mich wieder verlassen musst? Als wir auf der Bank über dem Meer saßen, spürte ich deinen Körper an meiner Seite, spürte ihn schmerzhaft, so wie man Liebe oder Gefahr spürt.

Und nun bist du wieder in mir, so wie zuvor, aber du bist nicht mein. Es gibt nichts Schlimmeres, als mit der Gewissheit eines unerreichbaren Wunsches im eigenen Herzen zu leben, als besäße er ein Recht, dort zu sein.

Kapitel 19

Am nächsten Tag überschlugen sich die Ereignisse. Ich erwachte kurz vor neun vom Rattern und Hupen der Mülllaster und starrte zur Decke, versuchte herauszufinden, wo ich mich befand. Als ich meine Umgebung erkannte, erinnerte ich mich, warum ich bei Georgi war, und an all die Ereignisse, die dem vorausgegangen waren. Gott, was für eine Art, den Tag zu beginnen.

Nach dem Frühstück gingen Georgi und ich hinüber zum Larkin, und im Moment unseres Eintreffens tauchte auch Detective Burns auf. Sein Gesicht war ernst, beinahe zu ernst, als wäre er der Überbringer schlechter Nachrichten. Das war keine Übertreibung, wie sich noch herausstellen sollte.

Wir betraten zu dritt das Gebäude, und Burns ging direkt weiter zu Jane Colemans Büro. Er fragte Mimi nicht einmal, ob Jane schon da war. Vielleicht hatte er sich telefonisch angekündigt. Ungefähr fünfzehn Minuten später kamen Detective Burns und Jane Coleman zusammen heraus, und Jane bat Mimi, alle Stipendiatinnen innerhalb einer Stunde hier zu versammeln.

Um elf Uhr befanden sich alle Stipendiatinnen im Vorlesungssaal. Soweit ich sehen konnte, fehlte nur Clara Brava.

Detective Burns betrat das Podium. Neben mir begann Georgi nervös ihren Füller auf- und zuzuschrauben; als sie meinen Blick bemerkte, hörte sie auf.

»Guten Morgen, meine Damen«, sagte Burns und ließ seinen Blick über die Gesichter schweifen. »Im Fall Bhujander haben sich wichtige Veränderungen ergeben. Ich möchte Ihnen zuerst davon berichten, weil Sie am stärksten von diesem Fall betroffen sind, abgesehen – selbstverständlich – von der Familie Bhujander in Delhi, die wir bereits verständigt haben. Ich meinte, dass hier in den Staaten Sie am stärksten betroffen sind. Sobald ich meine Erklärung beendet habe, findet eine Pressekonferenz für die Lokalmedien statt.« Er verstummte und konzentrierte sich, als läge eine schwere Aufgabe vor ihm. »Lassen Sie mich mit dem Anfang beginnen«, sagte er, obwohl niemand versuchte, ihn von irgendetwas abzubringen.

»Vor einer Weile stellte sich heraus, dass Ms. Bhujander am Nachmittag vor ihrem Tod aus einer Telefonzelle vor dem Coop am Harvard Square mehrere Anrufe erhielt.« Ich erinnerte mich, wie besorgt Devi gewirkt hatte, als ich sie an diesem Abend im Fahrstuhl getroffen hatte. Ein eisiger Schauer durchfuhr mich. Ich spürte ihn in allen Gliedern. Irgendwie wusste ich, was als Nächstes kommen würde – beziehungsweise was *nicht*.

Burns fuhr fort: »Selbstverständlich ist es schwierig, in einer so belebten Gegend wie dem Harvard Square gute Fingerabdrücke in einer Telefonzelle zu sichern, aber wir haben dennoch einen vollständigen, deutlich erkennbaren Handabdruck. Wir konnten nachweisen, dass diese Fingerabdrücke Paul Monnard gehören, einem Franzosen, mit dem Ms. Bhujander befreundet war, als sie in London lebte.« Er räusperte sich. »Nun, das allein reicht nicht, um Mr. Monnard zu überführen, und ich würde es Ihnen nicht erzählen, wenn danach nicht die folgenden Ereignisse eingetreten wären. Unsere Ermittler entdeckten, dass Paul Monnard sich in der Nacht des Mordes in der Gegend von Boston aufgehalten hat – er war einen Tag vor dem Mord eingetroffen. Am Morgen nach dem Verbrechen nahm er einen Flug nach London und verschwand spurlos. Wir besaßen keinerlei Hinweise auf seinen Aufenthaltsort. Vor drei Tagen schließlich reiste er mit der Bahn zu seiner Familie nach Lyon. Dort haben wir ihn erwischt.

Wir stellten fest, dass er sich im Haus der Familie aufhielt. Seine Mutter sagte den Ermittlern, dass er in seinem alten Kinderzimmer wohnte. Mr. Monnard war zu dem Zeitpunkt, an dem unsere Leute gemeinsam mit der französischen Polizei eintrafen, außer Haus. Seine Mutter sagte aus, er sei auch in der Nacht davor nicht nach Hause gekommen, aber wir präsentierten einen Durchsuchungsbefehl, und unsere Jungs durchsuchten sein Zimmer.« Er räusperte sich. »In einem Klarinetten-Koffer in Paul Monnards Schlafzimmer entdeckten wir den in ein blutbeflecktes schwarzes T-Shirt eingewickelten Zopf von Ms. Bhujander.« Ein Aufstöhnen ging durch den Saal. Detective Burns hob die Hände wie ein Bischof, der den Segen sprechen will. »Es wurde keine Waffe gefunden. Wir müssen davon ausgehen, dass er sich ihrer entledigte, bevor er das Flugzeug nach London bestieg. Nun, wenn es zu einem Prozess kommen würde, dürfte ich das alles nicht weitergeben. Aber sehen Sie, wie sich herausstellte, hat Mr. Monnard sich das Leben genommen. Und er hinterließ einen Brief – eher ein Geständnis, dessen Inhalt aber nicht veröffentlicht werden wird. Unsere Leute fanden ihn tot in einem Stall auf dem Besitz seiner Eltern. Der Brief lag neben ihm, ein wenig verwischt vom Regen, aber leserlich.«

Im Saal herrschte Stille. Alle begriffen, dass Clara unschuldig war. Mir blieb die Luft weg, und dann schien es im gesamten Saal nicht genug Sauerstoff zu geben.

»Irgendwelche Fragen?«, erkundigte sich Burns, aber niemand sagte ein Wort. Welche Fragen hätte man stellen sollen? Eine ganze Menge, aber nicht ihm, sondern uns selbst. »Nun denn, ich danke Ihnen, meine Damen«, schloss er und verließ das Podium.

Während die Frauen aufstanden und zu zweit oder zu dritt den Saal verließen, stand Jane Coleman am Ausgang und tätschelte jede, die stehen blieb und sie ansprach. Dieses Verhalten sah ihr absolut nicht ähnlich, aber es war sowieso nichts mehr wie vorher. Ich kauerte noch immer auf meinem Stuhl neben Georgi, und der Gedanke an das, was ich Clara angetan hatte, ließ mich erstarren. Georgi sagte nichts.

Detective Burns kam auf mich zu. »Haben Sie einen Augenblick Zeit für mich?«

Ich nickte nur. Mein Kopf schwirrte. Georgi entschuldigte sich und ließ uns allein.

Burns berührte meine Schulter. »Alles in Ordnung?«

Ich nickte kläglich. Was hatte ich Clara angetan? Was

hatte ich getan? Ich sah sie vor mir, abwartend in dieser Tür stehend, kurz geschoren und bleich. *Und sie war ohne Schuld. Aufreizend, Wut auslösend, aber ohne Schuld. Sie hatte nichts verbrochen.*

Detective Burns setzte sich neben mich und begann, in seinem Beutel zu kramen. Ich blickte auf meine Hände, die ich wie ein Schulmädchen im Schoß gefaltet hatte. Aber ich war kein Schulmädchen, ich war eine erwachsene Frau, die das Leben einer anderen Frau zerstört hatte.

»Ich glaube, das gehört Ihnen«, sagte er. »Wir haben keinen Anlass, es zu behalten.« Er hielt Claras Notizbuch hoch.

»O Gott«, sagte ich. Ich schien meine Hand nicht danach ausstrecken zu können.

»Ich glaube, ich weiß, wie Sie sich im Moment fühlen«, sagte Burns. »Ich meine, Sie haben doch –«

»– damit angefangen«, beendete ich den Satz. »Ich bin diejenige, die glaubte, Devis Zopf in ihrer Wohnung gefunden zu haben. Ich bin diejenige, die Claras Leben im Larkin zerstört hat. Ich –«

Er unterbrach mich. »Ich glaube, Sie sollten das lesen«, sagte er.

»Sie meinen, das ist das Mindeste, was ich tun kann?«, fragte ich.

»Nein, nein, das habe ich nicht gesagt. Ich glaube nur, dass Sie sich ein wenig besser fühlen werden, wenn Sie es gelesen haben.«

»Besser? Na sicher.«

»Nein, wirklich. Nachdem ich es gelesen hatte, wurde

mir noch klarer, warum Sie sie überhaupt verdächtigt haben. Hätten wir das am Tag der Durchsuchung in ihrer Wohnung entdeckt, hätten wir sie verhaftet. Ich weiß nicht, wo sie es aufbewahrt hat.«

»Was wollen Sie damit sagen?« Ich schaute ihn verwirrt an.

»Ich meine, vielleicht hatte sie es bei ihren Unterlagen im Büro –«

»Nein – ich meine über den Inhalt.«

»Honora!«, sagte Detective Burns. Ich war erstaunt, er hatte mich noch nie mit meinem Vornamen angeredet. »Sie glaubte, dass Sie ihr gehörten.«

»Was?«

»Ehrlich. Ihre Mutter war Malerin, so wie Sie. Sie hieß ebenfalls Honora. Honora Brava. Clara war der Überzeugung, dass ihre Begegnung mit Ihnen eine Art Wiedergutmachung sein sollte, verstehen Sie? Als hätte man Sie als Ersatz für ihre Mutter zu ihr geschickt.« Sein Gesicht war sehr ernst, und er sprach mit großem Nachdruck, als wäre es von allergrößter Bedeutung, dass ich ihm zuhörte und ihn verstand.

»Ihre Mutter war Malerin? Aber Clara hasste …« Ich beendete den Satz nicht. Mein Gott. Ihre Mutter war Malerin. Eine Malerin mit Namen Honora B.

»Jetzt verstehen Sie, warum Sie es lesen sollten«, sagte Burns. »Aber etwas möchte ich noch hinzufügen – sie schrieb mehr als ein Mal, dass sie Devi Bhujander den Tod wünschte. ›Von der Erde verschwinden‹ ist, glaube ich, ein Ausdruck, den sie benutzte. Dieses Heft und Ihre Aussage wegen des Zopfes hätten gereicht, um sie anzuklagen, obwohl ich nicht sicher bin, dass es für eine Verurteilung gereicht hätte.«

»Aber sie hat es nicht getan«, schrie ich. »Darum geht es doch!«

»Richtig. Aber nachdem ich das hier gelesen und erkannt habe, wie besessen Clara von Ihnen ist und wie eifersüchtig sie auf Ms. Bhujander war, verstehe ich, wie Sie auf diesen Gedanken kommen konnten.« Ich wusste, dass er sich bemühte, meine Schuldgefühle zu lindern. Ich sah ihn an und lächelte, so gut es eben ging.

»Danke, Detective Burns. Ich weiß, was Sie zu tun versuchen.«

»Was?« Er hob seine großen Hände, als wollte er einen Angriff abwehren. »Nein, ehrlich, ich versuche gar nichts. Ehrenwort.«

»Natürlich«, sagte ich. Ich nahm das Notizbuch und schüttelte seine Hand. »Trotzdem danke.«

»Keine Ursache«, erwiderte er.

»Da ist nur noch eines«, begann ich zögernd.

»Ja«, sagte Burns, »worum geht's?«

»Ich muss wissen, was Paul Monnard geschrieben hat. Ich muss wissen, warum meine Freundin ermordet wurde.«

Burns holte tief Luft, straffte die Schultern und schaute hoch. Ich wusste, dass er es mir nicht sagen durfte. Ich hielt den Mund, während er mit sich kämpfte. Schließlich stieß er die Luft aus. Er schien eine Entscheidung getroffen zu haben.

»Okay«, sagte er. »Ich sage es Ihnen, aber Sie müssen versprechen, nicht darüber zu reden – mit niemandem, *verstanden*? Denn wenn Sie es tun, kann ich meine Koffer packen.«

»Ich verspreche es. Ich muss es nur wissen, damit ich … ich …«

»Damit *abschließen* kann?«, half er mir. Ich hasste dieses Wort, *abschließen*, aber er hatte in gewisser Weise Recht, deshalb nickte ich.

»Es war ein langer Brief an seine Familie. Die persönlichen Einzelheiten müssen Sie nicht wissen. Aber als er über Devi Bhujander schrieb, schien es, als sei der Brief direkt an sie gerichtet. An den Satz ›Ich kann ohne dich nicht leben‹ erinnere ich mich und daran, dass er schrieb, sie hätte ihn mit ihrer Zurückweisung ›zerstört‹. Er konnte die Vorstellung, sie könnte sich mit einem anderen Mann einlassen,¦ nicht ertragen, und schildert, wie seine Eifersucht zu ›Wut‹ wurde, auch wenn alles, was ›sie in der Zukunft tun mochte‹, nur in seiner Einbildung existierte. Und dann schrieb er etwas wie ›aber nun stelle ich fest, dass ich in einer Welt, in der du nicht lebst, auch nicht leben kann‹. Es war wesentlich poetischer, als ich es wiedergebe. Außerdem war der Brief in Französisch, wir mussten eine Übersetzerin holen. Aber ungefähr das schrieb er über Ihre Freundin. Für mich klang es so, als hätte er sie wirklich geliebt.«

»Wie können Sie das behaupten? Er hat sie ermordet. Grausam. Der absolute Overkill, erinnern Sie sich?«

»Ja, dem stimme ich zu. *Selbstverständlich*. Ich glaube, in dem Brief stand etwas über die ›Macht des Verlangens‹, er verstand nicht, wie dieses Verlangen zu Hass werden konnte, wenn man es zurückwies, etwas in der

Art. Schauen Sie, ich behaupte ja gar nicht, dass der Typ noch alle Tassen im Schrank hatte, aber alle Leute, mit denen unsere Jungs gesprochen haben, schildern ihn als sehr klug und ernsthaft und sagen, dass er ein anständiger Charakter war. Ein beliebter Mann, aber kein Salonlöwe – sehr interessiert, blieb dennoch viel für sich. Aber niemand sagte ein schlechtes Wort über ihn. Deshalb kann ich nur annehmen, dass etwas bei ihm aussetzte, als er sie nicht mehr haben konnte.« Er zuckte die Schultern. »Ich weiß nicht, wie ich das erklären soll.«

»Danke, dass Sie mir von dem Brief erzählt haben.« Ich war wirklich dankbar. Ich glaube, nichts zu wissen hätte ich nicht ertragen können.

»He, kein Problem. Hören Sie, ich schaue gelegentlich mal vorbei, um zu sehen, wie es Ihnen geht.«

Ich wusste nicht, was ich sagen sollte. War das jetzt privat oder beruflich? Ich glaubte, es zu wissen, aber ich wollte seine Gefühle nicht verletzen. Das konnte ich später regeln.

Georgi hatte draußen auf mich gewartet, und wir verließen schweigend das Larkin.

Zu Hause fanden wir eine Nachricht von Wendy vor. Voller Angst vor dem, was sie mir zu sagen hatte, wählte ich die Nummer.

Lin-le war am Telefon. Als sie hörte, wer dran war, wurde sie nervös. »Oh, oh«, sagte sie. »Moment, ich hole sie. Bitte warten Sie, ich beeile mich.«

»O Gott, es ist mir so peinlich«, sagte Wendy, ohne sich mit einer Begrüßung aufzuhalten. »Hör mal, ich muss dir alles von Anfang an erzählen. Vor ungefähr drei Monaten ließ eine sehr gute Kundin ein Ölporträt ihrer Tochter bei mir rahmen. Sie hatte es selbst gemalt, nach einem Foto ihrer Tochter im Alter von dreizehn. Die Tochter wird jetzt fünfunddreißig, und das Ganze sollte ein Geburtstagsgeschenk sein. Ich weiß, du fragst dich, worauf ich hinauswill, aber gedulde dich noch einen Moment.

Die Mutter teilte mir mit, dass ihre Tochter verzierte Rahmen scheußlich findet. Ihre Tochter sei unglaublich minimalistisch. Deshalb habe ich ihr den gleichen Rahmen empfohlen, den du auch bestellt hattest. Die Frau bat mich, das Bild nach Nebraska zu schicken, sobald es fertig gerahmt war. Und als es dann endlich so weit war, hat die arme Lin-le das falsche Bild eingepackt.«

»Mein Gott«, sagte ich.

»Genau. Und das war es dann. Die Tochter nahm einfach an, es sei ein Geburtstagsgeschenk, und hat sich bei ihrer Mutter am Telefon für das erstaunliche Bild bedankt. Die Mutter war stolz, dass ihrer Tochter das von ihr selbst gemalte Bild so gut gefiel, und das Leben ging weiter. Aber jetzt habe ich das Bild der Frau schön gerahmt im Lagerraum gefunden, und das kam mir seltsam vor. Ich habe mit Lin-le gesprochen, und wir hatten das Rätsel schnell gelöst. Ich rief meine Kundin an, und die ihre Tochter und … nun, um es kurz zu machen, dein Bild ist auf dem Weg zurück, und das Bild für die Tochter ist auf dem Weg nach Nebraska.«

»Ich bin erschüttert«, sagte ich. »Natürlich bin ich erleichtert, aber ich bin wirklich erschüttert.«

»Nun, das verstehe ich, Es tut mir so Leid, dass du das

erleben musstest. Aber das Bild ist in gutem Zustand. Und Lin-le entschuldigt sich tausend Mal.«

»Sag ihr, Hauptsache, es ist gut gegangen, alles andere ist unwichtig.«

Nachdem ich aufgelegt hatte, erzählte ich Georgi die Geschichte. Danach ging ich, ohne ihre Reaktion abzuwarten, direkt in mein Zimmer. Sie kannte mich gut genug, um mich in Ruhe zu lassen.

Ich wickelte mich in sämtliche Decken, mir war unerklärlich kalt. Lange Zeit lag ich wie eine Mumie da, aber irgendwann akzeptierte ich die Tatsache, dass ich nicht einschlafen würde, und setzte mich auf, schaltete das Licht an und begann, Claras Tagebuch zu lesen. Ich konnte es genauso gut hinter mich bringen, dachte ich. Ich würde es als eine Art Buße ansehen.

Der erste Eintrag datierte kurz nach dem Beginn des Larkin-Jahres. Es war mir zuvor nicht aufgefallen, aber nun fand ich es seltsam, dass Clara es in Englisch geführt hatte und nicht in ihrer Muttersprache Spanisch, als wäre es von Anfang an für fremde Augen bestimmt gewesen – meine vermutlich, wie man aus ihrem kürzlichen Auftreten schließen konnte. Hatte sie es mir zeigen wollen? Oder hatte sie Englisch benutzt, um für Veröffentlichungen in den Vereinigten Staaten zu üben?

Auf der ersten Seite klagte Clara darüber, wie das Prozac, das ihr von einem Psychiater verschrieben worden war, ihr die »intellektuelle Schärfe« nahm. Ich erinnerte mich an das halb volle Fläschchen in ihrem Medizinschrank. Sie schrieb weiter, dass sie es absetzten musste,

»um mit den anderen Frauen am Larkin Schritt halten zu können«.

Der Rest des Eintrags war eine lange bittere Abrechnung mit ihrer Mutter. Und hier fand ich auch die Information, die Detective Burns mir gegeben hatte. Claras Mutter, Honora Brava, war Malerin gewesen. Warum hatte Clara mir nie davon erzählt? Sie hatte sogar behauptet, außer mir noch nie einen Maler kennen gelernt zu haben. Ich hätte schon damals wissen müssen, wie unwahrscheinlich das war. Immerhin arbeitete Clara als Journalistin in einer großen Stadt.

Clara hatte begeistert den Abend geschildert, an dem wir uns kennen lernten, es war erst der zweite Eintrag im Tagebuch. »Eine Künstlerin mit Namen Honora B.«, schrieb sie. »Das kann kein Zufall sein. Nach so vielen Enttäuschungen und den Verlusten in meinem Leben ist das eindeutig die karmische Entschädigung, auf die ich schon so lange warte. Ich darf darauf hoffen, dass Honora Blume mich für den Rest meines irdischen Wegs begleitet. Endlich habe ich wieder eine Familie. Ich bin nicht länger allein.« Ich schauderte, während ich las. Sie hatte so geschrieben, als ob sie einen Anspruch auf mich hätte. Plötzlich begriff ich, warum Clara sich so fordernd gab, so viele Erwartungen an mich stellte, und auch, warum sie sich so bitter gegen ihre Mutter gewandt, so häufig schneidende Kommentare über die Künste abgegeben hatte.

»Meine Mutter interessierte sich nach dem Tod von Papa nur noch für ihre Kunst. Tag für Tag, Jahr für Jahr vergrub sie sich unter Gemälden, als ob sie nur hier

Trost finden konnte. Sie schloss ihre Tür und malte stundenlang, und ich stand davor, ein kleines Mädchen, das Angst hatte, anzuklopfen, Angst hatte, sie aufzuregen. Manchmal klopfte ich trotzdem, und dann schickte sie mich zu meiner Großmutter. Sie schien nicht zu begreifen, dass ich *sie* brauchte.« Ich dachte an meine eigene verschlossene Tür und daran, wie Clara geklopft hatte, überzeugt, ich müsse für sie da sein, um sie für die schmerzliche Zurückweisung durch ihre Mutter zu entschädigen.

Zunächst hatte sie geradezu lyrische Lobeshymnen auf Devi verfasst, bezeichnete sie als »eine universelle literarische Heldin« und als »so schön, dass es das Herz angreift«. Ich dachte wieder an den Japaner, der den Tempel niederbrannte, weil er dessen Schönheit nicht ertragen konnte. Das Tagebuch berichtete von Claras wachsender Abneigung gegen Devi und ihrem Verdacht, wir könnten mehr als nur Freundinnen sein. »Das ist nicht richtig«, schrieb sie. »Mir ist der Segen dieser Freundschaft zuteil geworden, diese Chance auf eine zweite Familie, und jetzt kommt diese indische Dichterin und versucht, mir alles wegzunehmen. Das werde ich nicht zulassen.« Burns hatte Recht gehabt, die Andeutungen wurden immer zweideutiger und hässlicher.

»Ich wünschte, sie würde von der Erde verschwinden«, hatte Clara geschrieben. »Mir hat man schon genug genommen, und es ist nicht richtig, wenn sie mir etwas wegnimmt. Sie hat doch bereits alles – Schönheit, Ruhm, Erfolg, Familie. Sie braucht Honora nicht. Ich schon. Es ist kein Zufall, dass Honora direkt neben mir wohnt.

Das Schicksal hat mir eine Botschaft gesandt, und als ich ihren Namen hörte und erfuhr, dass sie Malerin ist, konnte ich die Botschaft entziffern. Ich habe zu viel verloren. Sie werde ich nicht auch noch verlieren.«

Und endlich erfuhr ich auch alles über den Zopf. »Ich schäme mich so«, hatte Clara geschrieben. »Ich habe mich so weit erniedrigt, einen künstlichen Zopf zu kaufen, nachdem ich Norries Porträt von Devi gesehen habe. Das Bedürfnis, Norrie zu zeigen, dass auch ich es wert bin, gemalt zu werden, hat mich überwältigt. Aber nun, wo sie mich pflegt, erkenne ich, dass Norrie etwas an mir liegt. Ich erröte vor Scham, wenn ich an meine Versuche denke, wie Devi zu sein. Als ich wusste, dass Norrie kommen wird, habe ich einen Sack voll Müll im Schrank versteckt, damit meine Wohnung ordentlich aussieht. Und als ich heute den Schrank öffnete und den Verwesungsgeruch einatmete, dachte ich, wie passend das war – meine frühere Unsicherheit, symbolisiert durch mein Verlangen nach dem Zopf: verrottet. Ich nahm den Zopf und stopfte ihn in den Müllsack, und morgen werde ich ihn in die Tonne werfen, damit ich ihn nie wieder ansehen und mich an meine frühere Verzweiflung erinnern muss. In den Müll, alberner Zopf. Dort gehörst du hin.«

Demnach lag der Zopf in einem Müllbeutel auf einer Müllhalde – zwischen Tausenden und Abertausenden gleicher Beutel.

Es war interessant, dachte ich, dass Clara mit dem Zopf nur ihre eigene Demütigung, aber nicht den Mord an Devi assoziierte. Angesichts des gesamten Tagebuchs

allerdings doch nicht so merkwürdig, denn als ich wei-
terlas wurde immer deutlicher, dass Clara sich selbst als
den Mittelpunkt aller Dinge betrachtete. Sogar Devis
Tod drehte sich nur um Clara. »Ich weiß einfach, dass
dies die Strafe für meinen Versuch ist, die Liebe eines
Menschen zu gewinnen. Wann immer ich mir gestatte
zu lieben, werde ich zu Boden gestoßen. Nun soll ich
Schuld empfinden, weil ich am Leben bin und sie tot ist
und weil ich Norrie ganz für mich allein habe, sie nicht
länger mit Devi Bhujander teilen muss.«

Irgendwann schlief ich ein, das Tagebuch auf dem Bauch.
Als ich am nächsten Morgen erwachte, war es zu Boden
geglitten. In der Küche, wo ich mir Orangensaft holte, lag
eine Notiz von Georgi. Sie war zum Larkin gegangen
und würde mich dort treffen, falls ich beschloss zu kommen. »Ich weiß nicht, welche Befürchtungen du hegst,
deshalb bleib ruhig zu Hause, wenn dir danach ist.«

Plötzlich fiel mir ein, dass ich meinen Anrufbeantworter
gestern Abend nicht mehr abgehört hatte. Ich lief zum
Telefon und wählte meine Nummer. Ich lauschte den
Nachrichten der üblichen Anrufer – Michael, Liz, Mutter – und stellte dann überrascht fest, dass Clara mir
etwas aufs Band gesprochen hatte.

»Ich fliege heim, Norrie«, sagte sie. »Die Polizei *erlaubt*
mir jetzt, das Land zu verlassen. Bevor ich fahre, wollte
ich dir sagen, dass ich immer nur dich geliebt habe. Ich
vergebe dir, was du über mich gedacht hast.«

Es war ganz offensichtlich, was ich zu tun hatte. Ich rief
Clara umgehend an – ich kannte ihre Nummer noch immer auswendig, zumindest mein Finger. Ich musste sie

um Verzeihung bitten, bevor sie abreiste, sie vielleicht sogar überreden, ihr Larkin-Jahr nicht vorzeitig abzubrechen. Das Telefon klingelte und klingelte, aber nicht einmal der Anrufbeantworter sprang an.

Auf dem Weg nach draußen schnappte ich mir meinen Anorak und machte mich auf den Weg zur Brattle Street. Plötzlich wurde mir klar, dass kein Mörder mehr die Straßen unsicher machte. Cambridge war wieder harmlos. Ich versuchte, nicht auf den Fleck zu schauen, wo Devi gestorben war, während ich den Hof überquerte. Dies eine Mal schuldete ich Clara meine gesamte Aufmerksamkeit, denn unvollkommen, wie sie war, aufreizend, sogar hassenswert wie in ihrem Tagebuch, hatte sie dennoch diese schreckliche Tat nicht begangen, deren ich sie beschuldigt hatte, und ich schuldete ihr eine von Herzen kommende Bitte um Vergebung.

Ich klopfte an ihre Tür, klopfte, klopfte. Keine Reaktion. Dann ging ich in meine Wohnung und rief Jane Coleman an. Vielleicht hatte sie etwas von Clara gehört.

»Clara befindet sich auf dem Weg nach Chile«, sagte Jane nüchtern. »Sie hat mich heute Morgen vom Flughafen aus angerufen und mir mitgeteilt, dass sie in einer halben Stunde nach Santiago abfliegen würde. Sie hatte schon vor Tagen gepackt, in der Hoffnung, die Vereinigten Staaten endlich verlassen zu dürfen.«

»O mein Gott«, sagte ich. »Es ist alles meine Schuld.«

»Das ist nicht wahr«, widersprach Jane. »Du hast die Dinge ins Rollen gebracht, aber ich war bei dir, als wir Clara beschuldigt haben. Ich habe auch geglaubt, sie hätte es getan, Honora, auf Grund der Diskrepanz zwischen ihren Antworten und ihrem labilen emotionalen Zustand bei der Befragung. Viele Larkies waren schon vorher in meinem Büro und haben mir von Claras seltsamem Verhalten berichtet. Du kannst nicht dir allein die Schuld geben.«

»Aber wie können wir es wieder gutmachen? Kann sie noch einmal ein Larkin-Stipendium bekommen?«

»Ich bezweifle, dass sie das möchte«, meine Jane. »Das Letzte, was sie zu mir sagte, war, dass sie Cambridge nie wiedersehen will.«

»Aber ich muss einen Weg finden, es wieder gutzumachen«, insistierte ich.

»Steiger dich da nicht rein, Honora. Das ist ungesund. Und auf gewisse Weise – du entschuldigst, dass ich das sage – ist es auch selbstsüchtig. Du willst etwas tun, damit du dich besser fühlst.«

Ich war verletzt. Aber selbst wenn sie mit dem typischen Gleichmut der Angehörigen der Oberschicht Recht hatte, spürte ich, dass ich es Clara schuldig war. Ich musste ihr irgendwie zurückgeben, was ich ihr genommen hatte. Aber ich würde nicht darüber reden. Darüber zu sprechen – das war selbstsüchtig.

Als ich die Wohnung verließ, sah ich zwei Männer, die das bunte Schlafsofa aus Claras Wohnung trugen, als ob es so viel wiegen würde wie ein normales Möbelstück dieser Größe. Ich hätte ihnen gern gesagt, dass Clara es ganz allein einen Block weit hierher getragen hatte. Als ich unten ankam, luden sie es auf einen Laster der Heilsarmee, zusammen mit den Regalen aus Kunststoff. Ich stand dort und sah zu, wie der Laster davonfuhr.

In den Tagen, die folgten, quälte mich die Schuld, ebenso wie Gespenster. Zurück in meiner Wohnung, igelte ich mich mehr und mehr ein.

Michael hatte jeden Tag angerufen; er machte sich große Sorgen, aber ich weigerte mich, ihn zu treffen – er war nur ein weiterer Verlust, ein weiterer Schmerz. Eines Tages erschien er ohne Vorankündigung und klingelte unten an der Haustür. Ich war nicht sicher, ob ich es aushalten konnte, ihn zu sehen, aber er hatte den weiten Weg gemacht, deshalb ließ ich ihn ein.

Zuerst sprachen wir beide kein einziges Wort; wir sahen einander nur lange Zeit ins Gesicht. Dann machte Michael einen Schritt auf mich zu und zog mich in seine Arme. So standen wir eine Weile, direkt im Flur.

»O Gott«, sagte er. »Ich hasse es, von dir getrennt zu sein.« Er küsste mich – zuerst sanft, dann immer drängender. Ich ließ es zu. Meine Willenskraft hatte mich plötzlich verlassen. »Ich fühle mich wie ein Roboter«, sagte er. »Ich gehe durch den Tag, und niemand merkt, dass er mit einem mechanischen Abbild meiner selbst spricht.«

Wir hielten uns in den Armen und küssten uns, bis ich ganz schwach vor Verlangen war. Mit Michael zusammen entstand immer Verlangen, selbst jetzt, obwohl ich geglaubt hatte, all meine Empfindungen wären abgestorben. Aber ich wusste, dass wir aufhören mussten. Ich wusste es, weil Michaels Leben ohne mich weiterlief. Bridgets Cousine Deirdre verbrachte den Sommer bei ihr, weil Michael und Brenda überzeugt waren, dass sie Gesellschaft brauchte. Michael trainierte das Softballteam der Mädchen, und Deirdre war ebenfalls in der Mannschaft, weshalb Bridget sich überreden ließ, weiterzumachen, obwohl sie nach dem Unfall geschworen hatte, niemals wieder zu spielen. Finn hatte sich entschlossen, das Versteckspiel aufzugeben, und seinen klugen entzückenden neuen Freund Xavier zu Hause vorgestellt. Ich wusste, dass Michael seinen Entschluss, bei Brenda zu bleiben, nicht ändern würde, und deshalb konnte ich nicht mit ihm ins Bett gehen. In seiner Umarmung spürte ich, wie erregt er war, spürte, wie meine Haut auf seine Hände reagierte, die über meinen Körper glitten. Gott, ich begehrte ihn.

»Warte – ich kann nicht«, sagte ich, als er mich zum Schlafzimmer drängte. »Michael, ich kann nicht. Alles hat sich geändert.«

»Wir lieben uns genauso wie vorher«, wandte er ein, dann seufzte er resigniert. »O ich weiß, wir dürfen nicht miteinander schlafen, weil es in unseren wirklichen Leben nichts mehr bedeutet.« Ich wusste, wie er es meinte, aber so wie er es sagte, verletzte es mich trotzdem. Sosehr ich ihn auch begehrte, ich war froh, Nein gesagt zu haben. *Wenn es in unseren wirklichen Leben nichts mehr bedeutet.*

Nachdem er gegangen war, stand ich im Eingang und starrte in den leeren Flur und dachte an all die Male, da ich mir Sorgen gemacht hatte, dass Clara Michael beim Verlassen meiner Wohnung sehen könnte. Nun war sie fort. Michael war fort. Alle waren fort. Ich schloss meine Tür gegen die Leere.

Noch schlimmer als die Träume ist jetzt die Leere, so real, dass sie Raum beansprucht. Devi und Ida – ich werde ihre Gesichter nie wieder sehen, außer in meiner Vorstellung und, unvollkommen, auf den Gemälden. Die Erinnerung an Devi wird von dem bitteren Gefühl der Verschwendung begleitet – die Verschwendung eines jungen Lebens, einer seltenen strahlenden Begabung, der es nicht erlaubt worden war, ihre Verheißung einzulösen.

Claras Gesicht birgt größere Probleme, wenn es in meinen Erinnerungen oder Träumen auftaucht. Die Schuldgefühle, die ihr Bild beschwört, sind gemischt mit einer Art Ekel, den ich nicht aus meinem Herzen tilgen kann.

Aber Devis Philosophie des Schenkens – dass der wahre Zweck eines Geschenks die Inspiration zum Schenken ist – scheint mir die Antwort auf meine Schuldgefühle gegenüber Clara eröffnet zu haben. Ich weiß, was ich unternehmen muss, und ich habe die Lösung des Problems Devi zu verdanken – und natürlich Ida.

Ich werde es tun und es niemandem sagen – vor allem nicht Clara.

Devis Stimme – ich höre sie ganz deutlich in meinem Kopf: Und das wird mir Geschenk genug sein, Norrie, weil es meinen Namen im Himmel erklingen lässt!

Kapitel 20

Am nächsten Morgen erwachte ich nach unruhigem Schlaf in einer Art Nebel, der mir ebenso real erschien wie nur irgendein Nebel, durch den ich jemals die Pazifikküste entlanggefahren war. Ich konnte kaum den Kopf vom Kissen heben, es war ein Akt reiner Willenskraft, ins Bad zu gehen. Dann schwankte ich zurück ins Bett und rollte mich wieder zusammen, ohne Energie, Hoffnung, Neugier. Diese Depression hatte sich seit Wochen angekündigt. Ich hatte mir schließlich gestattet, mich über den Rand gleiten und von der Leere überwältigen zu lassen. Nun war es, als sei ich nicht mehr anwesend, um Zeuge meines eigenen Lebens zu sein.

Ich blieb zwei oder drei Tage ununterbrochen im Bett. Ich hatte jedes Zeitgefühl verloren. Aber ich bin sicher, dass ich nicht ein Mal einschlief. Ich konnte es nicht, meine Träume waren zu beängstigend. Ich sah Devi vor mir, die die Brattle Street hinunterlief, wo eine schattenhafte Gestalt auf sie lauerte. Manchmal, selbst jetzt noch, war es Clara. In anderen Nächten träumte ich, ich sei wach, und die Gestalten der Toten kämen mit ausgestreckten Händen quer durch mein Schlafzimmer auf mich zu. Eines Nachts träumte ich, ich hätte Clara getötet, und ihr Blut tropfe von meinen Händen.

In meinen wachen Stunden dachte ich oft an meine Mutter, die vor langer Zeit verlassen worden war, und wie ich sie dafür verurteilt hatte, so zu fühlen wie ich jetzt.

Das verlorene Porträt von Devi war von FedEx geliefert worden, aber ich hatte es noch nicht geöffnet. In meiner Verfassung hätte ich den Anblick nicht ertragen.

Einmal besuchte mich Georgi, aber ich sagte ihr, ich müsste einige Wochen allein sein. Liz hätte das niemals so willig wie Georgi akzeptiert, dachte ich, und obwohl ich es zu schätzen wusste, fühlte ich mich von ihrer Bereitschaft zu gehen im Stich gelassen. Was stimmte nicht mit mir? War ich denn niemals zufrieden? Verlor ich den Verstand?

Ich fragte mich, wie der Tod sein mochte – und jedes Mal, wenn ich an ihn dachte, schien er mir eine Erlösung, machte mir aber gleichzeitig Angst. Nichts in meinem Verstand ergab noch irgendeinen Sinn.

Nach einer Weile hörte ich auf, meine Anrufe zu filtern. Ich ging einfach nicht mehr ans Telefon, wenn es klingelte. Das Band meines Anrufbeantworters war voll, ich unternahm nichts dagegen, löschte nichts, so konnte mir wenigstens niemand mehr eine Nachricht hinterlassen. Ich wollte sowieso nichts hören.

Ich trank Wasser, hatte aber keinen Appetit. Manchmal schaltete ich den Fernseher ein, obwohl ich mich später an nichts erinnern konnte. Ich mied lediglich die Nachrichten, und ich hörte auf, meine Zeitung und die Post von unten heraufzuholen.

Drei Tage vergingen, und ich spürte, wie ich schwächer

wurde. Michael kam einmal vorbei, und ich ging zur Gegensprechanlage, damit er wusste, dass ich noch lebte, aber ich ließ ihn nicht herein.

Ich meldete mich bei Mutter, redete aber nicht lange mit ihr. Ich versicherte ihr, dass es mir gut ginge, damit sie mich in Ruhe ließ.

Immer wenn ich zum Pinkeln aufstand – ich musste selten –, schreckte ich vor meinem Spiegelbild zurück. Meine Haut sah aus wie Grießpudding, und ich hatte dunkle Schatten unter den Augen.

Dann, am Sonntag, tauchte ohne Vorwarnung Liz bei mir auf. Sie hatte sich Sorgen gemacht und schließlich Michael angerufen – nicht zu fassen –, und er hatte ihr von meinem Besorgnis erregenden Zustand berichtet. Ich fragte mich, woher er das wusste, aber dann dachte ich, natürlich, Michael und ich wussten immer, wie es dem anderen ging.

Liz hatte den ersten Flieger nach Boston genommen und traf am frühen Nachmittag ein. Ich stand in einem alten Jogginganzug, barfuß, mit wirrem Haar und abgezehrtem Gesicht im Flur, als ihre Stimme aus der Gegensprechanlage ertönte. Ich bin eine große Frau und hatte noch nie viel Fleisch auf den Rippen – abgesehen von meinem Arsch –, und ich schien in den letzten Wochen sehr viel abgenommen zu haben. Hätte ich eine Waage besessen, hätte ich mir selbst vermutlich eine Heidenangst eingejagt; nun befürchtete ich, Liz mit meiner Erscheinung eine Heidenangst einzujagen.

»Was?«, sagte ich in die Gegensprechanlage.

»Bitte? Was meinst du mit *was*?«, sagte Liz. »Ich komme den ganzen Weg von San Francisco, und außer ›was‹ fällt dir nichts dazu ein?«

»Es tut mir Leid«, versicherte ich der Anlage.

»Glaubst du eigentlich, dass wir uns die nächsten Tage nur durch dieses Ding unterhalten, während ich hier unten meine Zelte aufschlage, und dann fliege ich wieder nach Hause? Dann hätte ich nämlich auch dort bleiben und dich anrufen können. Wenn du ans Telefon gehen würdest.«

»Okay«, sagte ich und drückte den Summer. Als sie mich sah, starrte sie mich nicht an, noch gab sie mir das Gefühl, ein Zombie oder ein Freak zu sein, wie ich befürchtet hatte.

»In Ordnung, was ist los, Süße?«, fragte sie und nahm mich in die Arme. »Ach Schätzchen, ich kann kaum fassen, was du durchgemacht hast.«

»Ich glaube, ich habe eine Art Nervenzusammenbruch«, teilte ich ihr mit, das Gesicht gegen ihre Jacke gedrückt.

»Ohne Scheiß, Sherlock.« Sie führte mich zum Bett und zwang mich zum Sitzen, indem sie mich an den Schultern nach unten drückte. »Warum hast du nicht zurückgerufen?«, fragte sie. »Ich habe dich mindestens vierzig Mal angerufen und Nachrichten hinterlassen, bis dein Anrufbeantworter voll war.«

»Ich habe die Klingel abgestellt«, erwiderte ich, »ich wusste nicht, dass du es warst. Aber ich hätte dich sowieso nicht zurückgerufen.«

»Na toll«, meinte sie und musterte meinen Anrufbeantworter. »Hast du gemerkt, dass das Band voll ist?«

»Nein, äh, ja.«

»Ja, hast du.«

Ich zuckte die Schultern.

»Ich werde das Telefon wieder anschließen«, sagte sie. »Jetzt gleich.«

Dann befahl sie mir, im Wohnzimmer zu warten, während sie die Nachrichten abhörte und Notizen machte. Liz war klug; sie verstand Dinge oft, ohne dass man etwas erklären musste. »Wir rufen sie später zurück«, meinte sie. »Wenigstens deine Bekannten. Es waren auch ein paar Reporter dabei – der vom *Herald* ist wirklich hartnäckig, nicht?«

Dann setzte sie sich zu mir und brachte mich dazu, ihr alles zu erzählen. Alles. Ich sprach über Devis Tod, über Michael, ich berichtete, wie Ida gestorben war, wie ich Clara Unrecht getan hatte (»Himmel, jeder hat gedacht, dass sie es gewesen ist«, sagte Liz), und endete mit der Tatsache, dass mein Vortrag und die Präsentation nächsten Mittwoch – in vier Tagen – stattfanden und ich nicht nur den Hunger-Zyklus nicht fertig gestellt hatte, sondern, schlimmer noch, nicht die geringste Idee hatte, was ich vortragen sollte.

»Ich bin aufgeschmissen«, versicherte ich Liz.

Sie ließ sich die Bilder zeigen, auch das von Devi, das ich erst bei dieser Gelegenheit mit zusammengepressten Lippen auspackte, um nicht in Tränen auszubrechen. Ich war erschüttert, Devi nach so langer Zeit wieder knien zu sehen, den roten Umhang an sich gepresst, die wundervolle Haut erfüllt von einem inneren Licht. Als ich es neben die anderen beiden Porträts von Devi stellte, betrachtete Liz sie lange Zeit, und ich sah Tränen in ihren Augen.

»Es ist so traurig«, sagte sie, ein wenig verlegen wegen ihrer Tränen – Liz glaubte gern, dass sie niemals weinte. »Aber sie sind erstaunlich«, fügte sie hinzu. Dann betrachtete sie die beiden von Ida. »Was für eine Kraft! Das könnten die besten Bilder deines Lebens sein.«

Das glaubte ich nicht. Ich hatte den Eindruck, dass sie als Zyklus nicht funktionierten, und ich konnte ihren Anblick kaum ertragen. Alle Gemälde, auch die von mir, zeigten Tote. Ich machte den Fehler, das auch zu Liz zu sagen. Sie schüttelte mich und starrte mich dann an.

»Hör auf!«, befahl sie. »Du hörst sofort damit auf!« In ihren Augen standen wieder Tränen, also entschuldigte ich mich bei ihr und behauptete, ich hätte es nicht so gemeint. Schon wieder eine Lüge. In Wahrheit sah ich mich so. Ich war eine tote Frau.

Liz blieb bei mir. Sie ließ mich nicht aus den Augen. Sie kochte für mich, steckte mich in die Badewanne und schlief nachts mit in meinem Bett. (Deswegen das Bad, informierte sie mich.) In der ersten Nacht lag ich wie immer schlaflos da, ich hatte Angst. Ich weinte, und Liz hielt und streichelte mich. Zuerst weinte ich noch heftiger, aber nach einer Weile beruhigte ich mich. Kurz vor der Dämmerung schlief ich sogar ein; aber nach einiger Zeit erwachte ich schweißgebadet. Liz stand neben dem Bett und starrte mich erschrocken an. Es begann gerade heller zu werden.

»Mein Gott«, sagte sie. »Was war das? Du hast im Schlaf geschrien.«

Ich erzählte ihr von den Träumen. Ich hatte sie bisher als Einziges noch nicht erwähnt.

»Das sind keine Träume, Schätzchen, das sind beschissene Quentin-Tarrantino-Filme. Was unternehmen wir jetzt dagegen?« Ich antwortete nicht, und sie wartete auch nicht ab. Sie ging zu meinem CD-Regal und entdeckte *Aretha Sings the Blues*.

»O bitte«, flehte ich. »Nur *das* nicht, nicht jetzt – bist du wahnsinnig?«

»Klar«, sagt sie. »Das ist allgemein bekannt. Ich glaube, du musst dich dem einfach stellen. Und Arethas Blues wird dich an Michael erinnern – an jemanden, der *lebt*. Irgendwie zumindest, auch wenn er ein Versager und ein Stinktier ist.«

»Ist er nicht«, sagte ich.

»Wie du meinst«, erwiderte sie, und im nächsten Moment erklang Arethas *I'm still drinking*. Irgendwie kam mir das lustig vor, und ich lachte ein bisschen. Es war einfach so *abgedreht*. »Braves Mädchen«, lobte Liz, und dann ging sie hin und zog eine frische Leinwand aus dem Stapel an der Wand.

»Okay«, sagte sie. »Ich bin der Papst, und du bist Michelangelo, du liegst in der Sixtinischen Kapelle auf dem Rücken und malst. Also … male. Wenn du nicht schlafen kannst, kannst du genauso gut arbeiten.«

»Ich kann nicht, Liz«, sagte ich. »Ich kann einfach nicht.«

»Gut, dann erzähl mir, wovon dein letztes Gemälde handelte.« Das war typisch Schriftsteller, dachte ich, zu fragen, wovon ein Bild *handelte*.

Ich seufzte tief und zuckte die Schultern, hob die Arme hoch, ließ den Kopf sinken und vergrub mein Gesicht in den Händen. Ich kam mir vor, als mimte ich einen Psychopathen.

»Komm schon, Norrie«, mahnte Liz. »Ich versuche gerade, dir das Leben zu retten.«

»Nein, danke«, erwiderte ich.

Sie schlug mir hart auf die Schulter.

»Beim nächsten Mal ist es dein Gesicht«, warnte sie, aber sie klang nicht sehr überzeugend.

»Au«, stöhnte ich, und sie küsste mich auf die Schulter, wo sie mich geschlagen hatte.

»Sehen wir den Dingen ins Auge, ich besitze keine natürliche Autorität.« Sie seufzte. »Ich bin inkonsequent, würdelos, und ich sende widersprüchliche Signale aus. Ich gäbe eine lausige Mutter ab.« Sie machte Scherze, wie immer, aber ich konnte erkennen, wie elend sie sich fühlte.

So elend, dass ich begann, ihr von meinem Selbstbildnis zu erzählen, um sie davon zu erlösen. Und während ich stockend berichtete, erinnerte ich mich wieder, was ich beim Malen empfunden hatte. Aber jetzt spürte ich es nicht. Ich hatte kein Verlangen zu malen. Ich überlegte, es trotzdem zu versuchen, um Liz einen Gefallen zu tun, und ich erinnerte mich an Michaels Bemerkung, dass die Inspiration bei der Arbeit kommt, und nicht vorher. Liz unterbrach mich immer wieder mit Fragen, klugen Fragen, wie, zum Beispiel, danach, wie ich meine Farben für ein bestimmtes Objekt oder Element des Bildes mischte und wo der Schwerpunkt des Bildaufbaus lag.

»Ich weiß, was du machst«, sagte ich irgendwann.

»Nun, Scheiße, kleines Mädchen, das will ich auch hoffen.«

»Du wendest psychologische Tricks an.«

»Ich versuche es.«

Sie klang sehr müde, und ich fühlte mich schrecklich. Sie hatte eine zwei Monate dauernde Werbekampagne für ihr Buch hinter sich, und nur ein oder zwei Wochen später war sie hier in Cambridge und versuchte, meinen Arsch zu retten.

»Ich denke nach«, sagte ich zu Liz. Sie fragte nicht weiter.

Schließlich stand ich einfach auf, holte meine Malkleidung und zog sie an. Ich baute die andere Staffelei auf – ich konnte Devis unvollendetes Porträt nicht von der alten herunternehmen, ich hätte das Gefühl gehabt, als gäbe ich es damit auf. Ich nahm an, dass ich zumindest einfach so malen konnte, um Liz ein wenig zu trösten, und es war gleichgültig, ob etwas dabei herauskam. *Der Prozess, nicht das Ergebnis.*

Aretha sang »*Natural Woman*«, als ich begann, die Farben zu mischen, und der Geruch der Ölfarben brachte mich zum Weinen. Geruch besitzt meiner Ansicht nach die größte Reizwirkung auf das Gedächtnis, und das, was ich beim Mischen der Farben empfand, war eine Art Heimweh nach der Frau, die ich einst gewesen war. Ich machte fluchend und heulend weiter, wischte mir mit dem Ärmel den Rotz ab. Die Schluchzer verklangen zu einem inneren Murmeln: Dieses Bild musste in vollkommen anderen Schattierungen gemalt werden als die anderen. Beim Anblick des fahlen Morgenlichts wurde mir klar, dass es nach genau diesen Farbtönen verlangte. Liz setzte sich neben mich auf einen Küchenstuhl und sah mir zu. Seit meinen Malkursen an der Universität hatte mir außer Devi nie jemand beim Malen zugesehen.

Das letzte Bild zeigt wieder das Schlafzimmer, diesmal ist es nahezu leer, die Fenster sind nackt, ohne Vorhänge. Draußen zeichnet sich an einem mondlosen Himmel die Morgendämmerung ab. Die rote Decke auf dem Fußboden wirkt merklich dunkler, aber das mag eine durch den geringen Lichteinfall bedingte, optische Täuschung sein. Auf der zerknitterten roten Decke scheint sich der Abdruck eines liegenden Körpers abzuzeichnen, und daneben liegt der rote Kimono, als hätte ihn jemand – von Leidenschaft, Zorn oder Verzweiflung ergriffen – achtlos abgestreift. Diese beiden Elemente sind die farbigsten des Bildes, sie bilden das Zentrum des Bildaufbaus, obwohl sie wesentlich weniger Platz einzunehmen scheinen als auf den anderen Bildern des Zyklus. Vielleicht liegt das aber auch an der Abwesenheit einer menschlichen Gestalt, dass sie so reduziert wirken. In dieser leeren Szenerie wird deutlich, dass das »rote« Zimmer immer in einem fahlen, stumpfen Beige gestrichen war. Der Raum wirkt ruhig und kühl im Morgenlicht. Auf dem Boden vor den Fenstern liegt eine rote Glasscherbe; die ersten Sonnenstrahlen fallen darauf, und sie glüht in verwirrender Brillanz; das Rot beißt sich mit den gedämpften Tönen, die das übrige Bild beherrschen.

Als ich schließlich eine Pause machte, war das Bild beinah zur Hälfte fertig, und die Mittagsonne strömte durch meine Fenster. Ich drehte mich zu Liz und sagte: »Ich muss eine Pause machen, Euer Heiligkeit.« Ich reinigte meine Hände mit Terpentin und griff nach den benutzten Pinseln, aber in diesem Augenblick umarmte mich Liz und führte mich dann ins Badezimmer, wo sie mir befahl, eine Dusche zu nehmen.

»Dieses Mal mache ich sauber«, erklärte sie. »Weil du ein braves Hündchen warst. Aber nur das eine Mal, meine Liebe.«

Also duschte ich, ließ das heiße Wasser lange Zeit auf mich herabprasseln und wusch mir sogar die Haare – was ich seit mindestens einer Woche nicht getan hatte. Ich fühlte mich beinah lebendig.

Während der nächsten Tage tat ich nichts anderes, als zu malen oder mit Liz zu reden. Sie rief im Geschäft an und ließ die Bilderrahmen liefern, damit wir die Gemälde selbst rahmen konnten. Wendy könnte es später ordentlich machen, meinte Liz.

Liz nahm sämtliche Anrufe entgegen und kümmerte sich darum, nur nicht die meiner Mutter. Sie meinte, das müsste ich selbst tun. Wie sich herausstellte, meldeten sich gelegentlich immer noch Reporter.

Irgendwann hörte ich ein Gespräch zwischen Liz und Jane Coleman mit, die sich erkundigte, ob ich in der Lage sein würde, meinen Vortrag zu halten.

»Sie haben Recht, Jane, es wäre einfach zu schade«, hörte ich Liz sagen. »Aber unser Mädchen wird nicht vom Zipperlein geplagt. O nein, das ist auch kein Problem –

ich habe mich darum gekümmert. Ich habe einen Transporter bestellt, er wird die Bilder rechtzeitig zur Ausstellung bringen.« Das hatte ich gar nicht gewusst.

Später am gleichen Abend rief sie zu meinem Erstaunen Michael an. Ich verließ das Zimmer, während sie mit ihm sprach. Ich vermisste ihn einfach zu sehr und war fast eifersüchtig, dass Liz ihn einfach so anrufen und mit ihm plaudern konnte. Beinah. Nicht wirklich. Ich würde nie wieder auf irgendjemanden oder irgendetwas eifersüchtig sein.

Montagabend war das neue Bild fertig, und ich führte die letzten Pinselstriche an Devis Porträt aus, wobei ich mich zwang, nicht zu weinen, während ich ihre wundervolle Haut glättete und polierte. Einmal wandte ich mich um und sah, wie Liz sich mit dem Saum ihres schwarzen T-Shirts die Tränen aus den Augen wischte. Ich drehte mich rasch um, damit sie nicht merkte, dass ich sie beobachtet hatte.

»Du hättest sie bestimmt gemocht«, sagte ich, während ich mit einem feinen Pinsel weiterarbeitete.

»Ja, bestimmt«, sagte sie. »Möchtest du ein paar Chips?«

Am Dienstagnachmittag war der Zyklus vollendet, und ich begann, nervös zu werden. Was, wenn Reporter in die Ausstellung kamen und Fotos schossen? Devi hätte nicht gewollt, dass die Bilder von ihr in den Zeitungen erschienen. Ich konnte es einfach nicht tun.

»Ich kann es nicht«, sagte ich Liz.

»Was kannst du nicht?«

»Die Bilder ausstellen. Zumindest nicht die Bilder von Devi.«

»Mein Gott«, sagte sie, »sie bilden das Kernstück, sogar ich weiß das. Ohne sie ist der gesamte Zyklus unvollständig.«

»Nun, ich kann es nicht. Und damit hat sich's.«

Liz ging zum Telefon und rief Jane Coleman an. Ich hörte, wie sie Jane erklärte, worum es ging. »Absolut niemand außer dem Personal oder den Stipendiatinnen darf herein«, sagte sie. Ich stellte mir vor, wie Jane Liz daran erinnerte, dass immer Besucher von außerhalb zugelassen waren. Das war eine alte Larkin-Tradition.

»Nun«, sagte Liz, »dieses Mal läuft es anders. Sie können alle kommen und Norries Vortrag über den Zyklus hören. Währenddessen können sie ein oder zwei der Bilder besichtigen. Aber in der Ausstellung selbst werden nur Angehörige des Larkin zugelassen, oder Norrie stellt nicht aus ... ich weiß, aber mehr können wir unter diesen Umständen nicht machen.« Ein Schweigen folgte, und dann sagte Liz: »Nun, zum einen ist sie nackt, äh, ja, nackt. Okay. Nein, ich glaube nicht, dass sie hinterher mit zum Essen geht.« Sie legte auf und wandte sich mir zu. »Sag einfach nackt, und diese Neu-England-Weiber geben im Handumdrehen nach.«

»Was ist ein Handumdrehen?«, fragte ich. Ich hatte mich das immer gefragt, vergaß aber ständig, es nachzuschlagen. Liz antwortete nicht. Vielleicht wusste sie es auch nicht. Stattdessen stand sie auf und klatschte in die Hände.

»Okay«, sagte sie. »Das ist erledigt. Nun lass uns mal überlegen, was du morgen anziehen wirst.«

»Das war noch nicht alles«, sagte ich. »Es ist mir gerade

erst aufgefallen. Die Bilder dürfen nicht aufgehängt werden, wir können sie nur hinstellen, damit ich sie sofort wieder mitnehmen kann.«

»Soll ich noch mal bei Jane anrufen und fragen, ob das ein großes Problem wäre?«, fragte Liz und antwortete dann selbst: »Nein, damit wird sie schon fertig. Eigentlich ist es sogar ganz spannend, sie so zu präsentieren. Sie wollte, dass wir morgen früh hinübergehen und den Angestellten der Galerie sagen, wie sie die Bilder hängen sollen, aber ich rufe sie einfach an, wenn es zu spät ist, um Nein zu sagen.«

Wir begaben uns zu meinem Schrank, und nachdem sie eine ganze Weile hineingestarrt hatte, erklärte Liz den Inhalt für jämmerlich. Sie hatte natürlich Recht. Nicht einmal bei Aperçu hatte ich mich schick angezogen. Die Larkies kleideten sich immer elegant, wenn sie ihre Vorträge hielten, und das einzig halbwegs angemessene Kleidungsstück war mein schwarzer Wickelrock. Seine Geschichte bedrückte mich sehr, aber Liz befahl mir, mich damit abzufinden. Sie entdeckte das schwarzsilberne T-Shirt aus Lycra mit den Dreiviertelärmeln, das ich in der Nacht getragen hatte, in der Michael und ich tanzen gegangen waren und den Embryo gezeugt hatten. »Das perfekte Outfit für einen Vortrag am Radcliffe«, meinte sie. Sie fand auch die Sandalen, die ich in jener Nacht getragen hatte. Sie ging zu der kleinen hölzernen Schmuckschatulle auf meiner Kommode und kramte den Ring heraus, den grünen Glasring. Ich hatte ihn abgelegt, nachdem Michael und ich uns getrennt hatten.

»Immerhin war es kein *Verlobungsring*«, sagte Liz. »Das ist dein *grüner Glasring*, um Himmels willen, was ist mit dir los?« Dann fand sie meine falschen Smaragdclips. »Du hast verfluchtes Glück, dass du so hübsch bist, denn du kümmerst dich einen Scheiß um dein Aussehen«, meinte sie, als sie mir mit ihrem eigenen teuren Shampoo die Haare in der Küchenspüle wusch. »Du bist die ungepflegteste Frau, die ich kenne«, fügte sie fröhlich hinzu. Für Liz waren Beleidigungen ein Ausdruck ihrer Zuneigung; wenn sie einen nicht mochte, tat sie so etwas nicht.

Am Mittwoch fuhren wir gemeinsam mit dem Taxi zum Larkin, der Transporter folgte uns. Ich machte mir den ganzen Weg über Sorgen um das neue Bild, das noch ziemlich feucht war.

»Entspann dich«, meinte Liz. »Sie wissen Bescheid. Und sie haben versprochen, es so hineinzustellen, dass nichts passieren kann.«

Es wurde halb drei, bis wir die Bilder richtig arrangiert hatten, und ich musste noch meinen Vortrag ausarbeiten. Normalerweise hielten die Malerinnen ihren Vortrag in der Galerie, aber unter diesen besonderen Umständen würde ich im Vorlesungssaal sprechen.

Liz, Jane und ich brachten drei der Bilder hinüber. Eines von mir (das, das Michael so beunruhigt hatte), das von Ida, auf dem sie nackt auf einem Stuhl sitzt und den roten Glaskrug wie einen kleinen Koffer auf dem Schoß hält, und das Bild des leeren Raums. Es war interessant, zu sehen, wie selbst diese drei eine kleine Geschichte erzählten, da sie alle im gleichen Raum spielten – zum

Beispiel vom Vergehen der Zeit. Natürlich hoffte ich, dass der gesamte Zyklus eine tiefere Bedeutung hatte.

Ich testete gerade das Mikrofon und begrüßte das Publikum, als Michael hereinkam. Ich holte so tief Luft, dass man es im ganzen Saal hören konnte. Ich versuchte, ihn nicht anzusehen, während ich begann, über den Ausdruck des Verlangens in Farbe, Form, Beschaffenheit und Bildaufbau zu reden und über die Entwicklung der Emotionen im Fortgang des Zyklus; wie die zwei Akte sich in Bezug auf die Rolle, die das Verlangen im Leben der Frauen spielte, unterschieden, wie ich den roten Glaskrug als Symbol des Verlangens eingesetzt hatte, weshalb er auf jedem der Bilder bis auf das letzte, in dem nur eine Scherbe geblieben ist, zu sehen war.

Nach dem Vortrag folgte die übliche Frage-und-Antwort-Runde. Ein heikler Augenblick ergab sich, als ein Reporter mich nach dem Mord an Devi fragte. Jane erhob sich und forderte ihn auf zu gehen, aber er setzte sich einfach wieder hin und schwieg. Als ich alle Fragen beantwortet hatte, blieben die Larkies da, wie man es ihnen vor dem öffentlichen Vortrag gesagt hatte.

Michael kam auf mich zu, um mit mir zu reden, und ich forderte ihn auf: »Warte, geh noch nicht, ich bitte Jane, dich in die Ausstellung zu lassen.« Sein Gesicht – ich kann seinen Gesichtsausdruck, als ich das zu ihm sagte, nicht beschreiben. Ich vermute, er war froh, dass ich meine Arbeit mit ihm teilen wollte, nachdem ich mich in den letzten Wochen so rar gemacht hatte. Und das wollte ich selbstverständlich auch, aber ich hatte noch einen anderen Grund, warum ich mir wünschte, dass er die

Bilder sah. Er sollte die Macht dieses aufgestauten Verlangens erkennen. Ich wollte, dass er begriff, was er uns
genommen hatte, als er mich verließ.

In der Galerie schaute ich ihn nicht an. Ich blieb im Eingang stehen und wich allen Blicken aus. Ich hatte die Bilder schon vorher nebeneinander gesehen, und es hatte
mich wie ein Schlag getroffen. Als er wieder herauskam,
mied er zunächst meinen Blick, und da ich ohnehin
nervös war, ging ich zur Toilette, wo ich hinter der Tür
stehen blieb und all meinen Mut zusammensammelte.
Als ich herauskam, erwartete Michael mich.

»Es ist das Beste, was du jemals gemalt hast«, sagte er.
»Und der Anblick bringt mich um.«

»Ich glaube nicht, dass ich darüber reden möchte«, erwiderte ich, aber ich lächelte ihn an.

Er nahm meinen Arm, vor aller Augen, und seine Berührung traf mich wie ein Stromschlag, mein ganzer
Körper war wie elektrisiert. Er führte mich zurück zum
Eingang der Galerie, damit die Larkies mit mir über die
Bilder sprechen konnten. Aber ich erinnere mich an keine einzige Bemerkung über meine Arbeit, weil ich selbst
nicht über die Bedeutung nachdenken konnte. Immerhin quälten sie Michael; was konnte ich mehr verlangen?
Die Galerie wurde hinter uns abgeschlossen, der Transporter würde die Bilder abends, wenn die Reporter weg
waren, abholen. Mimi sollte ihnen aufschließen. Liz und
ich mussten an meiner Wohnung auf den Transporter
warten, deshalb konnten wir nicht lange bleiben, aber
als Michael vorschlug, noch etwas zu trinken, nickte ich.
Wir gingen in die kleine Bar hinter dem Sheraton, und

nach zehn oder fünfzehn Minuten zog Liz sich rücksichtsvoll auf die Damentoilette zurück.

Sobald wir allein waren, legte Michael seine Hand auf meine, und ich registrierte, dass seine Hand meine vollständig verbarg, als würde sie sie vor einer Gefahr beschützen. Ich erinnerte mich daran, wie es war, sich bei einem Mann in Sicherheit zu wissen – oder es zu glauben. Wir saßen stumm da, seit langer Zeit wieder mit direktem Körperkontakt, und schließlich sagte er: »Ich weiß, was ich hatte, Norrie, und ich weiß, was ich verloren habe. Ich werde den Rest meines Lebens darüber nachdenken, wie es hätte sein können, wenn ich mit dir zusammengeblieben wäre.«

»Ich weiß«, sagte ich. »Mir geht es genauso. Aber du hast alles aufgegeben. Ich muss den Rest meines Lebens damit fertig werden, dass du mich verlassen hast.«

»Ich auch, Norrie, ich auch.«

In diesem Moment kehrte Liz an unseren Tisch zurück und verwickelte uns in eine lebhafte Diskussion über die neuesten Kinofilme, die wir fast alle gesehen hatten. Ich spürte Michaels Blick, aber plötzlich hatte ich Schwierigkeiten, ihn anzusehen. Es war zu traurig.

Liz und ich beschlossen, zu Fuß nach Hause zu gehen, es war ja nicht mehr gefährlich. Als wir aufbrachen, nahm Michael Liz kurz in den Arm. Liz ging hinaus, während Michael und ich uns verabschiedeten. Als er seine Arme um mich legte, schien die Welt aus den Fugen zu geraten. Ich hielt den Atem an.

»Es hört niemals auf«, sagte er. »All diese Sehnsucht. Was sollen wir bloß tun, Norrie?«

In bestimmten Augenblicken des Lebens erkennt man, dass man an einer ungeschützten Stelle steht, verwurzelt in dem Teil der Erde, der das gesamte Leben im Gleichgewicht hält. Was man in diesem Moment tut, wie man sich entscheidet, bestimmt alles, was folgt. Ganz einfach, es ist einem selbst überlassen.

»Ich denke, wir müssen deine Entscheidung respektieren«, sagte ich. Ich konnte den vertrauten Duft seiner Haut durch sein dünnes weißes Leinenhemd riechen, konnte seine Hitze spüren. »Aber ich kann nicht mehr lange so nah bei dir stehen bleiben, oder ich kann für nichts garantieren.« Ich löste mich sanft aus seiner Umarmung, obwohl es mir so vorkam, als würde ich meine Heimat verlassen. Als ich einen Moment das Gleichgewicht verlor, nahm Michael meinen Ellenbogen. Seine Stimme klang belegt.

»Norrie, ich liebe dich. Ich habe noch nie eine Frau so geliebt wie dich.«

»Das ist komisch«, sagte ich. »Ich habe auch noch keinen anderen Mann so geliebt wie dich.«

»O Gott«, sagte er kopfschüttelnd und starrte ins Leere. »Ich fühle mich, als hätte ich meine Seele verkauft.«

»Indem du mich liebst?«

»Nein, du Idiotin« – er seufzte und schloss mich wieder in die Arme – »ich meine, indem ich dich *verlassen* habe ... *uns* verlassen habe.« Er sah mir ins Gesicht und fuhr mit seinen Knöcheln zärtlich über meine Wange. Ich zitterte. »Wird es immer so bleiben?«, fragte er. »Werde ich dich für den Rest meines Lebens vermissen?«

»Ich hoffe«, sagte ich. »Das ist das Mindeste, was du tun kannst.« Ich küsste ihn rasch auf den Mund und ging zu Liz, wobei ich zuließ, dass mir eine Brise die Haare in die Augen trieb, damit man sie nicht sehen konnte. Ich hörte ihn leise etwas rufen, aber es verklang im Wind.

Liz und ich liefen die Garden Street in Richtung Harvard Square entlang. Michaels kleiner VW knallte, als er an uns vorüberfuhr, und Michael winkte. An einer roten Ampel einen Block weiter kam er knatternd zum Stehen.

»Kann denn kein Erfolg der Welt den Mann dazu bringen, sich ein neues Auto zu kaufen?«, meinte Liz lachend.

»Der Erfolg ändert ihn nicht«, sagte ich. »Er ist eben einfach … Michael.« Ich sah, wie er anfuhr, als die Ampel auf Grün sprang, und um die Ecke verschwand.

Liz wollte mich am nächsten Tag verlassen. Aber vorher tat sie noch etwas verdammt Nerviges. Sie rief meine Mutter an und sagte ihr, ich wäre deprimiert und dürfte nicht allein bleiben. Ich konnte nicht fassen, dass sie mir das antat. Und die verrückte Idee, die sie und meine Mutter ausgebrütet hatten, war ebenfalls unglaublich. Ich widersprach nicht etwa, ich weigerte mich einfach.

»Ein Mal in deinem sturen Dasein könntest du tun, was ich dir sage«, schimpfte Liz.

»Zum Teufel damit!«

»Packe! Vorher reise ich nicht ab.«

Ich packte, aber nur, um sie loszuwerden.

»Du bist der einzige Mensch, den ich kenne, dessen gesamte Garderobe in eine Reisetasche passt«, sagte sie sarkastisch. Ich antwortete nicht. Sollte sie sich wichtig vorkommen. Ich würde auf keinen Fall fahren.

Aus irgendeinem Grund befand ich mich drei Tage später trotzdem in einem Flugzeug vom Logan Airport nach Los Angeles. Zur Hölle damit, dachte ich. Was habe ich zu verlieren?

Ein paar Stunden später bezauberte mich der Anblick des blau schimmernden Pazifiks unter uns. Man kann über den Old Man River Liedchen singen, bis man blau anläuft, aber nichts kommt den tiefblauen Wellen des Pazifiks gleich, dem endlosen Rhythmus des Salzwassers, diesen Schaumkronen auf der Brandung, die auf dem Ufer auslief.

Ich trat mit meiner Reisetasche in den Sonnenschein hinaus. Ich befand mich wieder im Land meiner Kindheit.

Ich fuhr vier Mal am Haus meiner Mutter vorbei, bevor ich mich überwinden konnte, anzuhalten. Schließlich parkte ich vor dem kleinen Bungalow, in dem ich aufgewachsen war. Ich saß da und starrte ihn an. Ich sah ihn zum ersten Mal seit zwei oder drei Jahren wieder, und ich würde das erste Mal seit zehn Jahren wieder darin wohnen. Die Darmprobleme, die sich unweigerlich einstellten, wann immer ich meine Mutter besuchte, kündigten sich in Form starker Bauchschmerzen und dem unwiderstehlichen Bedürfnis zu furzen an. Ich sah auf die Uhr. Noch eine Dreiviertelstunde, bevor die durch meine Mutter provozierten Kopfschmerzen einsetzten. Man konnte die Uhr danach stellen.

Die Zwillingsherzen aus Holz mit der Hausnummer existierten noch. Ich hatte sie in der neunten Klasse im Werkunterricht gemacht – ein Unterricht, gegen den meine Mutter heftig protestierte, weil sie ihn für nicht »damenhaft« hielt. Hinterher hatte sie begonnen, mir gerüschte Kleidchen zu kaufen und mich ständig über das auszufragen, was sie meine »Identitätsprobleme« nannte. Sie begriff nicht, dass ich diesen Unterricht aus zwei Gründen besucht hatte: Ich wollte mit den Händen arbeiten, und ich wollte Jungs kennen lernen. Aber zweifellos wäre ich besser gefahren, wenn ich den lesbischen Weg eingeschlagen hätte, den meine Mutter so fürchtete, dachte ich. Abgesehen von meiner Mutter, hatten Frauen mich immer besser verstanden und waren mir treu geblieben.

Aber Gott helfe mir, ich liebte Männer. Ich liebte Michael.

Ich ging mit zittrigen Beinen den schmalen, zementierten Pfad zum Haus hoch, und Tränen schossen mir in die Augen, ohne dass ich wusste, warum. Es war einer dieser perfekten südkalifornischen Tage, von denen ich immer behauptete, sie hätten keine »wahrnehmbare Temperatur«.

Fünf, vier, drei, zwei, eins, Bumm. Als ich das Ende des Wegs erreichte und meinen Fuß auf die unterste Stufe setzte, öffnete sich die Tür, und sie trat auf die Veranda. Es läuft wie ein Uhrwerk, ich schwöre. Ich habe es nie geschafft, das Haus zu erreichen, bevor sie herauskam – ich schaffte es nicht einmal bis auf die Veranda.

Ich bückte mich, um sie zu umarmen, roch die Seife, nach der vermutlich alle Mütter riechen. Sie war noch kleiner als früher, und ihre Haare, die immer brünett gewesen waren, waren nun in einem weichen Blond getönt. Aber ihre großen irischen blauen Augen waren geblieben, ebenso wie ihr Lächeln. Ich würde es lieber nicht erwähnen, aber im Interesse der Genauigkeit muss es sein: Als wir uns voneinander lösten und zur Tür wandten, brach ich in Tränen aus und musste von einer kleinen verrückten Irin, die mir kaum bis an die Knie reichte, gestützt werden. Es war demütigend.

»Ich mache dir schnell einen Kakao«, sagte sie. *Kakao*. Ich begann zu lachen. Ich lachte und schluchzte so heftig, dass ich den Po zusammenkneifen musste, um nicht im Haus meiner Mutter einen fahren zu lassen. »Du bist hysterisch«, sagte sie herzlich.

Die nächsten zehn Tage schlief ich in dem sonnengelben Schlafzimmer, das ich in meiner Kindheit bewohnt hatte, als ich noch einen Vater und meine Mutter noch einen Ehemann gehabt hatte, lange bevor die Furcht vor dem Verlust sie zu dem Entschluss trieb, ihre Welt klein und übersichtlich zu gestalten, keinen neuen Mann hineinzulassen, und lange bevor die gleiche Furcht mich dazu brachte, mein Leben lang umherzuziehen, mich nie so zu verlieben, dass der Verlust mir wehtat, bis ich Michael Sullivan kennen lernte.

Während dieser Tage und Nächte mit meiner Mutter aß ich mehr Hackbraten, Schmorgerichte und Schweinebraten als irgendein Pseudovegetarier zuvor. Ich machte mein Bett. Ich brachte den Müll hinaus. Ich deckte den

Tisch für das Abendessen, während meine Mutter am Herd stand, in einem Topf rührte und Dan Rather in dem kleinen Fernseher auf dem Küchentresen zulächelte, einen Ausdruck himmlischer Ruhe im Gesicht. Ich kauerte stoisch auf dem Beifahrersitz ihres alten Buick, während Mutter jedes Mal auf die Bremsen stieg, wenn zwei Blocks vor ihr ein Wagen anhielt. Ich aß wie ein Scheunendrescher, schlief wie eine Tote und ließ meine Mutter achtzig Mal am Tag die Haare aus meiner Stirn streichen, ohne die Augen zu verdrehen. Kurz gesagt, ich war die Tochter, die ich niemals gewesen war. Sie war, kurz gesagt, die Mutter, die sie immer gewesen war. Es war kein Strandspaziergang, so viel steht fest.

Irgendwie fand ich in dem kleinen Haus, zusammen mit meiner Mutter, zu mir selbst zurück. Ich erinnerte mich daran, was Blutsverwandtschaft bedeutete und was es hieß, zu jemandem zu gehören. Nur zu einem einzigen Menschen auf der Welt. Ein Zweier-Clan.

Damit will ich nicht sagen, dass es immer angenehm war. Aber ich stellte fest, dass wir zwei uns in vielen Dingen ähnlich waren, obwohl ich es immer vorgezogen hatte, mich als die Tochter meines Vaters zu betrachten. Mutter und ich genossen beide unsere Unabhängigkeit, wir lasen gern, wir bewahrten beide Schokolade im Schlafzimmer auf, um uns gelegentlich ein oder zwei Stückchen zu genehmigen. Ich fragte mich, ob meine Mutter jemals so viel Gefallen an Sex gefunden hatte wie ich, aber das war eine Frage, die ich ihr nicht stellen wollte.

Häufig lag ich nachts wach in meinem alten Stockbett

und versuchte, mich in die Zeit zurückzuversetzen, als mein Vater noch nebenan neben meiner Mutter geschlafen hatte, aber alles, woran ich mich erinnern konnte, waren die Nächte nach seinem Tod, in denen ich erwachte, weil meine kleine Mutter wie ein Gespenst im Türrahmen stand und fürchtete, einen Einbrecher gehört zu haben.

In einem Spielfilm wäre ich zusammengebrochen und hätte meiner Mutter alles erzählt, was ich ihr über die Jahre verschwiegen hatte. Zum Teufel damit, sagte ich. Wir sprachen während meines Aufenthalts kein einziges Mal über Männer, Liebe oder Sex, bis auf eine geheimnisvolle, aber erstaunliche Enthüllung, die sie eines Abends machte, während sie sich über einen Kissenbezug beugte, den sie als Geschenk für einen Freund mit dem Spruch DIE GOLDENEN JAHRE STINKEN bestickte. »Weißt du, ich habe deinen Vater verstanden.«

»Was?«, fragte ich, voller Furcht vor dieser Bedrohung, die aus einer bis heute stummen Quelle stammte.

»Männer haben Bedürfnisse«, informierte mich meine Mutter, und plötzlich wusste ich, dass sie Betty meinte, die Frau, auf der mein Vater gestorben war. Meine Kehle zog sich zusammen, und sie fuhr fort. »Er wollte nicht, dass ich gegen meinen Glauben handelte.«

»Was?« Ich klang wie meine alte Sprechpuppe, aber mit nur einem Wort im Repertoire.

»Er war nicht katholisch, das weißt du ja. Als du ein Baby warst, wurde ich noch einmal … schwanger. Ich erlitt eine Fehlgeburt und wäre beinah verblutet.

Danach mussten wir aufhören. Verhütung wäre eine Sünde gewesen. Nun ja, zumindest für *mich*.« Sie beugte sich über das K und machte den letzten Kreuzstich, ließ ihre Worte wirken. Mein Gott. Sie schien sagen zu wollen, dass sie immer von der Untreue meines Vaters gewusst hatte und sie verstand, dass sie vielleicht sogar eine *Vereinbarung* getroffen hatten. Aber wie konnten sie das ertragen? Ich stellte mir die Nächte im Schlafzimmer meiner Eltern vor, wie sie einander in dem Ahornbett keusch in den Armen hielten, aber niemals … *Sex hatten*. Ich merkte, wie meine Mutter mich anschaute, um sich zu vergewissern, dass ich sie verstanden hatte. Während ich noch nach einer Antwort suchte, machte ihr Gesichtsausdruck deutlich, dass sie das Thema nicht zu diskutieren wünschte. »Wir führten eine gute Ehe«, sagte sie, erhob sich dann und legte ihre Handarbeit auf den Sessel. »Nun, ich gehe schlafen.« Und sie verließ das Zimmer.

Das Thema wurde nicht wieder angeschnitten. Ich erfuhr keine weiteren Geheimnisse über meinen verstorbenen Vater. Wir redeten nicht über »Intimitäten«, wie meine Mutter das nannte. Kurz gesagt, ich fand nicht zu meinen Wurzeln. Aber in diesen Nächten in dem Bett, das zu kurz für mich war, hatte ich Zeit zum Nachdenken – eine erstaunlich friedliche Zeit. Und mir wurde klar, wie viel Mut es meine Mutter gekostet hatte, in dem kleinen Haus zu bleiben, nachdem mein Vater gestorben war, in der Kirche einen Freundeskreis aufzubauen und wieder zu unterrichten, Jahr um Jahr als gespenstisch fröhliche Lehrerin Hauswirtschaft zu unterrichten, obwohl sie selbst niemanden hatte, für den sie sorgen konnte.

Und ich fand noch etwas heraus: Wann immer meine Mutter sich vor etwas Realem fürchtete – ein Geräusch in der Dunkelheit, Knoten in ihrer Brust, Einsamkeit –, entdeckte sie einen Ersatz, der in größerer und tröstlicher Entfernung zu ihr stand – Asteroiden, Tollwut, Botulismus, Kontinentaldrift –, und konnte auf diese Weise weitermachen. Ich will damit nicht sagen, dass meine Mutter besonders tapfer war, sie hatte einfach einen Weg gefunden, allein zu überleben und glücklich zu sein. Und das war es, dachte ich, warum ich in den letzten Wochen so häufig an meine Mutter gedacht hatte und schließlich zu ihr nach Santa Monica geflogen war. Weil ich wissen wollte, wie sie es gemacht hatte. Ich wollte wissen, wie man weitermacht, wenn man den einzigen Mann verloren hat, den man jemals liebte.

Und zehn Tage später bestieg ich mit einem Sack voll Antworten, die mir ihr Beispiel gab, das Flugzeug nach Boston, während meine kleine Mutter mir mit Tränen in den Augen und einem zittrigen, aufgesetzten Lächeln hinterherblickte. Sie war traurig, dass ich abreiste, sagte sie, und sehr froh, dass ich endlich nach Hause gekommen war. Dito.

»Du bist keine Fremde«, sang sie schwungvoll unter Tränen.

»Nie wieder«, rief ich zurück. Und flog nach Hause, nach Cambridge.

Ich schaute aus dem Fenster, während das Flugzeug auf der Startbahn an Geschwindigkeit gewann und schließlich abhob, dem Himmel entgegen.

Wie immer, wenn ich den Ruck des Abhebens spürte, dachte ich an dich. Aber dann reichten meine Gedanken über dich, über die irdische Liebe hinaus, und während ich durch die Lüfte flog, dachte ich nur eines: Ich werde mich auf den nächsten Schritt vorbereiten, das nächste Stadium, ich bewege mich auf etwas zu, dem wir alle entgegengehen – den ultimativen Moment, in dem wir körperlos, ohne Absicht oder Programm, hinauffahren, sprachlos, glühend.

Epilog

Jeder, der glaubt, dass das beste Werk eines Künstlers aus Not und Schmerz geboren wird, romantisiert den Stellenwert des Schmerzes im Schaffensprozess – es ist das alte Klischee vom »Hunger leidenden Künstler in der Dachkammer«. Ich glaube nicht, dass viele der wertbeständigen Kunstwerke so entstanden sind. In den Wochen und Monaten, die auf den Tod Idas und Devis und Claras Abreise folgten – und auf das Ende meiner Affäre mit Michael Sullivan –, hatte ich nicht die Kraft, zu malen, ausgenommen das kleine Aquarell für Devis Buchumschlag und das letzte Ölgemälde des leeren Zimmers für die Ausstellung im Larkin.

Ich bin zu der Überzeugung gelangt, dass die anrührendsten Kunstwerke vermutlich geordneten Lebensverhältnissen entsprungen sind und nicht aus gewaltsamen Emotionen geboren wurden und dass Gewalt der Arbeit selbst vorbehalten bleiben sollte, auch wenn Risiko und Gefahr wichtige Bestandteile jeder Art von Kunst sind. Ist das Leben des Künstlers zu risikoreich und gefahrvoll, zu schmerzerfüllt, kann daraus nur Kitsch und Chaos entstehen.

Vielleicht kann man etwas Ähnliches auch über menschliche Empfindungen und Gefühle sagen: Ein Überfluss an überwältigender Leidenschaft führt nur zu einer Art inflationärem Zustand, der unvermeidlich den Wert und Einfluss gemäßigter Gefühle und Ausdrucksweisen, die Selbstkontrolle, einschränkt. In einer solchen Umgebung wird die Sensation wichtiger als die Emotion.

Doch dieses Wissen ändert nichts, nicht wahr? Im normalen Leben ist es unmöglich, die Ereignisse zu kontrollieren, die Schmerz, Wut, Eifersucht oder Erniedrigung mit sich bringen. Und ein normaler Mensch kann nicht ständig sein Verlangen unterdrücken, ohne an Menschlichkeit einzubüßen. Wie also lautet die Antwort?

Ich kenne nur meine Antwort – dass nach der Leidenschaft oder dem Chaos Zeit vergehen muss, bis ein Erlebnis in der Kunst oder im Leben umgesetzt werden kann. Nur die Zeit verleiht einer Erfahrung den notwendigen Kontext und eine Bedeutung.

Mein *Hunger*-Zyklus, gemalt in tiefstem Schmerz und Chaos, wird für mich immer eine Bedeutung besitzen – er muss, weil er mich und mein Leben für immer veränderte. Aber ich halte ihn nicht für große Kunst. Für mich bedeutet er auch ein Versagen, weil ich nie weit genug über das Grundthema hinausgelangt bin, um einen Grad der Schrankenlosigkeit zu erlangen, der das Werk über *mich* hinausgehoben hätte. Selbst die Bilder von Devi und Ida handeln in einer gewissen Weise, die mir überhaupt nicht gefällt, von mir.

Die drei Porträts von mir im roten Zimmer verkaufte ich an einen Sammler und kaufte mit dem Geld einen gebrauchten Volvo. Irgendwie gefiel mir das – ich tauschte mein Abbild gegen einen Gebrauchtwagen. Die Bilder von Devi und Ida dagegen behielt ich, und ich stelle sie nicht aus, ich erlaube nicht einmal, dass sie fotografiert werden, es sei denn für seriöse Kunstzeitschriften. In meinem Esszimmer hängt das Bild von Ida mit dem Glaskrug auf dem Schoß, und in meinem Atelier befindet sich das von Devi, die den Kimono an sich drückt. Vielleicht ändere ich eines Tages meine Meinung und stelle die Gemälde von Ida aus, aber ich weiß nicht, ob ich die von Devi jemals zeigen werde. Auch wenn der Skandal schon lange her ist, hätte ich das Gefühl, sie der Grausamkeit und Sensationslust der gaffenden Menge auszuliefern. Ich weiß genau, dass ich ihre Porträts, ebenso wie die von Ida, niemals verkaufen werde.

Nach all dem, was geschehen war, hielt ich es in der Brattle Street nicht einen Tag länger aus als unbedingt nötig. Und obwohl mein Mietvertrag bis zum ersten September dauerte, nahm die Harvard-Hausverwaltung meine Kündigung wegen der »besonderen Umstände« ohne Entschädigungsforderung an.

Innerhalb von zwei Wochen nach meiner Rückkehr aus Santa Monica hatte ich mir mit dem Geld aus Idas Hinterlassenschaft den obersten Stock eines renovierten dreigeschossigen Gebäudes in einer ruhigen, baumgesäumten, mit Ziegeln gepflasterten Gasse in Cambridge gekauft. Die unteren zwei Stockwerke gehören einem Orthopäden im Ruhestand und seiner Frau, einer Professorin für russische Literatur. Sie leben im Erdgeschoss, und ihr Sohn, ein unscheinbarer Bibliothekar in den Vierzigern, dessen Körpergeruch einem auf zwei Meter Entfernung die Tränen in die Augen treibt, wohnt im ersten Stock. Es ist ein riesiges, sonnendurchflutetes, heiteres Haus – selbst mein Drittel ist sehr geräumig.

Ich bin froh, wieder ein richtiges Atelier zu besitzen – mit einem Oberlicht. Die Wohnung bietet ein großes Schlafzimmer mit Kamin und angrenzendem Bad, ein kleines, aber elegantes Esszimmer mit eingebauten Bücherregalen an einer der Wände, ein großzügiges Wohnzimmer mit einem Steinkamin und einen Balkon auf der Westseite. Es gibt eine kleine, aber gut ausgestattete Küche, die auf den Teil des Gartens hinausgeht, in dem ich Beete mit Blumen aller Farben, außer Rot, angelegt habe. Ich mag die Farbe Rot nicht mehr.

Ich könnte niemals wieder wie in Watertown im Erdgeschoss leben. Ich habe heute das Bedürfnis, hoch über dem Boden zu wohnen, wo ich mich sicherer und ungestörter fühle. Heute schließe ich auch immer die Vorder- und Hintertür ab, obwohl ich in Watertown nur selten daran gedacht habe, und ich ziehe abends die Fensterblenden herunter. Aber da ich mich im dritten Stock befinde, glaube ich, dass ich im Sommer nachts ruhig ein oder zwei Fenster offen lassen kann, ohne einen Eindringling fürchten zu müssen. Offensichtlich denke ich jetzt mehr über Sicherheit nach und werde das den Rest meines Lebens tun. Und ich bin mir ständig der Verwundbarkeit des menschlichen Körpers und der Vehemenz der Bedürfnisse anderer bewusst.

Da ich keine Miete zahlen musste, konnte ich die Anzahl der Arbeitsstunden bei Aperçu verringern. Nun arbeite ich nur noch an den Dienstag- und Donnerstagnachmittagen und beschränke mich auf die Umschlaggestaltung. Keine Grafiken mehr, keine Buchgestaltung. Das lässt mir Zeit zum Malen, und ich habe einen Zyklus von sieben riesigen, abstrakten Ölgemälden begonnen, vollkommen anders als alles, was ich zuvor gemalt habe. Ich finde diese Art zu malen kühler, weniger emotional. Es ist ein ähnlicher Unterschied wie zwischen Puccini und Brubeck. Ich kann nicht sagen, woher der neue Zyklus stammt oder worum es geht, aber ich will zeigen, dass die Anzahl der Chakren sieben ist, genau wie die der Todsünden. Ich staune immer wieder über die Wunder der Welt.

Ich besitze eine Katze namens *Kundalini*, was, wie Devi mir erzählte, das Abbild des Heiligen Geistes in allem Lebendigen war. Nicht, dass ich fromm geworden wäre, der Name erinnert mich nur daran, an die Gefühle anderer zu denken. Vielleicht hätte ich zu Clara freundlicher sein können. Vielleicht wären die Dinge dann nicht an einen Punkt gelangt, an dem wir sie dessen für fähig hielten, was wir ihr unterstellten, aber das werde ich niemals wissen. Die Frage bleibt.

Entgegen dem Klischee der allein lebenden Frau mit Katze und Vibrator ist mein Leben weder leer noch einsam. Ich habe ein paar enge Freunde, wie immer, und von Zeit zu Zeit nehme ich mir einen Liebhaber, aber niemals einen verheirateten, nie wieder. Weder bin ich zu meinen flüchtigen Affären der frühen Jahre zurückgekehrt, noch bin ich deshalb in Versuchung, obwohl ich keine Versprechungen machen kann. Ich gerate auch nicht in Panik, wenn ich niemanden habe, mit dem ich ins Bett gehen kann. Ich definiere meine neue Sexualität als »serielles Zölibat«.

Ich schätze, es ist keine Überraschung, dass ich vor Ende meines Larkin-Sommers eine Affäre mit Detective Burns anfing, dessen Vorname, wie sich herausstellte, Michael lautete. Ich wünschte, ich hätte das eher gewusst – ich glaube, dann hätte ich es gelassen –, aber in Wahrheit ließ ich ihn in mein Bett, ohne seinen Vornamen zu kennen oder auch nur zu merken, dass ich ihn nicht kannte. Für mich war er einfach Detective Burns. Tatsächlich rief ich auf dem Höhepunkt unserer ersten sexuellen Begegnung genau das – Detective Burns –, was dazu führte, dass er mir, noch in mir, seinen Vornamen enthüllte. Ein Ablauf der Ereignisse, der uns beide verwirrte. Alles in allem war es ein angenehmes, tröstliches Zwischenspiel, das mehrere Wochen andauerte, bis ich schließlich feststellte, dass ich Detective Burns benutzte, das Schweigen und die Leere zu überbrücken, mit der ich mich auseinander setzen musste, wenn ich irgendetwas aus den Ereignissen meines Larkin-Jahres lernen wollte. Und auch aus den zehn Tagen im Haus meiner Mutter.

Noch einige Zeit nach unserer Trennung fuhr Detective Burns spät nachts in einem Zivilfahrzeug meine Straße auf und ab, um mir eine »Extraportion Polizeischutz« angedeihen zu lassen. Ich erklärte ihm so freundlich wie möglich, dass die Linie zwischen einer »Extraportion Polizeischutz« und einem Stalker sehr schmal ist. Er gab zu, schlecht loslassen zu können. Schließlich bat er um seine Versetzung.

Ich spreche viel mit meiner Mutter. *Ich* rufe sie an.

Liz zieht nächsten Monat zurück nach Boston, wir werden uns also häufig sehen – halleluja! – und müssen kein Geld mehr bezahlen, um miteinander zu reden. Ich bin mit Georgi Brandt befreundet geblieben, obwohl sie nach Colorado zurückgegangen ist. Jetzt müssen wir für unsere Gespräche zahlen. Kürzlich sagte ich zu ihr, dass unsere Freundschaft meine Theorie über die Ähnlichkeit zwischen menschlichen Beziehungen und Bodenablagerungen beweist: Es besteht kein Bedarf an vernünftiger Planung oder gewöhnlichen wesentlichen Fähigkeiten, man muss nur ungefähr zueinander passen und sich im richtigen Moment begegnen.

Vor einiger Zeit erhielt ich einen Brief, in dem stand, dass das Radcliffe von Harvard übernommen wird und man dort ein Zentrum für Erwachsenenbildung einrichtet. Das Larkin wird auch Männern offen stehen, und ich weiß nicht, was ich davon halten soll. Die Seite in mir mit dem Anspruch auf Gleichberechtigung hält es für richtig, sich beiden Geschlechtern zu öffnen. Es kann die Institution nur stärken. Aber gleichzeitig kann ich nicht leugnen, dass es nach dem Mord an Devi ohne die Zuflucht einer reinen Frauengemeinde am Larkin, die uns in ihre schützende Umarmung zog, noch schwerer gewesen wäre, damit zurechtzukommen.

Was Clara angeht, so hörte ich lange Zeit nichts von ihr. Ich schrieb ihr einen Brief, in dem ich für meine Verdächtigungen und für das, was dies für ihr Leben bedeutet hatte, um Vergebung bat, aber die Worte schienen hohl und lächerlich unzureichend, und ich erwartete nicht, jemals wieder von ihr zu hören. Doch sie antwortete mir, um mir mitzuteilen, dass »ein anonymer Wohltäter« ihr »eine gewisse Summe Geld geschenkt hatte, um ihr Schreiben zu fördern«, und sie einen Teil des Geldes dazu verwandt hatte, nach Südkalifornien zu ziehen, wo sie von ihren Cousins unterstützt wird, die vor Jahren von Chile nach San Diego ausgewandert waren und heute amerikanische Staatsbürger sind. Sie arbeitet an einem Roman, sagt sie, über die Freundschaft zwischen Frauen und bereitet sich gleichzeitig auf ihre Promotion in vergleichender Literaturwissenschaft vor und lernt viele kalifornische Schriftsteller kennen.

»Neulich traf ich die Dichterin Carolyn Forché, die aus Washington DC hierher gekommen ist, um ein Semester an der UCSD zu unterrichten«, schrieb sie. »Ich war überwältigt von ihrer Schönheit und Intelligenz. Sie hat vor einiger Zeit ein sehr gutes Buch über El Salvador geschrieben«, fuhr Clara fort, »deshalb hoffe ich, sie überreden zu können, Gedichte über Chile aus feministischer Perspektive zu schreiben. Ich bin sicher, dass sie es tun wird. Warum auch nicht? Ich weiß, dass ihr Erscheinen in meinem Leben einem Ziel dient.«

Letzten Monat kauften Michael und Brenda eine Wohnung in New York, wo sie für Morgan Stanley Dean Witter arbeitet. Michaels Honorare für *This Cold Heaven* gestatteten es ihm, mit dem Unterrichten aufzuhören und nur noch zu schreiben. Er hat mit der Arbeit an seinem zweiten Roman begonnen, der, wie er mir sagte, von Ehebruch und Verlangen handelt. Ich frage mich, was Brenda davon hält. Vielleicht weiß sie es aber auch noch gar nicht – sie sprechen nicht viel über ihre Arbeit. Bridget besucht eine Privatschule, und Finn ist mit Xavier in eine winzige Wohnung in Chelsea gezogen. So sind sie alle dort vereint, die Familie Sullivan.

Ich will nicht behaupten, dass ich mich nie nach Michael sehne, noch dass er einen Irrtum beging, weil er bei seiner Frau blieb. Woher soll ich wissen, was wahr ist? Glaube ich noch immer, dass wir beide zusammen ein wundervolles Leben geführt – und vielleicht ein paar wundervolle Babys gezeugt hätten? Ganz sicher. Ich weiß, dass wir glücklich geworden wären, wenn wir nur den Anfang gefunden hätten. Aber genauso weiß ich, dass das jetzt der Vergangenheit angehört – selbst die Vorstellung davon ist Vergangenheit. Ich warte nicht auf ihn – ich ziehe nicht einmal die Möglichkeit in Betracht.

Jeder, der mich kennt, würde sagen, dass ich darüber hinweg bin, und das stimmt. Aber es scheint mir, dass die Liebe, ähnlich der katholischen Vorstellung von der Taufe, ein unsichtbares Zeichen auf der Seele hinterlässt. Einen Abdruck, der mich jeden Tag daran erinnert, was wir an einander hatten.

Michael und ich treffen uns selten und nur als Freunde. Wenn wir uns sehen, ist es immer eine Art Schock, wenn wir uns das erste Mal in die Augen blicken – ein Schock, weil die alte Intensität weiterhin besteht. Wir achten darauf, uns nie allein an einem Ort zu treffen, wo wir diesem Verlangen nachgeben könnten, weil wir wissen, wie schnell es aufflammt und die ganze Welt auf den Kopf stellt. Aber wir telefonieren häufig, und es scheint, als brauchten wir die Anwesenheit des anderen in unseren Leben. Manchmal frage ich mich, wie es dazu kommen konnte und welche Bedeutung dies hat oder hatte – diese Leidenschaft, die dem Herz und dem Verstand entspringt und sich zu sterben weigert, selbst wenn man ihr die Nahrung sexueller Freuden verweigert.

Devi fehlt mir. Ich bin sicher, das wird immer so bleiben. Ich frage mich, was sie aus ihrer großen Begabung gemacht, was sie der Welt noch zu geben gehabt, was sie getan hätte.

Ich gehe häufig an dem alten Gebäude in der Brattle Street vorbei, ein Ort, den ich immer als die Heimstatt des Mordes und eines anderen Todes betrachte, der, anders als der Tod Devis oder Idas, eintrat, bevor das Leben, lange hinausgezögert, sich behaupten konnte.

Selbst nach so langer Zeit kann ich noch immer die schwachen Spuren ihres Blutes auf einer rauen Stelle des Betons nahe dem Rinnstein erkennen, wo sich der Fleck hartnäckig behauptet, verblasst, bläulich wie ein Schatten. Niemand würde ihn erkennen, ohne darauf aufmerksam gemacht zu werden, aber es schmerzte mich, es tat mir weh, die Menschen über dieses Blut treten zu sehen, das in Devis Adern fließen, durch ihr Herz pulsieren und nicht auf dem Bürgersteig unter den Schritten verblassen sollte.

Ich weiß, eines Tages werde ich an dieser Stelle der Brattle Street vorbeigehen, und die Überreste des Flecks werden verschwunden sein. Vielleicht spüre ich dann nicht mehr das Flüstern in meinen Gliedern, das mich jedes Mal überkommt, das Flüstern des Blutes. Dann werde ich, ohne stehen zu bleiben, daran vorübergehen und immer weiterlaufen.

Danksagung

Ich bin vielen Menschen für ihre Unterstützung und ihre Ratschläge, die sie mir während meiner Arbeit an *Blood* zuteil werden ließen, zu Dank verpflichtet – unter ihnen Angela Johnson, Susan Traxler Pompo und Eileen Traxler, die die ersten Entwürfe lasen und kommentierten. Ich danke Martha Rhea, der *Salina Arts and Humanity Commission* und *Horizons Fifty* für die technische und finanzielle Unterstützung und die lange und fruchtbare Zusammenarbeit. Viel schulde ich Robert Pinsky für seine Weisheit, seine Großzügigkeit und sein unbestechliches Auge. Ich danke Polly Rosenwaike, ehemals bei Brandt & Hochman, für die Entdeckung des Manuskripts in dem hohen Stapel und dessen Weiterleitung. Meiner Agentin Gail Hochman gilt mein niemals endender Dank für ihre Energie, Weitsicht, Beharrlichkeit und die überzeugenden Ergebnisse. Auch meinen Lektorinnen Melissa Jacobs und Kelley Ragland ein riesiges Dankeschön für verständnisvolles Lesen und außergewöhnliche Einfälle und für ihren Glauben an dieses Buch. Mein anhaltender Dank geht an Margot Livesey für ihre vergnüglichen Beobachtungen und Ratschläge und ihre außerordentlich großzügige Unterstützung. Ich danke Kim Cooper, die das gesamte

Manuskript in vier verschiedenen Versionen gelesen hat – mein ewiger Dank für ihre Freundschaft und Inspiration, ihren wachen Lektorenblick und ihren unbeirrbaren Glauben an dieses Buch, der mir half, meinen eigenen am Leben zu erhalten. Und schließlich an meinen Ehemann Patrick zu viele Dankeschön, um sie alle aufzuzählen – ich danke dir ganz einfach, danke dir unendlich.